SCHREEUW VOOR MIJ

Van Karen Rose verscheen eveneens bij Uitgeverij De Fontein:

Sterf voor mij

Karen ROSE

Schreeuw voor mij

De Fontein

Eerste druk mei 2009
Tweede druk juli 2009

Oorspronkelijke titel: *Scream For Me*
Oorspronkelijk verschenen bij: Grand Central Publishing
Deze vertaling is tot stand gekomen na overeenkomst met Grand Central Publishing, New York, New York, USA.
Vertaald uit het Engels door: Lia Belt
Omslagontwerp en Artwork: Studio Jan de Boer, Amsterdam

Zetwerk: Text & Image, Almere
ISBN 978 90 261 2526 3
NUR 332

www.uitgeverijdefontein.nl

Voor Martin, omdat de zon feller schijnt als jij bij me bent. Al helpt het natuurlijk dat we in zo'n zonnige staat wonen, maar je snapt wel wat ik bedoel. Ik hou van je.

Voor Kay en Marc. Jullie vriendschap is onbetaalbaar.

En voor mijn redacteur, Karen Kosztolnyik, en mijn agent, Robin Rue. Dank je wel.

Proloog

Gemeenteziekenhuis Mansfield, Dutton, Georgia
Dertien jaar geleden

Een belletje pingelde. Er was weer een lift aangekomen. Toen een sterk parfum in haar neus kriebelde, staarde Alex naar de vloer en wenste ze dat ze onzichtbaar kon worden.

'Violet Drummond, kom méé. We moeten nog bij twee patiënten langs. Waar blijf je nou? O...' Dat laatste werd uitgesproken op een ingehaalde ademteug.

Ga weg, dacht Alex.

'Is dat niet...' – het gefluister kwam van links van Alex vandaan – 'dat meisje van Tremaine dat het overleefde?'

Alex keek strak naar haar handen die in haar schoot lagen. Ze had ze tot vuisten gebald. *Ga weg.*

'Volgens mij wel,' antwoordde de eerste vrouw op gedempte toon. 'Goeie god, ze lijkt precies op haar zus. Er stond een foto van haar in de krant. Als twee druppels water.'

'Ja, het is ook een tweeling. Eeneiig, zelfs. Het wás een tweeling, bedoel ik. Arm kind.'

Alicia. Alex' voelde een zware druk op haar borstkas. Ze had het gevoel dat ze geen adem meer kon halen.

'Eeuwig zonde. Zo'n mooi meisje, dood in een greppel, zonder kleren. God mag weten wat die vent met haar heeft uitgevoerd voordat hij haar vermoordde.'

'Smerige zwerver. Ik hoop dat ze hem de doodstraf geven. Ik heb gehoord dat hij... je wéét wel.'

Geschreeuw. Geschreeuw. Duizend stemmen schreeuwden in haar hoofd. *Sla je handen over je oren. Laat ze ophouden.* Maar Alex' handen bleven gebald op haar schoot liggen. *Doe de deur dicht. De deur dicht.*

De deur in haar geest sloeg dicht en het geschreeuw verstomde abrupt. Het was weer stil. Alex haalde diep adem. Haar hart ging tekeer.

'Nou, dié daar in de rolstoel heeft geprobeerd zelfmoord te plegen toen ze haar moeder dood op de grond had gevonden. Ze heeft alle pillen geslikt die dokter Fabares haar moeder had voorgeschreven... voor de zenuwen. Gelukkig vond haar tante haar nog op tijd. Dat meisje, bedoel ik natuurlijk, niet de moeder.'

'Nee, dat snap ik. Je staat niet meer op als je jezelf door het hoofd hebt geschoten.'

Alex grimaste toen de knal van dat ene schot door haar geest weerkaatste, steeds opnieuw en opnieuw en opnieuw. En het bloed. *Zo veel bloed. Mama. Ik haat je ik haat je ik wou dat je dood was.*

Alex sloot haar ogen. Ze probeerde het geschreeuw te laten ophouden, maar het wílde niet ophouden. *Ik haat je ik haat je ik wou dat je dood was.*

Doe de deur dicht.

'Waar komt zij vandaan, die tante?'

'Delia van de bank zegt dat ze verpleegster is in Ohio. Zij en de moeder van dat meisje waren zussen. Delia zegt dat toen die tante naar de balie kwam lopen, ze bijna een rolberoerte kreeg. Ze zei dat die tante sprekend op Kathy leek.'

'Nou, ik heb gehoord dat Kathy Tremaine het wapen heeft gebruikt van de man met wie ze samenwoonde. Fijn voorbeeld was dat voor die dochters van haar, hokken met een kerel, en op haar leeftijd nog wel.'

De paniek begon op te komen. *Doe de deur dicht.*

'Die van haar én die van hem. Hij heeft ook een dochter. Ze heet Bailey.'

'Het waren wilde meiden, alle drie. Zoiets als dit móést gewoon een keer gebeuren.'

'Wanda, alsjeblieft. Dat meisje kan er niks aan doen dat een of andere dakloze haar heeft verkracht en vermoord.'

Alex' adem stokte in haar keel. *Ga weg. Loop naar de hel. Allebei. Allemaal. Laat me met rust en laat me afmaken waar ik mee begonnen ben.*

Wanda snoof. 'Heb je wel gezien hoe die meisjes zich tegenwoordig kleden? Ze vragen er gewoon om dat een man ze meesleept en godweet-wat met ze doet. Ik ben alleen maar blij dat zij hier weggaat.'

'O ja? Neemt haar tante haar mee naar Ohio?'

'Dat zei Delia wel. Het lijkt me beter dat ze niet teruggaat naar dezelfde school. Mijn kleindochter zit daar ook op, bij die meisjes van Tremaine. Alexandra Tremaine zou een vreselijk slechte invloed zijn geweest.'

'Vreselijk,' beaamde Violet. 'O, kijk eens hoe laat het al is. We moeten nog bij Gracie en Estelle Johnson langs. Druk even op het knopje, Wanda. Ik heb mijn handen vol viooltjes.'

Het belletje pingelde en de twee oude vrouwen verdwenen. Alex kreeg de koude rillingen, van binnenuit tot helemaal aan haar huid. Kim wilde haar meenemen naar Ohio. Het kon Alex eigenlijk niet schelen. Ze was toch niet van plan in Ohio aan te komen. Ze wilde alleen maar afmaken waarmee ze was begonnen.

'Alex?' Voetstappen tikten op de tegels en ze rook een andere geur, schoon en zoet. 'Wat is er? Je trilt als een rietje. Meredith, wat is er gebeurd? Je zou op haar letten, maar je zit met je neus in een boek.'

Kim raakte haar voorhoofd aan en Alex schoof achteruit, zonder haar blik van haar handen af te wenden. *Raak me niet aan.* Ze wilde het grauwen, maar de woorden klonken alleen in haar eigen hoofd.

'Gaat het wel goed met haar, mam?' Dat vroeg Meredith. Alex had een vage herinnering aan haar nichtje, aan hoe ze eens met de barbies hadden gespeeld: een groot meisje van zeven dat met twee vijfjarige meisjes speelde.

Twee kleine meisjes. Alicia. Alex was niet langer een van twee. *Ik ben alleen.* De paniek zwol weer aan. *Doe toch in godsnaam die deur dicht.* Alex haalde adem. Richtte zich op de duisternis in haar geest. Stille duisternis.

'Ik denk het wel, Merry.' Kim knielde voor de stoel neer en legde haar hand onder Alex' kin, om haar te laten opkijken. Haar blik ontmoette die van Kim en schoot onmiddellijk weer weg. Zuchtend stond Kim op, en Alex ademde weer. 'Laten we haar maar naar buiten brengen. Pap rijdt de auto voor.' Het belletje pingelde weer, en Alex' stoel werd achteruit de lift in gereden.

'Ik vraag me af waardoor ze zo overstuur was. Ik was maar een paar minuutjes weg.'

'Ik denk dat het door die twee oude dames kwam. Volgens mij hadden ze het over Alicia en tante Kathy.'

'Wát? Meredith, waarom heb je er dan niks van gezegd?'

'Ik kon ze niet goed verstaan. Ik dacht dat Alex ze ook niet zou kunnen horen. Ze fluisterden nogal.'

'Ja, dat zal best. Stelletje ouwe bemoeials. Volgende keer moet je me meteen halen.'

De lift stopte en de rolstoel werd de gang in geduwd. 'Mam.' Merediths stem nam een waarschuwende klank aan. 'Daar is meneer Crighton. En hij heeft Bailey en Wade bij zich.'

'Ik hoopte dat hij eindelijk verstandig was geworden. Meredith, ren naar de auto en ga je vader halen. Laat hem de sheriff bellen, voor het geval meneer Crighton ons last bezorgt.'

'Oké. Mam, maak hem alsjeblieft niet kwaad.'

'Nee. Ga nu maar.'

De rolstoel kwam tot stilstand en Alex tuurde naar de handen in haar schoot. Haar eigen handen. Ze knipperde snel met haar ogen. Ze zagen er anders uit. Hadden ze er altijd zo uitgezien?

'Pap, ze neemt Alex mee. Dat mag niet! Je mag het niet laten gebeuren.' Bailey. Het klonk alsof ze huilde. *Niet huilen, Bailey. Het is beter zo.*

'Nee, ze gaat helemaal nergens naartoe.' Zijn klossende laarzen kwamen tot stilstand.

Kim zuchtte. 'Craig, alsjeblieft. Schop nou geen trammelant. Dat is niet goed voor Alex en ook niet voor je eigen kinderen. Breng Wade en Bailey naar huis. Ik neem Alex mee.'

'Alex is mijn dochter. Je krijgt haar niet.'

'Ze is jouw dochter niet, Craig. Je bent nooit met mijn zus getrouwd en je hebt haar kinderen niet geadopteerd. Alex is van mij en ze gaat met mij mee. Het spijt me, Bailey,' voegde Kim er op vriendelijker toon aan toe, 'maar het is beter zo. Jíj mag altijd bij haar op bezoek komen.'

Versleten zwarte werklaarzen stopten naast Alex' voeten. Ze trok ze achteruit. Hield haar blik neergeslagen. *Ademhalen.*

'Geen sprake van. Dat meisje heeft vijf jaar lang onder mijn dak gewoond, Kim. Ze noemt me "papa".'

Nee, dat had Alex nooit gedaan. Ze had hem altijd 'meneer' genoemd.

Bailey huilde nu echt. 'Alsjeblieft, Kim, doe dit niet.'

'Je kunt haar niet meenemen. Ze kan niet eens naar je kijken.' Er klonk wanhoop door in Craigs stem, maar wat hij zei was waar. Alex kon Kim niet aankijken, zelfs niet nu ze een ander kapsel had. Het was leuk geprobeerd, en Alex wist dat ze dankbaar zou moeten zijn voor Kims offer. Maar haar ogen waren nog steeds hetzelfde... die kon ze niet veranderen. 'Je hebt je haar geknipt en gekleurd, maar je lijkt nog steeds op Kathy. Telkens als ze naar jou kijkt ziet ze haar moeder. Is dat wat je wilt?'

'Als ze bij jou zou logeren, zou ze elke keer dat ze beneden kwam haar dode moeder in de woonkamer zien liggen,' snauwde Kim. 'Hoe haalde je het in je hoofd om ze alleen te laten?'

'Ik moest naar mijn werk,' gromde Craig terug. 'Er moet brood op de plank komen.'

Ik haat je. Ik wou dat je dood was. De stemmen schreeuwden in haar hoofd, luid en langdurig en kwaad. Alex boog haar hoofd diep omlaag en Kims hand streek langs haar nek. *Raak me niet aan.* Ze wilde zich van Kim wegdraaien, maar Craig was te dichtbij. Dus bleef ze verstijfd zitten.

'Jij verdomme altijd met je werk,' zei Kim bitter. 'Je hebt Kathy alleen gelaten op de ergste dag van haar leven. Als jij thuis was geweest, zou ze misschien nog leven en zou Alex niet hier zijn.'

De laarzen kwamen dichterbij, en Alex trok haar voeten verder naar achteren.

'Wou je zeggen dat dit míjn schuld is? Dat ík ervoor heb gezorgd dat Kathy zelfmoord heeft gepleegd? Dat ík Alex gedwongen heb een heel potje pillen te slikken? Is dát wat je wilt zeggen?'

De stilte tussen hen was gespannen en Alex hield afwachtend haar adem in.

Kim zei geen nee, en Craigs handen waren nu even strak tot vuisten gebald als die van Alex.

De deuren zoefden open en gingen weer dicht. Er klonken voetstappen op de tegels. 'Kim, is er iets mis?' Kims man, Steve.

Alex liet haar ingehouden adem ontsnappen. Hij was een grote man met een vriendelijk gezicht. Naar zijn gezicht kon Alex wel kijken. Maar niet nu.

'Ik weet niet.' Kims stem sloeg over. 'Craig, is er iets mis?'

Na een paar tellen stilte ontspanden Craigs vuisten zich langzaam.

'Nee. Mogen de kinderen en ik dan in ieder geval afscheid nemen?'

'Dat is goed.' Kim stapte weg, de geur van haar parfum werd lichter.

Craig kwam dichterbij. *Doe de deur dicht.* Alex kneep haar ogen dicht en hield haar adem in toen hij in haar oor fluisterde. Ze concentreerde zich uit alle macht, probeerde hem uit haar geest te houden, en uiteindelijk stapte hij bij haar vandaan.

Ze bleef ineengedoken zitten terwijl Bailey haar omhelsde. 'Ik zal je missen, Alex. Van wie moet ik nu kleren lenen?' Bailey probeerde te lachen, maar ze verslikte zich in een snik. 'Schrijf me, alsjeblieft.'

Wade kwam als laatste. *Doe de deur dicht.* Weer bleef ze stijf zitten terwijl hij haar omhelsde en gedag zei. De stemmen krijsten. Het deed pijn. *Alsjeblieft. Laat het ophouden.* Ze concentreerde zich, legde haar handen tegen de deur, duwde hem dicht. Eindelijk stapte Wade weg en kon ze weer ademhalen.

'Nu gaan we,' zei Kim. 'Laat ons alsjeblieft gaan.' Alex hield haar adem weer in tot ze bij een witte auto waren aangekomen. Steve tilde haar op en zette haar op de achterbank.

Klik. Steve deed haar veiligheidsgordel vast en legde zijn handen om haar gezicht.

'We zullen goed voor je zorgen, Alex. Ik beloof het,' zei hij zachtjes.

Hij sloeg het autoportier dicht, en pas op dat moment stond Alex zichzelf toe haar vuist te ontspannen. Een beetje. Net genoeg om het zakje in haar hand te zien. Pillen. Een heleboel witte pilletjes. Waar? Wanneer? Het maakte niet uit waar of wanneer. Wat uitmaakte was dat ze nu kon afmaken waar ze aan was begonnen. Ze likte langs haar lippen en hief haar kin.

'Alsjeblieft.' Ze grimaste om het geluid van haar eigen stem. Hij klonk roestig van het onbruik.

Op de voorbank draaiden Steve en Kim zich met een ruk om.

'Mam, Alex zei iets!' Meredith grijnsde.

Alex niet.

'Wat is er, lieverd?' vroeg Kim. 'Wat wil je hebben?'

Alex sloeg haar ogen neer. 'Water. Alsjeblieft.'

1

Arcadia, Georgia, heden
Vrijdag 26 januari, 01:25 uur

Hij had haar zorgvuldig uitgekozen. Ervan genoten toen hij haar pakte. Haar laten gillen, lang en hard.

Mack O'Brien huiverde. Hij kreeg nog steeds kippenvel als hij eraan dacht. Zijn hartslag versnelde en zijn neusgaten sperden open als hij terugdacht aan hoe ze eruit had gezien, had geklonken. Had gesmaakt. De smaak van pure angst was uniek. Nu wist hij het. Zij was zijn eerste moord geweest. Ze zou niet zijn laatste zijn.

Hij had haar laatste rustplaats zorgvuldig gekozen. Hij liet haar lichaam van zijn rug rollen en met een zachte plof op de zompige grond vallen. Naast haar neerhurkend schikte hij de ruwe bruine deken waarin hij haar had gewikkeld, als een lijkwade, en zijn gevoel van spanning nam toe. Zondag was de jaarlijkse wielerwedstrijd in de gemeente. Zo'n honderd fietsers zouden deze kant op komen. Hij had haar zo geplaatst dat ze vanaf de weg zichtbaar zou zijn.

Binnenkort werd ze gevonden. Binnenkort zouden zíj horen dat ze dood was.

Ze zullen zich dingen gaan afvragen. En dan gaan ze elkaar wantrouwen. En worden ze allemaal bang.

Hij stond op, tevreden met zijn werk. Hij wilde dat ze bang werden.

Hij wilde dat ze beefden en trilden als meisjes. Hij wilde dat ze de werkelijke smaak van de angst kenden.

Want híj kende die smaak, net zoals hij honger en woede kende. Dat hij al die smaken zo goed kende was hún schuld.

Hij keek omlaag, porde met zijn voet tegen de bruine deken. Zij had geboet. Weldra zouden ze allemaal boeten. Weldra zouden ze weten dat hij was teruggekomen.

Hallo, Dutton. Mack is terug. Hij zou niet rusten voor hij hun leven had verwoest.

Cincinnati, Ohio, vrijdag 26 januari, 14:55 uur

'Au. Dat deed zeer.'

Alex Fallon keek het bleke, chagrijnige tienermeisje aan. 'Dat zal best, ja.' Snel plakte Alex de infuusnaald vast. 'Hou dit maar in gedachten voor de volgende keer dat je overweegt te gaan spijbelen, een hele sorbet met karamel te eten en op de eerste hulp te eindigen. Vonnie, je hebt diabetes, en het gaat niet weg door net te doen alsof het er niet is. Je moet je aan je –'

'...dieet houden,' grauwde Vonnie. 'Dat weet ik ook wel. Ik wou dat iedereen me gewoon eens met rust liet.'

De woorden echoden in Alex' geest. Zoals altijd riepen ze een gevoel van dankbaarheid aan haar familie op, vermengd met medelijden voor haar patiënt. 'Op een dag eet je een keer het verkeerde en eindig je... beneden.'

Vonnie keek haar strijdlustig aan. 'Nou, en? Wat ís er dan beneden?'

'Het mortuarium.' Alex keek het geschrokken meisje in de ogen. 'Of wíl je dat soms?'

Abrupt schoot Vonnie vol. 'Soms wel.'

'Ik weet het, lieverd.' En ze begreep het beter dan iemand buiten haar familie zich kon voorstellen. 'Maar je zult moeten kiezen wat het gaat worden. Leven of dood.'

'Alex?' Letta, de hoofdverpleegkundige, stak haar hoofd om de hoek van de onderzoeksruimte. 'Je hebt een dringend telefoontje op lijn twee. Ik kan het hier wel overnemen.'

Alex kneep in Vonnies schouder. 'Ik ben toch klaar.' Ze wierp Vonnie een strenge blik toe. 'Ik wil jou hier niet meer zien.' Ze gaf de status aan Letta. 'Wie is er aan de telefoon?'

'Nancy Barker van de sociale dienst van Fulton County in Georgia.'

Alex kreeg een naar voorgevoel. 'Daar woont mijn stiefzus.'

Letta trok haar wenkbrauwen op. 'Ik wist niet dat je een stiefzus had.'

Technisch gesproken hád Alex die ook niet, maar het was een lang verhaal en haar relatie met Bailey was te ingewikkeld. 'Ik heb haar al heel lang niet meer gezien.'

Vijf jaar, om precies te zijn, toen Bailey zo high als een papegaai bij Alex in Cincinnati op de stoep stond. Alex had geprobeerd Bailey te laten afkicken, maar Bailey was gauw verdwenen en had Alex' creditcards meegenomen.

Letta keek haar bezorgd aan. 'Ik hoop dat alles in orde is.'

Alex verwachtte en vreesde dit telefoontje al jaren.

'Ja, ik ook.'

Het was droevig maar ironisch, dacht Alex terwijl ze zich naar de telefoon haastte. Alex was degene die al die jaren geleden had geprobeerd zelfmoord te plegen, en Bailey was degene die als junk was geëindigd. Hun familie had het verschil gemaakt. Alex had Kim, Steve en Meredith gehad om haar erdoorheen te helpen. Maar Baileys familie... Bailey had niemand.

Ze nam lijn twee aan. 'Alex Fallon.'

'Met Nancy Barker, van de sociale dienst in Fulton County.'

Alex zuchtte. 'Vertel het maar meteen: leeft ze nog?'

Het bleef lange tijd stil. 'Wie, mevrouw Fallon?'

Alex grimaste; ze was niet langer 'mevrouw Preville' en daar was ze nog steeds niet aan gewend. Haar nicht Meredith had gezegd dat het na haar scheiding niet lang zou duren, maar er was nu een jaar verstreken en Alex had het nog niet achter zich gelaten. Misschien kwam het doordat ze haar ex nog steeds een paar keer per week tegenkwam. Zelfs nu, op dit moment. Alex zag Dr. Richard Preville naar de telefoon grijpen om zijn voicemail te beluisteren. Hij knikte onbehaaglijk en ontweek daarna zorgvuldig haar blik. Nee, gelijke ploegendiensten draaien met haar ex bespoedigde het afsluiten van hun relatie niet bepaald.

'Mevrouw Fallon?' drong de vrouw aan.

Alex probeerde zich uit alle macht te concentreren. 'Bailey. Daar belt u toch over?'

'Eigenlijk bel ik over Hope.'

'Hoop.' Alex herhaalde het niet-begrijpend. 'Dat snap ik niet. Wat hoopt u?'

'Hope Crighton, Baileys dochter. Uw nichtje.'

Alex ging stomverbaasd zitten. 'Ik wist niet dat Bailey een dochter had.'

Dat arme kind.

'O. Dan wist u vast ook niet dat u als naaste familie vermeld staat op alle inschrijfformulieren van Hopes kleuterschool.'

'Nee.' Alex haalde diep adem om kracht te putten. 'Is Bailey dood, mevrouw Barker?'

'Ik hoop het niet, maar we weten niet waar ze is. Ze is vanochtend niet op haar werk verschenen. Een van haar collega's is naar haar huis gegaan, waar ze Hope ineengedoken in een kast aantrof.'

Er nam een misselijke angst bezit van Alex' maag, maar ze hield haar stem rustig. 'En Bailey was weg.'

'De laatste keer dat ze is gezien was gisteravond, toen ze Hope kwam ophalen van de kleuterschool.'

Kleuterschool. Het kind was oud genoeg voor de kleuterschool en Alex had er geen idee van gehad dat ze zelfs maar bestond. *O, Bailey, wat heb je gedaan?* 'En Hope? Was ze gewond?'

'Lichamelijk niet, maar ze is heel bang. Ze praat met niemand.'

'Waar is ze?'

'Op dit moment is ze bij tijdelijke pleegouders.' Nancy Barker zuchtte. 'Nou, als u haar niet opvangt, zal ik een permanent pleeggezin voor haar regelen.'

'Ik neem haar wel in huis.' De woorden waren haar mond al uit voordat ze wist dat ze ze zou gaan uitspreken. Maar zodra ze het gezegd had, wist ze dat het goed was.

'U wist tot vijf minuten geleden niet eens dat ze bestond,' protesteerde Barker.

'Dat maakt niet uit. Ik ben haar tante. Ik neem haar wel.' *Zoals Kim mij in huis heeft genomen. En mijn leven heeft gered.* 'Ik kom eraan, zodra ik vrij kan krijgen van mijn werk en een ticket kan regelen.'

Alex hing op, draaide zich om. Ze botste bijna tegen Letta aan, bij wie de wenkbrauwen bijna van haar voorhoofd af kropen. Alex wist dat ze had meegeluisterd. 'En? Kan ik vrij krijgen?'

Letta's ogen stonden ongerust. 'Heb je nog vakantiedagen?'

'Zes weken. Ik heb al ruim drie jaar geen dag meer vrij genomen.' Daar had ze nooit een reden voor gehad. Richard had nooit tijd gehad om ergens naartoe te gaan. Hij was altijd aan het werk geweest.

'Begin dan maar eens met een vakantie,' zei Letta. 'Ik laat iemand anders je diensten wel overnemen. Maar Alex, je weet niks van dat kind. Misschien is ze wel gehandicapt of heeft ze speciale behoeften.'

'Ik red me wel,' zei Alex. 'Ze heeft niemand, en ze is familie. Ik laat haar niet in de steek.'

'Zoals haar moeder.' Letta hield haar hoofd schuin. 'Zoals jouw moeder bij jou deed.'

Alex hield met veel moeite haar gezicht uitgestreken. Haar verleden was voor iedereen met internet binnen een paar muisklikjes te vinden. Maar Letta bedoelde het goed, dus Alex vertrok haar lippen tot een glimlach. 'Ik bel je zodra ik daar ben en meer weet. Bedankt, Letta.'

Arcadia, Georgia, zondag 28 januari, 16:05 uur

'Welkom terug, Danny, jongen,' mompelde rechercheur Daniel Vartanian in zichzelf toen hij uit de auto stapte en het tafereel overzag. Hij was maar twee weken weggeweest, maar het waren twee bewogen weken geweest. Het werd tijd om weer aan het werk te gaan, door te gaan met zijn leven. Wat in Daniels geval op hetzelfde neerkwam. Zijn werk wás zijn leven, en de dood was zijn werk. Het wreken van de dood, althans. Niet het veroorzaken ervan. Hij dacht aan de afgelopen twee weken, aan alle sterfgevallen, aan alle verwoeste levens. Je kon er krankzinnig van worden als je eraan toegaf. Daniel was niet van plan eraan toe te geven. Hij wilde verder met zijn leven, rechtvaardigheid proberen te krijgen voor alle slachtoffers, een voor een. Hij wilde het verschil maken. Het was de enige manier die hij kende om... boete te doen.

Vandaag was het slachtoffer een vrouw. Ze was in een greppel langs de weg gevonden, waar nu overheidsvoertuigen van alle soorten en maten stonden.

De technische recherche was er al, en de lijkschouwer ook. Daniel bleef aan de rand van de weg staan, bij het gele politielint dat daar was opgehangen. Hij tuurde naar het lijk in de greppel, waar een technicus van de patholoog bij gehurkt zat. Het slachtoffer was gewikkeld in een bruine deken, die net voldoende opzij was getrokken om het lichaam te kunnen zien. Daniel zag dat ze donker haar had en zo'n één meter vijfenzestig lang was. Ze was naakt en haar gezicht was... gehavend. Hij had pas één been over de politietape gezwaaid toen er een stem klonk.

'Stop, meneer. Dit is verboden terrein.'

Daniel keek over zijn schouder naar de jonge, ernstig kijkende brigadier, die met een hand op zijn wapen stond. 'Ik ben rechercheur Daniel Vartanian, Georgia Bureau of Investigation.'

De ogen van de man werden groot. 'Vartanian? U bedoelt... Ik bedoel...' Hij haalde diep adem en rechtte abrupt zijn rug. 'Sorry. Ik was even van mijn stuk gebracht.'

Daniel knikte en glimlachte vriendelijk naar de jongeman. 'Ik begrijp het wel.'

Het beviel hem niet, maar hij begreep het inderdaad. De naam Vartanian had nogal wat publiciteit gekregen in de week nadat zijn broer Simon was overleden; geen goede publiciteit, maar allemaal terecht. Simon Vartanian had in Philadelphia zeventien mensen vermoord – twee van die slachtoffers waren zijn eigen ouders geweest. Het had in alle landelijke kranten gestaan. Het zou een hele tijd duren voor de naam Vartanian geen ophef meer zou veroorzaken. 'Waar kan ik de sheriff vinden?'

De man wees naar iemand die vijftien meter verderop stond. 'Dat is sheriff Corchran.'

'Bedankt, brigadier.' Daniel haalde zijn been terug over het lint en liep verder, zich bewust van de blik van de politieman op zijn rug. Over twee minuten wist iedereen hier dat er een Vartanian aanwezig was.

Daniel hoopte dat hij de onrust tot een minimum kon beperken. Dit ging niet over hem of welke Vartanian dan ook, het ging over die vermoorde vrouw in de greppel. Ze had ergens familie, mensen die haar zouden missen. Mensen die gerechtigheid en afsluiting nodig hadden om verder te kunnen met hun leven.

Daniel dacht vroeger dat gerechtigheid en afsluiting hetzelfde waren, dat de wetenschap dat een misdadiger was gearresteerd en gestraft voor zijn daden het einde van een hoofdstuk in het leven van de nabestaanden van slachtoffers was. Nu, honderden misdaden, slachtoffers en families later, begreep hij dat elke misdaad een rimpeleffect veroorzaakte, levens raakte op manieren die nooit te meten waren. Simpelweg weten dat het kwaad was bestraft, was niet altijd voldoende om mensen de mogelijkheid te bieden verder te gaan met hun leven. Daar wist Daniel ook alles van.

'Daniel.' De begroeting kwam van Ed Randall, hoofd van het team van de technische recherche. Hij klonk verrast. 'Ik wist niet dat je al terug was.'

'Net vandaag.' Eigenlijk had hij morgen pas weer aan het werk gehoeven, maar na twee weken van afwezigheid was hij aan de beurt voor een nieuwe zaak.

Toen deze melding was binnengekomen, had zijn baas hem wat eerder naar het werk teruggeroepen. Hij stak zijn hand naar de sheriff uit. 'Sheriff Corchran, ik ben rechercheur Vartanian, GBI. We zullen u alle ondersteuning geven die u nodig hebt.'

De ogen van de sheriff werden groter terwijl hij Daniel de hand drukte. 'Toevallig familie van...'

God sta me bij, ja. Hij dwong zichzelf te glimlachen. 'Ik vrees van wel.'

Corchran keek hem doordringend aan. 'Bent u klaar om weer aan het werk te gaan?'

Nee. Daniel hield zijn stem vlak. 'Ja. Als u dat liever hebt, kan ik om iemand anders vragen.'

Corchran scheen erover na te denken en Daniel wachtte af, terwijl hij zijn ergernis zorgvuldig onder controle hield. Het klopte niet, het was niet eerlijk, maar het was wel de realiteit dat hij werd beoordeeld op de daden van zijn familie. Uiteindelijk schudde Corchran zijn hoofd. 'Nee, dat hoeft niet. Het is goed zo.'

Daniel glimlachte geforceerd. 'Mooi. Kunt u me vertellen wat er is gebeurd? Wie heeft het slachtoffer gevonden, en wanneer?'

'Vandaag was onze jaarlijkse wielerwedstrijd en deze weg maakt deel uit van het parcours. Een van de deelnemers zag de deken. Hij wilde geen tijd verliezen, dus belde hij al fietsend het alarmnummer. Hij staat nu bij de finish te wachten, als u hem wilt spreken.'

'Ja, ik wil hem zeker even spreken. Is er nog iemand anders gestopt?'

'Nee, we hadden geluk,' antwoordde Randall. 'De plaats delict was niet verstoord toen we hier aankwamen, en er stond ook geen publiek omheen. Iedereen was al bij de finish.'

'Dat zie je niet vaak. Wie was er van uw bureau als eerste ter plaatse, sheriff?' vroeg Daniel.

'Larkin. Hij heeft alleen een hoekje van de deken opgetild om haar gezicht te zien.'

Corchrans uit steen gehouwen gezicht vertrok even; een veelbetekenend gebaar. 'Ik heb meteen naar jullie bureau gebeld. Wij hebben niet de middelen om een plaats delict zoals deze te onderzoeken.'

Daniel erkende die laatste uitspraak met een hoofdknik. Hij kon sheriffs zoals Corchran, die bereid waren het Georgia Bureau of Investigation erbij te halen, wel waarderen. Veel van zijn collega's losten hun zaakjes liever zelf op en zagen de inmenging van het GBI als... een zwerm sprinkhanen die neerstreek op hun stadje. Ja, zo had de sheriff in Daniels eigen stad het nog geen twee weken geleden genoemd. 'We werken met u samen op elke manier die u wenst, sheriff.'

'Neem voorlopig de hele zaak maar over,' zei Corchran. 'Mijn afdeling staat tot uw beschikking.' Zijn kaak verstrakte. 'We hebben in al die tien jaar dat ik mijn functie nu heb geen moord meer gehad in Arcadia. We willen degene die dát heeft gedaan heel lang de gevangenis in zien gaan.'

'Wij ook.' Daniel wendde zich tot Ed. 'Wat weten jullie?'

'Ze is ergens anders vermoord en hier gedumpt. Haar lichaam is in een bruine deken gewikkeld.'

'Als een lijkwade,' mompelde Daniel.

Ed knikte. 'Zoiets. De deken lijkt nieuw te zijn, van een of ander wolmengsel. Ze is heel hard in haar gezicht geslagen en heeft blauwe plekken rondom haar mond. Daar kan de lijkschouwer meer over vertellen. Er is daar beneden geen spoor van een worsteling, en er zijn geen voetsporen langs de helling omhoog of omlaag gevonden.'

Daniel keek fronsend in de greppel. Het was een afvoergeul, en het water liep naar een riool ongeveer honderd meter verderop. De zijkanten bestonden uit gladde modder. 'Dan moet hij door het water naar het riool zijn gelopen en vervolgens omhoog naar de weg.' Hij dacht er even over na. 'Die wielerwedstrijd, was daar veel publiciteit aan gegeven?'

Corchran knikte. 'Het is een belangrijke bron van inkomsten voor de plaatselijke jeugdclubs, dus ze hangen in een omtrek van tachtig kilometer posters op. Bovendien wordt deze wedstrijd al meer dan tien jaar gehouden, altijd op de laatste zondag van januari. Er komen zelfs deelnemers vanuit het noorden, die liever hier rijden omdat het warmer is. Het is best een groot evenement.'

'Dan wilde hij dus dat ze werd gevonden,' concludeerde Daniel.

'Daniel.' De technici van de lijkschouwer stapten over het politielint. Een van hen liep meteen door naar de auto en de andere bleef bij Ed staan. 'Fijn te zien dat je terug bent.'

'Fijn om terug te zijn, Malcolm. Wat hebben jullie ontdekt?'

Malcolm Zuckerman strekte zijn rug. 'Dat het geen fijne klus zal worden om dat lijk uit de greppel te krijgen. De helling is steil en de modder glibberig. Trey gaat een kraan regelen.'

'Malcolm,' zei Daniel met overdreven veel geduld. Malcolm klaagde altijd over zijn rug, het weer of wat dan ook. 'Wat weet je over het slachtoffer?'

'Vrouwelijk, blank, halverwege de twintig waarschijnlijk. Ze is al een dag of twee dood. Doodsoorzaak lijkt verstikking te zijn. Blauwe plekken op de billen en de binnenzijde van de dijen wijzen op een verkrachting. Ze is in haar gezicht geslagen met een stomp voorwerp. Ik weet nog niet wat het was, maar het heeft veel schade aangericht. Neus, jukbeenderen, kaak, allemaal gebroken.' Hij keek peinzend opzij. 'Dat met het gezicht is misschien na de dood gebeurd.'

Daniel trok zijn wenkbrauw op. 'Dus hij wilde dat ze gevonden werd, maar niet geïdentificeerd.'

'Dat was mijn idee ook. Ik durf te wedden dat we geen vingerafdrukken van haar in het systeem zullen vinden. Er zit een patroon van blauwe plekken rondom haar mond, die kunnen van de vingers van de dader zijn.'

'Hij heeft zijn hand over haar mond gehouden tot ze stikte,' mompelde Corchran gespannen. 'En toen heeft hij haar gezicht tot moes geslagen. De klootzak.'

'Daar lijkt het op,' zei Malcolm met een medelevende klank in zijn stem, maar een vermoeidheid in zijn blik die Daniel maar al te goed begreep. Te veel lijken, te veel klootzakken. 'We weten meer zodra de patholoog sectie doet. Had je mij verder nog nodig, Danny?'

'Nee. Bel me als jullie de autopsie gaan doen. Ik wil erbij zijn.'

Malcolm haalde zijn schouders op. 'Wat je wilt. Doc Berg zal er waarschijnlijk na het OVL aan beginnen.'

'Wat is het OVL?' vroeg Corchran toen Malcolm naar de auto van de lijkschouwer terugging om te wachten.

'Ochtend Vergadering in het Lijkenhuis,' verklaarde Daniel. 'Dat betekent dat dokter Berg waarschijnlijk om halftien of tien uur met de autopsie begint. U mag gerust komen kijken als u wilt.'

Corchran slikte. 'Bedankt. Als ik kan, kom ik.'

Corchran zag een beetje groen, en Daniel kon het hem niet kwalijk nemen. Het viel niet mee om toe te kijken terwijl een lijkschouwer aan het werk was. Het geluid van een bottenzaag bezorgde Daniel na al die jaren nog altijd een wee gevoel. 'U mag het zelf bepalen. Wat hebben we verder, Ed?'

'We hebben beelden gemaakt van het terrein rondom het lijk en aan beide kanten van de greppel,' zei Ed Randall. 'Video en foto's. We zullen deze kant van de greppel eerst onderzoeken, zodat Malcolm niets vertrapt als hij haar hier weghaalt, dan zetten we lampen neer en bekijken we de rest.' Hij wenkte zijn team en ze stapten over het lint. Ed wilde volgen, maar hij aarzelde even en nam toen Daniel apart. 'Wat vreselijk van je ouders, Daniel,' zei hij zachtjes. 'Ik weet dat je er niks aan hebt, maar ik wilde het alleen even zeggen.'

Daniel sloeg zijn blik neer, hij was uit zijn evenwicht gebracht. Ed vond het vreselijk dat Arthur en Connie Vartanian dood waren. Daniel wist niet zeker of hij dat zelf ook vond. Soms wist Daniel niet eens zeker of zijn ouders misschien niet een groot deel van het onheil over zichzelf hadden afgeroepen. Simon was boosaardig geweest, maar zijn ouders hadden op hun eigen manier zijn broer in de kaart gespeeld.

De mensen met wie Daniel echt medelijden had, waren Simons andere slachtoffers.

Maar toch... Arthur en Connie waren zijn ouders. Hij zag hen nog steeds voor zich, in het lijkenhuis in Philadelphia, vermoord door hun eigen zoon. Een verschrikkelijk beeld, vermengd met alle andere die hem plaagden, of hij nu wakker was of sliep. Zo veel doden. Zo veel verwoeste levens. *Rimpelingen.*

Daniel schraapte zijn keel. 'Ik zag je bij de begrafenis. Bedankt, Ed. Dat deed me veel.'

'Als je iets nodig hebt weet je me te vinden.' Ed sloeg Daniel stevig op zijn schouder en liep achter zijn team aan. Daniel draaide zich weer om naar Corchran, die naar hen had staan kijken.

'Sheriff, ik zou graag met brigadier Larkin willen praten. Ik wil weten hoe hij het lijk heeft ontdekt. Ik weet dat hij een grondig rapport zal indienen, maar ik wil zijn herinneringen en indrukken het liefst rechtstreeks van hem horen.'

'Dat kan. Hij is verderop langs de weg gestationeerd om nieuwsgierig publiek te weren.' Corchran riep Larkin op via de portofoon en binnen vijf minuten was de brigadier bij hen. Larkins gezicht was nog steeds een beetje bleek, maar zijn ogen stonden helder. In zijn hand hield hij een vel papier.

'Mijn rapport, rechercheur Vartanian. Maar er is nog één ding, dat ik me pas herinnerde toen ik weer hierheen reed. Er is niet ver hiervandaan net zo'n moordzaak geweest.'

Corchrans wenkbrauwen schoten omhoog. 'Waar? Wanneer?'

'Voor u hier kwam,' antwoordde Larkin. 'Afgelopen april was het dertien jaar geleden. Er is toen ook een meisje in een greppel gevonden, net als nu. Ze was in een bruine deken gewikkeld, en ze was verkracht en gewurgd.' Hij slikte. 'En haar gezicht was ook zo toegetakeld.'

Daniel voelde een koude rilling over zijn rug lopen. 'U schijnt het zich nogal goed te herinneren, brigadier.'

Larkin keek hem gepijnigd aan. 'Dat meisje was zestien, net zo oud als mijn dochter destijds. Ik weet niet meer hoe ze heette, maar het gebeurde bij Dutton, zo'n veertig kilometer ten oosten van hier.'

De kilte verspreidde zich en Daniel spande zijn spieren om niet te gaan rillen. 'Ik weet waar Dutton ligt,' zei hij. Hij kende Dutton goed. Hij had er over straat gelopen, gewinkeld, gespeeld in het Little League-team daar. Hij wist ook dat het kwaad in Dutton had gewoond en de naam Vartanian had gedragen. Dutton in Georgia was Daniel Vartanians geboorteplaats.

Larkin knikte toen hij Daniels naam aan de huidige gebeurtenissen koppelde. 'Dat zal best.'

'Dank u, brigadier,' zei Daniel. Het lukte hem zijn stem vast te laten klinken. 'Ik zal het zo snel mogelijk uitzoeken. Laten we eerst maar eens naar ons slachtoffer gaan kijken.'

Dutton, Georgia, zondag 28 januari, 21:05 uur

Alex deed de slaapkamerdeur dicht en leunde er uitgeput tegenaan. 'Ze slaapt eindelijk,' zei ze tegen haar nicht Meredith, die op de bank van Alex' hotelsuite zat.

Meredith keek op van de vele bladzijden met kleurplaten die de vierjarige Hope Crighton had gevuld sinds Alex zesendertig uur eerder de voogdij over haar nichtje van de sociale dienst had overgenomen.

'Dan moeten we praten,' zei ze zachtjes.

Meredith leek bezorgd. Aangezien ze kinderpsychologe was, gespecialiseerd in emotioneel getraumatiseerde kinderen, maakte dit Alex' onrust alleen maar groter.

Alex ging zitten. 'Ik ben blij dat je er bent. Ik weet dat je het druk hebt met je eigen patiënten.'

'Die kunnen wel een of twee dagen zonder mij. Als ik had geweten dat je hierheen ging was ik gisteren al gekomen, dan had ik naast je gezeten in het vliegtuig.' Er klonk frustratie en gekwetstheid in Merediths stem door. 'Hoe kom je erbij, Alex? Helemaal in je eentje hier naartoe gaan. Juist... híér.'

Hier. Dutton, Georgia. De plaatsnaam waarbij Alex' maag protesteerde. Het was de laatste plaats waar ze ooit had willen terugkeren. Maar het buitelen van haar maag was niets vergeleken met de angst die ze had gevoeld toen ze voor het eerst in de lege grijze ogen van Hope had gekeken.

'Ik weet niet,' gaf Alex toe. 'Ik had beter moeten weten. Mer, ik had geen idee dat het zo erg zou zijn, maar het ís zo erg als ik denk, hè?'

'Voor zover ik in de afgelopen drie uur heb gezien wel. Of ze getraumatiseerd is doordat ze vrijdag wakker werd en ontdekte dat haar moeder weg was, of door de jaren daarvoor, dat weet ik niet. Ik weet niet hoe Hope was voordat Bailey verdween.' Meredith fronste haar voorhoofd. 'Maar ze is helemaal niet zoals ik had verwacht.'

'Ik snap wat je bedoelt. Ik had me voorbereid op een vuil, ondervoed kind. De vorige keer dat ik Bailey zag was ze er slecht aan toe, Meredith. High en verwaarloosd. Naaldsporen op beide armen. Ik heb me altijd afgevraagd of ik meer voor haar had kunnen doen.'

Meredith keek haar vragend aan. 'En ben je daarom hier?'

'Nee. Nou, eerst misschien wel, maar zodra ik Hope zag veranderde dat allemaal.' Ze dacht aan het kleine meisje met haar gouden krullen en een gezichtje als een engeltje van Botticelli. En haar lege grijze ogen. 'Ik dacht even dat ze me het verkeerde kind hadden gebracht. Ze is schoon en goed doorvoed. Haar kleren en schoenen zijn zo goed als nieuw.'

'De maatschappelijk werkster heeft haar vast schone kleren en schoenen gegeven.'

'Dit waren de kleren die de maatschappelijk werkster had meegenomen van Hopes kleuterschool. Hopes lerares zei dat Bailey altijd een setje schone kleren in Hopes kastje had liggen. Ze zeiden dat Bailey een goede moeder was, Mer. Ze waren geschokt toen de maatschappelijk werkster zei dat ze was verdwenen. Het schoolhoofd zei dat Bailey Hope nooit zomaar alleen zou laten.'

'Denkt ze dat er een misdaad is gepleegd?' vroeg Meredith.

'Ja, de directrice van de kleuterschool wel. Dat heeft ze ook tegen de politie gezegd.'

'En wat zegt de politie?'

Alex klemde haar kiezen op elkaar. 'Dat ze alle aanwijzingen nagaan, maar dat er elke dag junks verdwijnen. Het was een standaard "laat ons met rust"-antwoord. Ik schoot er geen steek mee op. Ze is al drie dagen weg en ze hebben haar nóg niet als vermist opgegeven.'

'Junkies verdwijnen inderdaad wel vaker, Alex.'

'Dat weet ik. Maar waarom zou dat schoolhoofd liegen?'

'Misschien loog ze wel niet. Misschien kon Bailey goed acteren, of misschien was ze een tijd clean geweest maar was ze weer gaan gebruiken. Laten we ons voorlopig maar op Hope richten. Heeft ze de hele avond zitten kleuren?'

'Ja. Nancy Barker, dat is de maatschappelijk werkster, zei dat Hope niets anders heeft gedaan sinds ze haar uit de kast hebben gehaald.' De kast in Baileys huis. Een paniekgevoel bouwde zich in haar op, zoals altijd gebeurde als ze aan dat huis dacht. 'Bailey woont er nog steeds.'

Merediths ogen werden groot. 'Echt waar? Ik dacht dat het al jaren geleden verkocht was.'

'Nee. Ik heb op internet de kadastergegevens bekeken. Het staat nog steeds op Craigs naam.' De druk op Alex' borst nam toe, en ze sloot haar ogen en probeerde zichzelf rustig te krijgen. Merediths hand belandde op die van haar en gaf een zacht kneepje.

'Gaat het wel, meid?'

'Ja.' Alex vermande zich. 'Stomme paniekaanvallen. Ik zou er nu toch wel een keer overheen moeten zijn.'

'Omdat je een supermens bent zeker?' zei Meredith nuchter. 'Dit was de plek van de ergste ramp van je leven, dus hou op jezelf kwalijk te nemen dat je menselijk bent, Alex.'

Alex haalde haar schouders op. 'Nancy Barker zei dat het huis een puinhoop was, dat er stapels afval op de vloer lagen. De matrassen waren oud en gescheurd. Er lag bedorven eten in de koelkast.'

'Wat je zou verwachten van het huis van een junk.'

'Ja, maar ze vonden er geen kleren van Hope of Bailey. Niks. Geen schone maar ook geen vuile kleren.'

'Dat is vreemd, afgaande op wat ze bij de kleuterschool zeiden.' Meredith weifelde even. 'Ben je naar het huis geweest?'

'Nee.' Het woord schoot als een afgevuurde kogel tussen Alex' lippen vandaan. 'Nee,' zei ze op kalmere toon. 'Nog niet.'

'Als je gaat, ga ik met je mee. Geen gemaar. Woont Craig daar nog?'

Richt je op de stilte. 'Nee. Nancy Barker zei dat ze hebben geprobeerd hem te vinden, maar er heeft al heel lang niemand meer iets van hem gehoord. Ik stond als naaste familie geregistreerd bij de kleuterschool.'

'Hoe wist de maatschappelijk werkster op welke school Hope zat?'

'Baileys collega had het haar verteld. Zo hebben ze Hope gevonden. Bailey was niet op komen dagen op het werk, en haar collega was ongerust en is in de pauze gaan kijken.'

'Waar werkt Bailey?'

'Ze is kapster, kennelijk in een nogal chique zaak.'

Meredith knipperde verbaasd met haar ogen. 'Heeft Dutton een chique kapsalon?'

'Nee. Dutton heeft Angie's.' Haar moeder ging vroeger elke woensdag naar Angie's. 'Bailey werkte in Atlanta. Ik heb het telefoonnummer van die collega gekregen, maar ze is steeds niet thuis. Ik heb al een paar berichten ingesproken.'

Meredith pakte een van de kleurboeken op. 'Waar komen deze allemaal vandaan?'

Alex keek naar de stapel. 'Nancy Barker vond er eentje in Hopes rugtas. Ze zei dat Hope voor zich uit staarde, maar toen ze haar het kleurboek en kleurkrijt gaf, begon Hope te kleuren. Nancy probeerde haar op wit papier te laten tekenen, in de hoop dat Hope haar met tekeningen iets kon vertellen, maar Hope pakte steeds weer dat kleurboek. Gisteravond was ze al vroeg door de kleurboeken heen en moest ik de piccolo geld geven om naar de winkel te gaan en er nog meer te kopen. En ook kleurkrijt.' Alex staarde naar de doos, waar vierenzestig krijtjes in hadden gezeten toen hij nieuw was. Nu zaten er nog zevenenvijftig in – alle kleuren behalve rood. Alle roodtinten waren weg, tot een stompje van een centimeter opgebruikt.

'Ze houdt van rood,' merkte Meredith op.

Alex slikte moeizaam. 'Ik wil er niet eens over nadenken wat dat betekent.'

Meredith haalde haar schouders op. 'Het kan ook alleen maar betekenen dat ze van rood houdt.'

'Maar je denkt van niet.'

'Nee.'

'Ze heeft nu nog een rood krijtje in haar hand. Ik heb het uiteindelijk opgegeven en haar dat ding mee naar bed laten nemen.'

'Wat gebeurde er gisteravond toen de rode krijtjes op waren?'

'Ze begon te huilen, maar ze zei geen woord.' Alex huiverde. 'Ik heb duizenden kinderen zien huilen in het ziekenhuis, van pijn, van angst... maar nooit zó. Ze was net... een robot zoals ze huilde – zonder emotie. Ze maakte helemaal geen geluid. Geen woord. Toen leek het wel alsof ze helemaal verkrampte. Ik werd er zo bang van dat ik met haar naar de kliniek in de stad ben gegaan. Dr. Granville heeft haar nagekeken en zei dat ze gewoon een shock had.'

'Heeft hij tests gedaan?'

'Nee. De maatschappelijk werkster zei dat ze met Hope naar de eerste hulp was geweest toen ze haar vrijdag in de kast hadden gevonden. Daar hebben ze haar bloed onderzocht, toxicologisch en op antistoffen, om te zien welke vaccinaties ze heeft gehad. Ze had ze allemaal gehad, en verder was alles in orde.'

'Wie is haar huisarts?'

'Weet ik niet. Granville, de dokter hier in de stad, zei dat hij Hope of Bailey nog nooit in "professionele hoedanigheid" had gezien. Hij leek verbaasd te zijn dat Hope zo schoon en goed verzorgd was, alsof hij haar eerder een keer vuil had gezien. Hij wilde haar een kalmeringsmiddel toedienen.'

Meredith trok een verbaasd gezicht. 'Vond je dat goed?'

'Nee, en hij was een beetje verontwaardigd, vroeg me waarom ik haar dan gebracht had als ik niet wilde dat hij haar behandelde. Maar het idee beviel me niet, een kind medicatie toedienen als het niet nodig is. Ze was niet agressief en er leek geen gevaar te bestaan dat ze zichzelf iets zou aandoen, dus wilde ik het niet.'

'Groot gelijk. Dus Hope heeft al die tijd geen woord gezegd? Weten we zeker dat ze kan praten?'

'Volgens de kleuterschool praat ze heel veel, heeft ze een grote woordenschat. Ze kan zelfs lezen.'

Daar keek Meredith van op. 'Wauw. Hoe oud is ze, vier?'

'Net. Volgens de kleuterschool las Bailey Hope elke avond voor. Meredith, dit klinkt allemaal niet naar een junk die haar kind in de steek heeft gelaten.'

'Jij denkt ook dat er iets is gebeurd.'

Iets in Merediths stem streek Alex tegen de haren in. 'Jij niet?' wilde ze weten.

Meredith bleef onverstoorbaar. 'Ik weet niet... Ik weet dat je Bailey altijd het voordeel van de twijfel hebt gegeven. Maar dit gaat nu niet alleen om Bailey, het gaat om Hope en wat het beste voor haar is. Neem je haar mee naar huis? Naar je eigen huis, bedoel ik?'

Alex dacht aan het appartementje waar ze eigenlijk alleen maar sliep. Richard had het huis gehouden. Alex had het niet willen hebben. Maar haar appartement was wel groot genoeg voor haar en een klein meisje. 'Dat is de bedoeling, ja. Maar als er iets met Bailey is gebeurd... Ik bedoel, als ze is veranderd en haar iets is overkomen...'

'Wat ga je doen?'

'Dat weet ik nog niet. Via de telefoon schoot ik niet veel op met de politie, en ik kon Hope niet alleen laten om er zelf naartoe te gaan. Kun je een paar dagen bij me blijven? Me helpen met Hope terwijl ik dit uitzoek?'

'Voor ik vertrok heb ik alle afspraken met mijn belangrijkste patiënten naar woensdag laten verzetten, dus ik moet uiterlijk dinsdagavond terugvliegen. Dat is het beste wat ik voorlopig kan doen.'

'Dat is al een heleboel. Dank je.'

Meredith kneep in haar hand. 'Ga nu maar een beetje slapen. Ik pit wel hier op de bank. Als je me nodig hebt maak je me maar wakker.'

'Ik kruip wel bij Hope. Ik hoop wel dat ze de hele nacht doorslaapt. Tot nu toe heeft ze niet meer dan een paar uur aan één stuk geslapen, dan wordt ze wakker en gaat ze weer kleuren. Als ze je nodig heeft laat ik het je wel weten.'

'Ik had het niet over Hope. Ik had het over jou. Ga slapen.'

2

Atlanta, zondag 28 januari, 22:45 uur

'Daniel, volgens mij is je hond dood.' De stem kwam uit Daniels woonkamer en behoorde toe aan zijn college van het GBI, Luke Papadopoulos. Luke was waarschijnlijk Daniels beste vriend, ondanks het feit dat hij de reden was dat Daniel die hond had.

Daniel zette het laatste bord in de vaatwasser en liep naar de woonkamer. Luke zat op de bank naar ESPN te kijken. Zijn basset Riley lag aan Lukes voeten en zag er net zo uit als anders. En dat zag eruit, moest Daniel toegeven, als een hond die op weg was om zijn schepper te ontmoeten. 'Geef hem een stukje karbonade, dan leeft hij wel op.'

Riley deed één oog open bij het woord karbonade, maar deed het weer dicht omdat hij besefte dat het er waarschijnlijk niet in zat. Riley was een pessimistische realist. Hij en Daniel konden het samen prima vinden.

'Joh, ik heb hem net de moussaka voorgehouden, en daar leefde hij ook niet van op,' zei Luke.

Daniel kon zich de resultaten van zo'n onverantwoorde actie maar al te goed indenken. 'Riley mag het eten van je moeder niet hebben. Het is veel te vet, dat is slecht voor zijn maag.'

'Weet ik. Hij had een keer een paar kliekjes te pakken toen jij in het noorden was en hij bij mij logeerde.' Luke grimaste. 'Het was geen fraaie aanblik.'

Daniel draaide met zijn ogen. 'Ik betaal de rekening voor het tapijtreinigen niet, Luke.'

'Geeft niet. Mijn neef heeft een tapijtreinigingsbedrijfje. Het is allemaal al geregeld.'

'Als je dat wist, waarom heb je dan in godsnaam net weer geprobeerd hem iets toe te stoppen?'

Luke porde voorzichtig met de neus van zijn laars tegen Rileys achterwerk. 'Hij ziet er altijd zo droevig uit.'

'Droevig' betekende in Lukes familie: 'Geef me te eten'. En dat verklaarde waarom Luke vanavond bij Daniel op de stoep had gestaan met een volledige Griekse maaltijd, terwijl Daniel maar al te goed wist dat hij daarvoor een afspraakje met zijn los-vaste stewardessenvriendin had moeten afzeggen. Mama Papadopoulos was al bezorgd over Daniel sinds hij een week eerder uit Philadelphia was teruggekomen. Lukes moeder had een goed hart, maar Mama's eten viel niet goed bij Riley, en Daniel had géén neef met zijn eigen tapijtreinigingsbedrijfje.

'Hij is een basset, man. Die zien er allemaal zo uit. Riley is niet droevig, dus hou op hem vol te stoppen.' Daniel ging in zijn leunstoel zitten en floot. Riley sjokte naar hem toe en liet zich met een diepe zucht aan zijn voeten vallen, alsof de tocht van iets meer dan een meter hem had uitgeput. 'Ik weet hoe je je voelt, jongen.'

Luke zweeg een tijdje. 'Ik heb gehoord dat je vandaag een taaie had.'

Daniels geest schotelde hem ogenblikkelijk het beeld van het slachtoffer in de greppel voor. 'Dat kun je wel zeggen.' Meteen keek hij bedenkelijk en vroeg aan zijn vriend: 'Hoe kan het dat jij dat nu al weet?'

Luke trok een onbehaaglijk gezicht. 'Ed Randall belde. Hij was ongerust over je. Je eerste dag terug en je krijgt meteen zo'n zaak.'

Daniel slikte zijn ergernis weg. Ze bedoelden het allemaal goed. 'Dus kwam je eten brengen.'

'Neuh, Mama had dat allemaal al klaar voordat Ed belde. Zij is ook ongerust over je. Ik zal haar zeggen dat je twee borden hebt leeggegeten en dat het wel goed met je gaat. Maar gáát het wel goed met je?'

'Het zal wel moeten. Er is werk aan de winkel.'

'Je had wat langer vrij kunnen nemen. Een week is niet zo veel, al met al.'

Gezien het feit dat hij zijn ouders had moeten begraven. 'Met de week erbij die ik in Philadelphia was om ze te zoeken, ben ik twee weken weg geweest. Dat is lang genoeg.' Hij boog zich naar voren om Riley achter zijn oren te krabben. 'Als ik niet ga werken word ik gek,' voegde hij er zachtjes aan toe.

'Het was niet jouw schuld, Daniel.'

'Nee, niet rechtstreeks. Maar ik wist al heel lang wat Simon was.'

'En je dacht de afgelopen twaalf jaar ook dat hij dood was.'

Dat moest Daniel toegeven. 'Dat klopt.'

'Als je het mij vraagt ligt de schuld grotendeels bij je vader. Na Simon, natuurlijk.'

Zeventien mensen. Simon had zeventien mensen vermoord, en één oude vrouw vocht nog voor haar leven op de afdeling hartbewaking in Philadelphia. Maar Daniels vader had niet alleen geweten dat Simon kwaadaardig was, hij had ook geweten dat Simon nog leefde. Twaalf jaar geleden had Arthur Vartanian zijn jongste zoon het huis uit gezet en iedereen wijsgemaakt dat hij was overleden. Hij had zelfs een vreemde begraven in het familiegraf en had er Simons grafsteen op gezet, waardoor Simon kon gaan en staan waar hij wenste en kon uitvreten wat hij wilde, zolang hij het maar niet onder de naam Vartanian deed.

'Zeventien mensen,' mompelde Daniel, en hij vroeg zich af of zij niet het topje van de ijsberg waren. Hij dacht aan de foto's die nooit lang uit zijn gedachten waren. De foto's die Simon had achtergelaten. De gezichten flitsten als een diavoorstelling voor zijn geestesoog langs. Allemaal vrouwen. Naamloze slachtoffers van verkrachtingen.

Net als het slachtoffer van vandaag. Hij moest zorgen dat het slachtoffer in Arcadia een naam kreeg. Dat ze gerechtigheid kreeg. Het was de enige manier om te voorkomen dat hij gek zou worden. 'Een van de politieagenten uit Arcadia had het over een gelijksoortige moordzaak van dertien jaar geleden. Ik was daar net naar aan het kijken toen jij kwam. Dat was in Dutton gebeurd.'

Luke trok een gezicht. 'Dutton? Daniel, jij bent opgegroeid in Dutton.'

'Bedankt, dat was ik vergeten,' zei Daniel sarcastisch. 'Ik heb in onze database op kantoor gekeken toen ik vanavond mijn rapport inleverde, maar het GBI heeft er geen onderzoek naar gedaan, dus het lag er niet. Ik heb Frank Loomis gebeld, de sheriff in Dutton, maar hij heeft nog niet teruggebeld. En ik wilde niet een van zijn hulpsheriffs bellen. Als het niks is zou ik alleen maar olie op het vuur gooien. Die rotjournalisten lopen overal rond.'

'Maar je hebt wel iets gevonden,' drong Luke aan. 'Wat?'

'Ik heb op internet gezocht en een artikel gevonden.' Hij tikte op de laptop die hij op de salontafel had gezet toen Luke met het eten was aangekomen. 'Alicia Tremaine is op 2 april, dertien jaar geleden, gevonden in een greppel bij Dutton. Ze was in een bruine wollen deken gewikkeld en de botten van haar gezicht waren gebroken. Ze was verkracht. Ze was pas zestien.'

'Copycat-moordenaar?'

'Daar dacht ik ook aan. Met al dat nieuws over Dutton van de afgelopen week had iemand misschien dat artikel gevonden en besloten die moord na te apen. Het is een theorie. Het punt is dat er bij die oude artikelen op internet geen foto's staan. Ik heb geprobeerd een foto te vinden van Alicia.'

Luke keek hem getergd aan. Als computerexpert stond Luke vaak paf van Daniels gebrek aan wat hij zag als basale computervaardigheden. 'Geef me die laptop eens aan.' Binnen drie minuten leunde Luke naar achteren met een tevreden: 'Hebbes. Kijk maar.'

Daniels hart bleef stilstaan. *Dat kan niet.* Zijn vermoeidheid speelde hem parten. Langzaam boog hij zich naar voren, tuurde en knipperde met zijn ogen. Maar ze was er nog steeds. 'Mijn god.'

'Wie is ze?'

Daniel keek met een ruk op naar Luke, terwijl zijn hart nu tekeerging. 'Ik herken haar, dat is alles.' Maar zijn stem klonk wanhopig. Ja, hij herkende haar. Haar gezicht spookte al jaren door zijn dromen, samen met de gezichten van alle anderen. Jarenlang had hij gehoopt dat het allemaal in scène was gezet. Nep. Jarenlang had hij gevreesd dat ze echt waren. Dat ze dood waren. Nu wist hij het zeker. Nu had een van de naamloze slachtoffers een naam. *Alicia Tremaine.*

'Waar ken je haar van?' Lukes stem klonk ferm en eisend. 'Daniel?'

Daniel kalmeerde een beetje. 'We woonden allebei in Dutton. Het is logisch dat ik haar kende.'

Lukes kaak verstrakte. 'Net zei je dat je haar "kent", niet "kende".'

Een vlaag woede brandde een deel van de shock weg. 'Is dit een verhoor, Luke?'

'Ja, want je bent niet eerlijk tegen me. Je ziet eruit alsof je een geest hebt gezien.'

'Dat klopt.' Hij staarde naar haar gezicht. Ze was mooi geweest. Dik karamelbruin haar tot over haar schouders en een fonkeling in haar ogen die op ondeugd en humor wees. Nu was ze dood.

'Wie is ze?' vroeg Luke nog eens, nu zachter. 'Een vriendinnetje van vroeger?'

'Nee.' Zijn schouders gingen omlaag en zijn kin zakte op zijn borst. 'Ik heb haar nooit ontmoet.'

'Maar je herkent haar wel,' kaatste Luke behoedzaam terug. 'Waarvan?'

Daniel rechtte zijn rug, liep naar de bar in de hoek van de woonkamer, pakte het schilderij met pokerspelende honden van de muur en onthulde een kluisje. Vanuit zijn ooghoeken zag hij Luke verbaasd toekijken. 'Heb jij een muursafe?' vroeg Luke.

'Traditie bij de familie Vartanian,' zei Daniel grimmig, hopend dat het de enige neiging was die hij met zijn vader gemeen had. Hij koos de combinatie en pakte de envelop die hij er een week eerder, na zijn terugkeer uit Philadelphia, in had gelegd. Hij haalde Alicia Tremaines foto uit de stapel en gaf die aan Luke.

Luke grimaste. 'Mijn god. Zij is het.' Hij keek vol afgrijzen op. 'Wie is die vent?'

Daniel schudde zijn hoofd. 'Weet ik niet.'

Lukes ogen spoten vuur. 'Dit is ziek, Daniel. Hoe ben je hier verdomme aan gekomen?'

'Van mijn moeder,' zei Daniel bitter.

Luke deed zijn mond open, maar liet hem weer dichtvallen. 'Je moeder,' herhaalde hij even later behoedzaam.

Daniel liet zich in een stoel zakken. 'Ik heb die foto's van mijn moeder, die ze had achtergelaten –'

Luke stak zijn hand op. 'Wacht. Foto's? Wat zit er nog meer in die envelop?'

'Meer van hetzelfde. Andere meisjes. Andere mannen.'

'Deze ziet eruit alsof ze gedrogeerd is.'

'Dat geldt voor allemaal. Geen van hen is wakker. Het zijn er vijftien. Dat is exclusief de foto's die overduidelijk uit tijdschriften zijn geknipt.'

'Vijftien.' Luke blies zijn adem uit. 'Waarom heeft je moeder ze aan jou gegeven?'

'Eigenlijk had ze ze voor me achtergelaten. Mijn vader had de foto's eerst en...' Lukes ogen werden groot en Daniel zuchtte. 'Misschien kan ik beter bij het begin beginnen.'

'Dat lijkt me wel het beste, ja.'

'Sommige dingen hiervan wist ik. Sommige dingen wist mijn zus, Susannah. We hebben pas vorige week één plus één bij elkaar opgeteld, nadat Simon dood was.'

'Dus je zus weet hier ook van?'

Daniel herinnerde zich de geplaagde ogen van Susannah. 'Ja, ze weet ervan.' Ze wist veel meer dan ze had verteld, daar was Daniel zeker van, net zoals hij er zeker van was dat Simon haar iets had aangedaan. Hij hoopte dat ze het hem zou vertellen als ze er klaar voor was.

'Wie nog meer?'

'De politie in Philadelphia. Ik heb rechercheur Vito Ciccotelli extra afdrukken gegeven. Op dat moment dacht ik dat ze deel uitmaakten van zijn zaak.' Daniel boog zich naar voren, zette zijn ellebogen op zijn knieën en hield zijn blik op de foto van Alicia Tremaine gericht. 'Simon was de eerste eigenaar van de foto's. Voor zover ik weet, althans. Ik weet dat hij ze had voordat hij stierf.' Hij keek Luke kort aan. 'De eerste keer dat hij doodging.'

'Twaalf jaar geleden,' vulde Luke aan, en hij haalde zijn schouders op. 'Mama had het in de krant gelezen.'

Daniels lippen vormden een streep. 'Mama en miljoenen van haar beste vrienden. Het maakt niet uit. Mijn vader vond die foto's en smeet Simon het huis uit, zei dat hij Simon zou aangeven als hij ooit weer thuiskwam. Simon was net achttien geworden.'

'Je vader. De rechter. Hij liet Simon gewoon lopen.'

'Goeie ouwe pa. Hij was bang dat als die foto's aan het licht kwamen, hij de verkiezingen zou verliezen.'

'Maar hij heeft die foto's gehouden. Waarom?'

'Pa wilde niet dat Simon ooit nog terugkwam, dus hield hij ze als verzekeringspolis, als chantagemiddel. Een paar dagen later zei mijn vader tegen mijn moeder dat hij een telefoontje had gekregen, dat Simon was omgekomen bij een auto-ongeluk in Mexico. Pa ging ernaartoe, nam het lijk mee naar huis en liet het begraven in het familiegraf.'

'Maar daar lag een onbekende man die bijna dertig centimeter kleiner was dan Simon.' Luke haalde weer zijn schouders op. 'Het was een goed artikel, met veel details. Dus hoe is je moeder er dan aan gekomen?'

'De eerste keer vond ze ze in pa's kluis. Dat was elf jaar geleden, een jaar nadat Simon "overleed". Ze vond die foto's en een paar tekeningen die Simon ervan had gemaakt. Mijn moeder huilde bijna nooit, maar om die foto's huilde ze. Zo trof ik haar aan.'

'En je zag die foto's.'

'Alleen maar een glimp. Voldoende om te vermoeden dat ze wel echt moesten zijn. Maar toen kwam mijn vader thuis, en hij was woest. Hij moest toegeven dat hij ze al een jaar had. Ik vond dat we ze aan de politie moesten geven, maar dat weigerde mijn vader. Hij zei dat het slecht zou zijn voor de reputatie van de familie en dat Simon al dood was, dus wat had het voor zin?'

'Zin? Nou, wat dacht je van de slachtoffers? Dáár had het zin voor,' zei Luke verontwaardigd.

'Natuurlijk. Maar toen ik de foto's naar de politie wilde brengen, waren de rapen gaar.' Daniel balde zijn handen tot vuisten bij de herinnering. 'Ik heb hem bijna geslagen. Ik was zo kwaad.'

'En wat deed je toen?' vroeg Luke zachtjes.

'Ik ben een eindje gaan lopen om af te koelen, maar toen ik terugkwam had mijn vader de foto's verbrand in de open haard. Ze waren weg.'

'Kennelijk toch niet.' Luke wees naar de envelop.

'Hij moet ergens nog extra afdrukken hebben gehad. Ik was... stomverbaasd. Mijn moeder zei tegen me dat het zo beter was, en mijn vader stond er zo zelfingenomen en superieur bij te kijken... Toen ging ik door het lint. Ik sloeg hem. Hij ging tegen de grond. We kregen vreselijke ruzie. Ik was onderweg naar de voordeur toen Susannah door de achterdeur binnenkwam. Ze had niet meegekregen waarom we ruzie hadden, en ik wilde niet dat ze het wist. Ze was pas zeventien. Later bleek dat ze meer wist dan ik dacht. Als we toen hadden gepraat...' Daniel dacht aan de zeventien lijken die Simon in Philadelphia had achtergelaten. 'Wie weet wat we dan hadden kunnen voorkomen.'

'Heb je het aan niemand verteld?'

Daniel haalde zijn schouders op, walgend van zichzelf. 'Wat moest ik dan vertellen? Ik had geen bewijs, en het was mijn woord tegen dat van een rechter. Mijn zusje had niks gezien en mijn moeder zou mijn vader nooit tegenspreken. Dus zei ik niks, en daar heb ik altijd spijt van gehad.'

'Dus ging je het huis uit en keerde nooit meer terug.'

'Pas toen ik twee weken geleden werd gebeld door de sheriff in Dutton dat ze vermist werden. Het was op dezelfde dag dat ik hoorde dat mijn moeder kanker had. Ik wilde haar nog één keer zien, maar ze was toen al twee maanden dood.' Vermoord door Simon.

'En hoe ben je dan weer aan die foto's gekomen?'

'Afgelopen Thanksgiving ontdekten mijn ouders dat Simon nog leefde.'

'Omdat de chanteur in Philadelphia contact had opgenomen met je vader.'

Daniels ogen werden groot. 'Wauw, dat was me nogal een artikel.'

'Dat heb ik van internet. Je familie is groot nieuws, joh.'

Daniel draaide geërgerd met zijn ogen. 'Geweldig. Maar goed, pa en ma gingen naar Philadelphia, op zoek naar Simon. Ma wilde hem naar huis halen, ervan overtuigd dat hij aan geheugenverlies leed of zoiets. Pa wilde zijn chantage nog wat kracht bijzetten, dus nam hij de foto's mee naar Philadelphia. Uiteindelijk besefte mijn moeder dat pa haar nooit in contact zou brengen met Simon.'

'Simon zou haar hebben verteld dat je vader al die tijd had geweten dat hij nog leefde.'

'Precies. Toen verdween pa. Hij moet Simon hebben gevonden, want Simon heeft hem vermoord en op een verlaten akker begraven, bij al zijn andere slachtoffers. Simon belde mijn moeder en ze was van plan met hem af te spreken. Ze wist dat ze misschien in een valstrik liep, maar dat kon haar niet schelen.'

'Omdat ze terminale kanker had en toch niets meer te verliezen had.'

'Ja. Ze opende een postbus voor me. In die postbus lagen deze foto's. Ze had ze daar achtergelaten voor het geval Simon haar zou vermoorden.'

'Je zei dat Ciccotelli in Philadelphia er afdrukken van had. Weet hij dat jij de originelen hebt gehouden?'

'Nee. Ik heb de kopieën zelf gemaakt.'

Lukes ogen werden groot. 'Op een doodgewone kopieermachine?'

'Nee,' antwoordde Daniel spottend. 'Toen ik de foto's in de postbus aantrof, heb ik een kopieerapparaat en scanner in één gekocht. Ik had een paar uur de tijd voordat Susannah aankwam uit New York, dus ben ik naar mijn hotelkamer gegaan, heb die scanner op mijn laptop aangesloten en de afdrukken gemaakt.'

'Heb je zelf die scanner aangesloten?'

'Ik ben niet helemáál hulpeloos,' zei Daniel droog. 'Iemand van de winkel had me laten zien hoe het moest.' Hij keek weer naar de foto waarop Alicia werd aangerand. 'Ik heb jarenlang nachtmerries over die meisjes gehad. Sinds ik vorige week die foto's terugkreeg heb ik me hun gezichten ingeprent. Ik had mezelf beloofd dat ik zou uitzoeken welk aandeel Simon in die zaken had, en dan zou ik die meisjes opzoeken en ze vertellen dat Simon dood was. Ik had nooit verwacht dat de eerste naam op deze manier in mijn schoot zou vallen.'

'Dus je kende Alicia Tremaine helemaal niet?'

'Nee. Ze was vijf jaar jonger dan ik, dus van school kende ik haar niet, en ik was al naar de universiteit toen ze werd vermoord.'

'En geen van de kerels op die foto's is Simon?'

'Nee. Alle mannen daarop hebben twee benen. Simon miste een been. Bovendien was Simon een heel stuk groter dan die andere kerels. Ik heb geen tatoeages of andere onderscheidende kenmerken op de foto's gezien.'

'Maar nu je de naam van een van de slachtoffers kent heb je meer dan eerst.'

'Dat klopt. Nu vraag ik me af of ik Chase over de foto's moet vertellen.' Chase Wharton was Daniels baas. 'Als ik dat doe, pakt hij me die zaak-Arcadia misschien af, en ook het onderzoek naar die foto's. En ik wil echt allebei die zaken oplossen. Dat heb ik nodig.'

'Als boetedoening,' mompelde Luke.

Daniel knikte. 'Ja.'

Luke trok een wenkbrauw op. 'Je gaat ervan uit dat er nooit iemand is gearresteerd voor de moord op Alicia.'

Daniel rechtte abrupt zijn rug. 'Kun jij dat nagaan?'

Luke tikte al iets in op zijn laptop. 'De politie heeft Gary Fulmore gearresteerd, een paar uur nadat ze Alicia's lichaam hadden gevonden.' Hij typte met snelle vingers nog iets. 'Gary Fulmore is in januari daarna schuldig bevonden aan verkrachting en doodslag.'

'Het is nu januari,' zei Daniel. 'Toeval?'

Luke haalde zijn schouders op. 'Dat moet je uitzoeken. Luister,

Danny, het is vrij duidelijk dat Simon die vrouw in Arcadia niet heeft vermoord. Hij is al een week dood.'

'En deze keer heb ik hem zelf zien sterven,' zei Daniel grimmig. *In feite heb ik een handje geholpen.* En daar was hij blij om. Hij had de wereld een dienst bewezen door ervoor te zorgen dat Simon dood was.

Luke wierp hem een meelevende blik toe. 'En ze hebben de man die Alicia heeft vermoord gepakt. Misschien is dit Fulmore wel.' Hij wees naar de verkrachter op de foto. 'Bovendien hoef je de moord op Alicia Tremaine niet op te lossen. Je moet de moord oplossen op de vrouw in de greppel in Arcadia. Als ik jou was zou ik nog niks over die foto's zeggen.'

Logisch bezien klopte Lukes argument als een bus. Of misschien wilde hij dat alleen maar graag. Hoe dan ook, Daniel zuchtte – voornamelijk van verlichting. 'Bedankt. Je hebt er eentje te goed.'

'Hiervoor heb ik er wel meer dan eentje te goed.'

Daniel keek naar Riley, die al die tijd geen spier had bewogen. 'Ik heb je hond overgenomen en je seksleven gered. Dat is een heleboel waard, Papadopoulos.'

'Hé, het is niet mijn schuld dat Denise Brandi's hond niet in huis wilde hebben.'

'Die Brandi alleen maar nam vanwege jou.'

'Brandi vond dat een rechercheur een bloedhond moest hebben.'

Daniel sloeg zijn ogen ten hemel. 'Brandi's sterke punten lagen overduidelijk niet in haar intelligentie.'

Luke grijnsde. 'Nee. Maar ik moet er wel bij zeggen dat mijn appartement te klein was voor een bloedhond. Een bloedhond zou te groot zijn geweest. Dus kozen we voor Riley.'

'Ik had hem aan je terug moeten geven zodra Denise ervandoor ging,' gromde Daniel.

'Dat is twee jaar en zes vriendinnetjes geleden,' merkte Luke op. 'Ik denk dat je een beetje aan die goeie ouwe Riley gehecht bent geraakt.'

En dat was natuurlijk waar. 'Ik weet alleen dat je hem beter geen eten van je moeder meer kunt voeren, anders krijg je hem terug. Dan moet je maar hopen dat je volgende vriendinnetje van bassethonden houdt én dat je moeder je vriendinnetje aardig vindt.'

Lukes draaideur van vriendinnetjes was een constante bron van zorg voor die arme Mama Papadopoulos. De meesten mocht ze niet, maar ze had nooit de hoop opgegeven dat Luke met een van hen zou trouwen en kleinkinderen op de wereld zou zetten.

'Ik help haar wel even herinneren dat jij al jaren niet meer met iemand uit bent geweest,' zei Luke zelfingenomen terwijl hij van de bank opstond. 'Dan is ze zo druk met een leuk Grieks meisje voor je te zoeken dat ze geen tijd meer heeft om zich over mij druk te maken.' Hij deed de deur open en draaide zich toen met een ernstig gezicht om. 'Je hebt niks verkeerd gedaan, Daniel. Zelfs als je de politie tien jaar geleden over die foto's had verteld, dan had niemand zonder bewijzen iets kunnen doen.'

'Bedankt, man. Dat helpt.' Het was echt zo.

'En wat ga je nu doen?'

'Nu ga ik Riley uitlaten. Morgen ga ik met de moord in Arcadia aan de slag. En ik ga wat onderzoek doen naar Alicia Tremaine, kijken of haar familie of vrienden zich nog iets herinneren. Wie weet, misschien komt daar iets uit. Bedank Mama voor het eten.'

Dutton, zondag 28 januari, 23:30 uur

'Sorry dat ik niet eerder ben gekomen,' mompelde Mack terwijl hij op de koude grond ging zitten. Het marmer tegen zijn rug was nog kouder. Hij wilde dat hij hier overdag had kunnen komen, toen het warm en zonnig was, maar hij kon zich niet bij haar grafsteen laten zien. Hij wilde niet dat iemand wist dat hij terug was, want als ze dat eenmaal wisten, zouden ze alles weten – en daar was hij nog niet klaar voor.

Maar hij moest hier komen, al was het maar één keer. Hij was haar zo veel meer verschuldigd geweest dan hij haar had gegeven. Dat was zijn grootste verdriet. Hij had haar op bijna alle punten in de steek gelaten. En ze was gestorven zonder dat hij bij haar was. Dat was zijn grootste woede.

De laatste keer dat hij hier had gestaan was onder de stralende zomerzon, drieënhalf jaar geleden. Hij had handboeien om gehad en een pak gedragen dat hem niet paste. Ze hadden hem er niet uit gelaten om aan haar sterfbed te zitten, maar ze hadden hem wel een middag vrijgelaten om naar haar begrafenis te gaan.

'Eén middag, verdomme,' zei hij zachtjes. 'Eén middag te laat.'

Alles was hem ontnomen – zijn huis, zijn familiebedrijf, zijn vrijheid, en uiteindelijk zijn moeder – en alles wat hij had gekregen was één middag vrij, verdomme, te laat om nog iets te doen behalve briesen van woede en zweren dat hij wraak zou nemen.

Aan de andere kant van het graf van zijn moeder had zijn schoonzus staan huilen, met de hand van een van haar kleine zoontjes in de hare en haar andere zoontje op haar heup. Zijn kaak verstrakte toen hij aan Annette dacht. Zij had in die laatste dagen voor zijn moeder gezorgd, terwijl hij als een dier was gekooid, en daarvoor zou hij altijd bij haar in het krijt staan. Maar jarenlang had de vrouw van zijn broer Jared een geheim bewaard dat de ondergang had moeten zijn van degenen die hun familie te gronde hadden gericht. Jarenlang had Annette de waarheid geweten maar ze had nooit een woord gezegd.

Hij herinnerde zich nog levendig zijn woede-uitbarsting toen hij slechts negen dagen geleden de dagboeken, die ze zo zorgvuldig had verstopt, had gevonden en gelezen. Eerst had hij haar gehaat en haar aan zijn wraaklijst toegevoegd. Maar ze had voor zijn moeder gezorgd, en een van de lessen die hij in die vier jaar in de gevangenis had geleerd, was het belang van loyaliteit en het karma van een goede daad. Dus had hij Annette gespaard en haar laten doorgaan met haar ellendige leventje in dat ellendige huisje.

Bovendien moest ze voor zijn neefjes zorgen. Hun achternaam zou doorleven via de zoontjes van zijn broer. Zijn eigen naam zou binnenkort onlosmakelijk verbonden zijn met moord en wraak.

Hij zou wraak nemen en dan verdwijnen. Hoe hij moest verdwijnen was ook iets wat hij in de gevangenis had geleerd. Verdwijnen was niet meer zo gemakkelijk als vroeger, maar het kon nog steeds, als je de juiste loyale contactpersonen had en als je geduld had.

Geduld was het belangrijkste wat hij in de bak had geleerd. Als je rustig het juiste moment afwachtte diende de oplossing zich vanzelf aan. Mack had vier jaar lang rustig afgewacht. In die tijd had hij het nieuws in Dutton gevolgd, plannen gemaakt en gestudeerd. Hij had zijn lichaam en geest gesterkt. En zijn woede was blijven borrelen en briesen.

Toen hij een maand geleden als vrij man de gevangenispoort uit was gelopen, had hij meer over Dutton geweten dan de inwoners zelf, maar hij wist nog altijd niet hoe hij het beste degenen kon straffen die zijn leven hadden verpest. Een kogel in hun hoofd was te snel, te genadig. Hij wilde iets pijnlijkers en langdurigers, dus had hij nog wat langer afgewacht, rondhangend in de stad als een schaduw, hun bewegingen, hun gewoonten en hun geheimen in kaart brengend.

En toen, negen dagen geleden, was zijn geduld beloond. Na vier jaar sudderen was zijn plan binnen enkele minuten voltooid. Nu was het doek opgehaald. Hij was op weg.

'Er zijn zo veel dingen die je nooit hebt geweten, mama,' zei hij zachtjes. 'Zo veel mensen die je vertrouwde, terwijl ze je al hadden verraden. De "hoekstenen van de samenleving" in deze stad zijn kwaadaardiger dan je ooit had kunnen denken. De dingen die ze hebben gedaan zijn erger dan alles wat ik ooit heb durven dromen.'

Tot nu toe. 'Ik wou dat je kon zien wat ik ga doen. Ik sta op het punt in de gierput van deze stad te roeren, en iedereen zal weten wat ze jou en mij en zelfs Jared hebben aangedaan. Ze worden te gronde gericht en vernederd. En de mensen van wie ze houden zullen sterven.'

Vandaag hadden ze de eerste gevonden, bij de wielerwedstrijd, precies zoals zijn bedoeling was geweest. En de rechercheur die de leiding had was niemand minder dan Daniel Vartanian zelf. Dat voegde een heel nieuwe laag van betekenis aan het spel toe.

Hij keek op en tuurde door de schaduwen naar het familiegraf van de Vartanians. Het politielint was nu weg en ze hadden het graf dichtgegooid. Het graf waarvan iedereen tot negen dagen geleden had gedacht dat het overschot van Simon Vartanian erin lag. Nu bevatte het familiegraf van de Vartanians twee nieuwe kisten.

'De rechter en zijn vrouw zijn dood. De hele stad is uitgelopen voor de dubbele begrafenis vrijdagmiddag, nog maar twee dagen geleden.' De hele stad, anders dan het droevig kleine groepje dat zich bij het graf van zijn moeder had verzameld. *Annette, haar jongens, de pastoor, en ik.* En de cipiers natuurlijk. Die moest hij niet vergeten. 'Maar maak je geen zorgen. Er kwamen er niet veel uit respect voor de rechter en mevrouw Vartanian. De meesten kwamen eigenlijk om naar Daniel en Susannah te staren.'

Mack had de dubbele uitvaart echter van een wat grotere afstand bekeken, zodat hij iedereen had kunnen bekijken. Ze hadden geen idee wat eraankwam. 'Daniel was vandaag weer aan het werk.' Daar had hij heel erg op gehoopt. 'Ik dacht dat hij langer vrij zou nemen.'

Hij streek met zijn hand over de deken van gras die haar bedekte. 'Ik neem aan dat familie voor sommige mensen meer betekent dan voor andere. Ik had nooit zo snel weer aan het werk kunnen gaan na jouw begrafenis. Al had ík die keus uiteraard niet,' voegde hij er bitter aan toe.

Hij keek weer naar het familiegraf van de Vartanians. 'De rechter en zijn vrouw zijn vermoord door Simon. We dachten al die jaren dat hij dood was. Weet je nog, Jared en ik moesten aan zijn graf komen staan. Ik was pas tien, maar jij zei dat we respect moesten betuigen aan de doden. Maar Simon was niet dood. Negen dagen geleden hebben ze hem opgegraven en bleek dat het niet Simon was in Simons graf. Dat was de dag dat we hoorden dat Simon zijn ouders had vermoord.'

Het was ook de dag geweest waarop hij eindelijk had geweten hoe hij wraak moest nemen. Toen hij de dagboeken had gevonden die Annette zo lang verborgen had gehouden. Al met al was het een heel productieve dag geweest.

'Simon is nu echt dood.' Het was jammer dat Daniel Vartanian hem voor was geweest. 'Maar geen zorgen, dat lege graf staat daar niet voor niks. Binnenkort wordt er nog een zoon van Vartanian in het familiegraf begraven.' Hij glimlachte. 'Binnenkort worden er een heleboel mensen begraven in Dutton.'

Hoe snel de begraafplaats gevuld zou worden, hing af van hoe intelligent Daniel Vartanian werkelijk was. Als Daniel het slachtoffer van vandaag nog niet in verband had gebracht met Alicia Tremaine, dan zou dat niet lang meer duren. Met een anonieme tip aan de *Dutton Review* erbij zou iedereen in de stad morgenochtend weten wat hij had gedaan. Belangrijker nog, degenen van wie hij wilde dat ze het wisten zouden het te horen krijgen. Ze zouden zich zorgen gaan maken. Zweten. Báng zijn.

'Binnenkort zullen ze allemaal boeten.' Hij stond op en keek nog een laatste keer naar de grafsteen met de naam van zijn moeder erop. Als alles goed ging zou hij nooit meer terug kunnen komen. 'Ik zal zorgen voor gerechtigheid voor ons allebei, al is het het laatste wat ik doe.'

Maandag 29 januari, 7:15 uur

'Alex, word eens wakker,' siste Meredith.

Alex deed de slaapkamerdeur open. 'Je hoeft niet zo stil te doen. We zijn allebei wakker.' Ze wees naar Hope, die aan het bureau in de slaapkamer zat, met haar voeten een paar centimeter boven de grond heen en weer zwaaiend en haar onderlip tussen haar tanden geklemd van concentratie. 'Ze is aan het kleuren.' Alex zuchtte. 'Met rood. Ik heb haar wat cornflakes laten eten.'

Meredith bleef in de deuropening staan, gekleed in een joggingpak en met een krant in haar hand. 'Goeiemorgen, Hope. Alex, kan ik je even spreken?'

'Tuurlijk. Ik ben niet ver weg, Hope.' Maar Hope liet niet blijken dat ze het had gehoord. Alex liep achter Meredith aan naar de zitkamer.

'Toen ik wakker werd, zat ze al aan het bureau. Ik heb geen idee hoelang ze al wakker was. Ze heeft heel stil gedaan.'

'Ik wou dat ik je dit niet hoefde te laten zien.' Meredith stak haar de krant toe.

Alex wierp een blik op de krantenkop. Haar knieën knikten en ze liet zich op de bank zakken. Het achtergrondgeluid vervaagde, tot ze alleen nog haar hartslag in haar oren hoorde bonzen. VERMOORDE VROUW GEVONDEN IN GREPPEL IN ARCADIA. 'O, Mer. O nee.'

Meredith hurkte neer en keek haar in de ogen. 'Misschien is het Bailey niet.'

Alex schudde haar hoofd. 'Maar de timing klopt precies. Ze is gisteren gevonden en was al twee dagen dood.' Ze dwong zichzelf te blijven ademen, dwong zichzelf de rest van het artikel te lezen. *Alsjeblieft, wees niet Bailey. Wees te klein of te lang. Wees een brunette of een roodharige, wees alleen niet Bailey.*

Maar terwijl ze las begon haar hartslag te versnellen. 'Meredith.' Ze keek op en de paniek spoot omhoog als een geiser. 'Die vrouw was in een bruine deken gewikkeld.'

Meredith greep de krant. 'Ik heb alleen de kop gelezen.' Haar lippen bewogen terwijl ze las. Toen keek ze op, en haar sproeten staken duidelijk af tegen haar bleke wangen. 'Haar gezicht.'

Alex knikte verdoofd. 'Ik weet het.' Haar stem klonk ijl. De vrouw was zo hard geslagen dat haar gezicht onherkenbaar was. 'Net als...' *Net als Alicia.*

'Mijn god.' Meredith slikte. 'Ze is...' Ze keek over haar schouder naar Hope, die nog driftig aan het kleuren was. 'Alex.'

Ze is verkracht. Net als Alicia. 'Ik weet het.' Alex stond op en probeerde uit alle macht haar knieën in bedwang te houden. 'Ik heb de politie van Dutton gezegd dat er iets vreselijks was gebeurd, maar ze wilden niet luisteren.' Ze rechtte haar rug. 'Kun jij bij Hope blijven?'

'Natuurlijk. Maar waar ga jij naartoe?'

Alex pakte de krant. 'In dit artikel staat dat het onderzoek wordt geleid door rechercheur Daniel Vartanian van het GBI. Het GBI is het misdaadbureau van de staat en ze zitten in Atlanta, dus daar ga ik naartoe.' Ze kneep haar ogen tot spleetjes, voelde dat ze weer de controle over zichzelf had. 'En God sta me bij, die Vartanian kan me nu maar beter niet afwimpelen.'

Maandag 29 januari, 7:50 uur

Hij verwachtte het telefoontje al sinds hij vanochtend de krant van de stoep had gepakt. Maar toch was hij boos toen de telefoon ging. Boos en bang. Hij griste met trillende hand de hoorn van de haak. Maar hij hield zijn stem neutraal. Zelfs een beetje verveeld. 'Ja.'

'Heb je het gezien?' De stem aan de telefoon was even onvast als zijn eigen hand, maar hij zou de anderen zijn angst niet laten zien. Eén teken van zwakte en de anderen zouden omvallen als dominostenen, te beginnen bij degene die het stomme risico had genomen om hem te bellen.

'Ik sta er nu naar te kijken.' De kop had zijn aandacht getrokken. Het artikel had zijn ingewanden vastgegrepen en erin geknepen, waardoor hij misselijk was geworden. 'Het heeft niks met ons te maken. Zeg niks, dan waait het wel over.'

'Maar als iemand vragen gaat stellen...'

'Dan zeggen we niks, net zoals toen. Dit is gewoon een of andere na-aper. Doe normaal en alles komt goed.'

'Maar... dit is heel erg, man. Ik denk niet dat ik normaal kan doen.'

'Dat kun je wel, en dat doe je ook. Dit heeft niks met ons te maken. Hou nu op met je gejammer en ga aan het werk. En bel me niet nog een keer.'

Hij hing op en las het artikel nog eens. Hij was nog steeds boos en bang, en hij vroeg zich af hoe hij zo vreselijk stom had kunnen zijn. *Je was nog maar een kind. Kinderen maken fouten.* Hij pakte de foto van zijn bureau en keek naar het glimlachende gezicht van zijn vrouw en hun twee kinderen. Hij was nu geen kind meer. Hij was volwassen en had veel te veel te verliezen. *Als een van hen doorslaat, als een van hen gaat praten...* Hij zette zich af van zijn bureau, liep naar het toilet en gaf over. Toen vermande hij zich en bereidde zich voor op de dag.

Atlanta, maandag 29 januari, 7:55 uur

'Hier. Zo te zien heb jij er meer behoefte aan dan ik.'

Daniel rook koffie en keek op toen Chase Wharton op de hoek van zijn bureau ging zitten. 'Bedankt. Ik kijk al een uur naar die uitdraaien van vermiste personen en ik begin dubbel te zien.' Hij nam een slok en grimaste toen het bittere brouwsel door zijn keel gleed.

'Bedankt,' herhaalde hij, een stuk minder oprecht.

Zijn baas grinnikte. 'Sorry. Ik moest het laatste uit de pot gieten voor ik nieuwe kon zetten, en je zag er echt uit alsof je het nodig had.' Chase keek naar de stapel uitdraaien. 'Nog geen geluk?'

'Nee. Haar vingerafdrukken hebben niks opgeleverd. Ze is al twee dagen dood, maar dat betekent niet dat ze toen ook is verdwenen. Ik ben twee maanden teruggegaan, maar niemand springt eruit.'

'Misschien komt ze niet hier vandaan, Daniel.'

'Ik weet het. Leigh vraagt gegevens over vermiste personen op bij andere bureaus in een omtrek van tachtig kilometer.' Maar tot nu toe had hun assistent ook nog niets gevonden. 'Ik hoop dat ze pas twee dagen weg was en dat niemand haar tot nu toe had gemist, aangezien het weekend was. Het is nu maandagochtend. Misschien meldt er zich vandaag iemand als ze niet komt opdagen op haar werk of zo.'

'We zullen duimen. Ga je vandaag een bespreking beleggen om iedereen bij te praten?'

'Om zes uur vanmiddag. Tegen die tijd heeft dokter Berg de autopsie gedaan en is het lab klaar met de plaats delict.' Hij haalde diep adem. 'Maar tot die tijd hebben we andere problemen.' Onder de stapel uitdraaien haalde hij de drie vellen vandaan die hij vanochtend op de fax had gevonden.

Chase' gezicht betrok. 'Verdomme, wie heeft die foto gemaakt? Wat is dat voor krant?'

'De kerel die de foto heeft gemaakt is dezelfde die het artikel heeft geschreven. Hij heet Jim Woolf en is eigenaar van de *Dutton Review*. Dit is de kop van vandaag.'

Chase keek hem geschrokken aan. 'Dutton? Ik dacht dat het slachtoffer in Arcadia was gevonden.'

'Klopt. Je kunt misschien beter even gaan zitten. Dit kan wel even duren.'

Chase ging zitten. 'Oké. Wat is er aan de hand, Daniel? Hoe kom je aan die fax?'

'Van de sheriff in Arcadia. Hij zag dat artikel toen hij vanochtend koffie ging halen. Hij belde me om zes uur vanochtend om het me te laten weten, en toen heeft hij het doorgefaxt. Door de hoek van waaruit de foto is genomen, denkt hij dat Jim Woolf in een boom zat en ons al die tijd in de gaten hield.'

Daniel bekeek de korrelige foto en zijn woede vlamde weer op. 'Woolf heeft er alle details in gezet die ik zou hebben achtergehouden: het toegetakelde gezicht van het slachtoffer, dat ze in een bruine deken was gewikkeld. Hij had niet eens het fatsoen om te wachten tot ze klaar waren met het dichtritsen van de lijkzak. Gelukkig staat Malcolm er grotendeels voor.' Het lichaam was niet te zien, maar de voeten wel.

Chase keek hem grimmig aan. 'Hoe is die kerel verdomme voorbij de afzetting gekomen?'

'Ik denk niet dat hij er voorbij is gekomen, niet als hij in de boom zat waar Corchran denkt dat hij zat. We hadden het zeker gezien als hij daar in was geklommen waar wij bij waren.'

'Dus hij was er al voordat jullie kwamen.'

Daniel knikte. 'En dat betekent in het beste geval dat iemand hem een tip heeft gegeven. In het slechtste geval kan het betekenen dat hij met de plaats delict heeft gerommeld voor wij kwamen.'

'Wie heeft dit gemeld? Ik bedoel aanvankelijk?'

'Een fietser die meedeed aan de wedstrijd. Hij zei dat hij het alarmnummer had gebeld zonder af te stappen. Ik heb al een bevelschrift aangevraagd om zijn mobiele telefoongegevens te bekijken, om te zien of hij eerst nog iemand anders heeft gebeld.'

'Aasgieren,' mompelde Chase. 'Bel die Woolf. Laat hem je vertellen wie hem getipt heeft.'

'Ik heb hem vanochtend al vier keer geprobeerd te bellen, maar er wordt niet opgenomen. Ik rij vandaag naar Dutton om hem te ondervragen, maar ik durf te wedden dat hij zich achter zijn zwijgrecht verschuilt en zijn bron niet zal onthullen.'

'Waarschijnlijk wel. Verdomme.' Chase gaf een tik tegen de fax, alsof het een vlieg was. 'Die Woolf kan wel degene zijn die haar daar heeft neergelegd.'

'Daar heb ik ook al aan gedacht, maar ik betwijfel het. Ik heb bij Jim Woolf op school gezeten en ik ken zijn familie. Hij en zijn broers waren rustige, aardige jongens.'

Chase keek woest naar de foto. 'Waarschijnlijk is hij veranderd.'

Daniel zuchtte. Ze waren toch allemaal veranderd? Er was iets met Dutton wat het slechtste in mensen naar boven bracht. 'Dat zal wel.'

Chase stak zijn hand op. 'Wacht. Ik wil nog steeds weten waarom het in Dutton in de krant stond. Als dit in Arcadia is gebeurd, waarom hebben ze dan die Woolf in Dutton de tip gegeven?'

'Het slachtoffer van gisteren is gevonden in Arcadia, in een greppel, gewikkeld in een bruine deken. Een gelijksoortige misdaad is dertien jaar geleden ook in Dutton gepleegd.' Daniel liet hem het artikel over de moord op Alicia Tremaine zien. 'Haar moordenaar zit nu een levenslange gevangenisstraf uit in Macon State.'

Chase grimaste. 'God, ik haat copycat-moordenaars.'

'Ik ben anders ook niet zo dol op de originele. Hoe dan ook, ik denk dat iemand het lijk heeft gezien, zich die zaak-Tremaine herinnerde en vervolgens het verhaal aan Jim Woolf heeft doorgebriefd. Het kan die fietser zijn geweest, of ieder ander bij de wielerwedstrijd. Ik heb de mensen van de organisatie gesproken omdat ik me afvroeg waarom het lijk in die greppel was gedumpt, en een van hen zei dat hij het parcours zaterdag had gereden en niets had gezien. Ik geloofde hem, want hij droeg een bril met jampotglazen.'

'Maar als hij de ronde al had gereden, dan hebben anderen dat misschien ook gedaan. Graaf nog maar wat verder.' Chase keek bedenkelijk. 'Maar hoe zit het met die Tremaine? Ik heb jou liever niet op een zaak die verband houdt met Dutton. Niet op dit moment.'

Daniel was voorbereid op dat argument. Toch kreeg hij er klamme handen van. 'Simon heeft die vrouw niet vermoord, Chase. Er is hier geen conflict.'

Chase draaide met zijn ogen. 'Verdomme, Daniel, dat weet ik ook wel. Maar ik weet ook dat de namen Dutton en Vartanian in één zin de hoge heren heel nerveus maken.'

'Dat is niet mijn probleem. Ik heb niks verkeerd gedaan.' En misschien zou hij dat op een dag zélf ook geloven. Voorlopig was het genoeg als Chase het van hem aannam.

'Oké. Maar zodra je iets hoort fluisteren over een kwaadaardige Vartanian ben je weg, oké?'

Daniel glimlachte droog. 'Oké.'

'Wat ga je nu doen?'

'Die vrouw proberen te identificeren.' Hij tikte op de foto van het slachtoffer. 'Uitzoeken wie Jim Woolf wat heeft verteld en wanneer en... die zaak van Alicia Tremaine natrekken. Ik heb een paar berichten bij de sheriff in Dutton achtergelaten. Ik wil een kopie hebben van het politierapport uit de zaak-Tremaine. Misschien staat daar iets in waar ik nu wat aan heb.'

3

Atlanta, maandag 29 januari, 8:45 uur

Alex bleef voor het kantoor van de onderzoeksdivisie van het GBI staan en hoopte dat agent Daniel Vartanian hulpvaardiger zou zijn dan sheriff Loomis in Dutton. 'Kijk maar op de hoek van Peachtree en Pine,' had Loomis gesnauwd toen ze zondagochtend voor de vijfde keer had gebeld in een poging iemand zover te krijgen haar informatie over Bailey te geven.

Ze had gegoogeld en ontdekt dat de kruising van Peachtree en Pine de locatie was van meerdere opvangcentra voor daklozen in Atlanta. Als ze het mis had... *God, laat het me alsjeblieft mis hebben...* en dit slachtoffer was niet Bailey, dan zou Peachtree en Pine haar volgende halte worden.

Maar in de loop der jaren was Alex realistischer geworden, en ze wist dat de kans groot was dat Bailey de vrouw was die in Arcadia was gevonden. Dat ze net zo was gevonden als Alicia... Een rilling van angst liep over haar rug. Ze nam even de tijd om zich te vermannen voordat ze de deur opendeed. *Richt je op de stilte. Wees assertief.*

Ze vertrouwde in ieder geval op haar kleding. Ze had het zwarte pakje aangetrokken dat ze had meegenomen voor het geval ze naar het gerechtshof moest om de voogdij te krijgen over Hope. Of in het geval Bailey werd gevonden. Ze had het de afgelopen jaren naar diverse begrafenissen gedragen. Biddend dat ze niet naar nog een begrafenis zou hoeven, bereidde ze zich voor op het ergste en opende de deur.

Op de balie stond een naamplaatje met daarop: LEIGH SMITHSON, ASSISTENT.

De blondine achter de balie keek met een vriendelijke glimlach op van haar computer. 'Kan ik u helpen?'

'Ik wil rechercheur Vartanian graag spreken.' Alex stak haar kin naar voren en daagde de vrouw uit haar af te wimpelen.

De glimlach van de blondine verzwakte wat. 'Hebt u een afspraak?'

'Nee. Maar het is belangrijk. Het gaat over een artikel in de krant.' Ze trok de *Dutton Review* uit haar tas. De ogen van de vrouw spoten vuur.

'Rechercheur Vartanian heeft geen commentaar voor uw krant. Jullie verslaggevers –' mopperde ze.

'Ik ben geen verslaggever en ik wil geen informatie over rechercheur Vartanian,' snauwde Alex. 'Ik wil informatie over het onderzoek.' Ze slikte moeizaam, boos op zichzelf omdat haar stem oversloeg. Ze herstelde zich en hief haar kin. 'Ik ben bang dat het slachtoffer mijn stiefzus is.'

De gezichtsuitdrukking van de vrouw veranderde ogenblikkelijk en ze sprong op uit haar stoel. 'Het spijt me. Ik nam aan dat u... Hoe is uw naam, mevrouw?'

'Alex Fallon. Mijn stiefzus heet Bailey Crighton. Ze is twee dagen geleden verdwenen.'

'Ik zal rechercheur Vartanian zeggen dat u er bent. Gaat u toch even zitten.' Ze wees naar een rij plastic stoeltjes en pakte de telefoon.

'Hij komt zo bij u,' zei ze even later.

Alex was te nerveus om te gaan zitten. Ze ijsbeerde en keek naar een muur vol tekeningen van politieagenten, boeven en gevangenissen, gemaakt door schoolkinderen. Alex dacht aan Hope en haar rode krijtjes. Wat had dat kleintje gezien? *Zou je het aankunnen als je het wist?*

Ineens bleef ze staan. Ze had zichzelf verrast met die vraag. Kon ze het aan? Ze zou wel moeten, omwille van Hope. Het kind had niemand anders. *Dus zul jij het deze keer moeten regelen, Alex.* Hoewel ze in de stilte van haar geest wist dat ze het tot nu toe niet zo goed had aangepakt.

Ze had vannacht dé droom gehad. Een duistere droom met een gil erin die zo lang had geduurd en zo luid was geweest dat ze in een vlaag van koud zweet wakker was geschrokken, zo hevig trillend dat ze dacht dat Hope er wakker van zou worden. Maar het kind had zich niet eens bewogen. Alex had zich afgevraagd of Hope droomde, en wat ze zag.

'Mevrouw Fallon? Ik ben rechercheur Vartanian.' De stem was

warm, diep en rustig. Toch ging haar hart tekeer. *Nu gaat het gebeuren. Hij gaat je vertellen dat het Bailey is. Je moet dit doen.*

Ze draaide zich langzaam om en had een halve seconde de tijd om op te kijken in een ruw maar knap gezicht met een breed voorhoofd, lippen die niet glimlachten en ogen die zo felblauw waren dat ze haar de adem benamen. Toen werden die ogen groot en zag Alex ze even hevig knipperen. Daarna weken zijn strakke lippen vaneen en trok de kleur uit zijn gezicht weg.

Dus het was toch Bailey. Alex bleef alleen dankzij haar wilskracht op haar benen staan. Ze had het antwoord wel geweten. Toch had ze gehoopt... 'Rechercheur Vartanian?' fluisterde ze. 'Is het slachtoffer mijn stiefzus?'

Hij staarde naar haar gezicht en zijn kleur keerde langzaam terug. 'Alstublieft,' zei hij, zijn stem nu laag en gespannen. Hij stak zijn arm uit en gebaarde dat ze hem voor moest gaan. Alex dwong zichzelf de ene voet voor de andere te zetten. 'Mijn kantoor is hier,' zei hij, 'aan de linkerkant.'

Het was een kaal kantoor. Kleurloze kantoormeubelen: een bureau en een paar stoelen. Kaarten aan de muren, en een paar plaquettes. Geen foto's. Ze ging in de stoel zitten die hij voor haar onder het bureau vandaan trok. Zelf nam hij achter het bureau plaats. 'Ik moet me verontschuldigen, mevrouw Fallon. U lijkt op iemand anders. Ik... keek ervan op. Alstublieft, vertel eens over uw stiefzus. Mevrouw Smithson zei dat ze Bailey Crighton heet en dat ze sinds twee dagen wordt vermist.'

Hij staarde haar zo intens aan dat ze zich onbehaaglijk voelde. Dus staarde ze terug, en ze merkte dat het hielp om haar concentratie te bewaren. 'Ik ben vrijdagmiddag gebeld door de sociale dienst. Bailey was niet op haar werk verschenen en een collega vond haar dochtertje alleen in huis.'

'Dus u bent hierheen gekomen om voor haar dochtertje te zorgen?'

Alex knikte. 'Ja. Ze heet Hope. Ze is vier. Ik heb geprobeerd met de sheriff in Dutton te praten, maar hij zei dat Bailey er waarschijnlijk vandoor was.'

Zijn kaak verstrakte, zo lichtjes dat ze het gemist zou hebben als ze niet net zo naar hem had gestaard als hij naar haar. 'Ze woonde dus in Dutton?'

'Heel haar leven al.'

'Ik begrijp het. Kunt u haar beschrijven?'

Alex balde haar handen op haar schoot tot vuisten. 'Ik heb haar al vijf jaar niet meer gezien. Ze gebruikte toen drugs en ze zag er hard en oud uit. Maar ik heb gehoord dat ze clean is sinds haar dochter is geboren. Ik weet niet precies hoe ze er nu uitziet en ik heb geen foto's van haar.' Die had ze allemaal achtergelaten toen Kim en Steve haar dertien jaar geleden meenamen, en later... Alex had geen foto's willen hebben van Bailey aan de drugs. Het was te pijnlijk om te zien, laat staan er een foto van te maken.

'Ze is ongeveer even groot als ik, één meter vijfenzestig. De laatste keer dat ik haar zag was ze heel mager, misschien vijfenvijftig kilo. Haar ogen zijn grijs. Toen was haar haar blond, maar ze is kapster, dus het kan alle kleuren hebben.'

Vartanian maakte aantekeningen. Hij keek op. 'Wat voor kleur blond? Donker, goudblond?'

'Nou, niet zo blond als u.' Vartanians haar had de kleur van maïszijde, en het was zo dik dat de strepen er nog in stonden van toen hij er met zijn vingers doorheen had gekamd. Hij keek op en glimlachte een beetje, en ze voelde haar wangen warm worden. 'Sorry.'

'Geeft niet,' zei hij vriendelijk. Hoewel hij nog altijd naar haar staarde was er iets in zijn houding veranderd, en voor het eerst stond Alex zichzelf toe hoop te hebben.

'Was het slachtoffer blond, rechercheur Vartanian?'

Hij schudde zijn hoofd. 'Nee. Heeft uw stiefzus bepaalde opvallende kenmerken?'

'Ze heeft een tatoeage op haar rechterenkel. Een schaap.'

Vartanian keek verrast. 'Een schaap?'

Alex' wangen kleurden weer. 'Een lammetje, eigenlijk. Het was een grapje tussen ons. Bailey, mijn zus en ik. We hebben er allemaal eentje –' Ze onderbrak zichzelf. Ze raaskalde.

Zijn ogen knipperden opnieuw, heel lichtjes. 'Uw zus?'

'Ja.' Alex keek op Vartanians bureau en zag de krant van vanochtend liggen, de *Dutton Review*. Plotseling snapte ze zijn extreme reactie van toen hij haar zag en ze wist niet of ze opgelucht of geërgerd moest zijn. 'U hebt de krant al gelezen, dus u weet van de overeenkomsten tussen de dood van mijn zus en de vrouw die u gisteren hebt gevonden.' Hij zei niets, en Alex merkte dat ze geërgerd was.

'Alstublieft, rechercheur Vartanian. Ik ben moe en doodsbang. Speel geen spelletjes met me.'

'Het spijt me. Het is niet mijn bedoeling om spelletjes met u te spelen. Vertel me eens over uw zus. Hoe heette ze?'

Alex zoog haar wangen naar binnen. 'Alicia Tremaine. In godsnaam, u hebt vast haar foto gezien. U keek me net aan alsof u een geest zag, verdomme.'

Weer knipperden zijn ogen, deze keer geërgerd. 'Er is een sterke gelijkenis,' zei hij mild.

'Aangezien we een eeneiige tweeling waren, sta ik daar op een of andere manier niet van te kijken.' Alex wist haar stem gelijkmatig te houden, maar het kostte moeite. 'Rechercheur Vartanian, is die vrouw Bailey of niet?'

Hij speelde met zijn potlood, en Alex kreeg de neiging om over zijn bureau heen te springen en het ding uit zijn handen te rukken. Uiteindelijk zei hij: 'Ze is niet blond en ze heeft geen tatoeage.'

Alex voelde zich licht in haar hoofd van opluchting. Ze moest vechten om de plotseling dreigende tranen te onderdrukken. Toen ze zich wat had hersteld, blies ze langzaam haar adem uit en keek hem aan. Maar hij zag er niet zo opgelucht uit.

'Dan kan het Bailey niet zijn,' zei ze vlak.

'Tatoeages kun je laten weghalen.'

'Maar dan blijft er altijd een litteken achter. Dat kan uw patholoog zien.'

'En ik zal ervoor zorgen dat ze goed kijkt,' zei hij op een manier die Alex vertelde wat hij daarna zou zeggen: een belofte om haar te bellen als hij iets wist. Ze wilde niet wachten.

Alex tilde haar kin op. 'Ik wil haar zien. Het slachtoffer. Ik moet het weten. Bailey heeft een kind. Hope moet het ook weten. Ze moet weten dat haar moeder haar niet zomaar in de steek heeft gelaten.' Alex vermoedde dat Hope precies wist wat er was gebeurd, maar dat hield ze voor zich.

Vartanian schudde zijn hoofd, hoewel zijn blik was verzacht en er iets van medeleven in te lezen was. 'U kunt haar niet zien. Ze is vreselijk geslagen. Ze is onherkenbaar.'

'Ik ben verpleegkundige, rechercheur Vartanian. Ik heb wel eerder dode mensen gezien. Als het Bailey is, dan zal ik het weten. Alstublieft. Ik moet het hoe dan ook weten.'

Hij weifelde, maar uiteindelijk knikte hij. 'Ik zal de patholoog bellen. Ze zou om een uur of tien met haar onderzoek beginnen, dus we zouden haar nog moeten kunnen bereiken voordat ze begint.'

'Dank u.'

Maandag 29 januari, 9:45 uur

'Dit is onze zichtkamer.' Dokter Felicity Berg stapte opzij toen Daniel achter Alex Fallon aan binnenkwam. 'Als u wilt zitten, ga dan gerust uw gang.'

Daniel zag dat Alex de kamer met een vluchtige blik opnam. Toen schudde ze haar hoofd. 'Dank u, maar ik blijf wel staan,' zei ze. 'Is ze klaar?'

Ze was een koele kikker, die Alex Fallon. En ze had hem de schok van zijn leven bezorgd.

Zij is het, was alles wat hij kon denken toen ze in zijn ogen had gekeken. Gelukkig had hij zichzelf niet al te erg voor gek gezet. Toen ze zei dat hij had gekeken alsof hij een geest zag, had ze de spijker op z'n kop geslagen. Zijn hart bonsde nog altijd wanneer hij naar haar keek, iets wat hij maar niet scheen te kunnen laten.

Als hij haar goed bekeek, zag hij wel dat ze anders was dan het glimlachende meisje op de foto. Ze was dertien jaar ouder, maar daar lag het niet aan. Het was iets in haar ogen. Ze waren whiskykleurig, net zoals die van haar zus natuurlijk. Maar de lach die hij in de ogen van Alicia Tremaine had gezien, was niet te vinden in die van Alex Fallon.

Ze had vreselijke dingen meegemaakt, dertien jaar geleden en nu weer, maar misschien was er ooit wél ondeugd en pret in haar ogen te zien geweest. Nu was Alex Fallon echter koel en beheerst. Hij had korte uitbarstingen van emotie bij haar gezien – angst, woede, opluchting, allemaal snel weer onder controle gebracht. Terwijl hij haar voor het raam met het gordijn zag staan, vroeg hij zich af wat er door haar hoofd ging.

'Ik zal even kijken,' zei Felicity, en ze sloot de deur achter zich en liet hen alleen.

Alex bleef zwijgend staan, met haar armen langs haar lichaam. Maar haar handen waren tot vuisten gebald en Daniel onderdrukte de neiging om ze te pakken en haar vingers open te vouwen. Ze was een mooie vrouw, vond hij, toen hij eindelijk naar haar kon kijken zonder dat zij naar hem keek. Haar ogen hadden hem van zijn stuk gebracht: daarmee had ze meer gezien dan hij zou willen. Haar lippen waren vol, en ze glimlachten niet. Ze was slank, maar haar conservatieve zwarte pak gaf voldoende aanwijzingen over de rondingen eronder. Haar haren hadden dezelfde donkere karamelkleur als die van haar zus en vielen in golven, dik en glanzend, tot halverwege haar rug. Omdat de gedachte om haar haren aan te raken, haar wang te strelen... omdat die gedachte daadwerkelijk bij hem was opgekomen, stopte Daniel zijn handen in zijn zakken. Ze schrok een beetje toen hij zich bewoog. Ze was zich van hem bewust geweest, ook al had ze niet naar hem gekeken.

'Waar woont u, mevrouw Fallon?'

Ze draaide zich een stukje om, zodat ze over haar schouder kon kijken. 'Cincinnati.'

'Bent u daar verpleegkundige?'

'Ja. Ik werk op de spoedeisende hulp.'

'Zware baan.'

'Net als die van u.'

'U gebruikt de naam Tremaine niet.'

Er bewoog een spiertje in haar hals toen ze slikte. 'Nee. Ik heb hem laten veranderen.'

'Toen u trouwde?' vroeg hij, en hij besefte dat hij zijn adem inhield.

'Ik ben niet getrouwd. Ik ben geadopteerd door mijn oom en tante toen mijn zus overleden was.' De toon van haar stem waarschuwde hem om vooral niet door te vragen, dus hij veranderde van onderwerp. Ze was dus niet getrouwd. 'U zei dat uw stiefzus een kind heeft. Hope, zei u?'

'Ja. Hope is vier. De sociale dienst vond haar vrijdagochtend, verstopt in een kast.'

'Denken ze dat Bailey haar dochter in de steek heeft gelaten?'

Haar kaak verstrakte, net als haar vuisten. Zelfs in het gedempte licht zag hij haar knokkels wit worden. 'Dat denken ze. Maar Hopes juf zei dat Bailey haar nooit alleen zou hebben gelaten.'

'Dus u kwam meteen hierheen om voor het kind te zorgen?'

Toen keek ze hem wel aan, strak en langdurig, en hij wist dat hij zijn blik niet had kunnen afwenden, zelfs al had hij dat gewild. Alex Fallon had een innerlijke kracht, een doelgerichtheid... Wat het ook was, het eiste zijn aandacht op.

'Ja. Tot Bailey wordt gevonden. Hoe dan ook.'

Hij wist dat het een slecht idee was, maar toch pakte hij haar hand en vouwde haar vingers open. Haar nette, ongelakte nagels hadden diepe deuken in haar handpalm achtergelaten. 'En als Bailey nooit wordt gevonden?' mompelde hij.

Ze keek naar zijn handen om die van haar, toen weer in zijn ogen, en zijn zenuwen ontvlamden. Het was alsof zijn huid in brand stond. 'Dan wordt Hope mijn dochter en zal ze nooit meer bang en alleen zijn,' zei ze zachtjes maar resoluut, en hij twijfelde er niet aan dat ze haar belofte zou inlossen.

En plotseling slikte hij moeizaam. 'Ik hoop dat u duidelijkheid krijgt.'

De grimmige lijn van haar mond verzachtte. Het was geen glimlach, maar haar lippen waren meer ontspannen.

'Dank u.'

Hij hield haar hand nog even vast, liet pas weer los toen Felicity weer binnenkwam.

Felicity keek van Daniel naar Alex en kneep haar ogen een beetje samen. 'We zijn klaar, mevrouw Fallon. We laten u haar gezicht niet zien, goed?'

Alex Fallon knikte. 'Ik begrijp het.'

Felicity trok het gordijn tot twee derde open. Malcolm Zuckerman stond aan de andere kant van de ruit. Felicity boog zich naar de luidspreker toe. 'Begin maar.'

Malcolm trok het laken opzij en onthulde de rechterkant van het slachtoffer.

'Agent Vartanian zei dat uw stiefzus een tatoeage heeft,' zei Felicity zachtjes. 'Ik heb zelf gekeken en heb geen littekens gezien. Er is geen bewijs dat er ooit een tatoeage op die enkel heeft gestaan.'

Alex knikte opnieuw. 'Dank u. Kunt u me de binnenkant van haar arm laten zien?'

'Ik heb ook geen naaldsporen gevonden,' zei Felicity toen Malcolm gehoorzaamde.

Alex' schouders ontspanden zich eindelijk, en ze trilde zichtbaar. 'Het is Bailey niet.' Ze keek Daniel in zijn ogen, en in die van haar zag hij een razende combinatie van medeleven, spijt en opluchting. 'U hebt nog steeds een ongeïdentificeerd slachtoffer, rechercheur Vartanian. Dat spijt me.'

Hij glimlachte droevig. 'Ik ben blij dat het uw stiefzus niet is.'

Felicity trok het gordijn weer dicht. 'Ik begin over een paar minuten met de autopsie, Daniel. Moet ik op je wachten?'

'Als je het niet erg vindt. Bedankt, Doc.' Hij wachtte tot Felicity weg was, stond op en stak zijn handen in zijn zakken. Alex Fallon trilde nog, en hij had de neiging om haar tegen zich aan te trekken en vast te houden tot ze zich weer beter voelde. 'Gaat het wel, mevrouw Fallon?'

Ze knikte onzeker. 'Ja. Maar Bailey is nog steeds spoorloos.'

Hij wist wat ze hem vroeg. 'Ik kan u daar helaas niet bij helpen.'

Haar ogen fonkelden. 'Waarom niet?'

'Omdat het GBI niet zomaar zaken van de plaatselijke politie overneemt. Daartoe moeten ze ons uitnodigen.'

Haar kaak verstrakte. 'Ik begrijp het. Nou, kunt u me dan vertellen hoe ik bij Peachtree en Pine kom?'

Daniel keek haar onthutst aan. 'Pardon?'

'Ik zei Peachtree en Pine.' Ze benadrukte het. 'Sheriff Loomis, de sheriff in Dutton, zei dat ik haar daar maar moest gaan zoeken.'

Verdomme, Frank, dacht Daniel. Dat was ongevoelig en onverantwoord.

'Ik vertel u graag hoe u er moet komen, maar u hebt misschien meer geluk als het donker is, en dat zou ik niet aanbevelen. U komt hier niet vandaan en kent de veilige gebieden niet.'

Ze keek hem opstandig aan. 'Ik heb schijnbaar niet veel keus. Sheriff Loomis wil me niet helpen, en u kunt het niet.'

Hij dacht van niet, maar besloot zijn mening voor zich te houden. Hij keek naar zijn schoenen, en toen weer naar haar. 'Als u kunt wachten tot zeven uur, ga ik met u mee.'

Ze keek hem wantrouwig aan. 'Waarom?'

'Omdat ik om zes uur een bespreking heb, die tot zeven uur duurt.'

Ze schudde haar hoofd. 'Speel geen spelletjes met me, meneer Vartanian. Waarom?'

Hij besloot haar een klein stukje van de waarheid te vertellen. 'Omdat dat slachtoffer net zo is gevonden als uw zus, en uw stiefzus verdween op dezelfde dag dat dit slachtoffer stierf. Of ik nu te maken heb met een copycat-moordenaar of niet, dit is een te groot toeval om te negeren. En... u bent hier, mevrouw Fallon. Hebt u eraan gedacht dat u ook een doelwit kunt zijn van die moordenaar?'

Ze verbleekte. 'Nee.'

'Ik wil u niet bang maken, maar ik zie u liever bang dan daarbinnen op tafel.'

Ze knikte beverig en hij zag dat ze het begreep. 'Ik stel het op prijs,' mompelde ze. 'Dus waar spreken we om zeven uur af?'

'Hier? Maar trek wel iets anders aan. Dat pak is te mooi.'

'Oké.'

De behoefte om zijn arm om haar heen te slaan overviel hem weer, maar hij zette die van zich af. 'Kom, ik laat u er even uit.'

Maandag 29 januari, 10:45 uur

Ik leef nog. Het kostte haar moeite om wakker te worden. Ze gluurde tussen haar wimpers door, niet in staat haar ogen helemaal open te doen. Maar het maakte niet uit, want het was zo donker dat ze toch niets had kunnen zien. Het was dag, maar dat wist ze alleen omdat ze buiten vogeltjes hoorde fluiten.

Ze probeerde zich te bewegen en kreunde toen ze overal pijn voelde. Het deed zo'n pijn.

En ze wist niet eens waarom. Nou, eigenlijk wist ze het voor een deel wel, misschien wel helemaal, maar dat hield ze liever voor zichzelf verborgen. In haar zwakkere momenten zou ze het hem misschien vertellen, en dan zou hij haar vermoorden.

Ze wilde niet dood. *Ik wil naar huis. Ik wil naar mijn kindje.* Ze dacht aan Hope en grimaste toen er een hete traan over haar wang liep. *Alstublieft, God, zorg voor mijn kindje.* Ze bad dat iemand wist dat ze weg was, dat iemand Hope was komen halen. *Dat iemand naar me zoekt.* Dat ze belangrijk voor iemand zou zijn. Wie dan ook. *Alsjeblieft.*

Er naderden voetstappen en ze haalde oppervlakkig adem. Hij kwam eraan. *God sta me bij, hij komt eraan. Laat me niet bang zijn.* Ze dwong zichzelf haar hoofd leeg te maken, alle gedachten uit te bannen. *Allemaal.*

De deur zwaaide open en ze kromp ineen bij het gedempte licht vanuit de gang.

'Kijk aan,' zei hij lijzig. 'Ga je me nu vertellen waar hij is?'

Ze beet op haar kiezen en zette zich schrap voor de klap. Toch gaf ze een gil toen de punt van zijn laars tegen haar heup aan kwam. Ze keek op in de zwarte ogen die ze ooit had vertrouwd.

'Bailey, lieverd. Je kunt dit niet winnen. Zeg me waar de sleutel is. Dan laat ik je gaan.'

Dutton, maandag 29 januari, 11:15 uur

Het stond er nog, dacht Alex terwijl ze vanaf de straat omhoogkeek naar Baileys huis.

Ga dan naar binnen. Kijk rond. Wees niet zo'n lafaard. Maar toch bleef ze zitten kijken, terwijl haar hart tekeerging. Eerst had ze zich zorgen gemaakt om Bailey. Ze was doodsbang geweest voor Baileys huis. Nu, dankzij Vartanian, maakte ze zich ook zorgen om zichzelf.

Hij had het misschien helemaal mis, maar als hij gelijk had... dan had ze bescherming nodig.

Ze had een hond nodig. Een grote hond. En een wapen. Ze startte haar huurauto en wilde bij de stoeprand wegrijden, toen er op haar ruit werd geklopt. Ze slaakte een gil.

Haar blik vloog naar het raampje. Ze zag een jongeman in legeruniform die naar haar stond te glimlachen. Hij had haar niet horen gillen. Niemand hoorde haar ooit gillen. Haar gegil klonk alleen in haar hoofd.

Ze haalde beverig adem en rolde het raampje een stukje omlaag. 'Ja?'

'Sorry dat ik u lastigval,' zei hij vriendelijk. 'Ik ben kapitein Beardsley, U.S. Army. Ik zoek Bailey Crighton. Weet u misschien waar ik haar kan vinden?'

'Waarom zoekt u haar?'

Weer die vriendelijke glimlach. 'Dat is tussen mij en mevrouw Crighton. Als u haar ziet, kunt u haar dan zeggen dat pastoor Beardsley is langsgeweest?'

Alex keek hem verward aan. 'Bent u kapitein of pastoor?'

'Allebei. Ik ben legerkapelaan.' Hij glimlachte. 'Fijne dag nog.'

'Wacht.' Alex greep haar mobiele telefoon en belde Meredith terwijl de man nog bij haar raampje stond. Hij droeg inderdaad een kruisje op zijn revers. Misschien was hij echt kapelaan. En misschien niet. Vartanian had haar paranoïde gemaakt. Maar aan de andere kant, Bailey werd wél vermist en die vrouw was wél dood.

'En?' vroeg Meredith zonder omhalen.

'Het is Bailey niet.'

Meredith zuchtte. 'Wat een opluchting, maar tegelijkertijd... ook niet.'

'Ik snap wat je bedoelt. Luister, ik ben langs Baileys oude huis gereden om te kijken of ik iets kon vinden –'

'*Alex.* Je had beloofd te wachten tot ik met je mee kon gaan.'

'Ik ben niet binnen geweest. Ik wilde alleen kijken of ik het kon.' Ze keek naar het huis en haar maag kwam in opstand. 'Ik kan het niet. Maar terwijl ik hier stond kwam er een man aan.'

'Wat voor man?'

'Pastoor Beardsley. Hij zegt dat hij Bailey zoekt. Hij is kapelaan in het leger.'

'Een legerkapelaan die op zoek is naar Bailey? Waarom?'

'Dat ga ik uitzoeken. Ik wilde alleen dat iemand wist dat ik met hem ga praten. Als ik je over tien minuten niet terugbel, bel dan het alarmnummer, oké?'

'Alex, je maakt me bang.'

'Mooi. Ik werd zelf te bang. Moet het even delen. Hoe gaat het met Hope?'

'Hetzelfde nog. We moeten haar die hotelkamer uit krijgen, Alex.'

'Ik zal kijken wat ik kan doen.' Ze hing op en stapte de auto uit.

Kapitein Beardsley keek bezorgd. 'Is er iets met Bailey gebeurd?'

'Ja. Ze is verdwenen.'

Beardsleys blik werd angstig. 'Wanneer is Bailey verdwenen?'

'Afgelopen donderdagavond, vier dagen geleden inmiddels.'

'Wat vreselijk. Wie bent u?'

'Ik heet Alex Fallon. Ik ben Baileys stiefzus.'

Zijn wenkbrauwen kwamen omhoog. 'Alex Tremaine?'

Alex slikte. 'Dat was vroeger mijn achternaam, ja. Hoe wist u dat?'

'Wade heeft het me verteld.'

'Wade?'

'Baileys oudere broer.'

'Ik weet wie Wade is. Waarom heeft hij u over mij verteld?'

Beardsley hield zijn hoofd schuin en keek haar onderzoekend aan. 'Hij is dood.'

Alex knipperde ontdaan met haar ogen. 'Dood?'

'Ja. Het spijt me. Ik nam aan dat u dat wist. Luitenant Wade Crighton is omgekomen tijdens zijn dienst in Irak, ongeveer een maand geleden.'

'We zijn niet echt bloedverwanten, dus de overheid heeft me dat niet laten weten. Waarom zoekt u Bailey?'

'Ik had haar een brief gestuurd, die haar broer aan me gedicteerd had net voordat hij overleed. Luitenant Crighton was gewond geraakt tijdens een inval in een dorp in de buurt van Bagdad. Sommige mensen noemden het een zelfmoordmissie.'

Een gevoel van tevredenheid bekroop Alex, en ze schaamde zich ervoor. 'Was de missie geslaagd?' vroeg ze heel zachtjes.

'Deels. Hoe dan ook, Wade werd geraakt door mortiervuur. Tegen de tijd dat de artsen bij hem kwamen was het te laat. Hij vroeg me zijn biecht aan te horen.'

'Wade was niet katholiek.'

'Ik ook niet. Ik ben een lutherse pastoor. Veel mannen die me vragen om hun laatste biecht af te nemen zijn geen katholieken, en ook andere geestelijken kunnen dat voor ze doen.'

'Het spijt me. Dat wist ik wel. Ik werk op de spoedeisende hulp en daar zien we allerlei soorten geestelijken. Ik stond er alleen van te kijken dat Wade iets zou opbiechten. Bezoekt u alle familieleden van overledenen?'

'Niet allemaal. Ik had wat vrije tijd te goed en was net onderweg naar Fort Benning. Het lag op mijn route, dus ik bedacht dat ik wel even bij haar langs kon gaan. Ik heb nog een brief van Wade, ziet u. Hij vroeg me om drie brieven te schrijven: een aan zijn zus, een aan zijn vader en een aan u.'

Het geschreeuw in haar hoofd werd luider en Alex sloot haar ogen. Toen ze ze weer opendeed stond Beardsley haar bezorgd aan te kijken, maar ze negeerde zijn blik.

'Heeft Wade míj geschreven?'

'Ja. Ik heb de brieven aan Bailey en zijn vader naar dit adres gestuurd, maar ik wist niet waar ik u kon vinden. Ik zocht naar een Alex Tremaine.'

Uit de map onder zijn arm haalde Beardsley een envelop en zijn visitekaartje. 'Bel me als u wilt praten.'

Alex pakte de envelop aan en Beardsley wilde weglopen. 'Wacht even... Wade stuurt Bailey een brief, en zij verdwijnt op dezelfde dag dat er een vermoorde vrouw in een greppel wordt achtergelaten.'

Hij keek haar onthutst aan. 'Is er een vrouw vermoord?'

'Ja. Ik dacht dat het Bailey was, maar dat is niet zo.' Ze scheurde de envelop open en las vluchtig de brief die Wade had gedicteerd. Ze keek op.

'Er staat niets in waardoor ik kan achterhalen waar Bailey is gebleven. Hij vraagt alleen maar om vergeving. Hij zegt niet eens waarvoor hij vergeven wil worden.' Hoewel Alex er vrij zeker van was dat ze het wel wist. Toch was het niets waarom Bailey zou zijn ontvoerd. 'Heeft hij het u verteld?'

'Staat het niet in de brief?'

Alex zag Beardsleys kaak verstrakken. 'Maar hij heeft het wel verteld in zijn biecht. Echt iets voor Wade om het weer te verpesten. U vertelt me niet wat hij heeft gezegd, hè?'

Beardsley schudde zijn hoofd. 'Kan ik niet. En zeg niet dat ik geen katholiek ben. De biecht is voor mij net zo heilig. Ik vertel het u niet, mevrouw Fallon. Dat kan ik niet.'

Eerst Vartanian en nu Beardsley. *Dat kan ik niet.* 'Bailey heeft een dochtertje. Hope.'

'Weet ik. Wade heeft me over haar verteld. Hij was gek op dat meisje.'

Dat kon Alex moeilijk geloven, maar ze sprak hem niet tegen. 'Vertel me dan iets wat me kan helpen Hopes moeder bij haar terug te brengen. Alstublieft. De politie wil me niet helpen. Ze zeggen dat Bailey een junk is en dat ze waarschijnlijk gewoon is weggelopen. Heeft Wade iets buiten zijn biecht om gezegd?'

Beardsley keek eerst naar de grond, daarna keek hij haar recht aan. 'Simon.'

Alex schudde gefrustreerd haar hoofd. 'Simon? Wat moet dat nou weer betekenen?'

'Het is een naam. Net voor hij stierf zei hij: "Ik zie je in de hel, Simon." Het spijt me, mevrouw Fallon. Daar zult u het mee moeten doen. Meer kan ik u niet vertellen.'

4

Atlanta, maandag 29 januari, 12:15 uur

Dokter Felicity Berg keek door haar veiligheidsbril op naar Daniel. Ze stond aan de andere kant van de autopsietafel, gebogen over wat er over was van het slachtoffer. 'Wil je eerst het goeie nieuws of eerst het slechte nieuws?'

Daniel had zwijgend toegekeken terwijl Felicity het lijk zorgvuldig had opengemaakt. Hij had haar meer dan tien secties zien doen, maar het verwonderde hem telkens weer hoe vast haar handen bleven.

'Het slechte nieuws dan maar.'

Het masker over haar gezicht bewoog, wat waarschijnlijk betekende dat ze glimlachte.

Hij had Felicity Berg altijd graag gemogen, ook al werd ze door de meeste mannen 'de ijsberg' genoemd. Hij had haar nooit een kille tante gevonden, alleen maar... voorzichtig. Dat was iets anders, zoals Daniel heel goed wist.

'Ik kan haar niet definitief identificeren. Ze was rond de twintig. Ze had geen alcohol in haar bloed en heeft geen duidelijke ziekten of gebreken. Doodsoorzaak is verstikking.'

'En de klappen in haar gezicht? Zijn die van voor of na haar dood?'

'Na. Net als die blauwe plekken rondom haar mond.' Ze wees naar de plekken ter grootte van een vingerafdruk.

Daniel fronste zijn voorhoofd. 'Zijn die blauwe plekken dan niet van de hand waarmee ze is verstikt?'

Ze keek hem doordringend aan. 'Dat wilde hij je laten denken. Weet je nog dat ik het had over vezels in haar longen en haar wangslijmvlies?'

'Katoen,' zei Daniel. 'Uit de zakdoek die hij in haar mond had gepropt.'

'Precies. Ik denk dat hij niet wilde dat zijn DNA tussen haar tanden terechtkwam als ze hem zou bijten. Er zitten blauwe plekken op haar neus en die zijn van voor ze werd vermoord, maar je ziet ze niet vanwege de rest. Maar toen ze dood was heeft iemand zijn vingers over haar mond gedrukt. De afstand tussen de plekken wijst erop dat het een mannenhand was, maar niet zo'n grote. Hij heeft heel wat moeite gedaan om dit zo te krijgen, Daniel. Hij heeft toen hij haar in het gezicht sloeg het gedeelte rondom haar mond heel zorgvuldig onaangeroerd gelaten. Bijna alsof hij wilde dat die plekken van zijn vingers te zien zouden zijn.'

'Ik vraag me af of Alicia Tremaine ook afdrukken van vingers rondom haar mond had.'

'Dat mag jij uitzoeken. Ik kan je wel vertellen dat haar laatste maaltijd Italiaans was, met worst, pasta en een soort harde kaas.'

'Er zijn maar ongeveer één miljoen Italiaanse restaurants in de stad,' zei hij somber.

Ze tilde de linkerhand van de vrouw op. 'Ze heeft dik eelt op haar vingertoppen.'

Daniel boog zich naar voren. 'Ze bespeelde dus een instrument. Viool misschien?'

'Of een ander snaarinstrument, iets met een strijkstok, denk ik. De andere hand is zacht, geen eelt, dus het is waarschijnlijk geen harp of gitaar.'

'Was dat het goeie nieuws?'

Haar ogen fonkelden geamuseerd. 'Nee. Het goeie nieuws is dat ik je wél kan vertellen waar ze vierentwintig uur voor haar dood is geweest. Kom maar eens naar deze kant van de tafel.' Felicity ging met een uv-lamp over de hand van het slachtoffer en onthulde de resten van een stempel.

Hij keek op in Felicity's tevreden ogen. 'Ze was naar Fun-N-Sun geweest,' zei hij. Het amusementpark stempelde de handen van iedereen die naar buiten ging en van plan was dezelfde dag nog terug te keren. 'Ze krijgen duizenden bezoekers per dag, maar misschien hebben we geluk.'

Felicity legde de arm van de vrouw voorzichtig en respectvol weer langs haar lichaam, waardoor ze in Daniels achting steeg. 'Of misschien zal iemand haar eindelijk missen,' zei ze zachtjes.

'Dokter Berg?' Een van haar assistenten kwam de kamer binnen met een vel papier. 'De urinetest van het slachtoffer is terug: positief op flunitrazepam, honderd microgram.'

'Rohypnol?' vroeg Daniel verbaasd. 'Heeft hij een verkrachtingsdrug gebruikt? Dat is toch geen dodelijke dosis?'

'Het is niet eens genoeg om haar buiten westen te krijgen. Het is nauwelijks genoeg om in de test naar voren te komen. Jackie, kun je die test nog een keer uitvoeren? Als ik voor een onderzoeksjury moet verschijnen, wil ik de resultaten geverifieerd hebben. Niks ten nadele van jou.'

Jackie knikte onverstoorbaar. 'Geen punt. Ik zal het meteen doen.'

'Hij wilde dat we dat middel vonden, maar hij wilde haar niet helemaal uitschakelen,' overpeinsde Daniel. 'Hij wilde dat ze wakker en bij bewustzijn was.'

'En hij heeft verstand van farmacologie. Het is niet eenvoudig om zo'n laag niveau aan flunitrazepam toe te dienen. Weer heeft hij zich moeite getroost.'

'Dus de aanwezigheid van Rohypnol is nog iets wat ik moet nakijken bij de moord op Alicia Tremaine. Ik heb dat politierapport nodig.' En tot nu toe had sheriff Frank Loomis uit Dutton nog steeds niet teruggebeld. Fijne collegialiteit. Daniel zou naar Dutton moeten gaan om dat rapport zelf op te halen. 'Bedankt, Felicity. Het was gezellig, zoals altijd.'

'Daniel.' Felicity was weggestapt bij de dode en trok haar masker af. 'Ik wilde je nog zeggen dat ik het erg vind van je ouders.'

Daniel haalde diep adem. 'Dank je.'

'Ik wilde naar de begrafenis komen, maar...' Een glimlachje van zelfspot trok over haar lippen. 'Ik ben bij de kerk geweest, maar ik kon niet naar binnen. Ik kan niet tegen begrafenissen, geloof het of niet.'

Hij glimlachte naar haar. 'Ik geloof je, Felicity. Dank je dat je het hebt geprobeerd.'

Ze knikte ferm. 'Ik heb Malcolm het autopsieverslag van Alicia Tremaine laten opvragen toen mevrouw Fallon weg was. Zodra we het hebben laat ik het je weten.'

'Dank je.' En terwijl hij wegliep voelde hij dat ze hem nakeek.

Atlanta, maandag 29 januari, 13:15 uur

Toen Daniel weer in zijn kantoor aankwam, zat Luke daar in een stoel, met een laptop op schoot en zijn voeten op Daniels bureau. Hij keek op, peilde Daniels blik en haalde zijn schouders op. 'Je maakt het me verdomd lastig om tegen mijn moeder te liegen, Daniel. Ik kan haar honderd keer zeggen dat het goed met je gaat, maar die donkere kringen onder je ogen vertellen een ander verhaal.'

Daniel hing zijn jas achter de deur. 'Heb jij geen baan?'

'Hé, ik ben aan het werk.' Luke tilde de laptop een stukje omhoog. 'Ik voer een diagnose uit op de machine van de chef. Hij heeft "bugs".' Hij tekende met zijn vingers aanhalingstekens in de lucht, met een glimlach op zijn gezicht, maar Daniel hoorde de spanning in de stem van zijn vriend.

Hij ging aan zijn bureau zitten en keek Luke onderzoekend aan. Er waren geen donkere kringen onder Lukes ogen te zien, maar ze stonden somber, iets wat niet veel mensen zouden opmerken. 'Slechte dag?'

Lukes glimlach verdween, hij sloot zijn ogen en slikte hoorbaar. 'Ja.' Dat ene woord klonk hees en vervuld van een pijn die maar weinig mensen werkelijk konden begrijpen. Luke zat in een team van het GBI dat zich bezighield met internetmisdaad, en het afgelopen jaar deed hij onderzoek naar een misdaad waarbij kinderen betrokken waren. Daniel zou liever bij duizend autopsies aanwezig zijn dan te moeten kijken naar de smerigheid die Luke elke dag moest aanzien. Luke haalde diep adem en opende zijn ogen. Hij had zichzelf weer onder controle, al was de rust nog niet weergekeerd. Daniel vroeg zich af of agenten hoe dan ook wel eens rust hadden.

'Ik had even pauze nodig,' zei Luke eenvoudig, en Daniel knikte.

'Ik kom net uit het lijkenhuis. Mijn slachtoffer is donderdag naar Fun-N-Sun geweest en ze speelde viool.'

'Nou, die viool helpt misschien. Ik heb iets voor je.'

Luke trok een dikke stapel papier uit zijn computertas. 'Ik heb wat verder gezocht naar Alicia Tremaine en al deze artikelen gevonden. Ze had een tweelingzus.'

'Weet ik,' zei Daniel droog. 'Jammer dat je me dat niet had verteld voordat ze hier vanochtend binnenliep en ik me de pestpokken schrok.'

Lukes donkere wenkbrauwen schoten omhoog. 'Was ze hier? Alexandra Tremaine?'

'Ze noemt zichzelf nu Fallon. Alex Fallon. Ze is verpleegster op de spoedeisende hulp in Cincinnati.'

'Dus ze heeft het overleefd,' zei Luke peinzend.

'Waar heb je het over?' vroeg Daniel.

Luke gaf hem de stapel papier. 'Nou, het verhaal hield niet op bij de moord op Alicia. De dag dat Alicia's lichaam werd gevonden heeft Kathy Tremaine, dat is hun moeder, zichzelf door het hoofd geschoten. Ze is kennelijk gevonden door haar dochter Alexandra, die vervolgens alle pillen slikte die de arts haar moeder had voorgeschreven omdat ze hysterisch was geworden nadat ze het lichaam van haar dochter moest identificeren.'

Daniel dacht aan het slachtoffer op de tafel in het lijkenhuis en aan een moeder die haar kind moest identificeren terwijl het er zo uitzag. Maar toch, zelfmoord was een laffe uitweg... en Alex had haar gevonden.

'Mijn god,' mompelde hij.

'Kathy Tremaines zus was uit Ohio gekomen vanwege Alicia en vond ze allebei. Zij heette Kim Fallon.'

'Alex zei dat ze was geadopteerd door haar oom en tante, dus dat klinkt logisch.'

'Er zit nog meer in die stapel: overlijdensberichten en artikelen over de rechtszaak van Gary Fulmore, de man die werd aangeklaagd voor de moord. Maar Alexandra wordt nergens meer genoemd na Fulmores arrestatie. Ik neem aan dat Kim Fallon haar daarna meenam naar Ohio.'

Daniel bladerde door de stapel. 'Ben je iets over ene Bailey Crighton tegengekomen?'

'Wel over Craig Crighton, maar een Bailey ben ik niet tegengekomen. Craig was de man met wie Kathy Tremaine samenwoonde ten tijde van haar dood. Hoezo?'

'Daarom kwam Alex Fallon vandaag naar me toe. Haar stiefzus Bailey wordt sinds donderdagavond vermist en ze dacht dat zij die vrouw in Arcadia was.'

Luke floot zachtjes. 'Nou, dat zal wel een schok zijn geweest.'

Daniel dacht aan haar gebalde vuisten en aan hoe haar hand in die van hem had aangevoeld. 'Dat denk ik ook, maar ze hield zich goed.'

'Ik bedoelde eigenlijk dat het een schok voor jou moet zijn geweest.' Luke zwaaide zijn voeten van het bureau en stond op. 'Ik moet weer terug. Pauze is voorbij.'

Daniel kneep zijn ogen tot spleetjes. 'Red je je wel?'

Luke knikte. 'Tuurlijk.' Maar hij klonk niet bepaald overtuigd. 'Ik zie je nog wel.'

Daniel pakte de papieren op. 'Bedankt, Luke.'

'Geen punt.'

Rimpelingen, dacht Daniel terwijl hij zijn vriend nakeek. Ze veranderden het leven van de slachtoffers en hun familie. *En soms veranderen ze ons. Meestal veranderen ze ons.* Met een zucht zette hij zijn computer aan om het telefoonnummer van Fun-N-Sun op te zoeken. Hij had een slachtoffer dat geïdentificeerd moest worden.

Dutton, maandag 29 januari, 13:00 uur

'Hier is het allemaal.' Alex dumpte de tas op de bank in de hotelkamer. 'Play-Doh, lego, Mr. Potato Head, nog meer kleurkrijt, papier en een paar nieuwe kleurboeken.'

Meredith zat naast Hope aan het kleine eettafeltje. 'En dat barbiehoofd?'

'In de tas, maar ze hadden geen barbies meer. Ik heb prinses Fiona uit *Shrek* meegenomen.'

'Maar heeft ze wel haar dat we kunnen knippen? Aangezien Bailey kapster was hebben ze dat misschien samen gespeeld.'

'Ja. Ik heb het nagekeken. En ik heb wat kleren voor Hope gekocht. Man, wat zijn kinderkleren duur.'

'Wen er maar aan, tante.'

'Ik zie dat je haar achter het bureau in de slaapkamer vandaan hebt gekregen.'

'Moest wel. Er was daar niet genoeg ruimte om allebei te kunnen kleuren, en ik had behoefte aan een andere omgeving.' Meredith pakte een blauw krijtje van de stapel. 'Hope, ik neem nu alikruik. Alikruik klinkt als een vrolijke kleur, alsof hij naar me knipoogt.'

Meredith bleef kletsen terwijl ze kleurde, en Alex zag dat dit al een tijdje gaande was. Er lag een stapel kleurplaten met rafelige randen die Meredith uit Hopes kleurboek had gescheurd. Ze waren allemaal ingekleurd met blauw.

'Kunnen we praten terwijl jullie kleuren?'

Meredith glimlachte. 'Tuurlijk. Je kunt ook gaan zitten en met ons mee kleuren. Hope en ik vinden het niet erg, toch, Hope?'

Hope scheen haar niet eens te horen. Alex pakte een stoel uit de slaapkamer en ging zitten, waarbij ze over Hopes hoofd Merediths blik ontmoette. 'En?'

'Niks,' zei Meredith vrolijk. 'We hebben geen toverstafje, Alex.'

Hopes hand stopte abrupt. Ze hield het rode krijtje nog steeds in haar knuistje geklemd. Haar blik bleef op het kleurboek gericht, maar ze was heel stil gaan zitten. Alex deed haar mond open, maar Meredith keek haar waarschuwend aan en Alex zei niets.

'Tenminste niet in die tas van de winkel,' vervolgde Meredith. 'Ik hou van toverstafjes.' Hope bewoog geen spier. 'Toen ik klein was deed ik altijd alsof selderijstengels toverstafjes waren. Mijn moeder werd zo boos als ze een salade wilde maken en alle selderij op was.' Meredith grinnikte en bleef kleuren met haar blauwe krijtje. 'Ze zeurde er wel over, maar ze speelde toch met me mee. Selderij is goedkoop, zei ze dan, maar spelen is waardevol.'

Alex slikte moeizaam. 'Mijn moeder zei dat ook altijd.'

'Waarschijnlijk omdat onze moeders zussen van elkaar waren. Zei jouw moeder dat ook, Hope?'

Langzaam begon Hopes krijtje weer te bewegen, toen sneller, tot ze weer kleurde met dezelfde aandacht als daarvoor. Alex wilde zuchten, maar Meredith glimlachte.

'Kleine stapjes,' mompelde ze. 'Soms is er gewoon *zijn* de beste therapie, Alex.' Ze scheurde een bladzijde uit haar kleurboek. 'Probeer het maar. Het is heel ontspannend.'

Alex haalde diep adem. 'Dat deed je ook voor mij. Bij me zitten, toen ik pas bij jullie was komen wonen. Elke dag na school en die hele zomer. Je kwam gewoon mijn kamer in en ging een boek zitten lezen. Je zei nooit iets.'

'Ik wist niet wat ik moest zeggen,' zei Meredith. 'Maar je was droevig en leek gelukkiger als ik bij je was. Toen zei je op een dag: "Hoi." Het duurde een paar dagen voor je nog wat meer zei, en weken voordat je een soort van gesprek wilde voeren.'

'Ik geloof dat je mijn leven hebt gered,' mompelde Alex. 'Jij, Kim en Steve.' De Fallons waren haar redding geweest. 'Ik mis ze.' Haar oom en tante waren een jaar eerder overleden, toen Steves vliegtuigje in een maïsveld in Ohio was neergestort.

Merediths hand hield op met bewegen en haar adamsappel ging op en neer toen ze moeizaam slikte. 'Ik ook.' Ze legde even haar wang tegen Hopes blonde krullen. 'Dat is een mooie rups, Hope. Ik ga de vlinder alikruikblauw maken.' Ze kletste nog een paar minuten verder en veranderde toen nonchalant van onderwerp. 'Ik zou dolgraag vlinders willen zien. Is er een park in de buurt waar we met Hope naartoe kunnen, Alex?'

'Ja, er is een park vlak bij school. Ik heb zo'n vastgoedboekje meegenomen. Er staat een gemeubileerd huis vlak bij het park. Dat kunnen we een tijdje huren.' Tot ik Bailey vind, voegde ze er in gedachten aan toe.

Meredith knikte. 'Mooi. O, en weet je wat? Als we naar het park gaan kunnen we *Simon Says* spelen.' Haar kastanjebruine wenkbrauwen kwamen veelzeggend omhoog. 'Ik heb de spelregels op internet gevonden. Die vind je vast fascinerend. De pagina staat nog open op mijn laptop, in de slaapkamer.'

Alex' hart maakte een sprongetje en ze stond op. 'Ik ga wel even kijken.' Ze had Meredith meteen teruggebeld nadat kapitein-pastoor Beardsley was weggereden en ze had het gesprek samengevat, vooral de uitspraak: 'Ik zie je in de hel, Simon.' Kennelijk had Meredith wat onderzoek gedaan, terwijl Alex de speelgoedafdeling van de plaatselijke Wal-Mart had leeggekocht om Meredith materialen voor speltherapie met Hope te bezorgen.

Alex klikte op de pagina die Meredith had zitten lezen. Geschrokken zoog ze haar adem naar binnen. Herinneringen vielen op hun plek. *Simon Vartanian.*

Vartanian. Daniels naam kwam haar al bekend voor, maar ze was te ongerust geweest over Bailey om er op dat moment bij stil te staan. Toen, terwijl ze stond te wachten tot ze het lijk van die vrouw te zien kreeg... Hij had haar hand vastgehouden en ze had een gevoel gekregen dat haar van binnenuit had verwarmd. Maar er was meer geweest. Nabijheid, verwantschap... troost, alsof ze hem van vroeger kende. Misschien was dat ook wel zo.

Vartanian. Ze herinnerde zich die familie nu vaag. Ze waren rijk geweest. Hun vader was belangrijk. Hij was rechter. Ze herinnerde zich Simon ook vaag. Hij was een grote, imposante, angstaanjagende jongen geweest. Simon had op school bij Wade in de klas gezeten.

Ze ging zitten om het artikel te lezen en werd meteen meegesleept in een verhaal dat zo verschrikkelijk was... Simon Vartanian was een week geleden pas overleden, nadat hij zijn ouders en nog een heleboel andere mensen had vermoord. Hij was in Philadelphia doodgeschoten door een rechercheur die Vito Ciccotelli heette.

Simon had een nog levende zus, Susannah Vartanian. *Haar herinner ik me nog.* Ze was een beschaafd meisje geweest, met dure kleding. Susannah was van haar leeftijd geweest, maar ze was naar de dure particuliere school gegaan. Ze was nu assistent-aanklager in New York.

Alex liet haar ingehouden adem met een traag gesis ontsnappen. Simon had ook nog een levende broer, Daniel Vartanian, die rechercheur was bij het GBI.

Alex speelde in gedachten het moment af dat ze elkaar hadden ontmoet, de buitengewone schok op Daniels gezicht. Hij had van Alicia geweten en Alex had zijn schrik alleen daaraan toegeschreven. Maar nu... *Ik zie je in de hel, Simon.*

Ze drukte haar knokkels tegen haar lippen en staarde naar de foto van Simon Vartanian op het scherm. Er was enige gelijkenis tussen de twee broers. Ze hadden allebei hetzelfde soort postuur, lang en breed, en dezelfde indringende blik. Maar Simon had harde ogen, terwijl Daniel eerder... bedroefd had geleken. Moe en heel droevig. Zijn ouders waren vermoord, dus dat verklaarde die bedroefdheid, maar waarom was hij zo geschokt geweest toen hij haar zag? Wat wist Daniel Vartanian?

Ik zie je in de hel. Wat had Simon gedaan? Alex kon hier lezen wat hij recentelijk had gedaan, en dat was onmenselijk geweest. Maar wat had hij destijds gedaan?

En wat had Wade gedaan? *Ik weet wat hij mij heeft aangedaan... maar wat heeft hij met Simon gedaan?* Wat was Wades relatie tot Simon Vartanian? En wat had dat met Bailey te maken? En met Alicia? En hoe zat het met die arme vrouw die ze gisteren in de greppel hadden gevonden, op dezelfde manier vermoord als Alicia? Had Wade misschien...

Alex' hart begon in haar oren te bonzen en plotseling leek het alsof alle lucht uit de kamer was weggezogen. *Rustig. Richt je op de stilte.* Langzaam begon ze weer adem te halen, rationeel te denken. Alicia's moordenaar zat in de gevangenis, waar hij thuishoorde. En Wade... Nee. Geen moord. Nee. Wat het ook was, ze wist dat het dat niet was.

Wat ze wel wist was dat ze rechercheur Daniel Vartanian vanavond zou zien en dat hij haar dan zou vertellen wat hij wist. Tot die tijd had ze dingen te doen.

Atlanta, maandag 29 januari, 14:15 uur

Daniel keek op van zijn computer toen Ed Randall binnen kwam lopen. Zijn gezicht straalde een en al walging uit. 'Hé, Ed, wat heb je?'

'Die kerel was voorzichtig. We hebben tot nu toe nog geen haar gevonden. We hebben modder verzameld bij de ingang naar het riool en dat wordt nu in het lab onderzocht. Als hij ergens bij dat riool van de weg is gekomen, heeft hij misschien iets laten vallen.'

'En die bruine deken?' vroeg Daniel.

'De etiketten waren eruit geknipt,' zei Ed. 'We proberen het materiaal te matchen met fabrikanten. Misschien hebben we geluk en kunnen we het terugvoeren naar een verkooppunt. Zijn we al dichter bij een identificatie van het slachtoffer?'

'Ja, eigenlijk wel. Felicity heeft een stempel van Fun-N-Sun op de hand van het slachtoffer gevonden.'

'Dus jij gaat naar het pretpark en ik mag in de modder wroeten. Niet eerlijk.'

Daniel glimlachte. 'Ik denk niet dat ik naar het park hoef. Ik heb bijna de hele middag aan de telefoon gehangen met de beveiliging daar. Ze hebben me toegang gegeven tot hun netwerk, zodat ik de beveiligingsopnamen vanachter mijn bureau kan bekijken.'

Ed leek onder de indruk. 'Wat kunnen ze toch veel tegenwoordig. En?'

'En we zagen een vrouw in de rij staan bij een Italiaans eettentje. Het slachtoffer had als laatste maaltijd pasta gegeten. Ze droeg een sweater met *Cellists Do It With Strings Attached* erop, en het slachtoffer heeft eelt op haar vingertoppen. Het park checkt de reçu's om na te gaan of ze haar lunch met een creditcard heeft betaald. Ik zit te wachten op hun telefoontje. Duim maar voor me.'

'Doe ik. We hebben wel íéts interessants gevonden.' Ed zette een potje op Daniels bureau. 'We hebben haren en huidcellen in de bast van een boom gevonden, zo'n vijftien meter bij de greppel vandaan.'

Daniel keek naar de krantenkop die Corchran die ochtend had doorgefaxt. 'Van de journalist?'

'Dat denken we. Als je die Jim Woolf hebt gevonden, kunnen we bewijzen dat hij op de plaats delict was voordat wij daar aankwamen.'

'Hoe is hij weggekomen zonder dat iemand hem zag?'

'Mijn team was daar gisteravond tot na elven, en vanochtend vroeg waren ze weer terug. Tussen elf en zes liepen er patrouilles. We hebben schoenafdrukken langs de weg gevonden, ongeveer vierhonderd meter ervandaan. Ik denk dat die verslaggever heeft gewacht tot we allemaal weg waren, uit de boom is geklommen en gedekt is gebleven tot hij ongeveer vierhonderd meter verderop was, en toen een lift heeft gekregen.'

'Er is geen dekking langs de weg. Hij moet op zijn buik zijn weggekropen.'

Eds kaak verstrakte. 'Kruipen klopt wel zo'n beetje. Die kerel is een slang. Hij heeft alles wat we weten weggeven in dat artikel. Ik heb gehoord dat jij bij hem op school hebt gezeten.'

Ed klonk een beetje beschuldigend, alsof het Daniels schuld was dat Jim Woolf zich zo had gedragen. 'Ik was een v en hij was een w, dus hij zat altijd achter me. Hij leek me toen best aardig. Maar zoals Chase zo scherpzinnig opmerkte: hij is waarschijnlijk veranderd. Ik moet alleen nog uitzoeken hoeveel.' Hij wees naar zijn beeldscherm. 'Ik was net onderzoek naar hem aan het doen. Hij was accountant tot zijn vader een jaar geleden overleed en hem de *Review* naliet. Jim is nog vrij nieuw in dat verslaggeverswerk. Misschien kan ik hem overhalen om te praten.'

'Heb je een fluit?' vroeg Ed zuur.

'Hoezo?'

'Die gebruiken slangenbezweerders toch?'

Daniel maakte een grimas. 'Ik haat slangen bijna even erg als verslaggevers.'

Ed grijnsde goedgeluimd. 'Dan ga je een leuke middag tegemoet.'

Dutton, maandag 29 januari, 14:15 uur

'Het is duizend per maand,' zei de makelaar. Haar ogen glansden, alsof ze aanvoelde dat de zaak al beklonken was. Delia Anderson was in de vijftig en had een getoupeerd kapsel waar je zelfs met dynamiet geen deuk in zou krijgen. 'Eerste en laatste maand huur vooruitbetalen.'

Alex keek om zich heen. De bungalow was huiselijk, er waren twee slaapkamers en een echte keuken, en het stond vlak bij een heel mooi park waar Hope kon spelen. Als ze haar ooit zover konden krijgen dat haar kleurkrijtjes weg te leggen. 'Blijven alle meubels staan?'

Delia knikte. 'Inclusief het orgel.' Het was een ouder model, dat vrijwel elk instrument kon nabootsen. 'U kunt er morgen al in.'

'Vanavond.' Alex keek de vrouw in haar haviksogen. 'Ik moet er vanavond al in.'

Delia glimlachte benepen. 'Dat kan wel geregeld worden, denk ik.'

'Is er een alarminstallatie?'

'Ik geloof van niet.' Delia keek ongelukkig. 'Nee, er is geen alarminstallatie.'

Alex keek bedenkelijk. Vartanian had haar vanochtend bij het mortuarium gewaarschuwd. Ze was niet bepaald dol op wapens, maar dit was een bijzondere situatie. Ze was bang en had zelfs geprobeerd een pistool te kopen op de sportafdeling van de winkel waar ze het speelgoed voor Hope had gekocht. Maar ze hadden haar daar verteld dat ze geen pistool mocht kopen in Georgia als ze geen inwoner was. Ze kon haar inwonerschap bewijzen met een rijbewijs dat was uitgegeven door de staat Georgia. En met een huurcontract kon ze een rijbewijs krijgen.

Laten we dit dan maar doen.

Toch bleef ze praktisch. 'Als er geen alarminstallatie is, mag ik dan een hond nemen?' Een hond zou een aanvaller meer afschrikken dan een alarminstallatie. Ze trok een wenkbrauw op. 'Een alarminstallatie kost de eigenaars geld. Ik wil wel extra borg betalen als ik een hond mag.'

Delia beet op haar lip. 'Misschien een kleintje. Ik kan het even navragen.'

Alex slikte haar glimlach weg. 'Doe dat. Als ik een hond kan nemen, teken ik meteen.'

Delia nam haar mobiele telefoon mee naar buiten en kwam twee minuten later terug, samen met haar benepen glimlach. 'Lieverd, wij hebben een deal en jij hebt een huis.'

Dutton, maandag 29 januari, 16:15 uur

Daniel voelde zich net Clint Eastwood terwijl hij over de hoofdstraat van Dutton liep. Als hij passeerde, vielen gesprekken stil en keken mensen hem na. Het enige wat nog ontbrak waren de poncho en de onheilspellende muziek. Vorige week was hij naar de begrafenisonderneming, het kerkhof en het huis van zijn ouders buiten de stad geweest. Met uitzondering van de begrafenis had hij zich aan het openbare leven weten te onttrekken. Maar nu niet. Hij keek iedereen die naar hem staarde in de ogen. De meesten kende hij. Ze waren allemaal ouder geworden. Hij was hier al heel lang niet meer geweest. Elf jaar geleden had hij met zijn vader gevochten over de foto's en was hij voorgoed uit Dutton vertrokken, maar geestelijk was hij al weggegaan op de dag dat hij naar de universiteit vertrok, zeven jaar eerder. Hij was in die jaren veel veranderd.

Voor de hoofdstraat van Dutton gold dat niet. Hij liep langs de bakkerij, de bloemenwinkel, de kapper. Door de ramen werden hem nieuwsgierige blikken toegeworpen.

Drie oude mannen zaten voor de kapperszaak op een bankje. Er hadden altijd drie oude mannen op dat bankje gezeten, al zolang Daniel zich kon herinneren. Als een van hen naar het hiernamaals vertrok, nam een ander zijn plaats in. Daniel had zich altijd afgevraagd of er een formele wachtlijst voor het bankje bestond, net als voor de skybox bij de wedstrijden van de Braves.

Hij was verbaasd toen een van de oude mannen opstond. Hij kon zich niet herinneren ooit eerder een van de oude mannen te hebben zien opstaan. Maar deze stond op, leunde op zijn stok, en keek Daniel aan toen hij naderde. 'Daniel Vartanian.'

Daniel herkende de stem meteen en merkte geamuseerd op dat hij zijn rug rechtte toen hij voor zijn leraar Engels van de middelbare school bleef staan. 'Meneer Grant.'

Eén kant van de borstelige grijze snor van de oude man kwam omhoog. 'Je kent me nog.'

Daniel keek de oude man in de ogen. 'Dood, wees niet trots, want ook al kun jij doorgaan voor machtig en geducht, je bent het niet.' *Vreemd dat dat het eerste citaat was dat me te binnen schoot.* Daniel dacht aan de vrouw in het lijkenhuis, ongeïdentificeerd en nog niet als vermist opgegeven. *Of misschien toch niet zo vreemd.*

De andere kant van Grants snor kwam ook omhoog en hij knikte zijn grijze hoofd instemmend. 'John Donne. Een van je favorieten, als ik me goed herinner.'

'Nu niet meer zo. Ik denk dat ik te veel dood en verderf heb meegemaakt.'

'Dat geloof ik best, Daniel. We vinden het allemaal heel erg van je ouders.'

'Dank u. Het is een moeilijke tijd voor ons allemaal geweest.'

'Ik ben op de begrafenis geweest. Susannah was bleek.'

Daniel slikte. Dat klopte. Ze had er een goede reden voor gehad. 'Ze houdt zich wel goed.'

'Natuurlijk. Je ouders hebben hun kinderen goed opgevoed.' Grant grimaste toen hij besefte wat hij had gezegd. 'Verdomme. Je snapt wel wat ik bedoel.'

Tot zijn verbazing merkte Daniel dat hij glimlachte. 'Ik weet wat u bedoelt, meneer.'

'Die Simon was altijd een onruststoker.' Grant boog zich naar voren en liet zijn stem dalen, hoewel Daniel wist dat iedereen in de buurt naar hen keek. 'Ik heb gelezen wat je hebt gedaan, Daniel. Daar was moed voor nodig. Goed gedaan, jongen. Ik was trots op je.'

Daniels glimlach vervaagde en hij slikte opnieuw, deze keer omdat zijn ogen prikten. 'Dank u.' Hij schraapte zijn keel. 'Ik zie dat u een plekje op de kappersbank hebt bemachtigd.'

Grant knikte. 'Ik hoefde alleen maar te wachten tot de oude Jeff Orwell overleed.' Hij trok een boos gezicht. 'Die ouwe heeft het nog twee lange jaren volgehouden, alleen omdat hij wist dat ik stond te wachten.'

Daniel schudde zijn hoofd. 'Sommige mensen durven maar.'

Grant glimlachte. 'Het is fijn om je te zien, Daniel. Jij was een van mijn beste leerlingen.'

'En u was altijd een van mijn lievelingsleraren. U en mevrouw Agreen.' Hij trok zijn wenkbrauwen op. 'Zijn jullie nog steeds een stel?'

Grant hoestte zo erg dat Daniel bang was dat hij hem zou moeten reanimeren. 'Wist je daarvan?'

'Iedereen wist het, meneer Grant. Ik dacht altijd dat u dat wist en dat het u niet uitmaakte.'

Grant haalde diep adem. 'Mensen denken altijd dat hun geheimen veilig zijn,' mompelde hij, zo zachtjes dat Daniel hem bijna niet verstond. 'Mensen zijn dom.' Toen fluisterde hij zachtjes: 'Wees niet dom, jongen.'

Hij keek op, glimlachte weer en leunde naar achteren op zijn stok. 'Fijn om je weer eens te zien. Kom gerust wat vaker langs, Daniel Vartanian.'

Daniel keek in de ogen van zijn vroegere leraar. Had er zojuist een ernstige waarschuwing in die ogen gelegen? Dan was daar nu niets meer van te zien. 'Ik doe mijn best. Pas goed op uzelf, meneer Grant. Laat de volgende vent op de wachtlijst voor het bankje maar een hele tijd wachten.'

'Zal ik doen.'

Daniel liep door naar het kantoor van de *Dutton Review*, het werkelijke doel van zijn bezoek. De *Review* bevond zich tegenover het politiebureau, en daar zou Daniel ook nog langsgaan. In het kantoor van de krant was het bedompt, en het stond er van de vloer tot het plafond vol met dozen. Er was een kleine ruimte vrijgelaten voor een bureau, een computer en een telefoon. Aan het bureau zat een mollige man met een bril boven op zijn kalende hoofd. Op zijn linker onderarm zaten vier grote pleisters, bijna als sergeantsstrepen, en onder zijn overhemdkraag was een vurige rode striem te zien. Het leek erop dat de man met iets had geworsteld en had verloren. Misschien met een boom.

De man keek op en Daniel herkende de jongen die van de kleuterschool tot de middelbare school achter hem had gezeten. Jim Woolfs mond krulde op in een trek die nog net geen sneer was. 'Kijk eens aan. Als het de grote man zelf niet is. Rechercheur Daniel Vartanian. In eigen persoon.'

'Jim. Hoe gaat het?'

'Tegenwoordig beter dan met jou, neem ik aan, hoewel ik moet zeggen dat ik gevleid ben. Ik dacht dat je een slaafje zou sturen om het vuile werk op te knappen, maar hier ben je dan, terug in het kleine, oude Dutton.'

Daniel ging op de rand van Woolfs bureau zitten. 'Je hebt me niet teruggebeld, Jim.'

Jim legde zijn handen losjes op zijn ronde buik. 'Ik had niks te zeggen.'

'Een journalist die niks te zeggen heeft. Dat is nieuw.'

'Ik vertel je niks, Daniel.'

Daniel liet de beleefde aanpak zitten. 'Dan arresteer ik je voor het belemmeren van een onderzoek.'

Jim schoof naar achteren. 'Wauw. Die handschoenen gingen ineens wel erg snel uit.'

'Ik heb vanochtend in het lijkenhuis staan kijken terwijl er sectie op die vrouw werd verricht. Dan is je dag meestal wel verpest. Wel eens een autopsie gezien, Jim?'

Jims kaak verstrakte. 'Nee. Maar toch vertel ik je niet wat je wilt weten.'

'Oké. Pak je jas.'

Jim ging rechtop zitten. 'Je bluft.'

'Nee, ik bluf niet. Iemand heeft je getipt over die plaats delict voordat de politie kwam. Niemand weet hoelang je de tijd hebt gehad om te rommelen met dat lijk. Niemand weet wat je hebt aangeraakt. Wat je hebt meegenomen.' Daniel keek Jim in de ogen. 'Misschien heb jij haar daar zelfs wel neergelegd.'

Jim werd rood. 'Ik had daar niks mee te maken, en dat weet je best.'

'Ik weet niks. Ik was er niet bij. Maar jij wel.'

'Dat weet je niet. Misschien heb ik die foto's wel van iemand anders gekregen.'

Daniel boog zich over het bureau naar voren en wees naar de pleisters op Jims onderarm. 'Je hebt stukjes van jezelf achtergelaten, Jim. We hebben je huidcellen gevonden in de boombast.' De journalist verbleekte een beetje. 'Ik kan je meenemen en een bevelschrift aanvragen voor een DNA-monster, of je kunt me vertellen hoe je gistermiddag wist dat je in die boom moest klimmen.'

'Dat kan niet. Nog afgezien van mijn grondwettelijke rechten. Als ik het je vertel krijg ik nooit meer een tip.'

'Dus je hebt een tip gekregen.'

Jim zuchtte. 'Daniel... Zelfs áls ik het wist zou ik het je niet vertellen, maar ik weet niet wie het was.'

'Een anonieme tip. Handig.'

'Het is echt waar. Ik ben thuis gebeld, maar het nummer was afgeschermd. Ik wist niet wat ik zou vinden als ik daar aankwam.'

'Was de beller een man of een vrouw?'

Jim schudde zijn hoofd. 'Dat zeg ik niet.'

Daniel dacht even na. Hij had al meer informatie gekregen dan hij had verwacht. 'Vertel me dan wanneer je daar aankwam en wat je hebt gezien.'

Jim hield zijn hoofd schuin. 'Wat levert míj dat op?'

'Een exclusief interview. Misschien verkoop je het wel aan een van de grote jongens in Atlanta.'

Jims blik klaarde op en Daniel wist dat hij de juiste snaar had geraakt. 'Goed dan. Het is niet zo ingewikkeld. Ik werd gisteren om twaalf uur 's middags gebeld. Ik kwam er rond één uur aan, klom in die boom en wachtte af. Om een uur of twee kwamen de fietsers langs. Een halfuur later verscheen brigadier Larkin. Hij wierp één blik op het lijk, klom weer uit de greppel naar de weg en gaf over. Kort daarna doken jullie van de staat op. Toen iedereen weg was ben ik uit de boom geklommen en naar huis gegaan.'

'Hoe ben je thuis gekomen?'

Jims lippen werden een streep. 'Mijn vrouw. Marianne.'

Daniel knipperde met zijn ogen. 'Marianne? Marianne Murphy? Ben je met Marianne Murphy getrouwd?'

Jim keek zelfingenomen. 'Ja.'

Marianne Murphy werd op school gezien als het meisje dat de grootste kans had om... met iedereen het bed in te duiken.

'Goh.' Daniel schraapte zijn keel. Hij had geen behoefte aan beelden van Jim Woolf met de rondborstige en zeer gulle Marianne Murphy. 'Hoe ben je daar gekomen?'

'Ze heeft me ook afgezet.'

'Dan wil ik met haar praten. Om de tijden te bevestigen. En ik wil de foto's hebben die je hebt gemaakt terwijl je daar zat. Allemaal.'

Met een kwade blik haalde Jim de geheugenkaart uit zijn camera en gooide die naar Daniel toe. Daniel ving hem met één hand op. Hij stond op en stopte hem in zijn zak. 'Ik bel nog wel.'

Jim liep achter hem aan naar de deur. 'Wanneer?'

'Als ik iets weet.' Daniel deed de deur open, maar hij bleef met zijn hand op de deurklink staan. Hij staarde naar buiten.

Achter zich hoorde hij Jim zijn adem inhouden. 'O, god. Dat is...'

Alex Fallon. Ze stond onder aan de trap van het politiebureau, met een grote tas aan haar schouder. Ze droeg nog altijd haar zwarte pak. Ze trok haar schouders op, ze draaide zich langzaam om en keek hem in de ogen. Een hele tijd staarden ze elkaar over de hoofdstraat heen aan. Ze glimlachte niet. Sterker nog, zelfs van deze afstand zag Daniel haar volle lippen samentrekken tot dunne strepen. Ze was boos.

Daniel stak over zonder zijn blik van haar af te wenden. Toen hij voor haar stond tilde ze haar kin op, net als die ochtend.

'Rechercheur Vartanian.'

Hij kreeg een droge mond. 'Ik had niet verwacht u hier te zien.'

'Ik ga naar de sheriff om Bailey als vermist op te geven.' Ze keek over zijn schouder. 'Wie bent u?'

Jim Woolf stapte om Daniel heen. 'Jim Woolf, *Dutton Review.* Hoorde ik u zeggen dat u haar als vermist gaat opgeven? Misschien kan ik daarbij helpen. We kunnen een foto afdrukken van... Bailey, zei u? Wordt Bailey Crighton vermist?'

Daniel keek Jim kwaad aan. 'Ga weg.'

Maar Alex hield haar hoofd schuin. 'Geef me uw visitekaartje maar. Misschien wil ik nog wel met u praten.'

Met een zelfingenomen blik gaf Jim haar zijn kaartje. 'Wanneer u maar wilt, mevrouw Tremaine.'

Alex trok een gezicht alsof hij haar had geslagen. 'Fallon. Ik heet Alex Fallon.'

'Wanneer u maar wilt, mevrouw Fallon.' Jim salueerde naar Daniel en liep weg.

Er was iets veranderd, en dat beviel Daniel niet. 'Ik ga ook naar het bureau. Kan ik die tas voor u dragen?'

Ze keek hem onderzoekend aan, en Daniel voelde zich er ongemakkelijk onder. 'Nee, dank u.' Ze liep de trap op, en hij liep achter haar aan.

Hij zag dat ze haar schouder spande onder het gewicht van de tas. Ze haastte zich, maar dat scheen geen invloed te hebben op de wiegende gang van haar slanke heupen. Veiligheidshalve keek Daniel weer naar haar tas. Hij haalde haar gemakkelijk in. 'U valt zo nog om. Wat hebt u in die tas? Bakstenen?'

'Een pistool en een heleboel kogels. Als u het per se weten wilt.'

Ze wilde verder de trap op lopen, maar Daniel greep haar arm en draaide haar om. 'Pardón?'

Haar ogen stonden koel. 'U zei dat ik misschien in gevaar was. Ik heb dat serieus genomen. Ik heb een kind dat ik moet beschermen.'

De dochter van haar stiefzus. Hope. 'Hoe bent u aan een pistool gekomen? U woont hier niet.'

'Nu wel. Wilt u mijn nieuwe rijbewijs zien?'

'Hebt u een rijbewijs? Hoe bent u dááraan gekomen? U woont hier niet.'

'Nu wel. Wilt u mijn huurcontract zien?'

Volkomen overdonderd knipperde hij met zijn ogen. 'Hebt u een appartement gehuurd?'

'Een huis.' Ze was echt van plan een tijdje te blijven.

'In Dutton?'

Ze knikte. 'Ik ga niet weg tot Bailey wordt gevonden, en het is niet goed voor Hope om in een hotel te wonen.'

'Ik begrijp het. Staat onze afspraak voor zeven uur nog?'

'Dat was wel de bedoeling. Als u het niet erg vindt, ik heb voor die tijd nog een hoop te doen.' Ze was alweer een paar treden verder toen hij haar nariep.

'Alex...' Hij wachtte tot ze bleef staan en zich weer omdraaide.

'Ja, rechercheur Vartanian? Wat is er?'

Hij negeerde het ijs in haar stem. 'Alex. Je kunt niet met een pistool een politiebureau binnenlopen. Zelfs niet in Dutton. Het is een overheidsgebouw.'

Haar schouders zakten en het ijs in haar ogen smolt weg, waarna alleen uitputting en kwetsbaarheid achterbleven. Ze was bang en deed haar uiterste best dat te verbergen. 'Dat was ik vergeten. Ik had eerst hierheen moeten gaan. Ik wilde mijn rijbewijs halen voordat het stadhuis sloot. Maar ik kan het pistool ook niet in de auto laten liggen. Dan steelt iemand het misschien.' Er trok een zweem van een glimlach over haar onopgemaakte lippen. Dat raakte hem. 'Zelfs in Dutton.'

'Je ziet er moe uit. Ik ga ook naar de sheriff. Ik zal hem naar Bailey vragen. Ga naar huis om te slapen. Ik zie je om zeven uur bij het kantoor van het GBI.' Hij keek naar haar tas. 'En zorg in godsnaam dat je de veiligheidspal op dat ding doet en hem in een safe legt, zodat Hope er niet bij kan.'

'Ik heb een kluisje gekocht.' Haar kin kwam omhoog; een gebaar dat hij inmiddels zag aankomen. 'Ik heb op de spoedeisende hulp meer dan genoeg kinderen gezien die met pistolen hadden gespeeld. Ik stel mijn nichtje niet aan nog meer gevaar bloot. Bel me alstublieft als Loomis weigert Bailey als vermist op te geven.'

'Hij weigert niet,' zei Daniel grimmig, 'maar geef me toch maar je mobiele nummer.' Dat deed ze, en hij sloeg het in zijn telefoongeheugen op. Met vermoeide passen liep ze de trap weer af. Toen ze op de stoep stond, keek ze naar hem op.

'Zeven uur, rechercheur Vartanian.'

Door de toon waarop ze het zei klonk het op de een of andere manier meer als een dreigement dan als de bevestiging van een afspraak. 'Zeven uur. En vergeet je niet om te kleden.'

Dutton, maandag 29 januari, 16:55 uur

Mack haalde het oordopje uit zijn oor. De zaak is een stuk ingewikkelder geworden, dacht hij, met zijn blik op Daniel Vartanian, die de wegrijdende Alexandra Tremaine nakeek. O, wacht. Alex *Fallon*. Ze had haar naam veranderd.

Het was een verrassing geweest om te horen dat ze terug was. Dat was een van de mooie dingen aan een klein stadje. Zodra ze het makelaarskantoor van Delia Anderson binnen was gestapt, waren de roddels al op gang gekomen. *Alexandra Tremaine is terug. Het zusje dat het overleefde.*

Haar stiefzus Bailey Crighton werd vermist. Hij had wel een idee van waar Bailey naartoe kon zijn gebracht. En waarom. Maar dat was op het moment niet zíjn zaak. Als het belangrijk werd zou hij er iets mee doen. Tot die tijd zou hij afwachten en zijn oren gespitst houden.

Alex Tremaine was terug. En Daniel Vartanian had belangstelling. Ook dat zou hij in de gaten houden. Het kon later nog van pas komen. Hij glimlachte. Wat een aftrap zou dat zijn geweest, om de identieke tweelingzus te vermoorden en haar op precies dezelfde plek te dumpen. *Ik wou dat ik eraan had gedacht.* Maar hij had afgetrapt met een zelfgekozen doelwit. Ze had alles verdiend wat haar was toegekomen, maar Alex Tremaine zou een uitstekend eerste slachtoffer zijn geweest. Nu was het te laat.

Voor een eerste slachtoffer. Zijn wenkbrauwen kwamen omhoog terwijl hij erover nadacht. *Maar zijn laatste, misschien?* Het zou een goede *grande finale* zijn. Het zou de cirkel rondmaken. Hij zou erover nadenken.

Voorlopig had hij werk te doen. Een andere mooie dame om wie hij zich moest bekommeren. Hij had haar al uitgezocht. Weldra zou de politie weer een lijk in een greppel vinden en dan zouden de *hoekstenen van de samenleving* weer een skelet op hun drempel gedumpt krijgen. Hij had uit betrouwbare bron vernomen dat ze zich al de hele dag bijna in de broek scheten van angst. Wie zou er doorslaan? Wie zou er gaan praten? Wie zou hun idyllische wereldje onderuithalen?

Hij grinnikte. Binnenkort zouden de eerste twee die hij had uitgekozen hun brieven krijgen. Hij begon hiervan te genieten.

5

Dutton, maandag 29 januari, 17:35 uur

'Dit is echt mooi!' Meredith verkende met een verheugde glimlach de bungalow.

Hope zat aan tafel. Alex vatte de rode Play-Doh onder haar nagels op als een goed teken.

'Het is inderdaad mooi,' beaamde Alex. 'En er is een park vlakbij, met een draaimolen.'

Meredith was onder de indruk. 'Een echte draaimolen? Met paarden erop?'

'Met paarden erop. Hij staat er al sinds ik klein was.' Alex ging op de armleuning van de bank zitten. 'Dit huis stond hier toen ook al. Ik kwam er vaak langs als ik van school naar huis liep.'

Meredith zat naast Hope, maar ze hield haar blik op Alex' gezicht gericht. 'Je klinkt weemoedig.'

'Dat was ik toen ook. Ik vond dit altijd net een poppenhuis, en ik vond dat de mensen die hier woonden zo veel geluk hadden. Ze konden elke keer als ze zin hadden in die draaimolen.'

'En jij niet?'

'Nee. We hadden geen geld voor zulke dingen toen mijn vader was overleden. Mama had al moeite genoeg om de eindjes aan elkaar te knopen en ons te eten te geven.'

'Tot ze bij Craig introk.'

Alex' gezicht vertrok. Voordat de eerste schreeuw kon doorklinken smeet ze de deur in haar geest dicht. 'Ik ga me omkleden en even boodschappen doen. En daarna moet ik weer weg.'

Meredith keek bedenkelijk. 'Hoezo?'

'Ik ga zoeken. Ik moet het proberen, Mer, want niemand anders schijnt er iets om te geven.'

Dat was niet helemaal waar. Daniel Vartanian had zijn hulp aangeboden. *We zullen zien hoe hulpvaardig hij is.*

'Ik moet morgenavond terug naar Cincinnati, Alex.'

'Weet ik. Daarom probeer ik dit nú allemaal te doen. Als ik weer thuis ben kun je me alle spelletjes laten zien die jij en Hope spelen, zodat ik het vanaf morgen kan overnemen.'

Alex liep de slaapkamer in, deed de deur dicht en haalde het pistool uit haar tas. Het zat nog in de doos, en ze probeerde haar handen niet te laten trillen toen ze het eruit haalde en nog eens bekeek. Ze stopte het magazijn erin, zoals ze het haar in de winkel hadden voorgedaan, en deed zorgvuldig de veiligheidspal erop. Ze zou een grotere handtas nodig hebben, want ze was van plan het pistool voortaan bij zich te dragen. Ze had er niets aan als het thuis in een afgesloten kluis lag. Voorlopig zou de draagtas moeten voldoen.

'Mijn god, Alex.' Alex draaide zich om en zag een woedende Meredith de slaapkamerdeur met een harde knal dichtgooien. 'Wat moet dat verdomme voorstellen?' snauwde Meredith.

Alex drukte haar hand tegen haar bonzende hart. 'Ik schrok me rót.'

'Jíj schrok je rot?' Merediths stem klonk schril. 'Jíj schrok je rot, terwijl jíj degene bent met een pistóól in je hand? Wat haal je je in godsnaam in je hoofd?'

'Bailey wordt vermist, en een andere vrouw is dood.' Alex ging op de rand van het bed zitten en haalde diep adem. 'Ik wil niet net zo eindigen.'

'Verdomme, meid, je weet niks van wapens.'

'Ik weet ook niks van zoeken naar vermiste personen. Of de verzorging van getraumatiseerde kleine meisjes. Ik leer het zo'n beetje gaandeweg, Mer. En schreeuw niet zo.'

'Ik schreeuw niet.' Meredith zoog haar adem naar binnen. 'Ik fluister op luide toon, en dat is iets anders.' Ze liet zich tegen de dichte deur zakken. 'Sorry. Ik had niet zo moeten uitvallen, maar ik schrok nogal toen ik jou met dat díng zag. Waarom heb je dat pistool gekocht?'

'Ik ben vandaag bij de dode vrouw in het mortuarium wezen kijken.'

'Dat weet ik. Met rechercheur Vartanian.'

Hij had haar niet de hele waarheid verteld, daar was Alex van overtuigd. Maar hij had iets vriendelijks in zijn ogen en iets geruststellends in zijn aanraking, iets wat ze niet kon negeren. 'Hij denkt niet dat Baileys verdwijning toeval is. Als degene die die vrouw heeft vermoord de moordenaar van Alicia na-aapt, dan heeft dit ook met mij te maken. Ik ben een speler in het spel.'

Meredith verbleekte. 'Waar ga je vanavond naartoe, Alex?'

'De sheriff van Dutton zei dat ik bij de daklozenopvang in Atlanta moest kijken als ik Bailey wilde vinden. Vartanian vond het niet veilig als ik daar in mijn eentje naartoe ging, dus gaat hij mee.'

Meredith kneep haar ogen tot spleetjes. 'Waarom? Wat heeft Vartanian eraan om met je mee te gaan?'

'Daar wil ik achter zien te komen.'

'Ga je hem vertellen wat Wade tegen de legerkapelaan heeft gezegd?'

Ik zie je in de hel, Simon. 'Dat weet ik nog niet. Ik zie wel hoe het loopt.'

'Bel me als je weg bent,' zei Meredith vurig. 'Elk halfuur.'

Alex stopte het pistool in de draagtas. 'Ik zag de Play-Doh onder Hopes nagels.'

Meredith trok haar wenkbrauwen op. 'Ik had haar vingers in een bolletje klei gestoken in de hoop dat ze het leuk zou vinden, maar dat ging niet door. Als je bij de supermarkt bent, koop dan nog maar een paar rode krijtjes.'

Alex zuchtte. 'Wat is er met dat kind gebeurd, Meredith?'

'Weet ik niet. Maar iemand moet gaan kijken bij Baileys huis. Als jij de plaatselijke politie niet zover kunt krijgen, misschien lukt het Vartanian dan.'

'Ik denk het niet. Hij zei dat hij zich er niet in kon mengen als hij daar niet toe werd uitgenodigd door de sheriff, en tot nu toe is sheriff Loomis niet al te hulpvaardig.'

'Misschien verandert dat door de dood van dat meisje.'

Alex trok het jasje van haar pak uit. 'Misschien. Maar ik zou er maar niet op rekenen.'

Atlanta, maandag 29 januari, 18:15 uur

Daniel was nog steeds ontstemd toen hij de lift uit stapte en naar de vergaderruimte liep. Frank Loomis had het te druk gehad om hem te ontvangen, en uiteindelijk was Daniel maar vertrokken.

Hij ging aan de vergadertafel zitten, waar Chase en Ed al op hem zaten te wachten. 'Sorry dat ik laat ben.'

'Waaróm ben je laat?' wilde Chase weten.

'Ik had onderweg al geprobeerd je te bellen, Chase, maar Leigh zei dat je in vergadering zat. Ik zal het uitleggen, echt.' Hij haalde zijn notitieblok tevoorschijn. 'Maar laten we eerst kijken wat we hebben. Ed?'

Ed stak triomfantelijk een plastic bewijszakje omhoog. 'Een sleutel.'

Daniel tuurde ernaar. Hij was ongeveer tweeënhalve centimeter lang en zilverkleurig, en er zat een modderig touwtje door de ring. 'Waar heb je die gevonden?'

'In de modder die we rondom het riool hebben weggehaald. Het is een fonkelnieuwe sleutel. De bramen van de sleutelmachine zitten er nog aan. Volgens mij is hij nog nooit gebruikt.'

'Vingerafdrukken?' vroeg Chase.

Ed snoof. 'Dat zou mooi zijn geweest, maar nee.'

'Die kan iedereen daar zijn verloren voordat het lijk werd gedumpt,' zei Chase.

Ed liet zich niet ontmoedigen. 'Of híj heeft hem laten vallen.'

'En de deken?' vroeg Daniel. 'Weet je waar die vandaan komt?'

'Nog niet. Het is een kampeerdeken die in sportwinkels wordt verkocht. De wol is waterbestendig. Hij heeft het slachtoffer redelijk droog gehouden, gezien de regen die we zaterdag hadden.'

'En bij die moord van dertien jaar geleden, op dat meisje in Dutton,' zei Chase, 'was dat ook een wollen kampeerdeken?'

Daniel wreef over zijn voorhoofd. 'Weet ik niet. Ik heb het oude politierapport nog niet te pakken kunnen krijgen. Ik loop tegen een betonnen muur aan, en ik snap het niet.' Het was ook verontrustend. 'Maar we hebben wel een aanwijzing over het slachtoffer, misschien zelfs haar gezicht.' Daniel vertelde Chase over zijn werk met het beveiligingsteam van Fun-N-Sun. 'Die beveiliger heeft me een foto gemaild. Hij is korrelig, maar je kunt haar gezicht wel zien. Ze heeft de juiste lengte en het juiste postuur.'

'Goed zeg,' mompelde Chase. 'Van de veiligheidsopnamen van het park?'

'Ja. Die slogan over cellisten op haar sweater trok mijn aandacht. De parkbeveiliging belde me terwijl ik onderweg hierheen was. Ze konden geen reçu van een creditcard vinden, dus waarschijnlijk heeft ze haar lunch contant betaald. Ze gaan de tapes van de ingangspoort bekijken en sturen ons daar per koerier kopieën van. Misschien heeft ze de entree met een creditcard betaald. Als we er morgen nog niet uit zijn, geef ik haar foto vrij aan de pers.'

'Lijkt me een goed plan,' zei Chase. 'Dus je ritje naar Dutton was voor niks?'

'Niet helemaal.' Daniel legde de geheugenkaart uit Jim Woolfs camera op tafel. 'Die verslaggever had een "anoniem telefoontje" gekregen, waarin hem werd verteld waar hij heen moest en wanneer.'

'Geloof je hem niet?' vroeg Chase.

'Niet helemaal. Hij loog over een paar dingen, en een paar andere dingen vertelde hij helemaal niet. Woolf zei dat hij om twaalf uur 's middags werd gebeld, om één uur bij de boom was, en dat de fietsers om twee uur langskwamen.'

'Het is maar een halfuur rijden van Dutton naar Arcadia,' zei Ed. 'Hij had de tijd.'

'Normaal is het vijfendertig minuten rijden,' zei Daniel. 'Maar er was gisterochtend tot negen uur een stuk van acht kilometer van die weg afgezet. Er kwam alleen plaatselijk verkeer langs, en ze hebben legitimaties gecontroleerd en kentekens opgeschreven. Woolf zei dat zijn vrouw hem een lift had gegeven, maar ik heb onderweg sheriff Corchran gebeld, en haar auto stond niet op de lijst van voertuigen die langs hun controlepunt zijn gekomen.'

Chase knikte. 'Dus ofwel Woolf was er gisterochtend al vóór negen uur, of zijn vrouw heeft hem een eindje van die plek vandaan afgezet en hij moest een paar kilometer lopen. Als hij om twee uur in die boom zat, zou hij de hele weg gerend moeten hebben.'

'Jim lijkt me geen hardloper. Ik stond er eigenlijk van te kijken dát hij die boom in was gekomen. Daar komt nog bij dat er om drie minuten over twee naar de alarmcentrale is gebeld,' vertelde Daniel. 'De fietser die belde kwam als drieënzestigste binnen, dus hij reed achteraan. Ik heb het nagevraagd bij de wedstrijdorganisatie. De deelnemer die als eerste binnenkwam, kwam daar om kwart voor twee langs.'

'Waarom zou die verslaggever liegen over iets wat je kunt nagaan?' vroeg Ed.

'Ik denk dat hij niet wil toegeven dat hij langer dan een paar minuten in die greppel is geweest. Dat geeft hem de tijd om de plaats delict te verstoren. En misschien dacht hij dat ik wel weg zou gaan als hij me vertelde wat ik wilde weten. Ik heb onderweg Chloe Hathaway bij de officier van justitie gebeld. Ze gaat proberen een bevelschrift te krijgen voor zijn telefoongegevens: van het kantoor van de *Review*, zijn huis en zijn mobiele telefoon. Ik durf te wedden dat hij zondagochtend vroeg is gebeld.'

Daniel zuchtte. 'Toen ik klaar was met Jim Woolf ben ik naar het politiebureau aan de overkant gelopen. Alex Fallon ging net naar binnen.'

'Interessant,' zei Chase.

'Ze zei dat ze haar stiefzus als vermist wilde opgeven. Ze had in het weekend een paar keer gebeld, maar kreeg te horen dat haar stiefzus er waarschijnlijk gewoon vandoor was. Ze is ervan overtuigd dat de verdwijning van haar stiefzus en de moord in Arcadia iets met elkaar te maken hebben. Ik geloof dat ik het daarmee eens ben.'

'Ik geloof dat ik het daarmee niet oneens ben,' zei Chase. 'En?'

'En dus zei ik dat ik bij de sheriff langs zou gaan en het voor haar zou regelen.'

Daniel onderdrukte de neiging om in zijn stoel te verschuiven.

'Ik ging er toch al naartoe, Chase. Ik wilde even met Frank Loomis praten. Misschien kon ik erachter komen of er iets was wat ze voor Alex verzwegen, een of andere reden waarom ze er zo zeker van waren dat Bailey er simpelweg vandoor was.'

'Maar?' vroeg Chase.

'Maar de assistente zei steeds dat het nog een paar minuutjes zou duren. Uiteindelijk ben ik weggegaan. Of Frank was er helemaal niet, of hij wilde me niet spreken en zijn assistente wilde daar niet voor uitkomen. Hoe dan ook, ik werd tegengewerkt, en dat bevalt me niet.'

'Heb je het politierapport van de zaak-Tremaine opgevraagd?' vroeg Ed.

'Uiteindelijk wel. Wanda, dat is Franks assistente, zei dat het "in het archief" lag en dat het even zou duren om het op te zoeken. Ze zei dat ze over een paar dagen contact met me zou opnemen.'

'Het ís ook dertien jaar oud,' merkte Chase op, maar Daniel schudde zijn hoofd.

'We hebben het hier over Dutton. Ze hebben geen pakhuizen vol gegevens liggen. Wanda hoefde alleen maar naar de kelder te lopen en een doos te halen. Ze hield de boot af.'

'Wat ga je nu doen, Daniel?' vroeg Chase.

'Toen ik het met Chloe over dat bevelschrift voor Jim Woolf had, vroeg ik haar hoe ik dat rapport snel in handen zou kunnen krijgen. Ze zei dat ik haar moest bellen als ik woensdag nog niks had gehoord. Ik weet dat Frank Loomis het niet op buitenstaanders heeft, maar het is niets voor hem om mij zo te dwarsbomen. Ik begin me echt zorgen te maken, alsof híj een vermiste persoon is.'

'En hoe zit het met de stiefzus van die mevrouw Fallon?' vroeg Ed. 'Hebben ze haar als vermist opgegeven?'

'Ja, maar Wanda zei dat ze er niet veel middelen op zouden inzetten. Ze zei dat Bailey Crighton een strafblad had voor drugsbezit en openbare dronkenschap. Ze was al een paar keer naar de afkickkliniek geweest. Ze was een junk.'

'Misschien is ze er dan inderdaad vandoor,' zei Chase vriendelijk. 'Laten we ons voorlopig op ons slachtoffer richten.'

'Ik weet het.' Daniel was niet van plan iets te zeggen over zijn geplande uitstapje naar Peachtree en Pine met Alex Fallon. 'Felicity zegt dat de blauwe plekken rondom haar mond na haar dood zijn toegebracht, dus ik denk dat de dader wilde dat we die zagen. Er zijn sporen van verkrachting bij haar gevonden, maar geen vloeistoffen. Ze is ergens tussen donderdag tien uur 's avonds en vrijdag twee uur 's nachts overleden, en ze had net voldoende Rohypnol in haar lijf om bij de test naar voren te komen. In de oude krantenartikelen over de moord op Alicia Tremaine stond dat ze GHB in haar bloed hadden gevonden. Dus beide slachtoffers hebben verkrachtingsdrugs toegediend gekregen.'

Chase blies zijn adem uit. 'Verdomme. Hij doet alles na.'

'Ja, ik weet het.' Daniel keek op zijn horloge. Alex zou zo komen. Hij kon zich niet onttrekken aan het bezorgde gevoel dat iemand haar hier naartoe had gelokt, dat ze terug was gehaald met een bepaalde reden. Maar hij kon haar tenminste beschermen terwijl ze in de gierput van Peachtree en Pine naar Bailey zocht. 'Dat is alles wat ik voorlopig heb. Laten we morgen weer afspreken, om dezelfde tijd.'

Atlanta, maandag 29 januari, 19:25 uur

Alex had net haar auto langs de stoep voor een klein huisje van twee verdiepingen in een rustige buitenwijk van Atlanta geparkeerd toen Daniel Vartanian bij haar raampje verscheen. Ze draaide het omlaag en hij bukte om haar in de ogen te kunnen kijken. 'Ik ben zo terug,' zei hij. 'Bedankt dat je met me mee naar huis bent gereden. Je kunt je auto hier laten staan, dan hoef je straks niet meer zo ver te rijden.'

Zijn ogen waren felblauw en keken haar aandachtig aan, en Alex merkte dat ze naar hem staarde. Zijn neus was scherp en zijn lippen ferm, maar al met al was hij door de combinatie van zijn gelaatstrekken een heel ruige, knappe man. Ze dacht aan het moment dat hij haar hand had vastgehouden, maar toen herinnerde ze zich dat hij waarschijnlijk meer wist dan hij haar vertelde. 'Ik stel het op prijs dat u met me mee wilt komen.'

Hij glimlachte, waardoor zijn harde trekken verzachtten.

'Ik moet me omkleden en de hond uitlaten. Je kunt mee naar binnen komen of hier wachten, maar het wordt frisser.'

Dat was inderdaad zo. Nu de zon onder was hing er een scherpe kilte in de lucht. Toch bleef ze voorzichtig. 'Het geeft niet. Ik wacht wel.'

'Alex, je vertrouwt me genoeg om met me mee te gaan naar Peachtree en Pine, en mijn woonkamer is een heel stuk veiliger, dat kan ik je verzekeren. Maar je moet het zelf weten.'

'Als je het zo stelt...' Ze draaide haar raampje omhoog, greep haar draagtas en deed haar auto op slot. Toen ze opkeek zag ze Vartanian argwanend naar haar tas kijken.

'Ik wil niet weten of je daar iets akeligs in hebt zitten, want als je geen vergunning hebt om een wapen te dragen ben je in overtreding.'

'Dat zou heel dom van me zijn,' zei Alex, onschuldig knipperend met haar ogen.

Hij glimlachte flauwtjes. 'Als je die tas in een particuliere woning zou laten staan... dan zou dat wel mogen.'

'Geen kinderen in je huis?'

Hij pakte haar bij haar elleboog en leidde haar de stoep op. 'Alleen Riley, maar hij heeft geen duimen, dus dat zit wel goed.' Hij deed de voordeur open en schakelde zijn alarm uit. 'Daar heb je hem.'

Alex lachte toen een bassethond met droevige ogen overeind kwam en geeuwde.

'O, wat een schatje!'

'Ja, nou, soms wel. Maar geef hem niks te eten.'

En na dat raadselachtige advies draafde Vartanian de trap op en liet Alex alleen achter in zijn woonkamer. Het was een vrij gezellige woonkamer, comfortabeler dan de kamer die zij had achtergelaten in Cincinnati, maar dat was niet zo'n prestatie. Een gigantische flatscreentelevisie vormde het middelpunt van de kamer. In de eetkamer stond een biljarttafel en in de hoek een glanzende mahoniehouten bar, compleet met krukken en een schilderij van honden die poker speelden erboven.

Alex grinnikte weer, maar ze schrok toen er iets tegen haar kuit porde.

Ze had de hond niet horen aankomen, maar daar stond Riley gevoelvol naar haar op te kijken. Toen Vartanian beneden kwam zat ze gehurkt om de hond achter zijn oren te krabben. Vartanian had een hondenriem in zijn hand. Hij zag er volslagen anders uit in zijn gebleekte spijkerbroek en een Atlanta Braves-sweater.

'Hij vindt je aardig,' zei Vartanian. 'Hij loopt niet zomaar voor iedereen de hele kamer door.'

Alex stond op toen Vartanian bukte en de riem aan de halsband van de hond bevestigde. 'Ik neem ook een hond,' zei ze. 'Het staat op mijn actielijstje voor morgen.'

'Dat vind ik een veel fijner idee dan dat je vertrouwt op een pistool.'

Haar kin kwam omhoog. 'Ik ben niet achterlijk, rechercheur Vartanian. Ik weet dat een blaffende hond een beter afschrikmiddel voor indringers is dan een klunzig gehanteerd wapen. Maar ik spreid liever het risico.'

Hij grijnsde en stond op, waarna hij Riley mee trok naar de deur.

'Daar heb je misschien wel gelijk in, Alex. Wil je met ons mee? Volgens mij wil Riley dat.'

Riley had zich op zijn buik laten zakken, zijn oren lagen aan weerskanten uitgespreid en zijn snuit wees recht naar Alex. Slaperig keek hij naar haar op, en Alex grinnikte weer. 'Wat een acteur. Maar ik denk dat ik een actievere hond nodig heb. Meer een waakhond.'

'Geloof het of niet, deze jongen kán wel bewegen als hij wil.'

Riley liep tussen hen toen Vartanian en zij de voordeur uit gingen. 'Nou, nu beweegt hij,' zei Alex. 'Maar hij is nog steeds geen waakhond.'

'Nee, hij is een jachthond. Hij heeft prijzen gewonnen.' Ze liepen een tijdje in vriendschappelijk zwijgen en toen vroeg Vartanian: 'Houdt je nichtje van honden?'

'Weet ik niet. Ik ken haar pas twee dagen en ze is nog niet erg... betrokken.' Alex keek bedenkelijk. 'Ik weet niet of ze bang is voor honden, en of ze misschien allergisch is. Ik weet haar medische achtergrond niet. Verdomme, nóg iets voor op mijn lijstje.'

'Kijk voor je een hond koopt eerst eens hoe ze op Riley reageert. Als ze al bang voor hém is, dan is een andere hond misschien te veel.'

'Ik hoop dat ze van honden houdt. Ik wil haar graag ergens voor interesseren.' Alex zuchtte. 'Ik zou al blij zijn als ze iets anders zou doen dan de hele dag kleuren.'

'Kleurt ze?'

'Dwangmatig.' En voor ze het wist had Alex het hele verhaal verteld en waren ze weer terug in zijn woonkamer. 'Ik wou dat ik wist wat ze heeft gezien. Ik word er doodsbang van.'

Riley liet zich met een dramatische zucht op de grond zakken, en samen hurkten ze bij hem neer om hem te aaien. 'Dat klinkt niet best,' zei hij. 'Wat ga je doen als je nicht morgen naar huis gaat?'

'Dat weet ik nog niet.' Alex keek in Daniel Vartanians vriendelijke ogen. 'Ik heb geen idee.'

'En dat maakt je bang,' zei hij zachtjes.

Ze knikte benepen. 'Ik ben de laatste tijd nogal vaak bang.'

'Ik weet zeker dat onze afdelingspsycholoog je wel een kinderspecialist kan aanraden.'

'Dank je,' mompelde ze, en terwijl ze naar zijn gezicht staarde veranderde er iets tussen hen. Iets viel op zijn plaats. En Alex haalde voor het eerst die dag opgelucht adem.

Vartanian slikte, stond op, en het moment was voorbij. 'Je jas is nog altijd te deftig voor waar wij naartoe gaan.' Hij liep naar zijn garderobekast en begon hangers heen en weer te schuiven, waarschijnlijk met meer kracht dan nodig was. Uiteindelijk kwam hij aan met een oud baseballjack. 'Ik was toen magerder. Misschien dat je hierin niet verzuipt.'

Hij stak het uit, en zij verruilde haar jas voor die van hem. Het kledingstuk rook naar hem en Alex onderdrukte de neiging om met alle finesse van Riley aan de mouw te snuffelen. 'Dank je.'

Hij knikte zwijgend, stelde zijn alarm in en deed de deur achter hen op slot. Toen ze bij zijn auto kwamen keek ze weer op. Zijn ogen waren even doordringend als altijd, maar er lag nu nog iets anders in, iets wat haar op een of andere manier fascineerde.

'Je bent aardig voor me geweest, rechercheur Vartanian. Aardiger dan nodig was. Waarom?'

'Dat weet ik niet,' zei hij, zo zachtjes dat ze rilde. 'Ik heb geen idee.'

'En... dat maakt je bang?' vroeg ze, met opzet zijn regel herhalend.

Hij glimlachte droog, met die scheve glimlach die ze was gaan waarderen. 'Laten we maar zeggen dat het... onbekend terrein is.' Hij deed het autoportier voor haar open. 'Kom, we gaan naar Peachtree en Pine. Het is 's nachts nog steeds zo koud dat veel daklozen in de stad naar de opvangcentra gaan. Die zijn rond zes uur wel zo'n beetje vol, dus tegen de tijd dat wij er aankomen zouden ze klaar moeten zijn met het opdienen van het avondeten. Dat maakt het zoeken naar Bailey makkelijker.'

Ze wachtte tot hij achter het stuur had plaatsgenomen. 'Ik wou dat ik een recente foto van haar had. Ik weet dat ze er eentje hebben bij de kapsalon waar ze werkt; op haar kappersdiploma. Maar ik heb het zo druk gehad dat ik ben vergeten te bellen, en nu zijn ze gesloten.'

Hij haalde een opgevouwen vel papier uit zijn zak. 'Ik heb de foto van haar rijbewijs opgeduikeld voordat ik van het bureau vertrok. Hij is niet heel charmant, maar wel recent.'

Alex' keel kneep zich samen. Op de foto stond een glimlachende Bailey met stralende ogen. 'O, Bailey.'

Vartanian wierp haar een zijdelingse, verwonderde blik toe. 'Ik vond haar er niet slecht uitzien.'

'Nee. Ze ziet er goed uit. Ik ben opgelucht en... tegelijkertijd droevig. Ze was helemaal van de wereld de laatste keer dat ik haar zag. Ik heb heel vaak gewenst dat ik haar weer zó kon zien.' Alex tuitte haar lippen. 'En nu is ze misschien wel dood.'

Vartanian kneep even in haar schouder. 'Niet aan denken. Positief blijven.'

Alex haalde diep adem, terwijl haar schouder tintelde van zijn aanraking. 'Oké. Ik zal het proberen.'

Atlanta, maandag 29 januari, 19:30 uur

Ze was nu getrouwd, met een of andere rijke effectenmakelaar die ze op de universiteit had ontmoet.

Zij was naar de universiteit gegaan, terwijl hij... *Terwijl ik wegrotte in een cel.* Zijn wraaklijst was vrij lang geworden tijdens zijn onfortuinlijke gevangenschap. En zij stond bijna helemaal bovenaan.

Ze stapte de lift uit en liep de parkeergarage in. Haar hakken klikten op de betonnen vloer. Ze was vanavond gekleed om door een ringetje te halen. Ze droeg een nerts en een of ander parfum dat waarschijnlijk een vermogen per milliliter kostte. De parels om haar hals glansden onder de interieurverlichting toen ze achter het stuur stapte.

Hij wachtte geduldig tot ze het portier had gesloten en de motor had gestart.

Toen zette hij razendsnel het mes op haar keel en duwde een zakdoek in haar mond.

'Rijden,' mompelde hij, grinnikend toen ze met grote ogen gehoorzaamde. Hij vertelde haar waar ze heen moest, wanneer ze moest afslaan, genietend van de doodsangst in haar ogen. Die zag hij elke keer dat ze in de achteruitkijkspiegel keek. Ze herkende hem niet, en hoewel dat in het dagelijks leven een voordeel was, wilde hij dat ze precies wist in wiens handen haar leven nu lag. En haar dood.

'Zeg nou niet dat je me niet meer kent, Claudia. Denk eens terug aan de avond van je eindexamenfeest. Zo lang geleden is het niet.' Haar ogen werden heel groot en hij wist dat de realiteit van haar lot eindelijk tot haar doordrong. Hij lachte zachtjes.

'Je weet dat ik je niet kan laten leven. Maar misschien is het een troost als ik zeg dat ik dat toch al niet van plan was.'

Maandag 29 januari, 19:45 uur

Bailey knipperde met haar ogen en werd langzaam wakker. De vloer voelde koud aan tegen haar wang. Ze hoorde voetstappen op de gang. Hij kwam eraan. *Niet weer.*

Ze zette zich schrap voor het licht. Voor de pijn. Maar de deur ging niet open. In plaats daarvan hoorde ze een andere deur opengaan, en toen een misselijkmakende bons. Alsof er iemand in de cel naast die van haar werd gedumpt. Een dood gewicht. Iemand kreunde van pijn. Het klonk als een man.

Toen hoorde ze hém in de gang, met een stem die beefde van woede. 'Ik kom over een paar uur terug. Denk maar na over wat ik heb gezegd. Wat ik heb gedaan. Hoeveel pijn je nu hebt. En denk na over hoe je de volgende keer op mijn vragen gaat antwoorden.'

Ze klemde haar kiezen op elkaar, bang dat ze zou gaan gillen, dat ze op een of andere manier de aandacht zou trekken. Maar de deur van de naastgelegen cel ging dicht en er volgde alleen maar stilte.

Ze was gespaard, voorlopig. Voorlopig zouden er geen klappen komen, geen straf voor haar brutale weigering om hem te vertellen wat hij wilde weten. De stem in de andere cel kreunde weer, zo meelijwekkend. Kennelijk had hij nog een vlieg in zijn web gevangen.

Niemand kwam haar halen. Niemand was zelfs maar naar haar op zoek. *Ik zie mijn kindje nooit meer terug.* Tranen drupten uit haar ogen en liepen over haar wangen. Zelfs gillen had geen zin. De enige die haar kon horen was ook hier opgesloten.

Atlanta, maandag 29 januari, 21:15 uur

'Bailey Crighton?' De vrouw die zich had voorgesteld als zuster Anne zette een dienblad vol vuile borden op het aanrecht. 'Wat is er met haar?'

Daniel keek naar Alex Fallon. Ze stond voor hem met de foto van

Bailey in haar hand. Die had ze al bij vier andere daklozencentra laten zien. 'Ik zoek haar. Hebt u haar gezien?'

'Dat hangt ervan af. Ben je van de politie?'

Alex schudde haar hoofd. 'Nee,' zei ze, en Daniel merkte op dat ze niets over hem zei.

Het was een hele ervaring geweest om Alex Fallon in actie te zien. Waar ze ook naar binnen gingen, ze had niet één keer gelogen. Ze was er heel goed in om precies zo veel te vertellen als nodig was en de mensen hun eigen conclusies te laten trekken. Maar nu was ze moe en ontmoedigd, en hij hoorde een trilling in haar stem die hem de neiging gaf om er iets aan te doen. Wat dan ook.

'Ik ben verpleegkundige. Bailey is mijn stiefzus en ze wordt vermist. Hebt u haar gezien?'

Zuster Anne keek argwanend naar Daniel.

'Alstublieft,' prevelde hij, en haar blik verzachtte.

'Ze komt hier elke zondag. Gisteren is ze voor het eerst in jaren niet komen opdagen. Ik maakte me al zorgen.'

Dit was de eerste keer dat iemand toegaf Bailey te hebben gezien, hoewel Daniel zeker wist dat een paar andere mensen haar hadden gezien en te nerveus waren geweest om het toe te geven.

'Komt ze hier elke zondag?' vroeg Alex. 'Waarvoor?'

Zuster Anne glimlachte. 'Haar pannenkoeken zijn de allerbeste.'

'Ze maakt smiley-pannenkoeken voor de kinderen,' zei een andere vrouw, die net binnen was gekomen met nog een dienblad vol vuile vaat. 'Wat is er met Bailey?'

'Ze wordt vermist,' zei zuster Anne.

'Dus ze werkt hier als vrijwilliger?' vroeg Daniel, en zuster Anne knikte.

'Vijf jaar al, sinds ze is afgekickt. Hoe lang is ze al weg?'

'Sinds donderdagavond.' Alex rechtte haar rug. 'Kent u Hope?'

'Natuurlijk. Dat poppetje praat je de oren van het hoofd, geweldig.' Ineens keek ze hen met samengeknepen ogen aan. 'Wordt Hope ook vermist?'

'Nee, ze logeert bij mij en mijn nicht,' zei Alex snel. 'Maar het gaat niet goed met haar. Ze heeft nog geen woord gezegd sinds ik hier zaterdag aankwam.'

Zuster Anne keek perplex. 'Dat is helemaal niet best. Vertel eens wat er is gebeurd.'

Dat deed Alex, en zuster Anne schudde haar hoofd. 'Het is uitgesloten dat Bailey dat meisje ooit alleen zou laten. Hope was alles voor haar.' Ze zuchtte. 'Hope heeft haar leven gered.'

'Dus Bailey kwam hier ook al regelmatig voordat ze afkickte?' vroeg Daniel.

'O, ja. Hier en bij de methadonkliniek verderop in de straat. Maar dat was toen. Ik zie al dertig jaar junks komen en gaan. Ik kan zien wie het zal redden en wie niet. Bailey zou het redden. Hier iedere week naartoe komen, was haar manier om beide benen op de grond te houden, om niet te vergeten wat ze was geweest, zodat ze er nooit meer naar terug zou gaan. Ze bouwde een leven op voor zichzelf en haar baby. Het is uitgesloten dat ze Hope in de steek zou laten.' Ze beet weifelend op haar lip. 'Heb je haar vader gesproken?'

'Hopes vader?' vroeg Alex aarzelend.

'Nee.' Zuster Anne keek Alex doordringend aan. 'Baileys vader.'

Alex verstijfde, en Daniel voelde dat haar ontmoediging was omgeslagen in angst.

'Alex?' mompelde hij achter haar. 'Gaat het wel?'

Ze knikte afgemeten. 'Nee, ik heb haar vader niet gesproken.' Haar stem klonk koel, behoedzaam, en Daniel wist inmiddels dat dat betekende dat ze bang was. 'Weet u waar hij is?'

Zuster Anne slaakte een diepe zucht. 'Die zwerft ergens buiten rond. Bailey heeft nooit de hoop opgegeven dat hij uit dat leven zou stappen en naar huis zou komen. Ik weet dat ze urenlang in elk godverlaten hoekje van deze stad naar hem heeft gezocht.' Ze keek Alex schuins aan. 'Ze woont nog steeds in dat oude huis in Dutton, hopend dat hij terugkomt.'

Alex verstijfde nog meer, werd nog banger. Daniel gaf toe aan de neiging om haar aan te raken, een neiging die hij al onderdrukte sinds hij haar in zijn woonkamer in de ogen had gekeken. Hij moest weer aansluiting bij haar vinden, wilde dat ze wist dat hij er was, dat ze niet alleen was en niet bang hoefde te zijn. Dus legde hij zijn handen op haar schouders en trok zachtjes, tot ze tegen hem aan leunde.

'Ik haat dat huis,' fluisterde ze.

'Weet ik,' fluisterde hij terug. En hij wist het inderdaad. Hij wist wat ze bedoelde met 'dat huis', en wat daar was gebeurd. Daniel had de artikelen gelezen die Luke had gedownload en nu wist hij dat Alex haar moeder, die een .38 tegen haar hoofd had gezet om zichzelf van het leven te beroven, destijds had gevonden. Allemaal op dezelfde dag dat Alicia's lijk was ontdekt.

Zuster Anne keek Alex indringend aan. 'Bailey haat dat huis ook, lieverd. Maar ze blijft er, hopend dat haar vader thuis zal komen.'

Alex trilde, en Daniel hield haar steviger vast. 'En is hij naar huis gekomen?' vroeg hij.

'Nee. Tenminste, niet dat ik weet.'

Alex rechtte haar schouders en ging wat naar voren, zodat ze niet langer tegen hem aan leunde. 'Dank u, zuster. Als u iets hoort, wilt u me dan bellen?' Ze scheurde een hoek van de kopie van Baileys foto af en schreef haar naam en mobiele telefoonnummer erop.

'En zou u met Hope kunnen praten? Wij hebben nog niet tot haar door kunnen dringen.'

Zuster Anne glimlachte meelevend en droevig. 'Ik doe niets liever dan dat. Maar ik rij geen auto meer, dus kan ik moeilijk naar Dutton komen.'

'We brengen haar wel hierheen,' zei Daniel, waarop Alex zich verrast omdraaide en hem dankbaar aankeek. 'Als het niet veilig is voor jou,' mompelde hij, 'dan is het zeker niet veilig voor jou en Hope.'

'Het was ook veilig voor Bailey en Hope,' protesteerde ze.

'Bailey wist de weg. Jij niet. Wanneer zou het uitkomen, zuster?'

'Maakt niet uit. Ik ben altijd hier.'

'Dan komen we morgenavond.' Daniel kneep lichtjes in Alex' schouders. 'Kom mee.'

Ze waren net bij de deur toen ze staande werden gehouden door een jonge vrouw. Ze kon niet ouder zijn dan twintig, maar net als bij alle andere vrouwen daar waren haar ogen veel ouder. 'Pardon,' zei ze. 'Iemand hoorde u in de keuken. Bent u verpleegster?'

Daniel voelde de verandering in Alex. Ze zette haar angst van zich af en richtte zich onmiddellijk op de vrouw die voor haar stond. Ze knikte. Aan haar blik zag hij dat ze de vrouw probeerde in te schatten. 'Ja. Ben je ziek?'

'Nee, het gaat om mijn dochtertje.' De jonge vrouw wees naar een bedje tussen vele gelijksoortige bedjes, waarin een kind opgerold lag. 'Ze heeft een soort uitslag op haar voet en het doet pijn. Ik ben de hele dag in de kliniek geweest, maar als je er niet voor zes uur bent, zijn alle bedden vol.'

Alex legde haar hand op de rug van de vrouw. 'Laten we maar even gaan kijken.' Daniel liep achter hen aan, nieuwsgierig naar hoe ze dit zou aanpakken. 'Hoe heet je?' vroeg ze aan de moeder.

'Sarah. Sarah Jenkins. Dit is Tamara.'

Alex glimlachte naar het meisje, dat vier of vijf jaar oud leek. 'Hoi, Tamara. Mag ik even naar je voet kijken?' Ze was efficiënt maar voorzichtig toen ze het kind onderzocht. 'Het is niet ernstig,' zei ze, en de moeder ontspande zich. 'Het is huiduitslag. Maar het lijkt erop dat het is begonnen met een sneetje. Heeft ze recent nog een tetanus p-r-i-k gehad?'

Tamara's ogen werden groot van angst. 'Moet ik een prik?'

Alex knipperde met haar ogen. 'Je bent behoorlijk slim, Tamara. Nou, mama, heeft ze die gehad?'

Sarah knikte. 'Net voor kerst.'

'Dan heb je geen prik nodig,' zei Alex tegen Tamara, die opgelucht keek.

Alex keek op naar zuster Anne. 'Hebt u hier zalf?'

'Alleen Neosporin.'

'Dit is behoorlijk ontstoken. Neosporin zal niet veel uithalen. Als ik terugkom zal ik iets sterkers meebrengen. Hou het tot die tijd schoon en afgedekt. Hebt u gaas?'

De non knikte. 'Een beetje.'

'Gebruik dat dan, dan zal ik ook daarvan nog wat meebrengen. En niet krabben, Tamara.'

Tamara tuitte haar lippen. 'Het jeukt.'

'Weet ik,' zei ze zachtjes. 'Je moet jezelf dan maar wijsmaken dat het niet jeukt.'

'Je bedoelt liegen?' vroeg Tamara, en Alex trok een gezicht.

'Nou... meer een soort trucje. Heb je wel eens een goochelaar gezien die iemand in een kast stopt en laat verdwijnen?'

Tamara knikte. 'In een tekenfilm.'

'Dat moet jij ook doen. Je moet je voorstellen dat al je jeuk in een kast gaat en dat jij de deur dichtduwt.' Ze duwde met haar handen voor zich uit. 'Dan zit de jeuk opgesloten in de kast en kan hij jou niet meer plagen. Een meisje dat slim genoeg is om "prik" te spellen, moet de jeuk wel in de kast kunnen krijgen.'

'Ik zal het proberen.'

'Misschien lukt het niet meteen. De jeuk wíl namelijk niet in de kast. Je moet je concentreren.' Ze klonk alsof ze uit ervaring sprak. 'En niet met je vingers in je ogen. Dat is ook belangrijk.'

'Dank u,' zei de moeder toen Alex overeind kwam.

'Het was niets. Ze is een slimme meid.' Maar ze had de moeder gerustgesteld, en Daniel vond dat heel wat meer dan niets. Bovendien had ze door die vrouw te helpen haar eigen angst van zich afgezet. 'Zuster, tot morgen.'

Zuster Anne knikte. 'Ik zal er zijn. Ik ben hier altijd.'

Dutton, maandag 29 januari, 22:00 uur

De paarden van de draaimolen waren prachtig in het maanlicht. Hij had als kind altijd genoten van dit park. Maar hij was geen kind meer, en nu bespotte de onschuld van het park hem, terwijl hij op een bankje zat en zijn hoofd omliep van de verwrongen wending die zijn leven had genomen.

Het bankje waarop hij zat bewoog. Er had nog iemand anders op plaatsgenomen. 'Stommeling,' fluisterde hij, zonder zijn blik van de draaimolen af te wenden. 'Het is één ding dat je me vanmorgen belde, maar hier afspreken... Als iemand ons ziet...'

'Verdomme.' Het was een angstig gesis. 'Ik heb een sleutel gekregen.'

Hij rechtte zijn rug. 'Een echte?'

'Nee. Een tekening. Maar hij ziet eruit alsof hij zou kunnen kloppen.'

Dat was ook zo. Hij had zijn eigen sleutel op de tekening gelegd. Hij klopte precies. 'Dus iemand weet het.'

'Het is afgelopen met ons.' Het gefluister klonk schril. 'We gaan naar de gevangenis. Ik kan niet naar de gevangenis.'

Wie van hen wel? *Ik ga nog liever dood.* Maar hij liet zijn stem rustig en zeker klinken. 'Niemand gaat naar de gevangenis. Alles komt goed. Hij wil waarschijnlijk gewoon geld.'

'We moeten met de anderen praten. Een plan bedenken.'

'Nee. Zeg niets tegen de anderen. Hou je gedeisd en praat met niemand, dan slaan we ons hier wel doorheen.' Praten was ongezond. Een van hen had gepraat, en diegene was het zwijgen opgelegd. Permanent. Het kon en zou weer gebeuren. 'Voorlopig moet je rustig blijven, je mond houden en bij mij uit de buurt blijven. Als jij doordraait, zijn we allemaal dood.'

6

Atlanta, maandag 29 januari, 22:15 uur

Vartanian zette zijn auto op de oprit. 'Alles goed?' Zijn stem was laag en rustig in de duisternis van de auto. 'Je bent zo stil.'

Ze was inderdaad stil geweest terwijl ze probeerde alle gedachten en angsten te verwerken die in haar hoofd om voorrang streden. 'Prima. Ik zat alleen na te denken.' Ze dacht weer aan haar manieren. 'Bedankt dat je vanavond met me mee bent gegaan,' zei ze. 'Dat was heel aardig.'

Zijn kaak was gespannen toen hij omliep om het portier open te doen. Ze liep achter hem aan naar zijn huis en wachtte terwijl hij het alarm uitschakelde. 'Kom binnen. Ik zal je jas pakken.'

'En mijn tas.'

Hij glimlachte grimmig. 'Ik dacht heus niet dat je die vergeten was.'

Riley ging overeind zitten en geeuwde. Hij liep de kamer door en liet zich aan Alex' voeten vallen. Vartanians lippen vormden een grijns. 'En je bent niet eens een karbonade,' mompelde hij.

Alex bukte en krabde Riley achter zijn oren. 'Zei je "karbonade"?'

'Een grapje tussen Riley en mij. Ik zal je jas pakken.' Hij zuchtte. 'En je tas.'

Alex keek hem hoofdschuddend na. Mannen waren wezens die ze nooit helemaal zou begrijpen. Niet dat ze veel oefening had gehad. Richard was haar eerste geweest, als ze Wade niet meetelde, wat ze nooit deed. Dus dat kwam uit op... één. En was Richard geen uitstekend voorbeeld van haar finesse met het andere geslacht? Dat zou... nee.

Gedachten aan Richard maakten haar altijd neerslachtig. Hun huwelijk was mislukt. Ze had nooit kunnen zijn wat hij nodig had, of het soort vrouw kunnen worden dat ze had willen zijn.

Maar van Hope zou ze geen mislukking maken. Ze zou er in elk geval voor zorgen dat Baileys kind een goed leven kreeg, met of zonder Bailey. Nu was ze zowel neerslachtig als bang. Ze keek in Vartanians woonkamer om zich heen, op zoek naar afleiding, en ze vond die in het schilderij boven zijn bar. Ze moest erom lachen.

'Wat?' vroeg hij, met haar jas over zijn arm gevouwen als een hoofdkelner.

'Je schilderij.'

Hij grijnsde en zag er meteen jonger uit. 'Hé, dit is een klassieker. Wat wil je nog meer: honden die zitten te pokeren!'

'Ik weet niet, op de een of andere manier had ik gedacht dat je een man was met een meer gedistingeerde smaak in kunst.'

Zijn grijns verflauwde wat. 'Ik neem kunst niet zo serieus.'

'Vanwege Simon,' zei ze zachtjes. Vartanians broer was schilder geweest.

Wat er over was van zijn grijns verdween, en hij zag er ineens een stuk minder vrolijk uit. 'Je weet het.'

'Ik heb de artikelen op internet gelezen.' Ze had gelezen over de mensen die Simon had vermoord, onder wie Daniels ouders. Ze had gelezen hoe Daniel betrokken was geweest bij de arrestatie en dood van Simon.

Ik zie je in de hel, Simon. Ze moest het hem vertellen. 'Rechercheur Vartanian, ik heb iets gehoord... jij moet het ook weten. Nadat ik vandaag uit het mortuarium vertrok, ben ik naar Baileys huis gereden. Daar kwam ik een man tegen. Een pastoor. En een soldaat ook, denk ik.'

Hij ging op een barkruk zitten, liet haar jas en tas op de bar vallen en richtte zijn doordringende blauwe ogen op haar. 'Een pastoor en een soldaat zijn naar Baileys huis gekomen?'

'Nee. Die pastoor wás soldaat, legerkapelaan. Bailey had een oudere broer. Hij heette Wade. Hij is een maand geleden in Irak gesneuveld.'

'Wat erg.'

'Dat weet ik nog zo net niet. Dat zul je wel heel akelig van me vinden.'

Er veranderde iets in zijn ogen. 'Nee. Eigenlijk niet. Wat zei die kapelaan?'

'Beardsley, de kapelaan, was bij Wade toen hij stierf. Hij nam hem zijn laatste biecht af en schreef drie brieven die Wade hem dicteerde; aan mij, aan zijn vader en aan Bailey. Beardsley heeft die voor Bailey en haar vader naar het oude huis gestuurd, waar Bailey nog steeds woont. Hij had die van mij niet opgestuurd omdat hij mijn adres niet had, dus gaf hij me die vandaag.'

'Bailey heeft die brieven dan al een paar weken geleden gekregen. Interessante timing.'

'Ik vertelde Beardsley dat Bailey wordt vermist, maar hij wilde niet onthullen wat Wade tijdens zijn laatste biecht had gezegd. Ik heb hem gesmeekt om me iets te vertellen wat me zou helpen Bailey te vinden, alles wat hij me kón vertellen. Voor hij stierf heeft Wade gezegd: "Ik zie je in de hel, Simon."' Ze blies haar adem uit.

Vartanian was bleek geworden. 'Kende Wade Simon?'

'Kennelijk. Maar jij weet ook iets... je houdt iets voor me achter, rechercheur Vartanian. Ik zie het in je ogen. En ik wil weten wat het is.'

'Een week geleden heb ik mijn broer gedood. Als er niets op mijn gezicht te zien was, zou ik geen mens zijn.'

'Je hebt hem niet gedood. Volgens de krant heeft die andere rechercheur dat gedaan.'

Hij knipperde met zijn ogen. 'We hebben allebei geschoten. Die andere kerel had alleen meer geluk.'

'Dus je gaat het me niet vertellen.'

'Er valt niets te vertellen. Waarom ben je er zo zeker van dat ik iets weet?'

Alex kneep haar ogen tot spleetjes. 'Omdat je veel te aardig voor me bent geweest.'

'En een man heeft altijd bijbedoelingen.' Hij zei het duister.

Ze trok zijn jack uit. 'Dat is wel mijn ervaring.'

Hij liet zich van de kruk glijden en ging tegenover haar staan, zodat ze gedwongen was om omhoog te kijken. 'Ik ben aardig voor je geweest omdat ik dacht dat je behoefte had aan een vriend.'

Ze draaide met haar ogen. 'Juist, ja. Er staat zeker "domkop" op mijn voorhoofd.'

Zijn blauwe ogen fonkelden. 'Goed dan. Ik was aardig voor je omdat ik denk dat je gelijk hebt – Baileys verdwijning heeft te maken met die vrouw die we gisteren hebben gevonden, en ik schaam me omdat de sheriff van Dutton, van wie ik dacht dat hij mijn vriend was, geen poot heeft uitgestoken om jou of mij te helpen. Dat is de waarheid, Alex, of je het nu gelooft of niet.'

Je kunt de waarheid niet aan. Net zoals vanochtend kwam die steek uit het niets, en Alex sloot haar ogen en onderdrukte de paniek. Ze deed haar ogen open en zag dat hij nog steeds even indringend naar haar staarde. 'Oké,' mompelde ze. 'Dat geloof ik wel.'

Hij boog zich dichter naar haar toe. Te dicht. 'Mooi, want er is nog een andere reden.'

'Vertel op,' zei ze met een koele stem, ondanks het bonzen van haar hart.

'Ik vind je leuk. Ik wil ook bij je zijn als je niet doodsbang en kwetsbaar bent. En ik heb respect voor je kracht, nu... en destijds.'

Ze keek met een ruk op. 'Destijds?'

'Jij hebt mijn artikelen gelezen, Alex, en ik die van jou.'

Haar wangen werden warm. Hij wist van haar zenuwinzinking, haar zelfmoordpoging. Ze wilde haar blik afwenden, maar ze weigerde dat als eerste te doen. 'Ik snap het.'

Hij keek haar onderzoekend aan en schudde zijn hoofd. 'Nee, ik denk van niet. En misschien is dat op het moment maar beter.' Hij rechtte zijn rug en zette een stap achteruit, en zij haalde diep adem. 'Dus Wade kende Simon,' zei hij. 'Waren ze even oud?'

'Ze zaten bij elkaar in de klas op Jefferson High.' Ze fronste haar wenkbrauwen. 'Maar jij hebt een zus die even oud is als ik en die op Bryson Academy zat.'

'Simon en ik aanvankelijk ook. Mijn vader had er vroeger ook op gezeten, net als zijn vader.'

'Bryson was een dure school. Dat zal het nog steeds wel zijn.'

Daniel haalde zijn schouders op. 'We hadden het goed.'

Alex glimlachte droog. 'Nee, jullie waren rijk. Die school kostte meer dan sommige universiteiten. Mijn moeder heeft geprobeerd ons erop te krijgen met een beurs, maar onze opa had niet samen met Lee en Stonewall gevochten.' Ze liet een lijzig, zuidelijk accent in haar stem doorklinken en hij glimlachte al even droog.

'Je hebt gelijk. We hadden financiële rijkdom. Simon is niet geslaagd voor Bryson,' zei hij. 'Hij werd weggestuurd en moest naar Jefferson.'

Naar de openbare school. 'Hadden wij even mazzel,' zei Alex. 'Zo hebben Wade en Simon elkaar dus leren kennen.'

'Ik neem aan van wel. Ik was toen al naar de universiteit. Wat stond er in Wades brief aan jou?'

Ze haalde haar schouders op. 'Hij vroeg om vergeving en wenste me een goed leven.'

'Waarvoor wilde hij vergeven worden?'

Alex schudde haar hoofd. 'Dat kunnen meerdere dingen zijn geweest. Hij zei niet wat hij precies bedoelde.'

'Maar jij weet het wel,' zei hij.

Ze trok verrast haar wenkbrauwen op. 'Help me onthouden dat ik niet tegen jou ga pokeren. Ik denk dat Rileys hondenvrienden meer op mijn niveau liggen.'

'Alex.'

Ze pufte. 'Oké dan. Alicia en ik waren een tweeling. Eeneiig.'

'Ja,' zei hij droog. 'Dat had ik vanmorgen al in de gaten.'

Ze vertrok haar gezicht, keek hem vol medeleven aan. 'Ik had echt geen idee dat je zo zou schrikken.' Hij verborg nog altijd iets, maar voorlopig zou ze zijn spelletje meespelen. 'Je hebt al die verhalen toch wel gehoord over tweelingen die van plaats ruilen? Nou, Alicia en ik hebben dat ook vaak gedaan. Ik denk dat mam het altijd wel wist. Hoe dan ook, Alicia was het feestbeest en ik was de nuchtere.'

'Nee toch?' zei hij met een uitgestreken gezicht, en in weerwil van zichzelf grinnikte ze.

'We wisselden wel eens van plaats voor proefwerken, tot de leraren het in de gaten kregen. Ik voelde me zo schuldig omdat we vals speelden dat ik het heb verteld, en Alicia was vreselijk kwaad. Ik was een "downer", niet leuk op feestjes, dus nam Alicia me niet meer mee. Ze had een rij vriendjes van Dutton naar Atlanta en weer terug, en een paar keer had ze dubbele afspraakjes. Eén keer ben ik voor haar ingevallen.'

Daniel werd plotseling serieus. 'Ik weet niet of ik dit wel een leuk verhaal vind.'

'Ik ging naar een vrij onbelangrijk feestje – waar zij niet heen wilde, maar waarvan ze de volgende keer niet wilde worden uitgesloten. Wade was er ook. Hij was nooit het soort jongen voor populaire feestjes, hoewel hij dat wel altijd graag wilde. Hij... probeerde Alicia in bed te krijgen. Mij dus.'

Daniel grimaste. 'Dat is walgelijk.'

Dat was het inderdaad geweest. Niemand had haar daar ooit eerder aangeraakt en Wade was niet zachtzinnig geweest. Ze werd nog altijd misselijk bij de herinnering.

'Nou, ja, maar technisch gesproken waren we geen familie. Mijn moeder is nooit met zijn vader getrouwd, maar toch was het weerzinwekkend.' En doodeng.

'Wat heb je gedaan?'

'Ik heb hem een mep verkocht, puur uit een reflex. Zijn neus was gebroken, en toen heb ik hem een knietje gegeven in zijn... je weet wel.'

Vartanian maakte een grimas. 'Ik weet het.'

Ze zag nog steeds voor zich hoe Wade op de grond had gelegen, vloekend, bloedend en met opgetrokken knieën. 'We waren allebei even geschokt. Daarna voelde hij zich vooral vernederd, en ik was nog altijd geschokt.'

'En wat gebeurde er toen? Kreeg hij problemen?'

'Nee. Alicia en ik kregen een maand huisarrest en Wade kwam er fluitend mee weg.'

'Dat is niet eerlijk.'

'Maar zo was het leven bij ons thuis.' Alex keek hem onderzoekend aan. Er was nog steeds iets... Maar hij was een veel betere pokerspeler dan zij. 'Ik had nooit gedacht dat ik op zijn sterfbed nog een verontschuldiging van hem zou krijgen. Kennelijk weet je nooit wat je gaat doen als Magere Hein aanklopt.'

'Nee, dat zal wel niet. Luister, heb je de contactgegevens van die kapelaan?'

'Ja.' Alex haalde het adres uit haar tas. 'Hoezo?'

'Omdat ik met hem wil praten. De timing is té goed. Maar even over morgen.'

'Morgen?'

'Ja. Je nicht gaat morgen weg, toch? Stel dat ik morgenavond eens met Riley langskom, zodat je nichtje met hem kennis kan maken? Ik kan een pizza of zoiets meebrengen, dan kunnen we kijken of Hope van honden houdt – voordat we met haar naar zuster Anne gaan.'

Ze knipperde een beetje verbaasd met haar ogen. Ze had niet gedacht dat hij het echt meende. Toen dacht ze weer aan zijn handen op haar schouders, toen hij haar had ondersteund omdat haar knieën knikten. Misschien was Daniel Vartanian gewoon écht een heel aardige man. 'Dat lijkt me een goed idee. Dank je, Daniel. We hebben een date.'

Hij schudde zijn hoofd en zijn gezichtsuitdrukking veranderde, bijna alsof hij haar uitdaagde hem tegen te spreken. 'Nee, niet echt. Bij een date gaan er meestal geen honden en kinderen mee.' Zijn ogen waren volkomen serieus, en er liep een rilling over haar rug. Een fijne rilling, vond ze. Het soort rilling dat ze al heel lang niet meer had gehad. 'En er komen zeker geen nonnen aan te pas.'

Ze slikte moeizaam, ervan overtuigd dat haar wangen knalrood waren. 'Ik begrijp het.'

'Ik geloof het ook. Eindelijk,' mompelde Daniel, en toen grimaste hij omdat zijn mobiele telefoon het moment verstoorde.

'Vartanian.' Zijn gezicht werd uitdrukkingsloos. Het ging dus om zijn zaak.

Alex dacht aan de vrouw op de tafel in het mortuarium en ze vroeg zich af wie het was. Of iemand haar eindelijk had gemist. 'Hoeveel kaartjes had ze gekocht?' vroeg hij, en toen schudde hij zijn hoofd. 'Nee, dat hoef je niet te spellen. Ik ken de familie. Bedankt, je hebt me goed geholpen.'

Hij hing op en verbaasde haar opnieuw door zijn sweater over zijn hoofd te trekken en de trap op te rennen. Onderweg maakte hij een prop van de sweater en smeet die als een basketbal naar een wasluik in de muur. Hij miste, maar bleef niet staan om het nog eens te proberen. 'Blijf daar,' riep hij over zijn schouder. 'Ik ben zo terug.'

Met grote ogen en open mond keek ze hem na. *Verdomme.* Er was niets lelijks aan die man.

Alex besefte dat ze haar hand had uitgestoken om hem aan te raken. *Belachelijk.* Ze dacht aan de blik in zijn ogen net voor zijn telefoon was gegaan. *Of misschien toch niet zo belachelijk.*

Ze haalde beverig adem en pakte de sweater op, rook er even snel aan en gooide hem door het wasluik. *Pas op, Alex.* Hoe had hij het genoemd? *Onbekend terrein.* Maar het was verdomd prettig onbekend terrein.

Binnen twee minuten kwam hij de trap weer af denderen, gekleed in zijn donkere pak. Hij snoerde zijn stropdas aan. Zonder vaart te minderen pakte hij haar tas op en liep verder. 'Pak je jas en kom mee. Ik rij achter je aan naar Dutton.'

'Dat is niet nodig,' begon ze, maar hij was de deur al uit.

'Ik ga er toch heen. Ik kom morgen om halfzeven met Riley naar je toe.' Hij opende haar autoportier voor haar en wachtte tot ze haar gordel had omgedaan.

Ze draaide het raampje omlaag. 'Daniel,' riep ze hem na.

Hij draaide zich om en liep achteruit verder. 'Wat is er?'

'Bedankt.'

Zijn pas vertraagde. 'Graag gedaan. Tot morgenavond.'

Dutton, maandag 29 januari, 23:35 uur

Daniel stapte uit zijn auto en keek op naar het huis op de heuvel. Dit zou niet aangenaam zijn. Janet Bowie had een creditcard gebruikt om een toegangskaartje voor Fun-N-Sun te betalen. Voor zichzelf en ook voor zeven andere personen: een groep jongelui.

Nu mocht hij congreslid Robert Bowie gaan vertellen dat ze vermoedden dat zijn dochter dood was. Met lood in zijn schoenen liep hij de steile oprit naar het landhuis van de familie Bowie op en belde aan.

Een bezwete jongeman in een korte broek deed open. 'Ja?'

Daniel haalde zijn insigne tevoorschijn. 'Ik ben rechercheur Vartanian, Georgia Bureau of Investigation. Kan ik meneer en mevrouw Bowie spreken?'

De jongeman keek hem argwanend aan. 'Mijn ouders liggen te slapen.'

Daniel knipperde verbaasd met zijn ogen. 'Michael?' Hij had Michael Bowie al bijna zestien jaar niet meer gezien. Michael was een magere veertienjarige geweest toen Daniel naar de universiteit was vertrokken. Hij was nu niet mager meer. 'Sorry, ik had je niet herkend.'

'Jij bent echt geen spat veranderd.' Het werd zo gezegd dat de opmerking even gemakkelijk als compliment of als belediging kon worden opgevat. 'Je moet morgen maar terugkomen.'

Daniel legde zijn hand tegen de deur toen Michael die dicht wilde doen. 'Ik moet je ouders spreken,' herhaalde hij zachtjes maar beslist. 'Ik zou hier niet zijn als het niet belangrijk was.'

'Michael, wie is er zo laat nog aan de deur?' donderde een bulderende stem.

'Politie.' Michael stapte achteruit en Daniel liep de grote hal van Bowie Hall in, een van de weinige vooroorlogse huizen die de Yankees niet in brand hadden gestoken.

Congreslid Bowie knoopte de ceintuur van zijn smokingjasje dicht. Zijn gezicht stond onbewogen, maar in zijn ogen zag Daniel ongerustheid. 'Daniel Vartanian. Ik had al gehoord dat jij weer in de stad was. Wat kan ik voor je doen?'

'Het spijt me dat ik u zo laat nog kom storen, meneer,' begon Daniel. 'Ik doe onderzoek naar de moord op een vrouw die gisteren in Arcadia is gevonden.'

'Bij de wielerwedstrijd.' Bowie knikte. 'Daar heb ik over gelezen in de *Review* van vandaag.'

'Mogelijk is het slachtoffer uw dochter, meneer.'

Bowie stapte hoofdschuddend achteruit. 'Nee, dat kan niet. Janet is in Atlanta.'

'Wanneer hebt u uw dochter voor het laatst gezien?'

Bowies kaak verstrakte. 'Vorige week, maar haar zus heeft haar gisterochtend nog gesproken.'

'Kan ik uw andere dochter spreken, meneer Bowie?' vroeg Daniel.

'Het is al laat. Patricia slaapt.'

'Ik weet dat het laat is, maar als we ons hebben vergist, moeten we dat weten – zodat we kunnen blijven zoeken naar de identiteit van die vrouw. Er zit iemand te wachten tot ze thuiskomt.'

'Dat begrijp ik. Patricia! Kom eens beneden. En zorg dat je fatsoenlijk aangekleed bent.'

Boven gingen twee deuren open, en zowel mevrouw Bowie als een jong meisje met een onzeker gezicht kwamen de trap af. 'Wat is er aan de hand, Bob?' vroeg mevrouw Bowie. Ze herkende Daniel en trok een verbaasd gezicht. 'Wat doet hij hier? Bob?'

'Rustig maar, Rose. Dit is allemaal een vergissing, en dat gaan we nu meteen ophelderen.' Bowie wendde zich tot het meisje. 'Patricia, je zei dat je gistermorgen met Janet had gepraat. Je zei dat ze ziek was en niet hierheen kon komen voor het eten.'

Patricia knipperde onschuldig met haar ogen en Daniel zuchtte vanbinnen. *Zusjes die elkaar in bescherming nemen.* 'Janet zei dat ze griep had.' Patricia glimlachte en probeerde er mondain uit te zien. 'Hoezo, heeft ze ergens fout geparkeerd of zo? Dat is echt iets voor Janet.'

Bowie was al even bleek geworden als zijn vrouw. 'Patricia,' zei hij schor, 'rechercheur Vartanian doet onderzoek naar een moord. Hij denkt dat Janet het slachtoffer is. Dus hou alsjeblieft niks verborgen.'

Patricia's mond viel open. 'Wát?'

'Heb je echt met je zus gesproken, Patricia?' vroeg Daniel vriendelijk.

De ogen van het meisje vulden zich met tranen van afgrijzen. 'Nee. Ze wilde dat ik iedereen vertelde dat ze ziek was. Ze moest die dag ergens anders naartoe. Maar zij kan het niet zijn. Dat kán niet.'

Mevrouw Bowie maakte een verstikt geluid. 'Bob.'

Bowie legde zijn arm om zijn vrouw heen. 'Michael, haal even een stoel voor je moeder.'

Michael gehoorzaamde zijn vader en hielp zijn moeder in de stoel terwijl Daniel zich tot Patricia wendde. 'Wanneer vroeg ze je om voor haar te liegen?'

'Woensdagavond. Ze zei dat ze in het weekend had afgesproken met... vrienden.'

'Dit is belangrijk, Patricia. Welke vrienden?' drong Daniel aan. Vanuit zijn ooghoeken zag hij mevrouw Bowie zichtbaar trillend in de stoel zitten.

Patricia keek naar haar ouders. Ze zag er ellendig uit en de tranen stroomden over haar wangen. 'Ze heeft een vriendje. Ze wist dat jullie het er niet mee eens zouden zijn. Het spijt me.'

Met een asgrauw gezicht keek Bowie naar Daniel. 'Wat heb je van ons nodig, Daniel?'

'Haren uit haar borstel. We moeten vingerafdrukken uit de kamer halen waar ze slaapt als ze hier is.' Hij weifelde. 'Het adres van haar tandarts.'

Bowie verbleekte, maar hij slikte en knikte. 'Die krijg je.'

'O, god. We hadden haar nooit dat appartement in Atlanta moeten laten nemen.'

Mevrouw Bowie huilde, heen en weer wiegend met haar handen voor haar gezicht geslagen.

'Heeft ze een appartement in Atlanta?' vroeg Daniel.

Bowie knikte amper waarneembaar. 'Ze zit bij het orkest.'

'Ze is celliste,' zei Daniel zachtjes. 'Maar in de weekends komt ze thuis?'

'Meestal op zondagvond. Dan komt ze thuis eten.' Bowie klemde zijn kaken op elkaar en moest moeite doen om zich te vermannen. 'De laatste tijd niet meer zo vaak. Ze wordt volwassen. Gaat haar eigen weg. Maar ze is pas tweeëntwintig.' Hij brak, liet zijn kin op zijn borst zakken, en Daniel wendde zijn blik af om hem privacy te geven in zijn verdriet.

'Haar kamer is boven,' mompelde Michael.

'Dank je. Ik laat zo snel mogelijk de technische recherche komen. Patricia, ik moet alles weten wat jij over Janet en haar vriend weet.'

Daniel legde zijn hand op Bob Bowies arm. 'Ik vind het zo vreselijk, meneer.'

Bowie knikte bruusk, maar zei niets.

Dutton, dinsdag 30 januari, 00:55 uur

'Wat is hier aan de hand?'

Daniel bleef staan. Hij voelde een steek van woede, die hij met moeite onderdrukte. 'Nou nou, als dat de ongrijpbare sheriff Loomis niet is. Ik zal me even voorstellen. Ik ben rechercheur Daniel Vartanian en ik heb sinds zondag zes berichten voor je achtergelaten.'

'Doe niet zo sarcastisch, Daniel.' Frank wierp een blik op het legertje dat in Bowie Hall was neergestreken. 'Dat verdomde GBI heeft mijn stad overspoeld. Net sprinkhanen.'

In feite behoorden slechts één auto en één busje toe aan personeel van het GBI. Drie politieauto's waren van het kleine politiebureau in Dutton en eentje kwam uit Arcadia. Sheriff Corchran zelf was gekomen om de familie Bowie te condoleren en om Daniel zijn hulp aan te bieden.

Kort nadat de bus van Ed op de oprit was gestopt, was hulpsheriff Mansfield aangekomen. Hij was Loomis' tweede man en hij was woest omdat hij niet degene was geweest die Janets slaapkamer had doorzocht. Die reactie stond in schril contrast met Corchrans hulpvaardige houding.

Van de andere auto's op de oprit behoorde er een toe aan de burgemeester van Dutton, twee andere aan de assistenten van congreslid Bowie. Weer een andere was van Dr. Granville, die op het moment de toestand van de bijna hysterische mevrouw Bowie in het oog hield.

Een van de auto's was van Jim Woolf. De familie Bowie had geen commentaar gegeven en Daniel had hem afgehouden met de belofte van een verklaring als de identiteit was bevestigd.

Dat was gebeurd, nog maar enkele minuten geleden. Een van Eds techneuten had een kaartje met de vingerafdrukken van het slachtoffer meegenomen en had die bijna onmiddellijk kunnen matchen met de afdrukken op een kristallen vaas naast Janet Bowies bed. Daniel zelf had het nieuws aan Bob Bowie bevestigd, en Bowie was net de trap op gelopen naar de kamer van zijn vrouw. Uit het gehuil vanuit de kamer boven leidde Daniel af dat Bowie het zijn vrouw inmiddels had verteld. Allebei keken ze naar boven en toen weer naar elkaar. 'Heb je iets te zeggen, Frank?' vroeg Daniel kil. 'Want ik heb het een beetje druk.'

Franks gezicht betrok. 'Dit is mijn stad, Daniel Vartanian. Niet die van jou. Jij was vertrokken.'

Weer onderdrukte Daniel zijn boosheid, en hij sprak op gelijkmatige toon. 'Het is dan misschien niet mijn stad, maar het is wel mijn zaak, Frank. Als je echt wilt helpen, had je eens terug kunnen bellen na de vele berichten die ik op je voicemail heb achtergelaten.'

Franks blik werd bijna vijandig. 'Ik was gisteren en vandaag de stad uit. Ik hoorde je berichten pas toen ik vanavond terugkwam.'

'Ik heb vandaag bijna drie kwartier bij je kantoor zitten wachten,' zei Daniel zachtjes. 'Wanda zei dat je niet gestoord kon worden. Het kan me niet schelen als je weg moest, maar je hebt mijn tijd verspild. Tijd die ik had kunnen gebruiken om de moordenaar van Janet Bowie te zoeken.'

Frank wendde eindelijk zijn blik af. 'Het spijt me, Daniel.' Maar de verontschuldiging werd stram overgebracht. 'De afgelopen week is moeilijk geweest. Je ouders... dat waren vrienden van me. De begrafenis was al moeilijk genoeg, maar de media... Nadat ik de hele week met journalisten te maken had gehad, had ik wat rust nodig. Ik had Wanda gezegd dat ze niemand mocht vertellen dat ik weg was. Ik had je moeten bellen.'

Een deel van Daniels woede smolt weg. 'Het geeft niet. Maar Frank, ik heb echt dat politierapport nodig – dat van de moord op Alicia Tremaine. Regel dat alsjeblieft voor me.'

'Je krijgt het morgenochtend vroeg,' beloofde Frank, 'zodra Wanda binnenkomt. Zij weet waar alles ligt in de kelder. Weet je zeker dat het Janet is?'

'Haar vingerafdrukken komen overeen.'

'Verdomme. Wie heeft dit gedaan?'

'Nou, nu we weten wie ze is, kunnen we een onderzoek beginnen. Frank, als je hulp nodig had, waarom heb je me dan niet gebeld?'

Franks kaak verstrakte. 'Ik heb niet gezegd dat ik hulp nodig had. Ik zei dat ik rust nodig had. Ik ben naar mijn huisje gegaan om alleen te zijn.' Hij draaide zich abrupt om en liep naar de deur.

'Oké,' mompelde Daniel, die probeerde zich niet gekwetst te voelen. 'Frank?'

Frank keek om. 'Wat?' Het was bijna een snauw.

'Bailey Crighton. Ik denk dat ze echt vermist is.'

'Bedankt voor je mening, *rechercheur Vartanian*. Goedenavond.'

Daniel schudde de gekwetstheid van zich af. Hij had werk te doen en kon het zich niet veroorloven in te zitten over Frank Loomis. Frank was een volwassen man. Als en wanneer hij hulp nodig had zou Daniel er voor hem zijn.

Ed kwam achter hem aan. 'We nemen vingerafdrukken in de rest van haar kamer. Ik heb een paar oude dagboeken in een la gevonden. Een paar luciferboekjes. Niet veel meer. Wat heb je ontdekt over dat vriendje?'

'Hij heet Lamar Washington, is van Afrikaanse afkomst. Hij speelt in een jazzclub. Patricia wist niet waar.'

Ed overhandigde hem een zakje vol luciferboekjes. 'Het zou een van deze tenten kunnen zijn.'

Daniel pakte het zakje aan. 'Ik zal de namen opschrijven, en dan krijg je ze terug. Patricia zei dat Janet het liet klinken als een scharrel, dat Janet nooit van plan was hem mee naar huis te nemen.'

'Dat zou een bepaald soort man kwaad genoeg kunnen maken om het gezicht van een vrouw tot moes te slaan,' zei Ed. 'Maar het verklaart het na-apen van de plaats delict van Tremaine niet.'

'Dat weet ik,' zei Daniel. 'Maar het is voorlopig alles wat ik heb. Ik ga bij de jazzclubs langs zodra ik hier klaar ben.'

'Wij gaan in Janets appartement kijken.' Ed stak een sleutelbos omhoog. 'Michael heeft ons de sleutel gegeven.'

Toen Ed weg was ging Daniel de bomvolle woonkamer in. Michael Bowie was het enige lid van de familie in de kamer. Hij had een zwart pak aangetrokken en zijn gezicht stond afgetobd van verdriet, maar hij was nog altijd de zoon van een politicus. 'Kun je ze een verklaring geven, zodat ze vertrekken?' mompelde Michael. 'Ik wil gewoon dat ze allemaal weggaan.'

'Ik zal het kort houden,' fluisterde Daniel, en hij schraapte zijn keel. 'Pardon.' Hij had zich al voorgesteld toen hij hun verklaringen had opgenomen en had hun ook gevraagd waar ze waren rond de tijd van Janets dood op donderdagavond. Een paar hadden geprotesteerd, maar ze hadden allemaal geantwoord. 'We hebben een voorlopige identiteit van de dode die zondagavond in Arcadia is gevonden, namelijk Janet Bowie.'

Niemand was daar nog verbaasd over. 'We zullen een DNA-test uitvoeren om dit te bevestigen en ik zal een persconferentie beleggen als we definitieve uitslagen hebben.'

Jim Woolf stond op. 'Wat is de doodsoorzaak?'

'Ik zal morgen een officiële verklaring afleggen over de doodsoorzaak.' Daniel keek op zijn horloge. 'Ik bedoel later vandaag. Waarschijnlijk vanmiddag.'

De burgemeester streek zijn stropdas glad. 'Rechercheur Vartanian, hebt u al verdachten?'

'We hebben wat aanknopingspunten, burgemeester Davis,' zei Daniel. Die titel voelde vreemd. Hij had op de middelbare school football gespeeld met Garth Davis. Garth was toen een domme sporter geweest, een van de laatste mensen van wie Daniel zou hebben verwacht dat hij zich kandidaat zou stellen als burgemeester, laat staan winnen. Maar Garth kwam uit een lange familie van politici. Garths vader was jarenlang burgemeester van Dutton geweest. 'Ik zal morgen een officiële verklaring afleggen.'

'Toby, hoe gaat het met mevrouw Bowie?' vroeg Woolf, zijn vraag richtend tot de arts.

'Ze rust,' zei Toby Granville, maar iedereen wist dat hij bedoelde dat ze een slaapmiddel had gekregen. Iedereen had die arme vrouw horen jammeren toen haar man haar vertelde dat de identificatie officieel was.

Daniel gebaarde naar de deur. 'Het is al laat. Ik ben ervan overtuigd dat iedereen hier de familie wil steunen, maar jullie moeten gaan. Alsjeblieft.'

De burgemeester bleef staan toen iedereen vertrok. 'Daniel, heb je al verdachten?'

Daniel zuchtte. De dag begon zijn tol te eisen. 'Garth...'

Davis boog zich dichter naar hem toe. 'Elke inwoner van Dutton gaat mij bellen zodra de *Review* op de mat valt. Ze zullen zich zorgen maken over de veiligheid van hun gezinnen. Geef me alsjeblieft iets meer om ze te vertellen dan alleen dat je aanknopingspunten hebt.'

'Dat is alles wat ik je kán vertellen, want het is alles wat we weten. We hebben haar pas net geïdentificeerd. Geef ons een dag, minstens.'

Fronsend knikte Davis. 'Bel je me?'

'Ik beloof het.'

Eindelijk was iedereen weg en waren alleen Daniel, Michael en Granville nog over. 'Ik dacht dat ze nooit zouden vertrekken,' zei Michael, terwijl zijn schouders vermoeid omlaag zakten.

'Ik ga nog even bij je moeder kijken voor ik vertrek,' zei Granville. 'Bel me als ze vannacht iets nodig heeft.'

Daniel drukte beide mannen de hand. 'Als er iets is wat jij of iemand uit jullie gezin nodig heeft, Michael, bel me dan alsjeblieft.' Hij stapte de voordeur van de Bowies uit en voelde onmiddellijk een sterke vlagerige wind. Er was storm op komst, dacht hij terwijl hij de heuvel afkeek naar de straat waar nog eens drie nieuwsbusjes waren gearriveerd. De journalisten zwermden de busjes uit toen ze hem op de stoep zagen staan. Net sprinkhanen, dacht Daniel en hij lachte in zichzelf. Hij snapte wel ongeveer wat Frank bedoelde.

Hij zette zich schrap voor de aanval toen hij de heuvel af liep naar zijn dienstauto. langs een Mercedes, twee BMW's, een Rolls-Royce, een Jaguar en een Lincoln Town Car. Journalisten uit de nieuwsbusjes hadden Garth geïnterviewd, maar nu Daniel langskwam, dromden ze naar hem toe.

'Rechercheur Vartanian, kunt u iets zeggen...' Daniel stak zijn hand op om hen tot zwijgen te brengen.

'We hebben het slachtoffer uit Arcadia geïdentificeerd als Janet Bowie.' Lichten flitsten terwijl ze hun foto's schoten en hun filmbeelden maakten, en Daniel zette zijn beste mediagezicht op.

'Is het congreslid hiervan op de hoogte?'

Daniel onderdrukte de neiging om zijn ogen ten hemel te slaan. 'Ja, anders zou ik u dit nu niet vertellen. Vanavond volgt er geen commentaar meer. Ik beleg morgen een persconferentie. Bel het hoofdkantoor van het GBI maar voor de tijd en plaats. Goedenavond.'

Hij liep weg, maar een van de journalisten kwam achter hem aan. 'Rechercheur Vartanian, hoe voelt het om onderzoek te doen naar een moord in uw geboorteplaats, nog maar een week na de moord op uw broer?'

Daniel bleef staan en keek onthutst naar de jongeman met de microfoon in zijn hand. Simon was niet vermóórd. Dat woord was een belediging voor alle slachtoffers en hun families. Simon was uitgeroeid. Maar dat woord was opruiend. Dus zei Daniel alleen: 'Geen commentaar.' De man deed zijn mond open om aan te dringen, en Daniel schonk hem een zo kille blik dat de journalist daadwerkelijk een stap achteruit deed.

'Ik heb geen vragen meer,' zei de man in antwoord op het onuitgesproken dreigement.

Het was een blik die Daniel van zijn vader had geleerd. Mensen bevriezen met één blik was een van Arthur Vartanians vele vaardigheden geweest. Daniel gebruikte die vaardigheid niet vaak, maar als hij het deed, werkte het. 'Goedenavond.'

Toen Daniel bij zijn auto aankwam deed hij zijn ogen dicht. Hij had al jaren te maken met rouwende families, en het werd nooit makkelijker. Maar het was Frank Loomis' gedrag dat hem het meest dwarszat. Frank was bijna als een vader voor Daniel geweest. God mocht weten dat Arthur Vartanian die rol niet had vervuld. Om nu onderwerp te zijn van Franks... verachting, dat deed pijn.

Maar Frank was een mens, en het nieuws over Arthur Vartanians dubbelhartigheid in Simons 'eerste dood' moest moeilijk te verkroppen zijn geweest. In dit verhaal leek Frank een domkop, en de pers had alles aangedikt en Frank afgeschilderd als een kleinsteedse sheriff die zijn eigen schoenveters niet kon strikken. Geen wonder dat Frank boos was. *Ik zou ook boos zijn.*

Hij reed weg bij de nieuwsbusjes in de richting van Main Street. Hij was uitgeput, en hij moest nog op zoek naar Lamar Washingtons jazzbar voordat hij eindelijk kon gaan slapen.

Dutton, dinsdag 30 januari, 1:40 uur

Ze gingen weg, dacht Alex, die voor het raam van de bungalow stond te kijken naar alle auto's die de heuvel af kwamen. Ze vroeg zich af van welk huis ze waren gekomen. Ze trok haar ochtendjas dichter om zich heen, als bescherming tegen een kilte die niets met de temperatuur te maken had.

Ze had weer gedroomd. Donder en bliksem. En geschreeuw, snerpend en doordringend geschreeuw. Ze was in het mortuarium geweest, en de vrouw op de tafel was overeind gaan zitten en had haar met blinde ogen aangestaard. Maar haar ogen waren die van Bailey, haar hand was die van Bailey toen ze die uitstak, met vlees dat wasbleek was en... dood. En ze had gezegd: 'Alsjeblieft, help me.'

Alex was badend in het koude zweet wakker geworden en ze had zo heftig getrild dat ze ervan overtuigd was dat ze Hope zou wekken. Maar het kind was in diepe slaap. Verontrust was Alex naar de woonkamer gelopen. *Waar ben je, Bailey? En hoe moet ik voor je dochtertje zorgen?*

'Alstublieft, God,' fluisterde ze. 'Laat me dit niet verpesten.'

Maar er kwam geen antwoord en Alex bleef staan, keek toe terwijl de ene na de andere auto de heuvel af kwam. Toen minderde er één vaart.

Haar maag verkrampte van angst en ze dacht aan het pistool in de kluis, maar toen herkende ze de auto en de bestuurder.

Daniel reed over Main Street, langs het park met de draaimolen, en stopte voor Alex' gehuurde bungalow. Hij had vanavond tegen haar gelogen en dat zat hem dwars.

Ze had hem ronduit gevraagd wat hij wist, en hij had gezegd dat er niets te vertellen viel. En dat, zo hield hij staande, was geen rechtstreekse leugen. Hij had haar nog niets te vertellen. Hij was in elk geval niet van plan haar de foto's te laten zien van haar zus die werd aangerand. Alex Fallon had al genoeg doorstaan.

Hij dacht aan Wade Crighton. *Ik zie je in de hel.* Haar stiefbroer had Simon gekend, en dat kon nooit goed zijn. Wade had geprobeerd Alex te verkrachten, en alleen daarom al was Daniel blij dat hij dood was. Alex dacht dat ze het op luchtige toon had verteld, maar Daniel had de waarheid in haar ogen gezien.

En als haar stiefbroer haar één keer had aangerand, in de veronderstelling dat ze Alicia was, misschien had hij het dan wel vaker gedaan. Misschien stond Wade wel op die foto met Alicia Tremaine. De man had twee benen, dus Daniel wist zeker dat het Simon niet was, maar als ze elkaar hadden gekend...

En wie waren die andere meisjes? Het had aan hem geknaagd. Misschien waren het meisjes hier uit de stad. Misschien zaten ze op de openbare school. Daniel had ze niet gekend, maar Simon misschien wel. Daniel vroeg zich af of er nog meer moorden in de stad waren gepleegd waar hij nog niets over had gehoord. Hij vroeg zich af of de andere meisjes op de foto's ook dood waren.

Geef de foto's aan Chase. Die gedachte gonsde al een week door zijn hoofd. Hij hád de foto's aan de politie van Philadelphia gegeven, en dat was het enige waardoor hij nog een beetje nachtrust kreeg. Maar Daniel was ervan overtuigd dat Vito Ciccotelli nog geen tijd had gehad om iets met de envelop vol foto's te doen die hij hem nog geen twee weken geleden had gegeven. Vito en zijn partner waren nog altijd razend druk met de puinhoop opruimen die Simon had achtergelaten.

Ik zie je in de hel, Simon. Daniel vroeg zich af welke puinhopen Wade en Simon hadden achtergelaten. Als zij misdaden hadden gepleegd, dan zouden die nu meer dan tien jaar oud zijn. Daniel had met een splinternieuwe misdaad te maken. Hij was het Janet Bowie verschuldigd zich daarop te concentreren. Hij moest erachter zien te komen wie haar genoeg haatte om haar op zo'n manier te vermoorden.

Aan de andere kant, misschien was Janet Bowie gewoon een toevallig doelwit geweest en geen slachtoffer van woede of wraak. Of... Daniel dacht aan congreslid Bowie. De man had wel eens harde standpunten ingenomen over controversiële kwesties. Misschien had iemand hém genoeg gehaat om zijn dochter te vermoorden. Maar waarom dat verband met Alicia? Waarom nu? En waarom had de dader een sleutel achtergelaten?

Hij had net zijn auto weer in de versnelling gezet toen de deur van de bungalow openging en Alex de veranda op stapte. Zijn adem stokte in zijn keel. Ze droeg een kuise ochtendjas die haar van haar kin tot haar tenen bedekte. De wind was opgestoken en had haar glanzende haren in de war gegooid. Ze veegde ze met één hand opzij en staarde hem aan over de kleine voortuin.

Zonder vaart te minderen, zonder haar te begroeten sprong hij met één stap op de veranda, nam haar gezicht tussen zijn handen en drukte zijn lippen op de hare, terwijl de wind om hen heen floot en gierde. Het was te lang geleden, was het enige wat hij kon denken, alles wat hij kon horen boven de wind en het gebons van de hartslag in zijn oren uit. 'Sorry,' mompelde hij, opkijkend. 'Dat soort dingen doe ik normaal nooit.'

Ze streek met haar vingers over zijn lippen. 'Ik ook niet. Maar vanavond had ik het nodig. Dank je.'

Er borrelde ergernis in hem op. 'Bedank me toch niet steeds.' Het was bijna een snauw, en ze knipperde met haar ogen alsof hij haar had geslagen. Hij voelde zich piepklein, boog zijn hoofd en pakte haar hand, bracht haar vingers weer naar zijn lippen toen ze haar hand wilde terugtrekken. 'Sorry. Maar ik doe dit alleen maar omdat ik het wilde.' *Nodig had.* 'Ik wilde het,' herhaalde hij. 'Ik wilde jóú. Nog steeds.'

Ze haalde diep adem en hij zag haar hartslag in haar hals. 'Ik snap het.' Haar mond lachte alsof ze een luchtig gesprek voerden, maar haar ogen stonden grimmig. Gepijnigd zelfs.

'Wat is er gebeurd?' wilde hij weten.

Ze schudde haar hoofd. 'Niks.'

Daniel klemde zijn kiezen op elkaar. 'Alex.'

Ze wendde haar blik af. 'Niks. Ik heb alleen een nare droom gehad, dat is alles.' Ze keek hem weer in de ogen. 'Ik had een nachtmerrie, dus ben ik uit bed gegaan. En toen was jij er.'

Hij drukte zijn lippen tegen haar handpalm. 'Ik ben hier gestopt omdat ik aan je dacht. En toen stond jij daar. Ik kon me niet inhouden.'

Ze huiverde en hij keek omlaag toen ze haar gewicht verplaatste, de ene blote voet bedekte met de andere. Hij keek haar berispend aan. 'Alex, je hebt geen schoenen aan.'

Ze glimlachte nu oprecht. 'Ik had niet verwacht dat ik op de veranda zou staan om je te kussen.' Ze kwam omhoog en kuste hem nog eens, een stuk zachter dan hij haar had gekust. 'Maar het was fijn.'

En plotseling was het zo eenvoudig. Hij glimlachte naar haar. 'Ga weer naar binnen, doe de deur op slot en trek iets aan je voeten. Ik zie je morgenavond. Halfzeven.'

7

Dutton, dinsdag 30 januari, 1:55 uur

Alex deed de deur dicht en leunde er met gesloten ogen tegenaan. Haar hart ging nog tekeer. Met een zucht deed ze haar ogen open, maar toen drukte ze haar handen tegen haar mond om een kreet binnen te houden.

Meredith zat aan tafel en koos een hoed uit voor Mr. Potato Head. Ze grijnsde terwijl ze de hoed in het gat stak dat bedoeld was voor de voeten, want uit zijn kruin staken al een paar lippen. 'Ik was al bang dat je die schoenen nooit meer aan ging doen.'

'Heb je daar de hele tijd gezeten?'

'Grotendeels.' Haar grijns werd breder. 'Ik hoorde de auto buiten stoppen, en toen dat jij de deur opendeed. Ik was bang dat je had besloten je nieuwe... ding uit te proberen.' Ze keek Alex veelbetekenend aan.

'Hope slaapt. Je mag het wel een pistool noemen.'

'O,' zei Meredith, onschuldig knipperend met haar ogen. 'Dat ook.'

Alex lachte. 'Wat ben jij slecht.'

'Weet ik.' Ze liet haar wenkbrauwen een paar keer op en neer gaan. 'En hij? Was hij ook slecht? Zo klonk het wel.'

Alex wierp haar een behoedzame blik toe. 'Hij is heel aardig.'

'Aardig is niet aardig. Slecht is aardig. Ze biecht alles wel op,' zei ze tegen het aardappelhoofd, dat met alle gelaatstrekken op de verkeerde plek meer op een Picasso-hoofd leek. 'Daar heb ik trucjes voor.'

'Soms word ik bang van je, Mer. Waarom speel je met dat ding? Hope slaapt.'

'Omdat ik dol ben op speelgoed. Je zou het ook eens moeten doen, Alex. Misschien ontspan je er een beetje door.'

Alex ging aan tafel zitten. 'Ik ben al ontspannen.'

'Ze liegt. Ze is strakker opgewonden dan een veer,' zei Meredith tegen het aardappelhoofd. Toen werd haar gezicht weer serieus. 'Waar droom je over, Alex? Nog steeds dat geschreeuw?'

'Ja.' Alex pakte het speelgoedje en draaide doelloos aan een oor. 'En over het lijk dat ik vandaag heb gezien.'

'Ik had in jouw plaats moeten gaan.'

'Nee, ik moest met eigen ogen zien dat het Bailey niet was. Maar in mijn droom is ze het wel. Ze gaat zitten en zegt: "Alsjeblieft. Help me."'

'Je onderbewuste is heel sterk. Je wilt dat ze nog leeft, en ik ook, maar je moet je proberen voor te bereiden op wat er gebeurt als het niet zo is, of als je haar nooit vindt. Of misschien erger, als je haar vindt en haar niet kunt helpen.'

Alex knarste met haar tanden. 'Je doet net alsof ik een of andere controlfreak ben.'

'Dat ben je ook, lieverd,' zei Meredith zachtjes. 'Kijk maar.'

Alex keek naar het speelgoedje in haar handen. Merediths Picasso-hoofd was verdwenen, elk onderdeel nu op de juiste plek gezet. 'Het is maar speelgoed,' bromde ze geërgerd.

'Nee, dat is het niet,' zei Meredith droevig, 'maar blijf jij dat maar denken.'

'Goed dan. Ik heb graag de controle. Ik hou ervan als alles netjes in een vakje past. Dat is niet verkeerd.'

'Nee. En soms heb je een wilde bui en koop je een díng.'

'Of kus ik een man die ik net ken?'

'Dat ook, dus er is nog hoop.' Meredith lachte een beetje. 'Niet grappig bedoeld.'

'Natuurlijk niet. Maar ik denk wel dat Bailey haar precies daarom die naam heeft gegeven.'

'Denk ik ook. Speelgoed is belangrijk, Alex. Vlak het niet uit. Als we spelen gaat onze geest naar een plek waar we onze verdediging laten zakken. Denk daaraan als je met Hope speelt.'

'Daniel komt morgen met zijn hond langs om te kijken of Hope van dieren houdt.'

'Dat is aardig van hem.'

Alex trok een wenkbrauw op. 'Ik dacht dat aardig niet aardig was.'

'Alleen wanneer het op seks aankomt, meid. Ik ga weer slapen. Dat zou jij ook moeten doen.'

Dinsdag 30 januari, 4:00 uur

Er huilde iemand. Bailey spitste haar oren. Het was niet de man in de cel naast die van haar. Ze wist niet zeker of hij nog wel bij bewustzijn was. Nee, het gehuil kwam van verder weg. Ze keek op naar het plafond, in de verwachting daar luidsprekers te zien. Ze zag ze niet, maar dat betekende nog niet dat ze er niet waren. Híj probeerde haar misschien te hersenspoelen.

Omdat ze hem niet had verteld wat hij wilde weten. Nog niet. *Nooit.*

Ze deed haar ogen dicht. *Of misschien word ik gewoon gek.* Het gehuil stopte abrupt en ze keek weer naar het plafond. Ze dwong zichzelf te denken aan Hope. *Je wordt niet gek, Bailey. Dat kan niet. Hope heeft je nodig.*

Het was de mantra die Bailey had gezongen toen Hope een baby was, toen ze zo naar een shot had verlangd dat ze dacht dat ze doodging. *Hope heeft je nodig.* Het had haar erdoorheen gesleept en zou dat blijven doen. *Als hij me niet vermoordt.* En dat was een heel reële mogelijkheid.

Toen hoorde ze een geluid in de cel naast die van haar. Ze hield haar adem in en luisterde toen het geluid veranderde. Iemand schraapte over de muur tussen de twee cellen.

Ze duwde zichzelf op handen en knieën, vertrok haar gezicht toen de kamer om haar heen draaide. Ze kroop naar de muur, stukje voor stukje, en ademde. En wachtte.

Het geschraap hield op, maar het werd vervangen door geklop, steeds opnieuw hetzelfde ritme. Code? Verdomme. Ze kende geen codes. Ze had niet bij de padvinders gezeten.

Het kon een valstrik zijn. Híj kon het zijn, misschien probeerde hij haar te misleiden.

Of het kon iemand anders zijn. Voorzichtig stak ze in het donker haar hand uit en klopte terug. Het geklop aan de andere kant stopte en het geschraap begon weer. Ze had het mis gehad. Het geschraap klonk niet langs de muur, maar op de vloer. Huiverend om de pijn in haar vingertoppen krabde Bailey over de oude betonvloer en voelde die verkruimelen.

Ze haalde diep adem en liet de lucht ontsnappen, duizelig van teleurstelling.

Het maakte niet uit. Degene die schraapte groef een tunnel naar een andere cel. Een tunnel naar nergens.

Het geschraap viel weer stil en Bailey hoorde voetstappen op de gang. *Hij komt eraan.* Ze bad dat hij voor die ander kwam, voor de schraper. *Niet voor mij. Alsjeblieft niet voor mij.* Maar God luisterde niet en de deur van haar cel zwaaide open.

Ze kneep haar ogen samen in het licht, stak zwakjes een hand omhoog, hield die voor haar gezicht.

Hij lachte. 'Speelkwartier, Bailey.'

Dinsdag 30 januari, 4:00 uur

Hij had geluk dat hij in een gebied met zo veel afwateringsgeulen woonde. Hij boog zich opzij en liet het in een deken gewikkelde lijk op de grond vallen. Ze was zo mooi gestorven, had om genade gesmeekt toen hij zijn gang was gegaan. Ze was zo nuffig en vol minachting geweest toen zij de macht had. Nu had híj de macht. Ze had geboet voor haar zonden.

En dat zou ook gebeuren met de vier *hoekstenen van de samenleving* die nog over waren. Hij had de aandacht van zijn eerste twee doelwitten getrokken, met het briefje met de omtrek van de sleutel die precies overeenstemde met die van hen. Na het tweede briefje, dat later vandaag bij diezelfde twee zou worden bezorgd, zou hij geld krijgen. Het werd tijd om te verdelen en te heersen. Hij zou de eerste twee uitschakelen, en tegen de tijd dat hij klaar was zouden ze allemaal te gronde zijn gericht, stuk voor stuk. *En ik?* Hij glimlachte. *Ik kan alles zien instorten.*

Hij trok de deken weg van haar voet en knikte nog een keer. De sleutel hing er. Op de foto van Janet in de *Review* had ze haar sleutel niet omgehad, dus de eerste moest ergens kwijt zijn geraakt. Teleurstellend, maar hij had deze extra stevig vastgebonden. Het dreigement zou worden overgebracht. *Pak aan, Vartanian.*

Dutton, dinsdag 30 januari, 5:30 uur

Alex werd wakker van een luid gekraak en tilde met een ruk haar hoofd op. Ze was op de bank in slaap gevallen toen Meredith naar bed was gegaan. Ze hoorde het gekraak nog eens en wist dat ze het niet had gedroomd. Iets of iemand stond op haar veranda. Denkend aan het pistool in de kluis pakte ze stilletjes de mobiele telefoon die ze op het bijzettafeltje had gelegd.

Ze had nu lekker veel aan een opgeborgen pistool, maar ze kon in elk geval het alarmnummer bellen. Hoewel dat ook niet zo heel veel zou uithalen, als sheriff Loomis' reactie op Baileys verdwijning de norm voor hem was.

Ze sloop de keuken in en pakte het grootste vleesmes uit de la, liep op haar tenen naar het raam en keek naar buiten. Toen liet ze haar ingehouden adem ontsnappen. Het was de krantenjongen maar, die eruitzag alsof hij oud genoeg was voor de universiteit. Hij vulde een formulier in op zijn clipboard, en het zaklantaarntje dat hij tussen zijn tanden klemde gaf zijn gezicht een bovenaardse gloed. Toen keek hij op en zag haar staan. Geschrokken liet hij het zaklantaarntje tussen zijn tanden vandaan vallen. Het belandde met een klap op de veranda. Met grote ogen staarde hij haar aan, en Alex besefte dat hij het mes kon zien dat ze vasthield.

Ze liet het mes zakken en deed het raam een stukje open. 'Ik schrok van je.'

Hij slikte hoorbaar in de stilte van de vroege morgen. 'Ik schrok meer van u, mevrouw.'

Haar mondhoeken gingen omhoog en hij glimlachte aarzelend terug. 'Ik heb geen krant besteld,' zei ze.

'Weet ik, maar mevrouw Delia zei dat ze de bungalow had verhuurd. De *Review* geeft een gratis weekabonnement aan nieuwe bewoners in de buurt.'

Ze keek hem vragend aan. 'Komen er dan veel nieuwe mensen in de buurt wonen?'

Hij grijnsde verlegen. 'Nee, mevrouw.' Hij bood haar de krant en het formulier dat hij had ingevuld aan. Ze moest het raam een stukje verder opendoen om ze aan te pakken.

'Dank je,' fluisterde ze. 'Vergeet je zaklantaarn niet.'

Hij raapte de lantaarn op. 'Welkom in Dutton, mevrouw Fallon. Fijne dag nog.'

Ze sloot het raam. De jongen liep terug naar zijn busje en reed naar het volgende huis van zijn ronde. Toen haar hartslag weer bijna naar een normaal ritme was teruggekeerd, bekeek ze de voorpagina van de krant. En haar hart sloeg weer op hol. 'Janet Bowie,' mompelde ze.

Alex had alleen vage herinneringen aan congreslid Bowie, maar zijn vrouw herinnerde ze zich nog goed. Rose Bowie met haar negatieve, zeer openlijke beoordeling van het karakter van Alex' moeder was de reden geweest dat ze op zondag niet meer naar de kerk gingen. De meeste vrouwen in Dutton hadden Kathy Tremaine links laten liggen nadat ze bij Craig Crighton was gaan wonen.

Alex wreef over haar plotseling bonzende slapen en zette Craig uit haar hoofd. De herinnering aan haar moeder liet zich niet zo gemakkelijk verjagen. Er waren goede jaren geweest, toen haar vader nog leefde en haar moeder gelukkig was. Daarna de moeilijke jaren, toen ze nog maar met z'n drieën over waren. *Mama, Alicia en ik.* Ze hadden weinig geld gehad en haar moeder had zich doorlopend zorgen gemaakt, maar toch stonden haar ogen nog blij. Nadat ze bij Craig waren gaan wonen, was haar geluk uitgeblust.

De laatste herinneringen die Alex aan haar moeder had waren niet goed. Haar moeder was bij Craig gaan wonen om haar kinderen een dak boven hun hoofd en brood op de plank te bieden. En vrouwen zoals Rose Bowie hadden haar daarom links laten liggen en hadden haar gekwetst. Dat was moeilijk te vergeven. Jarenlang had Alex al die roddelende oude wijven gehaat. Nu, terwijl ze naar de krantenkop staarde, vroeg ze zich af wie Janet Bowie genoeg had gehaat om haar op die manier te vermoorden. En waarom haar moordenaar na al die jaren de geest van Alicia had opgeroepen.

Dutton, dinsdag 30 januari, 5:35 uur

Mack stapte weer in zijn busje en reed naar het volgende adres. De oude Violet Drummond kwam haar huis uit strompelen om de krant aan te pakken, net zoals ze iedere dag deed. De eerste keer dat hij het had gedaan had hij bijna de moed verloren, maar ze had hem niet herkend. Hij was veranderd in de jaren sinds hij uit Dutton weg was, op veel manieren. De oude Violet was geen bedreiging, maar een geweldige bron van informatie, die ze met graagte deelde. En ze was bevriend met Wanda op het bureau van de sheriff, dus haar informatie was meestal vrij goed.

Hij gaf haar door het raampje de krant aan. 'Morgen, mevrouw Drummond.'

Ze knikte ferm. 'Morgen, Jack.'

Mack keek achterom naar de bungalow. 'Nieuwe buren, zie ik.'

Violets oude ogen knepen zich samen. 'Dat meisje van Tremaine is terug.'

'Ik ken haar niet,' loog hij.

'Slecht volk is het. Zij laat zich in de stad zien en dit begint weer helemaal opnieuw.' Violet tikte op de voorpagina, waar Jim Woolf in groot detail het overlijden van Janet Bowie had beschreven. 'Ze gedraagt zich nog onfatsoenlijk ook.'

Hij trok nieuwsgierig zijn wenkbrauwen op. 'Wat heeft ze dan gedaan?' Door zijn surveillance wist hij dat Alex Fallon ontzettend vastberaden was om haar stiefzus te vinden, maar ze had voor zover hij wist niets onfatsoenlijks gedaan.

'Die Daniel Vartanian kussen. Gewoon op de veranda, waar iedereen het kon zien!'

'Schandelijk.' *Fascinerend.* 'Sommige mensen hebben geen klasse.'

Violet pufte. 'Nee, dat klopt. Nou, ik zal je niet langer ophouden, Jack.'

Mack glimlachte. 'Het was een genoegen, mevrouw Drummond. Tot morgen.'

Atlanta, dinsdag 30 januari, 8:00 uur

Daniel ging bij Chase en Ed aan de teamtafel zitten en onderdrukte een geeuw. 'Onze identificatie is bevestigd. Felicity zegt dat Janets gebitsgegevens overeenkomen. Ongelooflijk hoe snel alles ineens kan voor een congreslid,' voegde hij er droog aan toe. 'De tandarts kwam hier om vijf uur vanochtend naartoe met de röntgenfoto's.'

'Goed werk,' zei Chase. 'En dat vriendje? Die zanger?'

'Lamar heeft een alibi, bevestigd door tien getuigen en de beveiligingstapes van de jazzclub.'

'Had hij een optreden terwijl Janet werd vermoord?' vroeg Ed.

'Voor een volle zaal. En hij is er echt stuk van. Hij zat te huilen toen ik hem vertelde dat ze dood was. Hij zei dat hij over de moord had gehoord, maar geen idee had dat het om Janet ging.'

Ed fronste zijn wenkbrauwen. 'Wat dacht hij toen ze van het weekend niet op kwam dagen voor hun date?'

'Hij had een voicemail van haar gekregen. Ze zei dat haar vader iets officieels had en dat hij wilde dat zij erbij was. Dat telefoontje kwam donderdag om acht uur 's avonds binnen.'

'Dus ze leefde nog om acht uur en was waarschijnlijk zo rond middernacht dood,' zei Chase. 'Ze was die dag in Fun-N-Sun. Hoe laat is ze daar weggegaan?'

'Weet ik nog niet. Lamar zei dat ze er met een groep kinderen van de Lee Middle School naartoe was.'

'Was ze lerares?' vroeg Chase.

'Nee, vrijwilliger. Schijnbaar moest Janet een taakstraf uitvoeren na een ruzie met een andere celliste in het orkest.'

Chase lachte verbaasd. 'Cellisten die ruzie maken? Met hun strijkstokken zeker?'

Daniel draaide met zijn ogen. 'Ik heb niet genoeg geslapen om dat grappig te vinden. De andere celliste beschuldigde Janet ervan dat Janet haar cello had beschadigd zodat zij eerste celliste kon worden. De twee vrouwen zijn elkaar letterlijk in de haren gevlogen en hebben elkaar gekrabd. Die andere celliste heeft Janet aangeklaagd voor mishandeling en beschadiging van eigendommen. Kennelijk hebben ze Janet betrapt terwijl ze met die cello rommelde, dus bekende ze. Haar broer Michael zei dat het vrijwilligerswerk indruk op haar had gemaakt. Deze groep jongelui was belangrijk voor haar.'

'Gingen ze op een doordeweekse dag naar een pretpark?' vroeg Ed sceptisch.

'Lamar zei dat het een beloning was voor leerlingen met goede cijfers en dat het schoolhoofd toestemming had gegeven.'

'Het is vier uur rijden van dat pretpark naar Atlanta,' zei Chase. 'Als ze om acht uur onder dwang naar Lamar heeft gebeld, dan had haar moordenaar haar al te pakken. We moeten uitvissen hoe laat zij en de kinderen uit dat park zijn vertrokken. Dan weten we in welk tijdsbestek het gebeurd moet zijn.'

'Ik heb de school al gebeld, maar er was nog niemand. Ik ga erheen als we hier klaar zijn.'

'Hopelijk levert het meer op dan haar appartement,' zei Ed somber. 'We hebben vingerafdrukken genomen, haar voicemail beluisterd en de computer nagekeken. Tot nu toe springt er niets uit.'

'We veronderstellen dat ze Lamar onder dwang heeft gebeld,' zei Chase. 'Maar stel dat ze hem beduvelde? Stel dat ze met een andere kerel had afgesproken voor het weekend?'

'Ik heb haar telefoongegevens opgevraagd,' zei Daniel. 'Ik zal kijken of ze nog iemand anders heeft gebeld. Over telefoongegevens gesproken, we hebben het bevelschrift voor die van Jim Woolf. Die krijg ik dus binnenkort.'

'Woolf was er gisteravond ook, bij het huis van de Bowies,' overpeinsde Ed. 'Hoe wist hij dat hij daar moest zijn?'

'Hij zei dat hij de rij auto's de heuvel op was gevolgd,' zei Daniel.

Ed rechtte zijn rug. 'En over auto's gesproken, Janet Bowie rijdt in een BMW Z4 en die staat niet in de parkeergarage onder haar appartement of bij het huis van de Bowies in Dutton.'

'Ze kan nooit met al die kinderen naar Fun-N-Sun zijn gereden in een Z4,' zei Chase. 'Dat is een tweezitter.'

'Ik zal het schoolhoofd ernaar vragen. Misschien heeft een van de ouders gereden. Die kinderen waren daar niet oud genoeg voor.'

'Chase?' Leigh deed de deur open. 'Sheriff Thomas uit Volusia is aan de telefoon.'

'Ik bel wel terug.'

'Hij zei dat het dringend was. Danny, hier is je fax – de telefoongegevens van Woolf.'

Daniel bekeek de gegevens terwijl Chase zijn telefoon aannam. 'Jim Woolf is zondagochtend om zes uur thuis gebeld.' Hij sloeg een paar vellen om.

'Twee minuten eerder werd hij gebeld vanaf hetzelfde nummer op zijn kantoortelefoon. En... hij is nog een keer vanaf datzelfde nummer gebeld... O, verdomme.' Hij keek met een kwade blik op. 'Vanochtend om zes uur.'

'Tering,' mompelde Ed.

'Dat kun je wel zeggen,' zei Chase, die de telefoon ophing.

Daniel zuchtte. 'Waar?'

'Tylersville. Een meisje in een bruine deken, met een sleutel aan haar teen gebonden.'

'Je had gelijk, Ed,' mompelde Daniel, die zich afvroeg of dit Bailey kon zijn. De mogelijkheid dat hij dat nieuws aan Alex zou moeten gaan vertellen maakte hem misselijk, maar de realiteit van hun situatie maakte hem nog misselijker. 'Heren, we hebben te maken met een seriemoordenaar.'

Dinsdag 30 januari, 8:00 uur

Ze hoorde dat geschraap weer. Bailey knipperde met haar ogen, en haar hoofdpijn was bijna ondraaglijk. Hij was gisteravond niet zachtzinnig geweest nadat hij haar had opgehaald, maar ze had volgehouden. Ze had hem niets verteld, al wist ze op dit punt niet meer of het nog zou uitmaken als ze dat wel deed. Hij genoot van de foltering. Hij lachte om haar pijn. Hij was een beest. Een monster.

Ze probeerde zich op het geschraap te concentreren. Het was ritmisch, als het getik van een klok. De tijd verstreek. Hoe lang was ze hier al? Wie had Hope? *Alsjeblieft, het kan me niet schelen als hij me vermoordt, als met mijn kindje maar alles goed is.*

Ze deed haar ogen dicht en het geschraap vervaagde. Alles vervaagde.

Volusia, Georgia, dinsdag 30 januari, 9:30 uur

'Wie heeft haar gevonden?' vroeg Daniel aan sheriff Thomas.

Thomas' kaak verstrakte. 'Twee broers, van veertien en zestien. De oudste heeft het alarmnummer gebeld. Alle jongelui komen hier op weg naar school langs.'

'Dan wilde de dader wederom dat ze gevonden werd.' Daniel keek om zich heen over het terrein met de vele bomen. 'Op de laatste plaats delict zat een journalist in een boom verstopt om foto's te maken. Kunt u uw hulpsheriffs tussen de bomen door laten lopen om te kijken?'

'We zijn hier al sinds die jongen belde. Er kunnen geen journalisten door gekomen zijn.'

'Als het dezelfde kerel is, dan was hij hier al voordat die jongens haar vonden.'

Thomas kneep zijn ogen tot spleetjes. 'Geeft die smeerlap hem informatie?'

'We denken van wel,' zei Daniel, en Thomas' mond vertrok van walging.

'Ik ga met ze mee om te zorgen dat ze niets verstoren wat jullie later nog nodig hebben.'

Daniel zag dat Thomas een paar van zijn hulpsheriffs wenkte en meenam naar de bomen. Toen draaide hij zich om naar de greppel. Felicity Berg klom er net uit.

'Het is hetzelfde, Daniel,' zei ze terwijl ze haar handschoenen uittrok. 'Tijdstip van overlijden tussen negen en elf uur gisteravond. Ze is hier ergens voor vier uur vanochtend neergelegd.'

'De dauw,' zei Daniel. 'De deken was nat. Verkracht?'

'Ja. En haar gezicht is op dezelfde manier gehavend als dat van Janet Bowie. Zelfde blauwe plekken rondom de mond. Uit het onderzoek zal wel blijken dat het na de dood is gebeurd. O, en die sleutel. Die was superstrak vastgebonden. Als ze nog had geleefd, was de bloedsomloop naar haar teen helemaal afgesneden geweest. Hij wilde dat je die sleutel vond.'

'Had ze naaldsporen op haar armen, Felicity?'

'Nee. En ook geen tatoeage van een lammetje op haar enkel. Zeg mevrouw Fallon maar dat ook dit niet haar stiefzus is.'

Daniel zuchtte van opluchting. 'Bedankt.'

Felicity rechtte haar rug toen de technici het lijk over de rand tilden. 'Ik neem haar mee en zal kijken of we erachter kunnen komen wie ze is.'

Terwijl de wagens van de patholoog wegreden hoorde Daniel een schreeuw. Hij draaide zich om en zag sheriff Thomas en een van zijn hulpsheriffs Jim Woolf uit een boom trekken, wat ze niet al te zachtzinnig deden.

'Woolf!' riep Daniel toen Thomas hem dichterbij had gesleept. 'Waar denk je verdomme dat je mee bezig bent?'

'Met mijn werk,' snauwde Woolf.

De hulpsheriff stak Woolfs camera omhoog. 'Hij was foto's aan het maken.'

Woolf keek Daniel woest aan. 'Ik was buiten de plaats delict en op openbaar terrein. Je kunt mijn camera of mijn foto's niet in beslag nemen zonder een bevelschrift. Ik heb je die andere foto's gegeven om aardig te zijn.'

'Je hebt me die andere foto's gegeven omdat je ze toch al had gebruikt,' corrigeerde Daniel. 'Jim, bekijk het eens vanuit mijn standpunt. Zondagochtend om zes uur word je gebeld, en dan nog eens om zes uur vanochtend, vanaf hetzelfde nummer. Op allebei de dagen verschijn jij eerder op de plek van de moord dan wij. Ik zou haast gaan denken dat jij er iets mee te maken hebt.'

'Dat is niet zo,' antwoordde Woolf met opeengeklemde kaken.

'Bewijs je goede bedoelingen dan. Download die geheugenkaart op een computer van ons. Jij hebt je foto's en ik ben redelijk tevreden.'

Woolf schudde boos zijn hoofd. 'Best. Laten we dit maar doen, dan kan ik tenminste aan het werk.'

'Je haalt me de woorden uit de mond,' zei Daniel vriendelijk. 'Ik pak mijn laptop wel even.'

Dutton, dinsdag 30 januari, 10:00 uur

Meredith deed de voordeur achter zich dicht en rilde in haar joggingpak. 'Het is vanochtend wel een graad of twintig kouder dan gisteren.'

Alex stak haar hand op, haar blik bleef op de tv gericht. Het geluid stond zacht en ze had Hopes stoel omgedraaid, zodat het meisje het scherm niet kon zien. 'Ssst.'

'Wat is er gebeurd?' vroeg Meredith zachtjes.

Alex moest heel veel moeite doen om de angst uit haar stem te weren. 'Schokkend nieuws.'

Meredith slikte. 'Nog een?'

'Ja. Nog geen details of beelden.'

'Vartanian zou je al hebben gebeld,' zei Meredith zachtjes.

Op dat moment ging Alex' mobiele telefoon, en haar hart zakte in haar maag toen ze op het schermpje keek. 'Daniel?' vroeg ze met trillende stem toen ze opnam.

'Het is niet Bailey,' zei hij zonder omhaal.

De opluchting liep in een rilling door haar heen. 'Bedankt.'

'Geen punt. Ik nam aan dat je het al had gehoord.'

'Ze gaven niet echt veel informatie op het nieuws. Alleen dat er nog eentje is gevonden.'

'Dat is ook zo ongeveer alles wat ik weet.'

'Was het net zoals...'

'Net zo,' bevestigde hij zachtjes. Alex hoorde een autoportier dichtslaan en een motor starten. 'Ik wil niet dat je alleen naar buiten gaat. Alsjeblieft.'

Er ging nog een rilling door haar heen; ditmaal niet prettig. 'Ik moet dingen doen vandaag. Mensen spreken. Ik krijg daar geen kans meer toe totdat Meredith terug kan komen.'

Hij klonk ongeduldig. 'Best. Maar blijf onder de mensen en parkeer je auto niet op een afgelegen plek. Beter nog, láát je auto parkeren en ga niet in je eentje naar Baileys huis. En... bel me een paar keer zodat ik weet dat je in orde bent. Oké?'

'Oké,' mompelde ze, en ze schraapte haar keel toen Meredith haar veelbetekenend aankeek. 'Gaat Loomis Baileys huis doorzoeken nu ze als vermist is opgegeven?'

'Ik ben nu onderweg naar Dutton om Frank Loomis te spreken. Ik zal het navragen.'

'Dank je. En, Daniel, als je vanavond niet kunt, dan begrijp ik dat wel.'

'Ik zal mijn best doen. Ik moet nog wat mensen bellen. Dag.'

En weg was hij. Zorgvuldig klapte Alex haar telefoon dicht. 'Dag,' mompelde ze.

Meredith ging naast Hope zitten en hield haar hoofd schuin, kijkend van Alex' kleurplaat naar die van Hope. 'Jullie hebben dezelfde techniek. Jullie blijven allebei binnen de lijntjes.'

Alex draaide met haar ogen. 'Ik ben toch een controlfreak?'

'Ja, maar je kleurt mooi.' Meredith legde haar arm om de schouders van het kleine meisje. 'Je tante Alex moet een beetje plezier maken. Zorg jij ervoor dat er gespeeld wordt als ik weg ben?'

Hopes kin kwam met een ruk omhoog en haar grijze ogen werden groot van paniek.

Meredith streek alleen maar met haar duim over Hopes wang. 'Ik kom terug. Beloofd.'

De onderlip van het meisje trilde, en Alex' hart brak. 'Ik laat je niet alleen, lieverd,' mompelde ze. 'Als Meredith weg is, ben ik steeds bij je. Dat belóóf ik.'

Hope slikte en liet haar blik weer naar haar kleurboek zakken.

Alex leunde naar achteren in haar stoel. 'Nou.'

Meredith legde haar wang tegen Hopes krullen. 'Je bent veilig, Hope.' Ze keek Alex in de ogen. 'Blijf haar dat vertellen. Ze heeft het nodig. Ze moet het geloven.'

Ik ook. Maar Alex knikte krachtig. 'Doe ik. En nu heb ik voor vandaag een heleboel te doen. Mijn eerste stop is het gemeentehuis. Ik moet een vergunning aanvragen om het... ding bij me te dragen.'

'Hoe lang duurt dat?'

'Volgens hun website een paar weken.'

'En tot die tijd?' vroeg Meredith veelbetekenend.

Alex keek naar Hopes kleurboek. *Al dat rood.* 'Ik mag hem wel in de kofferbak meenemen.'

Meredith zoog haar wangen naar binnen. 'Je weet dat een halve waarheid hetzelfde is als liegen.'

Alex keek haar uitdagend aan. 'Ga je de politie bellen?'

Meredith sloeg haar ogen ten hemel. 'Nee, en dat weet je best. Maar jij wel, want dat heb je Vartanian beloofd. En bel mij meteen nadat je hem hebt gebeld.'

'Elke paar uur.' Ze zette zich af van de tafel en liep naar de slaapkamer.

'Ik moet hier om vijf uur weg om op tijd te zijn voor mijn vlucht,' riep Meredith haar na.

'Dan ben ik al terug.' Ze had minder dan acht uur de tijd om een wapenvergunning aan te vragen en dan te praten met iedereen die iets wist over Bailey: haar gewoonten, haar vrienden. Haar vijanden. Het zou genoeg moeten zijn.

Dinsdag 30 januari, 11:00 uur

'Hallo.'

Het was maar een droom. *Toch?*

'Hallo.'

Bailey tilde haar hoofd een heel klein stukje op. Het duizelde haar toen de kamer om haar heen draaide. Het was geen droom. Het was gefluister, en het kwam van de andere kant van de muur. Ze dwong zichzelf op handen en knieën overeind te komen, kokhalzend toen de misselijkheid haar raakte als een baksteen. Maar er kwam niets naar boven, want ze had niets te eten gekregen. Of te drinken.

Hoe lang? Hoe lang was ze hier al?

'Hallo.' Het gefluister klonk weer door de muur.

Het was echt. Bailey kroop naar de muur en viel op haar buik, keek toe hoe de vloer een beetje bewoog. De vloer zakte een beetje in, en er ontstond een gaatje ter grootte van een theelepel. Tandenknarsend veegde ze over het zand. En raakte iets stevigs aan. Een vinger. Ze zoog haar adem naar binnen toen de vinger wiebelde en zich terugtrok door het gat, waarbij een beetje zand van haar kant meeging.

'Hallo,' fluisterde ze terug. De vinger verscheen weer en ze raakte hem aan terwijl er een snik naar boven kwam in haar borst.

'Niet huilen,' fluisterde hij. 'Dan hoort hij je. Wie ben je?'

'Bailey.'

'Bailey Crighton?'

Bailey hield haar adem in. 'Ken je mij?'

'Ik ben pastoor Beardsley.'

Wades brief. De brief met de sleutel, waar híj elke keer om vroeg als hij haar uit haar cel haalde. Elke keer als hij... 'Wat doet u hier?'

'Hetzelfde als jij, denk ik.'

'Maar ik heb niks gezegd. Ik heb hem helemaal niks verteld. Ik zweer het.' Haar stem sloeg over.

'Ssst. Goed zo, Bailey. Je bent sterker dan hij denkt. En ik ook.'

'Hoe wist hij van u?'

'Weet ik niet. Ik ben bij je huis geweest... gistermorgen. Je stiefzus was daar.'

'Alex?' De snik kwam omhoog, maar ze drong hem terug. 'Is ze gekomen? Is ze echt gekomen?'

'Ze is naar je op zoek, Bailey. Ze heeft Hope. Ze is veilig.'

'Mijn kindje?' De tranen kwamen nu wel, zachtjes maar doorlopend. 'U hebt het haar niet verteld, hè?' Ze hoorde de beschuldiging in haar stem, maar kon er niets tegen doen.

Hij zweeg lange tijd. 'Nee. Ik kon het niet. Het spijt me.'

Ze zou moeten zeggen: *Ik begrijp het.* Maar ze kon niet tegen een pastoor liegen. 'Hebt u het hém verteld?'

'Nee.' Ze hoorde de pijn in dat ene woord.

Ze weifelde. 'Wat heeft hij u aangedaan?'

Ze hoorde hem diep ademhalen. 'Niks wat ik niet aankan. En jou?'

Ze deed haar ogen dicht. 'Ook niet. Maar ik weet niet hoeveel langer ik het nog kan verdragen.'

'Hou je sterk, Bailey. Voor Hope.'

Hope heeft me nodig. De mantra zou haar nog een tijdje langer gaande moeten houden. 'Kunnen we hier wegkomen?'

'Als ik iets bedenk, laat ik het je weten.' Toen verdween zijn vinger en hoorde ze het zand weer in het gat glijden terwijl hij het van zijn kant dichtstopte.

Zij deed hetzelfde en kroop toen terug naar waar ze eerder had gelegen.

Alex heeft Hope. Mijn kindje is veilig. Dat was alles wat er echt toe deed. Al het andere... *Al het andere heb ik over mezelf afgeroepen.*

8

Dutton, dinsdag 30 januari, 11:15 uur

Wanda Pettijohn keek Daniel over haar halve brilletje aan. 'Frank is er niet.'

'Is hij voor zijn werk weg, of is hij ziek?'

Hulpsheriff Randy Mansfield kwam Franks kantoor uit. 'Hij is er gewoon niet, Danny.' Mansfields stem klonk gelijkmatig, maar de boodschap was duidelijk: *Het gaat je niks aan, dus vraag het maar niet.* Randy schoof een dunne map over de balie. 'Ik moest je dit geven van hem.'

Daniel bekeek de paar vellen papier die erin zaten. 'Dit is het dossier van Alicia Tremaine. Ik had verwacht dat het dikker zou zijn. Waar zijn de foto's van de plaats delict, de verhoren, de foto's van het slachtoffer?'

Randy haalde één schouder op. 'Dat is alles wat Frank me heeft gegeven.'

Daniel keek op en kneep zijn ogen tot spleetjes. 'Er moet meer zijn geweest dan dit.'

Randy's glimlach verflauwde. 'Als het hier niet in zit heeft het niet bestaan.'

'Heeft niemand een polaroid van de plaats delict gemaakt, of een schets? Waar is ze gevonden?'

Met strak opeengeklemde kaken draaide Randy de map om. Hij liet zijn vinger over de bladzijde met het oorspronkelijke politierapport gaan. 'Langs Five Mile Road.' Hij keek op. 'In een greppel.'

Daniel beet op zijn tong. 'Wáár langs Five Mile Road? Wat was de dichtstbijzijnde kruising? Wie waren er als eerste ter plaatse? Waar is het rapport van de lijkschouwer?'

'Dit is dertien jaar oud,' zei Randy. 'Zaken werden toen anders aangepakt.'

Wanda liep naar de balie toe. 'Ik was hier toen al, Daniel. Ik kan je vertellen wat er is gebeurd.'

Daniel voelde migraine opkomen. 'Oké. Best. Wat is er gebeurd, Wanda?'

'Het was de eerste zaterdag van april. Dat meisje van Tremaine lag niet in haar bed toen haar moeder haar kwam wekken. Ze was er de hele nacht niet geweest. Ze was een vroegrijp meisje, die Alicia. Haar moeder heeft al haar vrienden gebeld, maar niemand had haar gezien.'

'Wie heeft het lijk gevonden?'

'De jongens van Porter. Davy en John. Ze waren aan het mountainbiken.'

Hij schreef het op in zijn aantekenboekje. 'Davy en John waren de middelste van zes kinderen, als ik het me goed herinner.'

Wanda knikte respectvol. 'Dat heb je goed. Davy was een jaar of elf en John was dertien. Ze hebben nog twee oudere broers en twee jongere.'

Davy en John zouden nu vierentwintig en zesentwintig zijn. 'En wat deden ze toen?'

'Nadat hij had overgegeven, is John naar de boerderij van Monroe gefietst. Monroe heeft het alarmnummer gebeld.'

'Wie was de eerste politieman ter plaatse?'

'Nolan Quinn. Hij is inmiddels overleden,' voegde Wanda er nuchter aan toe.

'Hij is nooit meer de oude geworden nadat hij Alicia had gevonden,' zei Randy zachtjes. Daniel bedacht zich dat dit voor hen niet zomaar een dossier was. Het was misschien wel de vreselijkste misdaad die ooit in Dutton was gepleegd, tot dit weekend. 'Ik kwam het jaar daarop van school en ging bij de politie, en Nolan is nooit meer de oude geworden.'

'Ik kan me niet voorstellen dat iemand die zoiets ziet er niet door geraakt wordt,' mompelde Daniel, denkend aan de jongens van Porter. 'Wie heeft de sectie verricht, Wanda?'

'Doc Murtry.'

'Die inmiddels ook is overleden,' zei Randy schouderophalend. 'Die hele generatie is grotendeels weg. Of ze zitten op het bankje voor de kapper.'

'Waar zijn de documenten van Murtry?' vroeg Daniel.

'Ergens,' zei Randy, alsof *ergens* een plek was die zij hoogstwaarschijnlijk niet zouden vinden.

'Wat is er bij het lijk gevonden?' vroeg Daniel.

'Hoe bedoel je?' vroeg Wanda. 'Ze was naakt, in een deken gewikkeld.'

'Geen ringen of sieraden?' *Of sleutels*? Maar dat van de sleutel wilde Daniel voor zich houden.

'Nee,' zei Wanda. 'De zwerver had haar beroofd.'

Daniel vond het arrestatierapport. 'Gary Fulmore.' Er was een politiefoto aan het rapport geniet. Fulmores ogen stonden wild en zijn gezicht zag er afgetobd uit. 'Hij lijkt wel stoned.'

'Dat was hij ook,' zei Randy. 'Dat herinner ik me nog wel. Hij was high van de PCP toen ze hem vonden. Er waren drie man voor nodig om hem vast te houden, zodat Frank hem de handboeien kon omdoen.'

'Dus Frank heeft hem gearresteerd?'

Randy knikte. 'Fulmore had Jacko's garage aan puin geslagen, hij had het glas ingetikt en lopen zwaaien met een moersleutel. Toen ze hem arresteerden vonden ze Alicia's ring in zijn zak.'

'En dat is alles? Geen sperma of ander fysiek bewijs?'

'Nee, ik weet niet meer of ze sperma in haar hebben gevonden. Dat zal wel in de gegevens van Murtry hebben gestaan. Maar zoals haar gezicht was toegetakeld... Alleen iemand die high was van de PCP kon zo veel schade hebben aangericht. En hij had die moersleutel.'

'Ze vonden hem in een garage. Natuurlijk had hij een moersleutel.'

'Ik vertel je alleen maar wat ik me herinner,' zei Randy geërgerd. 'Wil je het horen of niet?'

'Sorry. Ga door.'

'Op die moersleutel zat bloed van Alicia en ze vonden ook spetters bloed van haar op zijn broekspijpen.'

'Vrij solide bewijs,' zei Daniel.

Randy's mond vertrok in een hatelijke glimlach. 'Ik ben blij dat je het goedkeurt, rechercheur Vartanian.'

Daniel sloeg de map dicht. Verder zat er niets in. 'Wie heeft zijn verklaring opgenomen?'

'Frank,' antwoordde Wanda. 'Fulmore ontkende uiteraard alles. Maar hij beweerde ook dat hij een rockzanger was, voor zover ik me kan herinneren.'

'Hij zei dat hij Jimi Hendrix was.' Randy schudde zijn hoofd. 'Hij zei zoveel.'

'Randy's vader was de aanklager,' zei Wanda trots, maar toen zakten haar mondhoeken omlaag. 'Maar hij is ook overleden. Hartfalen, twaalf jaar geleden al. Hij was pas vijfenveertig.'

Daniel had in een van de artikelen die Luke had gedownload gelezen dat Mansfields vader de aanklager was geweest, maar hij wist niet dat de man was overleden. Het was verrekte onhandig dat hij geen van de oorspronkelijke spelers zou kunnen spreken. 'Wat erg van je vader, Randy,' zei hij, omdat dat van hem verwacht werd.

'Ook erg van die van jou,' antwoordde Randy op een toon die aangaf dat hij er niks van meende.

Daniel liet het gaan. 'Rechter Borenson heeft de zaak van Fulmore behandeld. Leeft hij nog?'

'Ja,' zei Wanda. 'Hij is met pensioen en heeft een huis in de bergen.'

'Hij is een ouwe kluizenaar,' zei Randy. 'Ik geloof dat hij niet eens telefoon heeft.'

'Jawel,' zei Wanda. 'Hij neemt alleen nooit op.'

'Heb je zijn nummer?' vroeg Daniel, en Wanda bladerde door haar Rolodex.

Ze schreef het op en gaf het hem. 'Succes. Hij is moeilijk te pakken te krijgen.'

'Wat is er met de deken gebeurd waarin Alicia was gevonden?'

Wanda trok een gezicht. 'We hadden een overstroming tijdens orkaan Dennis en zijn alles beneden de waterlijn kwijtgeraakt. Die was een meter hoog. Dat dossier lag nog hoger, anders zou ook dat weg zijn geweest.'

Daniel zuchtte. Orkaan Dennis had een paar jaar eerder enorme overstromingen veroorzaakt in Atlanta en de omringende gemeenten. 'Verdomme,' mompelde hij, maar hij grimaste toen Wanda naar hem loerde. 'Sorry,' mompelde hij.

Haar loerende blik werd een ongeruste frons. 'De man die Janet heeft vermoord. Hij heeft nog een slachtoffer gemaakt.'

'Gisteravond. Hij schijnt zich vrij strak aan de details van deze oude moordzaak te houden.'

'Behalve de sleutel,' zei Wanda, en Daniel moest zich uit alle macht inhouden om niet met zijn ogen te knipperen.

'Pardon?'

'De sleutel,' herhaalde Wanda. 'Die is gevonden aan de teen van het nieuwe slachtoffer.'

'Er staan foto's op internet,' voegde Randy eraan toe. 'De sleutel aan haar teen was vrij duidelijk te zien.'

Daniel onderdrukte zijn woede. 'Bedankt. Ik had de nieuwsberichten nog niet gezien.'

Randy's uitdrukking veranderde: hij zag er ietwat zelfingenomen uit. 'Ik zou zeggen dat je een lek hebt.'

Of een stomme kerel zoals Woolf. 'Bedankt voor jullie tijd.' Hij draaide zich om en wilde vertrekken, maar toen herinnerde hij zich zijn belofte aan Alex. 'O, nog één ding. Bailey Crighton.'

Wanda's lippen werden een streep. Randy sloeg theatraal zijn ogen ten hemel. 'Danny...'

'Haar stiefzus is ongerust,' zei Daniel, en hij liet het verontschuldigend klinken. 'Alsjeblieft.'

'Luister, Alex kent Bailey niet.' Randy schudde zijn hoofd. 'Bailey Crighton is een slet, en zo is het.' Hij keek Wanda aan. 'Sorry.'

'Het is waar,' zei Wanda, die kleurde. 'Bailey is blank tuig. Ze wordt niet vermist. Ze is gewoon weg, ervandoor... als de junkieslet die ze altijd is geweest.'

Daniel was onthutst over het venijn in Wanda's stem. 'Wanda.'

Wanda zwaaide met haar vinger naar Daniel. 'En je kunt maar beter oppassen met die stiefzus. Ze ziet er misschien aardig uit in het maanlicht, maar zij was ook een lastpak.'

Randy legde zijn hand op Wanda's schouder en kneep erin. 'Het geeft niet, lieverd,' mompelde hij tegen de oudere vrouw. Toen wendde hij zich tot Daniel, en in zijn ogen stond *hou je rustig* te lezen. 'Wanda's zoon had een paar jaar geleden een... relatie met Bailey.'

Wanda's ogen fonkelden. 'Zoals jij het zegt klinkt het alsof mijn Zane van plan was bij die hoer te blijven.' Ze trilde van woede. 'Ze heeft hem verleid en bijna zijn huwelijk verpest.'

Daniel dacht terug aan vroeger. Zane Pettijohn was van zijn leeftijd en had football gespeeld op de openbare school. Hij hield toen nogal van wulpse meisjes en sterkedrank. 'Maar alles is goed gekomen?'

Wanda trilde nog altijd. 'Ja, maar niet dankzij die slet.'

'Ik snap het.' Daniel zweeg een tijdje terwijl Wanda weer in haar stoel ging zitten en haar magere armen over haar nog magerdere boezem sloeg. 'Afgezien van dat alles, wat wordt er aan Bailey gedaan? Ik bedoel, hebben jullie haar huis doorzocht? Waar is haar auto?'

'Haar huis is een varkensstal,' zei Randy minachtend. 'Overal afval, naalden... Verdomme, Danny, je had dat kleine meisje moeten zien dat we uit de kast hebben gehaald. Ze was doodsbang. Als Bailey weg is, dan ze is uit eigen beweging vertrokken, of een van haar klanten heeft haar te pakken gekregen.'

Daniels ogen werden groot. 'Tippelde ze nog?'

'Ja. Als je haar strafblad natrekt zul je wel zien hoe lang het is.'

Daniel had dat inderdaad gedaan, en hij had gezien dat Bailey vijf jaar geleden voor het laatst was gearresteerd. Voordien was ze een paar keer opgepakt voor tippelen en drugsbezit. Maar ze was al vijf jaar clean en niets wat Randy over Baileys huis had gezegd klopte met wat hij de avond ervoor van zuster Anne had gehoord. Ofwel Bailey was er heel goed in geworden om de schijn op te houden, of er klopte iets niet. Daniel neigde ernaar dat laatste te geloven.

'Ik zal haar strafblad straks op het bureau natrekken. Bedankt. Jullie hebben me goed geholpen.'

Hij zat al in de auto toen het hem te binnen schoot. *Je kunt maar beter oppassen met die stiefzus. Ze ziet er misschien aardig uit in het maanlicht...* Hij had Alex afgelopen nacht gekust, op haar veranda, in het maanlicht. Iemand had hen gezien. De bungalow stond vlak bij Main Street, dus misschien was het een bemoeizieke oude buurvrouw geweest en niemand meer. Toch voelde hij zich onbehaaglijk, en Daniel was een man die naar zijn intuïtie luisterde. En daarom ook had hij Alex Fallon gisteravond in het maanlicht gekust. Zijn huid werd warm bij de herinnering. En daarom was hij ook van plan het nog eens te doen, zeer binnenkort. Maar zijn onbehaaglijkheid hield aan en veranderde in bezorgdheid. Iemand had hen gezien. Hij belde haar nummer en hoorde haar koele stem toen hij haar voicemail kreeg.

'Met Daniel. Bel me zo snel mogelijk.' Hij wilde zijn telefoon in zijn zak stoppen, maar toen viel hem iets anders in. *Woolf.* Hij belde Ed. 'Heb je het nieuws gezien?'

'Ja,' zei Ed somber. 'Chase zit aan de telefoon met de hogere machten, om uit te leggen hoe Woolf dat voor elkaar heeft gekregen.'

'Hoe héêft hij het voor elkaar gekregen?'

'BlackBerry. Hij heeft foto's gemaakt en die snel op internet gezet.'

'Verdomme. Ik had zijn BlackBerry niet in het bevelschrift opgenomen. Ik moet Chloe bellen en dat laten rechtzetten.'

'Heb ik al gedaan, maar die BlackBerry staat niet op zijn naam. Hij staat op naam van zijn vrouw.'

'Marianne,' zei Daniel zuchtend. 'Kan Chloe het snel regelen?'

'Ze dacht van wel. Hé, heb je nog oude bewijzen uit de zaak-Tremaine te pakken gekregen?'

'Nee,' antwoordde Daniel, bijna walgend. 'Hun archief was overstroomd en het dossier is zielig dun. Het enige wat ik je kan vertellen is dat er geen sleutel was. Dat is een nieuwe aanpak.'

'De twee sleutels matchen,' zei Ed. 'Precies hetzelfde, maar dat is niet verrassend. Heb je al met het hoofd van die middelbare school gesproken?'

'Ja, onderweg van de plaats delict naar het politiebureau. Ze zei dat Janet een busje had gehuurd om de kinderen naar Fun-N-Sun te rijden. Ik heb de ouders gebeld, en die zeggen allemaal dat Janet de jongelui om kwart over zeven heeft afgezet. Leigh trekt het autoverhuurbedrijf na aan de hand van Janets creditcards. Als iemand me zoekt: ik ben onderweg naar het mortuarium. Ik bel je nog wel.'

Atlanta, dinsdag 30 januari, 12:55 uur

Alex keek nog een laatste keer naar de foto van een glimlachende Bailey en stopte hem daarna in haar tas, die doorhing door het gewicht van haar pistool. Meredith had bedenkelijk gekeken toen Alex het wapen uit de kluis had gehaald, maar Alex nam geen risico's. Ze hees de banden van de tas hoger op haar schouder en keek op in het gezicht van Baileys baas.

'Bedankt, Desmond. Voor alles.'

'Ik voel me zo machteloos. Bailey is al drie jaar bij ons en ze is een lid van de familie geworden. We willen gewoon iets dóén.'

Alex prutste met het gele lint dat iemand om Baileys stoel had gebonden in de zeer chique kapsalon in Atlanta. 'Jullie hebben al veel gedaan.'

Ze wees naar de flyer die ze hadden opgehangen. Ze had er al tientallen van gezien terwijl ze door het winkelcentrum van Atlanta liep. Het was een foto van Bailey, en er werd een beloning geboden voor informatie die tot haar vindplaats zou leiden. 'Ik wou dat de mensen in haar geboortestad zo meeleefden.'

Desmonds kaak verstrakte. 'Ze zouden haar haar fouten nooit laten vergeten. We hebben haar gesmeekt om hierheen te verhuizen, maar dat wilde ze niet.'

'Ging ze elke dag op en neer?' Het was een uur reizen naar Atlanta.

'Behalve op zaterdagavond.' Hij wees naar een lege stoel. 'Sissy en Bailey waren hartsvriendinnen. Op zaterdag paste Sissy's dochter op Hope terwijl Bailey werkte, en dan logeerden ze bij Sissy thuis. Bailey was elke zondagochtend vrijwilliger bij een van de opvangcentra in het centrum. Het leek wel een religie voor haar.'

'Ik wou dat ik jou gistermiddag al had gesproken. Ik heb er uren over gedaan om die opvang te vinden.'

Desmonds ogen werden groot. 'Ben je daar geweest?'

'Gisteravond. Ze schijnen er dol te zijn op Bailey.'

'Iedereen is dol op Bailey.' Zijn ogen werden spleetjes. 'Behalve die stád. Als je het mij vraagt moet iemand eens wat onderzoek doen naar het tuig dat daar woont.'

Alex snapte wat hij bedoelde. 'Kan ik Sissy spreken?'

'Ze is vandaag vrij, maar ik zal je haar nummer geven. Geef me je parkeerkaartje maar. Ik zal hem voor je valideren als ik toch bezig ben.'

Alex groef het kaartje uit haar tas op en pakte meteen haar mobiele telefoon. Er knipperde een pictogrammetje op. 'Dat is vreemd. Ik heb een bericht, maar ik heb hem niet horen piepen.'

'Soms hebben we hier een uitstekende ontvangst, en soms lijkt alles wel dood.' Zijn gezicht betrok meteen. 'Dat wou ik niet zeggen. Sorry.'

'Geeft niet. We moeten ons voorhouden dat we haar zullen vinden.' Desmond liep met gebogen hoofd weg, en Alex keek op het display. Daniel had vier keer gebeld. Haar hartslag versnelde.

Hij wilde waarschijnlijk alleen weten of het goed met me ging. Maar stel dat hij zich had vergist? Stel dat de vrouw die hij die ochtend had gevonden toch Bailey was?

Ze liep naar de balie, pakte haar voucher aan en drukte Desmond de hand. 'Ik moet ervandoor. Dank je wel,' riep ze over haar schouder terwijl ze de roltrap op rende naar de straat en het parkeerterrein.

Atlanta, dinsdag 30 januari, 13:00 uur

'Eén haar, lang en bruin.' Felicity Berg stak een plastic zakje omhoog waarin de haar opgekruld lag als een lasso. 'Hij wilde dat je die zou vinden.'

Daniel hurkte neer en bekeek de teen van het nieuwste slachtoffer. 'Hij heeft de haar om haar linker grote teen gewonden, en toen het touwtje van de sleutel daar overheen gebonden.' Hij stond op en kneep zijn ogen samen. Zijn hoofdpijn werd steeds intenser. 'Dus het is belangrijk. Is het van een man of een vrouw?'

'Er is een goeie kans dat het van een vrouw is. En hij was zo aardig om ons een haar te geven met een volledig haarzakje eraan, dus ik zou zonder moeite DNA moeten kunnen vinden.'

'Mag ik eens kijken?' Hij hield het zakje tegen het licht. 'De kleur is moeilijk te bepalen met maar één haar.'

'Ed kan een kleurmatch doen en je een haarplukje geven.'

'Wat kun je me verder nog over die vrouw vertellen?'

'Begin twintig. Recente manicure. Katoenvezels in het wangslijmvlies en sporen van een recente verkrachting. We voeren een bloedtest uit op Rohypnol. Ik heb er haast achter gezet. Kom hier eens kijken.' Ze zette de lamp schuin zodat die op de hals van de vrouw scheen. 'Kijk eens naar die ronde blauwe plek. Het is heel vaag, maar je ziet hem wel.'

Hij pakte het vergrootglas aan dat ze naar hem uitstak en keek naar waar ze wees. 'Parels?'

'Grote. Hij heeft haar er niet mee gewurgd, anders zouden die plekken veel duidelijker zijn. Ik denk dat hij ze op enig moment heeft vastgepakt, misschien om wat lichte druk uit te oefenen op haar luchtpijp. En kijk hier. Zie je dat kerfje?'

'Hij hield een mes op haar keel.'

Felicity knikte. 'Nog één ding. Ze droeg Forevermore. Dat is parfum,' voegde ze eraan toe toen Daniel zijn haar vragend aankeek. 'Peperduur.'

Daniels ogen werden groot. 'En hoe weet jij dat?'

'Ik ken die geur omdat mijn moeder hem ook draagt. Ik weet de prijs omdat ik heb gekeken toen ik een verjaardagscadeau voor haar zocht.'

'Heb je het voor haar gekocht?'

'Nee. Dat was ver boven mijn budget.' Haar ogen rimpelden en Daniel wist dat ze onder haar masker glimlachte. 'Ik heb haar in plaats daarvan een wafelijzer gegeven.'

Daniel glimlachte terug. 'Daar heeft een mens veel meer aan.' Hij gaf haar het vergrootglas terug en kwam overeind, maar verloor zijn glimlach toen hij naar het gezicht van het tweede slachtoffer keek. 'Parels en parfum. Die vrouw is rijk, of ze kreeg geschenken van een rijk iemand.' Zijn mobiele telefoon trilde en toen hij op het schermpje keek versnelde zijn hartslag een beetje.

Alex gaf haar voucher net aan de parkeerhulp toen Daniels mobiele telefoon overging.

'Vartanian.'

'Daniel, met Alex.'

'Pardon,' hoorde ze hem zeggen. 'Ik moet even bellen.' Even later was hij terug, en hij klonk boos. 'Waar heb jij uitgehangen?' wilde hij weten. 'Ik heb je drie keer gebeld.'

'Vier keer, eigenlijk,' zei Alex. 'Ik was bij de eigenaar van de salon waar Bailey werkt. Ze hebben overal in het winkelcentrum posters opgehangen en bieden een beloning voor informatie.'

'Dat is aardig,' zei hij wat vriendelijker. 'Sorry. Ik was bezorgd.'

'Hoezo? Wat is er gebeurd?'

'Eigenlijk niks.' Hij liet zijn stem dalen. 'Alleen zijn we... gezien. Gisteravond.'

'Wát?' Alex stapte van de stoeprand. 'Dat is –'

Maar verder kwam er niets. Alleen het gepiep van banden en de schreeuw van een vreemde. Toen gegil en haar eigen kreun van pijn toen iemand van achteren tegen haar aan botste. Ze viel naar voren op de stoep. Haar handpalmen en knieën brandden van pijn toen ze tot stilstand kwam.

De tijd leek even stil te staan. Toen ze haar hoofd optilde, zat ze nog altijd op handen en knieën. Het leek wel of ze door een luchtbel van gedempte geluiden werd omgeven. Toen vulde een mannengezicht haar blikveld. Zijn lippen bewogen en ze tuurde naar hem, probeerde hem te verstaan. Mensen grepen haar armen vast en hielpen haar overeind. Een man gaf haar de draagtas, een vrouw overhandigde haar schoudertas.

Verdoofd knipperde Alex met haar ogen. Ze draaide zich langzaam om naar de straat, waar de parkeerhulp met een bleek en geschrokken gezicht uit haar huurauto sprong. 'Wat is er gebeurd?' vroeg Alex, en haar stem klonk ijl en zacht. Haar knieën werden pap. 'Ik moet even zitten.'

De handen die haar armen vasthielden, leidden haar naar een reusachtige betonnen plantenbak en ze liet zich voorzichtig op de rand ervan zakken. Er verscheen een nieuw gezicht voor haar, en dit stond kalm. En droeg een politiepet. 'Is alles goed met u? Moeten we een ambulance bellen?'

'Nee.' Alex schudde haar hoofd en trok een scheve mond. 'Ik ben alleen beurs.'

'Ik weet niet...' Het eerste gezicht dat ze had gezien verscheen boven dat van de politieman, alsof hun hoofden op elkaar gestapeld waren. 'Ze is behoorlijk hard gevallen.'

'Ik ben verpleegkundige,' zei Alex ferm. 'Ik heb geen ambulance nodig.' Ze keek naar haar opengehaalde handen en grimaste. 'Alleen wat eerste hulp.'

'Wat is er gebeurd?' wilde de agent weten.

'Ze stapte de straat op toen die auto de hoek om kwam scheuren, recht op haar af,' zei de eerste man. 'Ik heb haar aan de kant geduwd. Ik hoop dat ik u niet te veel pijn heb gedaan, mevrouw,' voegde hij eraan toe.

Alex glimlachte naar hem, al voelde ze zich duizelig. 'Nee, het gaat prima. U hebt mijn leven gered. Dank u.'

U hebt mijn leven gered. De realiteit drong tot haar door, en dat ging gepaard met een golf van misselijkheid. Iemand had geprobeerd haar te vermoorden. Daniel. Ze had Daniel aan de telefoon gehad. Hij zei dat ze gisteravond waren gezien. *Iemand heeft net geprobeerd me te vermoorden.* Ze haalde diep adem en probeerde haar maag tot bedaren te brengen. 'Waar is mijn mobiele telefoon?'

'Alex?' Daniel schreeuwde haar naam in de telefoon, maar hij hoorde alleen maar ruis. Hij draaide zich om en zag Felicity naar hem kijken; haar ogen waren onpeilbaar achter haar veiligheidsbril.

'Wat is er aan de hand?' vroeg ze.

'Ze praatte tegen me, en toen hoorde ik piepende banden en gegil. Toen niks meer. Ik moet je telefoon even gebruiken.' Even later sprak hij met de centrale van het politiebureau in Atlanta. 'Ze was bij het winkelcentrum,' zei hij, terwijl hij uit alle macht zijn stem onder controle probeerde te houden. 'Ze heet Alex Fallon. Eén meter vijfenzestig, slank, bruin haar.'

'We gaan het meteen na, rechercheur Vartanian.'

'Bedankt.' Daniel draaide zich weer om naar Felicity, die nog altijd naar hem keek.

'Ga zitten, Daniel,' zei ze rustig. 'Je bent bleek.'

Hij gehoorzaamde. Hij dwong zichzelf te blijven ademen. Dwong zichzelf na te denken. Toen ging zijn mobiele telefoon. Alex' nummer. Hij nam op terwijl zijn hart in zijn keel klopte. 'Vartanian.'

'Daniel, met Alex.'

Het was haar koele stem. Ze was bang. 'Wat is er gebeurd?'

'Het gaat goed met me. Daniel, iemand probeerde me net aan te rijden.'

De hartslag in zijn keel versnelde. 'Ben je gewond?'

'Alleen wat schaafwonden. Er is hier een politieman. Hij wil je spreken. Wacht even.'

'Met brigadier Jones, APD. Met wie spreek ik?'

'Rechercheur Vartanian, GBI. Is ze gewond?'

'Niet erg. Ze is wat gedesoriënteerd en een beetje beurs. Ze zegt dat ze verpleegkundige is en niet naar het ziekenhuis hoeft. Maakt ze deel uit van een lopend onderzoek?'

'Nu wel.' Te laat dacht Daniel aan Alex' draagtas. Hij durfde te wedden dat ze haar pistool bij zich had. Als ze één voet een politiebureau in zette, zou ze worden gearresteerd voor het dragen van een verborgen wapen. 'Maar ze is geen verdachte, dus u hoeft haar niet mee te nemen. Staat u bij het winkelcentrum?'

'Bij de parkeerplaats. Komt u hierheen of stuurt u iemand?'

De gedachte om iemand anders te sturen was niet eens bij hem opgekomen. 'Ik kom zelf. Wilt u bij haar blijven wachten tot ik er ben?'

'Ja. Mijn partner is achter de auto aan gerend die haar wilde aanrijden, maar hij is hem kwijtgeraakt. We zullen verklaringen opnemen van omstanders. Zodra we een signalement van de auto hebben vaardigen we een opsporingsbevel uit.'

'Bedankt.' Daniel klapte zijn telefoon dicht. 'Felicity, ik moet ervandoor.'

Hij gaf haar het zakje met de haar die de moordenaar voor hen had achtergelaten. 'Kun jij iemand dit naar Ed laten brengen? Vraag hem of hij een kleurcheck wil doen.'

Felicity knikte, met een nog altijd onpeilbare blik in haar ogen, en Daniel kreeg het onbehaaglijke gevoel dat ze er heel veel moeite moest doen om dat zo te houden.

'Tuurlijk. Ik bel je wel als ik meer weet.'

Dinsdag 30 januari, 13:15 uur

'Weet je, Bailey, je begint me zwaar te irriteren.'

Bailey keek met dikke ogen naar hem op door een waas van pijn en angst. Hij stond over haar heen gebogen en hijgde. Hij had deze keer een paar ribben bij haar gebroken, en ze wist niet hoeveel trappen ze nog kon verdragen voor ze het bewustzijn verloor. Weer. 'Jammer dan.' Het had sarcastisch en sterk naar buiten moeten komen, maar het was een zielig gekraak.

'Ga je nog in dat mooie apparaatje praten of niet?'

Ze keek minachtend naar de taperecorder. 'Niet.'

Toen glimlachte hij; zijn cobraglimlach. Aanvankelijk was ze er doodsbang van geworden. Nu was ze de doodsangst voorbij. Wat kon hij nog meer doen? *Behalve me vermoorden.* Dan zou de pijn tenminste ophouden.

'Nou, Bailey, lieverd, dan laat je me geen keus. Je wilt me niet vertellen wat ik wil weten en je wilt niet zeggen wat ik wil dat je zegt. Ik zal moeten overschakelen op plan B.'

Dat is het dan. Nu vermoordt hij me.

'O, ik ga je niet vermoorden,' zei hij geamuseerd. 'Maar je zult wensen van wel.' Hij draaide zich om en pakte iets uit een la, en toen hij zich weer omdraaide...

'Nee.' Baileys hart stond stil. 'Nee, alsjeblieft, niet dat. Niet dat.'
Hij glimlachte alleen. 'Praat dan in die taperecorder of...' Hij tikte tegen het eind van de spuit en duwde de plunjer een stukje in, waardoor een paar druppels vloeistof uit de naald kwamen. 'Het is het goeie spul, Bailey. Je weet nog wel.'

Een snik scheurde omhoog door haar droge keel. 'Alsjeblieft, nee.'

Hij zuchtte theatraal. 'Plan B dus. Eens een junk, altijd een junk.'

Ze verzette zich, maar haar pogingen waren al even zielig als haar stem. Hij hield haar met gemak tegen de grond, duwde zijn knie in haar rug en greep haar arm. Ze probeerde die weg te trekken, maar zelfs als ze gezond was geweest zou ze niet tegen hem op hebben gekund.

Snel bond hij de rubberband om haar arm. Hij trok hem aan met de snelle expertise van iemand met jaren ervaring, en streek met zijn duim over de binnenkant van haar onderarm. 'Heb je goeie aderen, Bailey?' sarde hij. 'Deze is prima.'

Een snelle prik, het verschuiven van de plunjer, en toen... Ze zweefde. Hoog door de lucht. 'Klootzak,' kermde ze. 'Loop naar de hel.'

'Dat zeggen ze allemaal. Nog een paar shotjes en je zult me smeken om alles te mogen doen wat ik van je vraag.'

Atlanta, dinsdag 30 januari, 13:30 uur

Alex grimaste toen Desmond haar handpalm behandelde met een ontsmettend middel. Ze zat nog altijd op de rand van de bloembak, en hij zat op de stoep naast haar geknield. Het nieuws had zich snel verspreid door het winkelcentrum, en Desmond was aan komen rennen. 'Dat prikt.'

Hij keek op zonder te glimlachen. 'Je zou naar het ziekenhuis moeten gaan.'

Ze klopte op zijn schouder met haar vingertoppen, het enige deel van haar handen dat niet brandde. 'Het gaat best, echt. Ik ben alleen kleinzerig.'

'Eerst Bailey, nu dit,' mompelde Desmond. Hij depte haar andere handpalm en ze trok weer een gezicht, en ze nam zich voor iets meelevender te zijn, de volgende keer dat ze zoiets deed bij een patiënt op de spoedeisende hulp. Het prikte echt. *Maar het had zo veel erger kunnen zijn.*

Desmond haalde wat spullen uit zijn EHBO-doos. 'Steek je handen uit, met de handpalm omhoog.' Hij legde een gaasje op haar handen en pakte ze toen heel voorzichtig in.

'Je zou verpleger moeten worden, Desmond.'

Hij keek haar nogmaals aan zonder te glimlachen. 'Dit is een nachtmerrie.' Hij stond op en ging naast haar zitten. 'Je had dood kunnen zijn, net als Bailey.'

'Ze is niet dood,' zei Alex even zachtjes. 'Ik wil het niet geloven.' Hij zweeg en bleef rustig naast haar zitten tot Daniels auto langs de stoeprand stopte.

Hij is er. Hij is gekomen.

Daniel keek net als de vorige avond, met een streng gezicht en doordringende ogen, en hij nam doelgerichte passen. Ze stond op om naar hem toe te lopen, hoewel zijn aanblik haar bijna duizelig maakte van opluchting.

Hij bekeek haar van top tot teen en zijn blik bleef hangen bij haar verbonden handen. Toen trok hij haar zachtjes naar zich toe, woelde door haar haren en drukte haar hoofd tegen zijn borst aan, tegen zijn snelle, luide hartslag. Hij legde zijn wang boven op haar hoofd en slaakte een enkele, beverige zucht, alsof hij alles had binnengehouden.

'Het gaat wel,' zei ze, en ze stak haar handen op en probeerde te glimlachen. 'Alles is al geregeld.'

'Haar knieën zijn ook geschaafd,' zei Desmond achter haar.

Daniel staarde Desmond aan. 'En u bent?'

'Desmond Warriner. Bailey Crightons baas.'

'Hij heeft mijn handen verbonden,' zei Alex.

'Dank u,' zei Daniel met hese stem.

'Zoekt u naar Bailey?' vroeg Desmond gespannen. 'Zeg me alstublieft dat iemand haar zoekt.'

'Ja, ik zoek haar.' Daniel pakte haar schoudertas en draagtas in zijn ene hand, de andere hand liet hij naar haar middel glijden. Hij draaide haar naar zijn auto toe, waar een lange man met zwart haar tegenaan leunde. Die stond haar peinzend op te nemen. 'Dit is mijn vriend, Luke. Hij rijdt in jouw auto, en jij gaat met mij mee.' Luke knikte beleefd.

Alex omhelsde Desmond snel. 'Nogmaals bedankt.'

'Pas goed op jezelf,' zei Desmond ferm, en hij haalde een kaartje uit zijn zak. 'Sissy's telefoonnummer. Baileys vriendin,' voegde hij eraan toe. 'Je rende de deur al uit voor ik het je kon geven. Ik probeerde je net in te halen toen... Bel me als je iets hoort.'

'Doe ik.' Ze keek op naar Daniel, die er nog altijd heel streng uitzag. 'Ik ben klaar om te gaan.' Ze liet zich in de auto helpen, maar hield hem tegen toen hij haar gordel om wilde doen. 'Dat kan ik zelf wel. Eerlijk, Daniel, zo erg is het niet.'

Hij liet zijn hoofd zakken en staarde naar haar handen. Toen hij weer opkeek, stonden zijn ogen niet langer streng, maar grimmig. 'Toen je belde was ik in het mortuarium bij het tweede slachtoffer.'

Haar hart verkrampte. 'Sorry. Je bent je vast rot geschrokken.'

Eén mondhoek kwam omhoog. 'Dat is zacht uitgedrukt.' Hij legde haar draagtas en schoudertas aan haar voeten. 'Blijf zitten en probeer wat op adem te komen. Ik kom zo terug.'

Daniel stapte weg bij de auto. Zijn handen trilden, dus stak hij ze in zijn zakken en wendde zich van haar af voordat hij iets zou doen wat hun allebei zou beschamen. Luke kwam naar hem toe met een sleutelbos in zijn hand.

'Ik heb haar sleutels,' zei Luke. 'Wil je dat ik in de buurt blijf?'

'Nee. Zet haar auto maar op de bezoekersparkeerplaats en leg de sleutels op mijn bureau. Bedankt, Luke.'

'Rustig maar. Het gaat goed met haar.' Hij keek onderzoekend naar Alex, die tegen de hoofdsteun leunde en haar ogen dicht had. 'Ze lijkt inderdaad op Alicia. Geen wonder dat je daarvan schrok.' Luke keek hem veelbetekenend aan. 'Kennelijk blijft ze je maar schokken, op verschillende manieren. Mama zal blij zijn om dat te horen, alleen betekent het ook dat ze nu weer al haar aandacht op mij gaat richten.'

Daniel glimlachte, zoals Lukes bedoeling was geweest. 'Precies wat je verdient. Waar is Jones?'

'Hij staat te praten met de parkeerhulp. Zijn partner Harvey is daar, bij die man met dat blauwe overhemd. Voor zover ik heb opgevangen was hij degene die Alex op tijd aan de kant duwde. Hij heeft misschien het gezicht van de bestuurder gezien. Ik ga nu. Tot straks.'

Van brigadiers Harvey en Jones hoorde Daniel dat de auto een nieuw model was geweest, een donkere sedan, waarschijnlijk een Ford Taurus, met een kenteken uit South Carolina. De bestuurder was jong geweest, Afro-Amerikaans, mager, met een baard. Hij was van om de hoek gekomen, waar hij – volgens getuigen die zich herinnerden het voertuig te hebben gezien – een uur had gewacht. Vanaf dat punt had hij Alex goed kunnen zien toen ze het winkelcentrum uit kwam.

Dat laatste stukje informatie maakte Daniel het kwaadst. Dat stuk tuig had op haar gewacht, en toen had hij toegeslagen. Als die voorbijganger met zijn snelle reflexen er niet was geweest, had Alex wel dood kunnen zijn. Daniel dacht aan de twee slachtoffers, aan Bailey die vermist werd. Alex zou niet de volgende worden. Dat beloofde hij zichzelf.

Hij zou voor haar zorgen.

Waarom? Dat had ze gisteravond gevraagd. Gisteravond had hij daar geen antwoord op gehad. Nu wel. *Omdat ze van mij is*. Het was een primaire reactie en waarschijnlijk ongelooflijk voorbarig, maar... dat maakte niet uit. *Voorlopig is ze van mij. Later... We zien wel hoe het gaat.*

Hij bedankte de brigadiers en de man die haar aan de kant had geduwd en reed zijn auto eerst vijf straten verder voor hij langs de stoeprand stopte, zich opzij boog en haar kuste met alle emotie die hij in toom had gehouden. Toen hij opkeek zuchtte ze.

'Dat doe je goed,' mompelde ze.

'Jij ook.' En hij kuste haar nogmaals, langer en intenser.

'Wat wil je van me, Daniel?'

Alles, wilde hij zeggen, maar omdat ze de vorige avond zijn motieven had betwijfeld, deed hij dat niet. In plaats daarvan streek hij met zijn duim over haar lippen. Hij voelde haar trillen. 'Dat weet ik niet. Maar het zal niets zijn wat je niet vrijwillig en... graag zult geven.'

Ze glimlachte droevig. 'Ik snap het,' was alles wat ze zei.

'We gaan terug naar het bureau. Ik heb om halfdrie een persconferentie, maar daarna kan ik je terugbrengen naar de bungalow.'

'Ik vind het vreselijk dat je dat moet doen.'

'Hou je mond, Alex.' Hij zei het op milde toon om zijn woorden minder hard te laten klinken. 'Ik weet niet zeker hoe jij met dit alles te maken hebt, maar al mijn instincten schreeuwen dat het zo is.'

Ze deinsde een stukje achteruit. 'Wat?' vroeg hij. 'Alex?'

Ze zuchtte. 'Als ik droom hoor ik geschreeuw. Als ik gespannen ben, zoals daarbuiten, hoor ik ze ook.' Ze keek hem behoedzaam aan. 'En nu denk je dat ik gek ben.'

'Hou op. Je bent niet gek. Bovendien was minstens een deel van het geschreeuw daarbuiten echt. Ik heb het ook gehoord, net voordat de verbinding werd verbroken.'

'Bedankt.' Ze glimlachte vol zelfspot. 'Dat moest ik echt even horen.'

Gisteravond had ze gedroomd, had ze gezegd. *En toen was jij er.*

'Als je dat geschreeuw hoort, wat doe je dan?'

Ze trok haar schouder op en wendde haar blik af. 'Ik concentreer me, zodat het ophoudt.'

Hij wist nog wat ze tegen het meisje in de daklozenopvang had gezegd. 'Je duwt ze in de kast?'

'Ja,' gaf ze beschaamd toe.

Hij legde zijn hand onder haar kin en veegde met zijn duim over haar blos. 'Dat moet geestelijk een hoop energie kosten. Ik zou uitgeput zijn.'

'Je moest eens weten.' Haar stem werd koel. 'We kunnen beter gaan. Jij hebt je werk en ik heb te veel te doen om hier zomaar te zitten en medelijden met mezelf te hebben.' Ze hief haar kin op van zijn hand. 'Alsjeblieft.'

Ze was doodsbang. En terecht. Iemand had geprobeerd haar te vermoorden. Die wetenschap verkrampte zijn maag. Ze mocht niet in haar eentje rondrijden, niet zolang hij nog ademde. Maar die discussie ging hij later wel aan. Nu zag ze er kwetsbaar uit, ook al stak ze haar kin naar voren als een bokskampioen voor een gevecht.

Zwijgend zette Daniel de auto weer in de versnelling en reed door.

9

Atlanta, dinsdag 30 januari, 14:15 uur

Hij had de draagtas in de kofferbak van zijn auto gestopt en haar sleutels meegenomen.

Alex verschoof op haar stoel in de wachtkamer van het GBI en probeerde zich niet te ergeren aan Daniels pogingen om haar te beschermen, maar ze was zich maar al te bewust van de minuten die wegtikten. Meredith vertrok over een paar uur en Alex was nog steeds niet bij de kleuterschool van Hope of bij Baileys vriendin Sissy geweest. Morgen zou ze geen kans hebben om naar Bailey te zoeken. Niet dat ze veel opschoot. Het enige wat ze tot nu toe had ontdekt was dat de mensen in Atlanta van Bailey hielden. De mensen in Dutton hadden de pest aan haar. En de laatste die haar had gezien was Hope, en die wilde niet praten. De laatste plek waar Bailey was gezien, was het oude huis. *Je moet er naar binnen, Alex,* hield ze zich voor. *Wat het ook kost. Het is dom van je dat je nog niet eerder bent gegaan.*

Maar iemand had vandaag geprobeerd haar aan te rijden, en Daniels waarschuwingen om niet in haar eentje naar het huis van Crighton te gaan kon ze niet negeren. *Ik ben een neurotische lafaard, maar ik ben niet achterlijk.*

Maar het was al laat. 'Pardon,' riep ze naar Leigh, hun kantoorassistente. 'Weet u hoe lang rechercheur Vartanian nog wegblijft? Hij heeft de sleutels van mijn huurauto.'

'Weet ik niet. Er zaten drie mensen op hem te wachten toen hij terugkwam, en over een paar minuten begint er een persconferentie. Wil je wat water of zo?'

Alex' maag knorde, en ze herinnerde zich dat ze sinds die ochtend niets meer had gegeten. 'Eigenlijk ben ik uitgehongerd. Is er een cafetaria in de buurt?'

'Dat is nu gesloten. Het is te laat voor een lunch. Maar ik heb nog een paar kaascrackers en een flesje water in mijn la. Het is niet veel, maar het is beter dan niks.'

Alex wilde het aanbod afslaan, maar haar knorrende maag viel haar in de rede. 'Graag.'

Leigh schoof met een glimlach het flesje en de crackers over de balie. 'Nu niet gaan rondbazuinen dat we je water en brood hebben gegeven, hè?'

Alex glimlachte terug. 'Beloofd.'

De deur achter haar ging open en een lange, slanke man met een bril met een rank montuurtje liep, zonder zijn pas in te houden, rechtdoor naar de kantoren. 'Is Daniel al terug?'

'Ja, maar... Ed, wacht.' Leigh hield hem staande. 'Hij zit daar met Chase en' – ze keek achterom naar Alex – 'een paar andere mensen. Je kunt beter even wachten.'

'Dit kan niet wachten. Ik...' Zijn stem stierf weg. 'U bent Alex Fallon,' zei hij op vreemde toon.

Alex voelde zich net de nieuwste aanwinst in de dierentuin, en ze knikte. 'Ja.'

'Ik ben Ed Randall, van de technische recherche.' Hij reikte over de balie om haar een hand te geven en zag het verband. 'Zo te zien hebt u een ongelukje gehad.'

'Mevrouw Fallon is vanmiddag bijna overreden,' zei Leigh zachtjes.

Ed Randalls gezichtsuitdrukking veranderde abrupt. 'Mijn god.' Zijn kaak verstrakte. 'Maar u bent verder niet gewond, op uw handen na?'

'Nee. Een alerte voorbijganger duwde me opzij.'

Leigh draaide voor Alex het dopje van de waterfles. 'Ed, ze zijn vast zo klaar. Ze hebben over nog geen twintig minuten een persconferentie. Ik zou echt maar even wachten als ik jou was.'

Alex nam de crackers en het water mee terug naar haar stoel en liet de twee fluisteren. Ze had de man die zat te wachten toen ze binnenkwamen niet herkend. Hij had lopen ijsberen toen ze arriveerden en had zich bijna boven op Daniel gestort en 'antwoorden' geëist.

Achter de balie ging een deur open, waarna Daniel en zijn baas naar buiten kwamen met diezelfde man en twee anderen. 'Het spijt me, meneer,' zei Daniel. 'We bellen u zodra we iets nieuws ontdekken. Ik weet dat u er nu niets aan hebt, maar we doen ons uiterste best.'

'Dank u. Wanneer kan ik...' Zijn stem brak, en voor het eerst die dag welden er tranen in Alex' ogen op.

'We geven haar lichaam zo spoedig mogelijk vrij,' zei Daniels baas vriendelijk. 'Onze oprechte deelneming, meneer Barnes.'

Barnes was onderweg naar de deur toen hij ineens bleef staan en haar aanstaarde, en de weinige kleur die hij nog in zijn gezicht had, trok weg.

'Jij...' Het werd amper gemompeld.

Alex keek vanuit haar ooghoeken naar Daniel. Ze had geen idee wat ze moest zeggen.

'Meneer Barnes.' Daniel stapte naar voren. 'Wat is er?'

'Haar foto was gisteren op het nieuws. Mijn Claudia heeft het gezien.'

Alicia. Het journaal had snel lucht gekregen van het verhaal uit Arcadia en het verband met de moord op Alicia. *Die man heeft een foto van Alicia gezien, niet van mij.*

Alex stond met bibberende knieën op en deed haar mond open, maar ze wist nog steeds niet wat ze moest zeggen.

'Wat zei uw vrouw over die foto?' vroeg Daniels baas.

'Ze herkende dat meisje... herinnerde zich die zaak. Claudia was toen nog heel jong, maar ze wist het nog. Ze raakte erdoor van streek. Ze bleef bijna thuis gisteravond, maar ze kon echt niet onder dat stomme feest uit. Ik had met haar mee moeten gaan. Ik had bij haar moeten zijn.' Barnes loerde naar Alex met afgrijzen en ongeloof in zijn ogen. 'Jij hoort dood te zijn. Wie ben jij?'

Alex keek hem recht aan. 'Die foto op het nieuws was van mijn zus, Alicia.' Haar lippen trilden, en ze hield ze met moeite stil. 'Heeft uw vrouw mijn zus gekend? Kwam ze uit Dutton?'

De man knikte. 'Ja. Haar meisjesnaam is Silva.'

Alex sloeg haar hand voor haar mond. 'Claudia Silva?'

'Kende je haar, Alex?' vroeg Daniel vriendelijk.

'Ik paste vroeger vaak op Claudia en haar zusje.' Ze deed haar ogen dicht en probeerde het geschreeuw dat haar geest verscheurde het zwijgen op te leggen. *Ik word gek.* Ze deed haar ogen weer open en probeerde het lawaai te negeren, om zich te richten op de man en zijn verdriet. 'Wat vreselijk voor u.'

Hij knikte ontdaan en wendde zich naar Daniels baas. 'Ik wil iedereen die je vrij kunt maken op die zaak hebben, Wharton. Ik ken mensen...'

'Rafe,' mompelde een van de andere mannen. 'Laat ze hun werk doen.'

Ze troonden Barnes mee naar buiten en er viel een stilte.

Alex keek Daniel in de ogen. 'Twee vrouwen uit Dutton zijn dood en Bailey wordt nog steeds vermist,' zei ze hees. 'Wat is hier verdomme aan de hand?'

'Dat weet ik niet,' zei Daniel met een ernstig gezicht. 'Maar ik zweer je dat we erachter zullen komen.'

Ed Randall schraapte zijn keel. 'Daniel, we moeten praten. Nú.'

Daniel knikte. 'Oké. Heel even nog, Alex, dan kan ik je thuisbrengen.'

De mannen liepen naar de kantoren achterin en lieten Alex en Leigh alleen in de wachtkamer. Alex liet zich in haar stoel zakken. 'Ik voel me op een of andere manier... verantwoordelijk.'

'Betrokken,' corrigeerde Leigh. 'Niet verantwoordelijk. Jij bent ook een slachtoffer. Misschien moet je bescherming vragen.'

Alex dacht aan Hope. 'Zal ik doen.' Toen dacht ze aan Meredith. Ze had haar al een tijdje niet meer gebeld. Als zij hoorde wat er was gebeurd, zou de hel losbreken. 'Ik moet even bellen. Ik sta in de gang.'

Ed leunde tegen de hoek van Daniels bureau. 'We hebben die dekens misschien herleid.'

Daniel rommelde in zijn bureaula, op zoek naar aspirines. 'En?'

'Ze zijn gekocht bij een kampeerwinkel, drie straten verderop.'

'Recht onder onze neus,' zei Daniel. 'Opzet?'

'Dat kunnen we niet uitsluiten,' antwoordde Chase. 'Hadden ze beveiligingstapes?'

Ed knikte. 'Ja. De aankoop is gedaan door een joch van een jaar of achttien. Blank, ongeveer één meter vijfenzeventig. Keek recht omhoog in de camera, dus we hebben zijn gezicht. Hij betaalde contant. De winkelbediende herinnerde het zich nog omdat het een heleboel geld was.'

Daniel slikte twee aspirines zonder water door. 'Natuurlijk heeft hij cash betaald.' Hij gooide het potje terug in de la. 'Ik durf het bijna niet te vragen: hoeveel dekens heeft hij gekocht, Ed?'

'Tien.'

Chase siste. 'Tíén?'

Er kwam gal omhoog in Daniels keel. 'We moeten die foto doorgeven aan alle eenheden.'

'Al gebeurd,' zei Ed. 'Maar dat joch zag er niet uit alsof hij iets te verbergen had. Ik denk dat hij een stroman is, waarschijnlijk alleen ingehuurd om die dekens te kopen, en dat is niet verboden.'

'Maar hij kan ons wel vertellen wíé hem heeft ingehuurd,' zei Chase benepen. 'Was dat het? We hebben over vijf minuten een persconferentie.'

'Nee, ik heb nog meer.' Ed legde het plastic zakje met de haar op Daniels bureau. 'Dit is de haar die we op het slachtoffer van vanochtend aantroffen.'

'Claudia Barnes,' zei Chase.

'Hij is niet van haar.'

'Dat wisten we al,' zei Daniel. 'Claudia was blond. Deze haar is bruin.'

'Ik heb hem door de colorimeter gehaald.' Uit een papieren zak haalde Ed een opgerolde kunstpaardenstaart. 'Ik heb een zoveel mogelijk vergelijkbaar haarmonster uit het archief gehaald.'

Daniel pakte het haar fronsend aan en zag onmiddellijk het belang ervan. Het was karamelkleurig. Net als dat van Alex. 'Verdomme.'

'Ik zweer je, Danny, ik wierp één blik op Alex Fallon en schrok me kapot. Hij heeft een haar achtergelaten die qua kleur verdomd veel op die van haar lijkt.'

Daniel gaf het monster aan Chase, en hij hield zijn woede in toom. 'Die kerel speelt met ons.' En met Alex.

Chase hield de enkele haar omhoog tegen het licht. 'Is het mogelijk dat dit nephaar is, zoals uit het monster van je paardenstaart? Ik heb ze wel eens bij de drogist gezien, bij de haarkleuringen.'

'Nee, deze is zeker echt en zeker menselijk,' zei Ed. 'En hij is oud.'

Daniel werd bekropen door angst. 'Hoe oud?'

'Een van de jongens in het lab is haarexpert. Hij denkt minstens vijf jaar. Misschien tien.'

'Of dertien?' vroeg Daniel.

Ed haalde zijn schouders op. 'Misschien. Ik kan het testen, maar zodra we die test uitvoeren, zal er niet veel over zijn voor DNA-onderzoek.'

'Doe eerst die DNA,' zei Chase grimmig. 'Daniel, vraag Alex om een haarmonster. Ik wil ze naast elkaar leggen.'

'Dan moet ik haar vertellen waarvoor.'

'Nee, helemaal niet. Zeg wat je wilt, maar vertel haar niet waarom. Nog niet, althans.'

Daniel keek de man bedachtzaam aan. 'Ze is geen verdachte, Chase.'

'Nee, maar ze is hierbij betrokken. Als het overeenkomt kun je het haar vertellen. Zo niet, waarom zou je haar dan ongerust maken?'

Dat was wel logisch. 'Oké.'

Chase trok zijn stropdas recht. 'Nu is het showtime. Ik handel de vragen wel af.'

'Wacht even,' protesteerde Daniel. 'Ik ben hoofdverantwoordelijke. Ik kan mijn eigen vragen wel beantwoorden, verdorie.'

'Weet ik, maar vergeet niet wat ik heb gezegd over "Vartanian" en "Dutton" in één zin. De hoge heren willen dat ik de pers te woord sta. Verder verandert er niks.'

'Best,' mompelde Daniel. Toen ze langs Leighs bureau liepen, bleef hij staan.

Alex was weg. 'Waar is ze?' Hij stak zijn hand in zijn zak. Hij had haar autosleutels nog. Ze had een taxi kunnen nemen, maar zo dom was ze vast niet. Als –

'Rustig, Danny,' zei Leigh. 'Ze staat op de gang te bellen.'

Daniel voelde de spanning in zijn nek afnemen. 'Bedankt.'

'Daniel.' Chase hield de deur open. 'Kom mee.'

Daniel zag haar aan het eind van de gang toen hij, Chase en Ed de andere kant op liepen. Ze belde met haar mobieltje, en ze stond naar voren gebogen met haar arm tegen haar lichaam gedrukt. Haar schouders schokten. Ineens besefte hij dat ze huilde.

Hij bleef staan; de druk op zijn borst bemoeilijkte zijn ademhaling. Ondanks alles wat ze in de afgelopen twee dagen had doorstaan, had hij haar niet zien huilen. Niet één keer.

'Daniel.' Chase pakte zijn schouder vast en gaf er een ruk aan. 'We zijn laat. Kom mee. Je moet er met je kop bijblijven. Je kunt straks met haar praten. Ze kan nergens naartoe, want jij hebt haar sleutels.'

Ed wierp hem een blik van verbaasd medeleven toe en Daniel besefte dat al zijn emoties van zijn gezicht af te lezen waren. Hij trok zorgvuldig een uitgestreken gezicht en liet Alex huilen in de gang.

Hij zou zijn werk doen. Hij zou die moordenaar opsporen, die hen treiterde met sleutels en aanwijzingen. Hij moest ervoor zorgen dat er geen andere vrouwen meer in greppels werden gevonden. Hij moest zorgen voor Alex' veiligheid.

Atlanta, dinsdag 30 januari, 14:30 uur

'Het spijt me echt, mevrouw Fallon,' zei Nancy Barker. De maatschappelijk werkster klonk bijna even verslagen als Alex zich voelde. 'Ik weet niet wat ik u nog meer kan vertellen.'

'Weet u het zeker?' drong Alex aan. Ze veegde met de rug van haar hand over haar gezicht. Ze haatte de zwakte van tranen. Die hielpen nooit. Maar ze liep al dagen rond met de verwachting te horen dat Bailey dood was. Maar dit had ze niet verwacht. Niet dit... En dat na alles wat er vandaag al was gebeurd... Alex nam aan dat iedereen een grens had, en zij had de hare nu bereikt.

'Ik weet dat dit moeilijk is, maar Bailey was verslaafd. Heroïneverslaafden hebben een veel hoger recidivisme dan anderen. U bent verpleegkundige. Ik vertel u vast niets nieuws.'

'Nee, ik weet het. Ik weet ook dat iedereen uit Baileys recente leven zweert dat ze clean is.'

'Misschien had ze last van stress en kon ze het gewoon niet meer aan. Verslaafden gaan om allerlei redenen weer gebruiken. Het enige wat ik weet is dat ze het kantoor heeft gebeld en een bericht heeft achtergelaten voor, ik citeer: "Wie dan ook die mijn dochtertje, Hope Crighton, heeft." De maatschappelijk werker die opnam wist dat Hope een van mijn zaken was en heeft het bericht aan mij doorgestuurd.'

'Dus niemand heeft persoonlijk met Bailey gesproken.' De aanvankelijke schok begon te slijten en Alex kon weer nadenken. 'Wanneer heeft ze dat bericht ingesproken?'

'Vandaag, ongeveer een uur geleden.'

Een uur geleden. Alex keek naar het verband om haar handen. Geen toeval, had Daniel gezegd. 'Kunt u dat bericht naar mijn telefoon doorsturen?'

'Weet ik niet. We hebben een interne telefooncentrale. Hoezo?'

Alex hoorde de lichte tegenzin in de stem van de maatschappelijk werkster. 'Mevrouw Barker, ik wil niet lastig doen of de realiteit ontkennen, maar er zijn twee vrouwen uit Baileys geboortestad dood. U moet me maar niet kwalijk nemen dat ik wantrouwig ben over een telefoontje dat zogenaamd van Bailey komt, waarin ze zegt dat ze er echt vandoor is en Hope aan het systeem heeft overgelaten.'

'Twéé vrouwen?' vroeg Barker. 'Ik heb wel gelezen over de eerste, de dochter van dat congreslid uit Dutton, maar is er nu nóg een?'

Alex beet op haar lip. 'Het is nog niet openbaar gemaakt.' Hoewel Daniel nu inmiddels bezig was met zijn persconferentie, dus het zou niet lang meer duren. 'U begrijpt mijn ongerustheid.'

'Ik denk het,' zei Barker peinzend. 'Nou, ik weet niet hoe ik een bericht vanuit onze centrale door moet sturen, maar ik kan het voor u laten opnemen.'

'Dat zou geweldig zijn. Kan ik het vandaag nog ophalen?'

'Het zal wel morgen worden. Bureaucratie, hè.'

In haar stem klonk twijfel, dus drong Alex aan. 'Mevrouw Barker, net voor dat telefoontje bij u binnenkwam, heeft iemand geprobeerd me aan te rijden. Als een voorbijganger me niet opzij had geduwd, was ik nu misschien wel dood geweest.'

'O, god.'

'Nu begrijpt u het.'

'O, god,' herhaalde Barker stomverbaasd. 'Hope kan wel in gevaar zijn.'

De gedachte dat iemand het op Hope voorzien had, verkilde Alex. Ze liet haar stem echter vol vertrouwen klinken. 'Ik vraag politiebescherming aan. Als het moet verhuis ik met Hope de stad uit.'

'Wie is er nu bij Hope?'

'Mijn nicht.' Meredith was vreselijk van streek geweest toen ze over de gebeurtenissen van die middag had gehoord. Alex was aan de telefoon geweest met Meredith toen het telefoontje van Barker erdoorheen was gekomen. 'Ze is kinderpsychologe in Cincinnati. Hope is in goede handen.'

'Dan is het goed. Ik bel u als ik dat bericht heb opgenomen.'

Alex belde Meredith terug en zette zich schrap voor een tirade. Ze werd niet teleurgesteld.

'Je gaat met mij mee naar huis,' zei Meredith zonder te groeten.

'Nee. Mer, ik werd net gebeld door de maatschappelijk werkster. Iemand die beweerde Bailey te zijn heeft gebeld om te zeggen dat ze net een shot had genomen en er zeker van wilde zijn dat iemand zich om Hope bekommerde, dat ze haar moesten houden, dat ze nooit meer terugkwam.'

'Misschien wás het Bailey wel, Alex.'

'Dat bericht kwam een uur geleden, ongeveer op hetzelfde moment dat die auto mij probeerde te scheppen. Iemand wil dat ik ophou met Bailey zoeken.'

Meredith zweeg een tijdje, toen zuchtte ze. 'Heb je het al aan Vartanian verteld?'

'Nog niet. Hij zit in een persconferentie. Ik ga bescherming aanvragen, maar ik weet niet of ik die krijg. Misschien moet jij Hope maar meenemen naar Ohio.'

'Nee, nog niet. We hebben misschien iets. Ik was vandaag bang om de tv aan te zetten omdat ze maar over die moorden blijven praten. Dus heb ik het orgel aangesloten en ben wat gaan spelen. Met één vinger, niks bijzonders. Gewoon om iets te doen te hebben.'

'En toen?'

'En toen kreeg Hope zo'n vreemde blik over zich. Het was eng, Alex.'

'Waar is Hope nu?'

'Ze speelt op dat rotorgel, al twee uur lang. Ik zit op de veranda. Ik moest even naar buiten, anders zou ik gaan gillen. Ze speelt een deuntje. Zes tonen. Ze blijft het maar spelen, steeds opnieuw.'

'Wat voor deuntje?' Alex fronste toen Meredith het neuriede. 'Dat heb ik nog nooit eerder gehoord. Jij?'

'Nee, maar als het met dat orgel net zo gaat als met die kleurboeken, zullen we het nog een hele tijd moeten aanhoren.'

Alex dacht even na. 'Doe me een lol. Bel haar school en vraag of zij het kennen. Misschien is het een liedje dat ze daar zingen.'

'Goed idee. Hebben ze op school soms gezegd dat Hope autistisch is?'

'Ik heb ze nog niet gesproken. Ze stonden op mijn lijstje voor vanmiddag.'

'Ik zal ernaar vragen als ik ze aan de lijn heb. Als dat repeterende gedrag in Hopes karakter zit in plaats van dat het door het trauma is veroorzaakt, dan pak ik de zaken verkeerd aan. Wanneer kom je naar huis?'

'Zodra Daniel terugkomt. Hij heeft mijn autosleutels.'

Meredith grinnikte snuivend. 'Dat is ook een manier om jou te laten luisteren.'

'Ik luister heus wel,' protesteerde Alex.

'Ja, en daarna doe je toch lekker wat je zelf wilt.' Ze zuchtte. 'Ik kan niet terug.'

'Hoe bedoel je? Blijf je hier?'

'Nog een paar dagen. Als ik nu vertrek en er gebeurt iets, dan vergeef ik het mezelf nooit.'

'Ik kan wel voor mezelf zorgen, Meredith,' zei Alex, verscheurd tussen dankbaarheid en ergernis. 'Ik zorg al jaren voor mezelf.'

'Niet waar,' zei Meredith zachtjes. 'Je zorgt al jaren voor anderen. Je zorgt niet voor Alex. Kom snel naar huis. Ik moet even weg bij dat deuntje.'

Dinsdag 30 januari, 14:30 uur

De Jaguar kwam naast hem tot stilstand, het raampje werd omlaaggedraaid en onthulde een heel boze man. 'Wat is er verdomme gebeurd?'

Hij wist al dat hij in de problemen zat toen hij een telefoontje kreeg om midden op de dag af te spreken. Het was een afgelegen plek en ze gingen geen van beiden hun auto uit, want alleen al het risico dat ze samen konden worden gezien...

'Jij had gezegd dat ik haar moest laten ophouden naar Bailey te vragen. Mijn mannetje zei dat ze vandaag rechtstreeks naar het gerechtshof ging. Ik had hem opgedragen dat hij haar moest tegenhouden als ze te dichtbij kwam.'

'En je liet het aan "je mannetje" over om te besluiten wanneer en hoe hij dat moest doen?'

'Hij is veel te ver gegaan. Je hebt gelijk.'

'Dat heb je verdomme goed. Heb je enig idee waaróm ze bij het gerechtshof was?'

'Nee. Mijn mannetje kon niet mee naar binnen. Dan zou hij... zijn herkend.'

'O, in godsnaam. Je hebt een of andere sukkel ingehuurd van wie er een GEZOCHT-poster bij het gerechtshof hangt? God, die stad hier barst van de klojo's. Ik had je gezegd dat ik Bailey voor mijn rekening zou nemen.'

Hij stak zijn kin naar voren, wilde niet bij de stommelingen van de stad worden geschaard. 'Je hebt haar al bijna een week. Je zei dat je die sleutel binnen twee dagen zou hebben, verdomme. Als jij jóúw aandeel had geleverd, zou die stiefzus nooit zijn gaan snuffelen, want dan had ik míjn aandeel geleverd en zou Bailey Crighton al ergens in een container bij Savannah zijn gevonden.'

Zijn donkere ogen fonkelden gevaarlijk. 'Wat jij hebt gedaan kan iemand de kop kosten, en mijn kop zal dat niet zijn. Verdomme, man. Als je van plan was een crimineel in te huren, waarom dan niet iemand met een beetje meer finesse? Een aanrijding in het winkelcentrum, op klaarlichte dag, godverdomme! Je mannetje is gestoord. En nu is hij een blok aan ons been. Zorg dat je van hem af komt.'

'Hoe dan?'

'Wat kan mij dat schelen? Regel het gewoon. En verklooi het niet. En zoek dan uit waaróm Alex Fallon vandaag bij het gerechtshof was. We kunnen het niet gebruiken dat ze in verslagen van rechtszaken gaat zitten snuffelen.'

'Daar kan ze toch niks in vinden.'

'Het was ook de bedoeling dat ze zou geloven dat haar stiefzus een of andere geflipte junk was die de stad uit was gegaan, maar daar trapte ze ook niet in, hè? Ik ben niet gerust op wat ze zal vinden.'

Omdat hij ook niet zeker wist wat Alex Fallon zou kunnen vinden, richtte hij zijn aandacht op de grotere mislukking. 'En hoe ga je Bailey Crighton aanpakken?'

Hij kreeg kippenvel van de cobraglimlach van de man. 'Bailey gebruikt weer.'

Dat verbaasde hem. Bailey was al vijf jaar clean. 'Vrijwillig?'

Zijn valse grijns werd breder. 'Wat is daar nou voor lol aan? Morgen zal ze smeken om het volgende shot, net zoals vroeger. Dan vertelt ze me wel wat ik wil weten. Maar Bailey en haar stiefzus zijn niet de reden dat ik je heb gebeld. Ik wil weten wat er verdomme loos is met die dode vrouwen.'

Hij knipperde met zijn ogen. 'Ik dacht...'

'Dacht je dat ík het was? Shit, je bent een nog grotere idioot dan ik al dacht.'

Zijn wangen brandden. 'Nou, ík ben het niet, en de anderen ook niet.'

'En dat weet je zeker omdat...'

'Bruto heeft het lef niet om iemand te vermoorden, en Igor is gewoon een jankende klootzak. Hij heeft het schuim op zijn bek staan, belt Bruto, spreekt op de raarste tijdstippen met hem af in het park, in het volle zicht van de halve stad. Die gozer gaat alles verpesten.'

'Dat had je me eerder moeten vertellen.' Het werd zachtjes gezegd, dreigend.

Zijn maag verkrampte toen hij besefte wat hij eigenlijk had gedaan. 'Wacht even.'

Zijn donkere ogen stonden geamuseerd. 'Je zit er te diep in, Doperwtje. Je kunt er niet meer uitstappen.'

Dat was waar. Hij zat er veel te diep in. Hij likte langs zijn lippen. 'Noem me niet zo.'

'Die bijnamen waren jouw idee. Het is niet mijn schuld dat je die van jou niet op prijs stelt.' De spottende glimlach verdween. 'Klootzak. Je maakt je druk over een bíjnaam, terwijl je niet eens weet wie die vrouwen vermoordt? Denk je dat Igor ons kan verlinken? Denk je dat Alex Fallons vragen gevaarlijk zijn? Dat is nog niks vergeleken met wat die moorden ons kunnen kosten. De pers heeft het verband gevonden. Een foto van dat meisje van Tremaine is gisteravond op het journaal geweest. Wat wéét je?'

Hij kreeg een droge mond. 'Ik dacht eerst dat het een na-aper was. Misschien een of andere gek die erover had gelezen na al het nieuws over wat er in het noorden met Simon is gebeurd.'

'Het kan me niet schelen wat je dacht. Ik vraag wat je wéét.'

'Claudia Silva was het tweede slachtoffer. Ze is gevonden met een sleutel aan haar teen geknoopt.'

Hij verstijfde. Een lucifer ontvlamde en een wolk sigarettenrook dreef uit de Jaguar. 'Heeft Daniel de sleutel van Simon al gevonden?'

De sleutel van Simon. De vette worst waarmee Simon Vartanian de hele groep had getreiterd, zelfs vanuit het graf. Zijn echte graf deze keer. Dat had Daniel in elk geval wel goed gedaan. 'Als dat zo is, dan heeft hij er nog niks over gezegd.'

'Hij gaat het heus niet aan jou vertellen. Is hij al terug geweest naar zijn huis?'

'De laatste keer was nog voor de begrafenis.'

'En je hebt het huis doorzocht?'

'Ik heb dat oude huis van de Vartanians tien keer doorzocht.'

'Maak er maar elf van.'

'Hij kan ook zonder de sleutel in de kluis komen, hoor.'

'Ja, maar hij weet misschien niks van de kluis. Zodra hij een sleutel vindt gaat hij zoeken naar een kluis. Als hij dat al niet doet. De klootzak die die vrouwen vermoordt weet van die sleutel. Hij wil dat de politie van die sleutel weet. Dus zorg ervoor dat Daniel Simons sleutel niet vindt.'

'Hij is niet naar de bank geweest. Dat weet ik zeker. Maar hij gaat om met die meid van Fallon. De halve stad heeft hem gisteravond op haar veranda zijn tong in haar keel zien steken.'

Weer die cobraglimlach. 'Daar kun je iets mee. Nadat je dat met Igor afhandelt.'

Zijn bloed stolde. 'Ik ga Rhett Porter niet vermoorden.' Hij gebruikte Igors echte naam, in de hoop dat er door de schok weer wat rede in hun gesprek zou terugkeren. Maar hij had zich de moeite kunnen besparen, want de cobraglimlach werd alleen maar breder.

'Natuurlijk wel, Doperwtje.' Het raampje werd omhoog gedraaid en de Jaguar reed weg.

En hij zat daar voor zich uit te staren, wetend dat hij het zou doen, net als de vorige keer toen het hem was opgedragen. Omdat hij er veel te diep in zat. Hij moest Rhett Porter vermoorden. Hij droeg zijn maag op rustig te worden. Wat maakte eentje extra immers nog uit?

Atlanta, dinsdag 30 januari, 15:25 uur

'En die maatschappelijk werkster neemt hem dus voor me op,' voltooide Alex. Vanaf de stoel tegenover Daniels bureau keek ze van Daniel naar Chase Wharton, die er gespannen bij zat, hoewel zijn gezicht neutraal stond. Vanuit haar ooghoeken keek ze naar Ed Randall, die haar bekeek met een kritische blik – alsof ze tentoon werd gesteld.

Chase wendde zich tot Daniel. 'Bel Papadopoulos. Zorg dat die opname goed wordt gemaakt, zodat we eventueel achtergrondgeluid eruit kunnen filteren.'

'Wie is Papadopoulos?' vroeg Alex, en ze verstrengelde haar vingers. Dat ze niet eens opperden dat Bailey misschien echt zelf had gebeld, maakte haar nerveus.

'Luke,' antwoordde Daniel. 'Je hebt hem eerder vandaag gezien. Hij heeft je auto hierheen gereden.'

'Over mijn auto gesproken,' zei Alex. Daniel wierp haar een waarschuwende blik toe. 'Ik moet mijn sleutels hebben, Daniel. Ik kan hier niet de hele dag blijven. Ik moet bij Hopes school langs. Ze doet weer andere vreemde dingen die we niet begrijpen. En ik zal ook een keer in Baileys huis moeten gaan kijken. Als het bureau van Loomis het niet doet, dan moet ik het zelf doen.'

Chase wendde zich tot Ed. 'Stuur een team naar Bailey Crightons huis. Doorzoek alles. Alex, je mag wel met hen mee als je wilt.'

Alex' handen bleven stil op haar schoot liggen. Haar adem bleef in haar longen steken en het geschreeuw begon. Het was nu luider. Het was gewoon de stress van de middag. *Stil. Stil.* Ze deed haar ogen dicht en concentreerde zich.

Stel je niet zo aan, Alex. Het is maar een huis, verdomme. Ze keek vastberaden op naar Chase Wharton. 'Bedankt. Dat wil ik graag.'

'Ik zal het team bij elkaar roepen,' zei Ed. 'Wilt u met mij meerijden, mevrouw Fallon?'

Ze zag Daniels ernstige blik. Hij was weer bang, dacht ze. 'Eigenlijk rij ik liever in mijn eigen auto, maar ik zou me veiliger voelen als ik vóór jullie reed op weg naar Dutton. Ik denk ook dat rechercheur Vartanian dat liever heeft, of niet?'

Ze zag Ed glimlachen en concludeerde dat ze die man wel mocht, ook al staarde hij haar een beetje eigenaardig aan. 'Ik bel u wel als we klaar zijn om te gaan,' zei hij, en hij deed de deur achter zich dicht.

'Daniel heeft me over dat kind verteld. Wat doet ze voor vreemde nieuwe dingen?' vroeg Chase.

'Ze speelt een deuntje op het oude orgel in de bungalow die ik heb gehuurd. Steeds dezelfde zes noten. We kennen het deuntje geen van beiden.'

'Misschien kent zuster Anne het,' zei Daniel nadenkend. 'We kunnen het haar vanavond vragen als we met Hope naar de opvang gaan.'

Alex zette grote ogen op. 'Ik nam aan dat je het te druk had.'

Hij keek haar aan met een blik van gespeelde ergernis. 'Ik kan misschien niet bij je komen eten, maar we moeten wel met Hope naar zuster Anne. Als Hope iets gezien heeft, moeten we dat weten. Bailey heeft met dit alles te maken. Ze is misschien zelfs ooggetuige.'

'Vind ik ook,' viel Chase hem bij. 'Mevrouw Fallon, we regelen politiebescherming voor u en uw nichtje. Het zal niet de klok rond zijn, want daarvoor hebben we simpelweg de middelen niet, maar we zullen auto's laten langsrijden. We geven u ook een lijst met onze mobiele nummers voor noodgevallen. Aarzel niet ons te bellen als u denkt dat u in gevaar bent.'

'Dank u.' Ze stond op en stak haar hand uit. 'Mijn sleutels?'

Met op elkaar geklemde kaken haalde Daniel haar sleutels uit zijn zak. 'Bel me. En blijf bij Ed.'

'Ik ben niet gek, Daniel. Ik zal voorzichtig zijn.' Ze draaide zich om bij de deur. 'Mijn tas?'

Zijn blauwe ogen vernauwden zich tot spleetjes. 'Ga niet te ver, Alex.'

'Maar je neemt hem vanavond mee?'

'Ja, tuurlijk. Vanavond.' Hij gromde het bijna.

'En Riley?'

Zijn ene mondhoek kwam omhoog. 'En Riley.'

Ze glimlachte naar hem. 'Dank je.'

'Ik loop wel even met je mee. Deze kant op.' Hij trok haar een donker gangetje in, tilde haar kin op en keek onderzoekend in haar ogen. 'Je hebt gehuild. Gaat het echt wel met je?'

Alex' wangen werden warm en ze moest de neiging onderdrukken om weg te stappen van zijn indringende blik. 'Ik had het even te kwaad toen ik met die maatschappelijk werkster praatte. Je weet wel, toen de adrenaline op gang kwam en ik niet helder kon nadenken. Maar het gaat wel weer. Echt.'

Hij streek met zijn duim over haar onderlip. Toen drukte hij zijn lippen op die van haar. Een natuurlijke kalmte daalde over haar heen, ondanks het plotselinge bonzen van haar hart.

Hij ging net voldoende achteruit om haar op adem te laten komen. 'Worden we niet gefilmd?' vroeg ze, en ze voelde hem glimlachen tegen haar mond.

'Waarschijnlijk wel. Dus laten we ze maar iets geven om over te kletsen.' En ze vergat die hele camera en zelfs adem te halen toen hij haar intenser en warmer kuste dan ooit iemand had gedaan. Abrupt stapte hij achteruit, moeizaam slikkend. 'Je kunt nu waarschijnlijk maar beter gaan.'

Ze knikte duizelig. 'Waarschijnlijk wel. Tot straks.' Ze draaide zich om en wilde weglopen, maar toen kromp ze ineen. 'Au.' Ze wreef over haar hoofd en keek boos naar zijn mouw. 'Dat deed pijn.'

Hij plukte een paar haren tussen de manchetknoop uit en kuste haar op de kruin. 'Ze wordt bijna platgereden door een auto en klaagt dan over een paar uitgetrokken haren.'

Ze grinnikte. 'Ik zie je vanavond. Bel maar als je het toch te druk hebt.'

Chase zat nog in zijn kantoor toen hij terugkwam. Daniel liet zich in zijn stoel zakken, zich bewust van de openlijk nieuwsgierige blik van Chase. 'Zeg het maar,' zei hij.

'Wat moet ik zeggen?' Chase' stem klonk licht geamuseerd.

'Ik ben er te emotioneel bij betrokken, ik ga te snel... kies maar.'

'Hoe snel je bent in je privéleven is jouw zaak, Daniel. Maar ik heb gehoord dat als zoiets je overkomt, je er niet zoveel aan kunt doen. Bén je er te zeer bij betrokken?'

'Ik heb geen idee. Op dit moment wil ik alleen maar zorgen dat ze in leven blijft.' Daniel voelde zich lager dan laag toen hij de haren van Alex naast het haarmonster legde. 'Verdomme. Ze lijken wel veel op elkaar.'

Chase ging in een van Daniels stoelen zitten. 'Wat heb je tegen haar gezegd?'

Daniel keek hem boos aan. 'Niks.'

Chase' ogen werden groot. 'Heb je ze er gewoon uitgetrokken?'

'Niet helemaal. Ik heb het wel wat tactvoller aangepakt.' En als ze erachter kwam, zou dat meer pijn doen dan het uittrekken van die haren. Maar dat zou hij wel zien als het zover was.

Chase haalde rusteloos zijn schouders op. 'Zoek maar een manier om haar de waarheid te vertellen als het nodig is. Laten we ons er voorlopig, zoals je al zei, vooral op richten haar in leven te houden. We moeten die kerel vinden die twee vrouwen heeft vermoord en een dertien jaar oude moord heeft nageaapt. Ik wil weten waarom hij dit nu doet. Komt het gewoon door de publiciteit over Dutton van de afgelopen week?'

Ik zie je in de hel, Simon. Daniel beet op zijn onderlip en wist dat hij de waarheid moest vertellen. 'Het heeft iets te maken met Simon.'

'Ik denk niet dat ik dit wil horen, of wel?' zei Chase.

'Nee. Maar het doet er misschien wel toe.' Hij vertelde Chase over de brieven die Baileys broer had geschreven en het bezoek van de legerkapelaan.

Ik zie je in de hel, Simon.

Chase keek hem doordringend aan. 'Hoe lang weet je dit al, Daniel?'

Tien jaar. Nee, niet waar. Die foto's hebben niks te maken met de moorden van dertien jaar geleden of van deze week. Je liegt tegen jezelf. 'Sinds gisteravond,' zei hij. 'Wat Simon en Wade met deze twee moorden te maken hebben, weet ik niet.'

Vertel het hem. Maar zodra hij dat deed zou hij van de zaak worden gehaald. Hij wilde het risico niet nemen, dus vertelde hij de enige waarheid waar hij absoluut zeker van was. 'Ik weet zeker dat Simon Janet of Claudia niet heeft vermoord. En hij heeft ook Bailey niet vermoord of geprobeerd Alex te vermoorden.'

Chase zuchtte. 'Verdomme, ik zal je een stuk touw geven, maar hang jezelf er niet mee op.'

De opluchting was tastbaar. 'Ik ga naar het huis van de familie Barnes. De parkeerwacht van hun gebouw had tegen Barnes gezegd dat hij Claudia's Mercedes gisteren de garage uit heeft zien rijden, maar ze is niet meer teruggekomen. Misschien lag hij in hinderlaag in de parkeergarage.'

'En de auto van Janet Bowie?'

'Geen resultaten naar aanleiding van dat opsporingsbevel. Leigh heeft Janets creditcard nagetrokken en het bedrijf gevonden dat haar het busje had verhuurd waarmee ze donderdag naar Fun-N-Sun is gereden. Ze heeft het nooit teruggebracht. Ze heeft die jongelui om kwart over zeven afgezet bij de school en om zes over acht haar vriendje gebeld.'

'Dus heeft de moordenaar maar vijftig minuten de tijd gehad om haar te ontvoeren. Waar was ze toen hij haar meenam?'

Daniel zocht door de faxen die Leigh op zijn bureau had gelegd terwijl zij bij de persconferentie zaten. 'Hier is iets van het mobieletelefoonbedrijf. Ik heb het telefoontje van Janet naar Lamar laten natrekken. Ze heeft hem gebeld vanaf een parkeerplaats ongeveer anderhalve kilometer van dat autoverhuurbedrijf, en dat is een halfuurtje rijden vanaf de school.'

'Dan blijven er nog maar twintig minuten over waarin hij haar heeft kunnen grijpen. Waar en hoe dus? En waar is dat busje? Heeft hij dat gedumpt? Verstopt?'

'En waar is Janets auto?' overpeinsde Daniel. 'Heeft ze die bij het verhuurbedrijf laten staan toen ze dat busje ophaalde? Is dat busje ergens anders afgeleverd? Ik zal ze bellen.'

Chase stond op en rekte zich uit. 'Ik heb behoefte aan koffie. Jij ook?'

'Ja, lekker. Ik heb maar een uurtje geslapen of zo.' Daniel zocht het nummer van het autoverhuurbedrijf op, sprak met de manager, en hing alweer op toen Chase terugkwam met koffie en koekjes uit de automaat.

'Meergranen of chocolade?' vroeg hij.

'Chocolade.' Daniel ving het zakje op en trok het open met een grimas op zijn gezicht. 'Ik heb thuis nog kliekjes van de moeder van Luke in de vriezer staan, maar ik vergeet ze steeds mee te nemen.'

'We kunnen ook Lukes lunch pikken.'

'Hij heeft alles al opgegeten. Oké. Janet had haar z4 donderdagochtend vroeg voor het verhuurbedrijf laten staan, en toen ze daar op vrijdagochtend terugkwamen was hij weg. Ze hebben een beveiligingscamera op de parkeerplaats. Ik ga er wel even langs om de tapes van donderdagavond tot en met vrijdagochtend te halen.'

'Kijk ook even rond op de plek die de mobieletelefoonmaatschappij noemde. Misschien hebben we geluk en was er ook een beveiligingscamera waar hij haar heeft gegrepen.'

'Doe ik.' Hij knabbelde nadenkend op het koekje. 'Janet belt haar vriendje, zeer waarschijnlijk onder dwang. Vandaag belt Bailey om te zeggen dat ze de stad uit is en haar kind achterlaat.'

'Kan Alex Baileys stem identificeren zodra we dat berichtje van de sociale dienst krijgen?'

'Ze heeft Bailey al vijf jaar niet meer gesproken, dus dat betwijfel ik. Ik zal het eens navragen bij de kapsalon waar Bailey werkte. Zij kennen haar stem het best.'

'Het ziet er niet goed uit voor Bailey,' zei Chase. 'Ze is al vijf dagen weg.'

'Weet ik. Maar er moet een verband zijn. Hopelijk vindt Ed iets in haar huis. Ik heb naar die legerkapelaan gebeld die gisteren langskwam, maar ik heb nog niks van hem gehoord.'

'Die kapelaan vertelt je niks, en dat weet je. Probeer eerst maar eens iets uit dat kleine meisje te krijgen. Neem haar mee naar Mary McCrady. Als dat meisje iets heeft gezien, moeten we het zo snel mogelijk uit haar los zien te peuteren.'

Daniel grimaste. Mary was hun afdelingspsycholoog. 'Het is iets anders dan een splinter of zo hoor, Chase.'

Chase draaide met zijn ogen. 'Je weet wel wat ik bedoel. Leg het vriendelijk uit aan Fallon, maar ik wil dat kind morgenvroeg in Mary's kantoor hebben zitten.' Hij liep naar de deur, maar daar draaide hij zich weer om. 'Toen ik hoorde wat er in Philadelphia was gebeurd, dacht ik dat je eindelijk verlost was van je demonen. Maar dat is niet zo, hè?'

Daniel schudde langzaam zijn hoofd. 'Nee.'

'Heb ik je genoeg touw gegeven om ze in elk geval stevig vast te binden?'

Daniel grinnikte in weerwil van zichzelf. 'Zo niet, dan hang ik mezelf ermee op.'

Chase glimlachte niet. 'Ik laat je jezelf niet ophangen. Ik weet niet wat je denkt dat je te bewijzen hebt, maar je bent een goeie rechercheur en ik laat je je carrière niet opofferen.' Toen was hij weg. Daniel bleef achter met een stapel papier en een paar haren van Alex Fallon.

Aan het werk, Vartanian. De demonen hebben een voorsprong.

10

Dinsdag 30 januari, 15:45 uur

'Bailey.' Beardsleys stem klonk gedempt. 'Bailey, ben je daar?'

Bailey deed één oog open, maar ze sloot het weer toen de kamer woest om haar heen draaide. 'Ja, ik ben hier.'

'Gaat het wel goed met je?'

Ze snikte. 'Nee.'

'Wat heeft hij je aangedaan?'

'Injectie,' zei ze, terwijl ze probeerde niet met haar tanden te klapperen. Ze trilde zo hevig dat ze dacht dat haar botten uit haar huid zouden barsten. 'Heroïne.'

Het bleef even stil, en toen klonk er een gedempt: 'Goeie God.'

Dus hij wist het, dacht ze. 'Het heeft me zo'n moeite gekost om ervan af te komen... de eerste keer.'

'Weet ik. Wade heeft het me verteld. Maar je komt hier weg en je komt er opnieuw vanaf.'

Nee, dacht Bailey. Ik ben te moe om dat nog eens te doorstaan.

'Bailey?' Beardsleys gefluister klonk dringend. 'Ben je er nog? Je moet je hoofd erbij houden. Ik weet misschien een weg naar buiten. Begrijp je me?'

'Ja.' Maar ze wist dat het zinloos was. *Ik kom hier nooit meer weg.* Vijf jaar lang had ze iedere dag tegen de demonen gestreden. *Voer me, voer me. Een beetje maar, om me gaande te houden.* Maar ze was sterk gebleven. Voor Hope. Voor zichzelf. En met één prik had híj alles verwoest.

Dinsdag 30 januari, 15:45 uur

De telefoon op zijn bureau ging. Hij negeerde het, bleef naar de nieuwste brief staren. *Natuurlijk belt hij juist mij.* Dit was erger dan hij ooit voor mogelijk had gehouden.

De telefoon op zijn bureau viel stil en onmiddellijk begon zijn mobiele telefoon te trillen. Woest greep hij het toestel. 'Wat?' snauwde hij. 'Wat moet je, verdomme?'

'Ik heb er nog een gekregen.' Hij was ademloos, doodsbang.

'Weet ik.'

'Ze willen honderdduizend. Zo veel heb ik niet. Je moet het me lenen.'

Op de fotokopie stonden instructies voor hoe het geld moest worden gestort. Het papier was verfrommeld door zijn eigen handen. Zo had hij gereageerd op de bladzijde met foto's die onschuldig oogden, maar in werkelijkheid obsceen waren. 'Wat heb je nog meer gekregen?'

'Een bladzijde met jaarboekfoto's. Die van Janet en Claudia. Jij ook?'

'Ja.' Een bladzijde vol foto's die uit hun jaarboek waren geknipt en in alfabetische volgorde waren opgeplakt. Tien meisjes in totaal. Met een kruis door het gezicht van Janet en Claudia. 'Er zit ook een foto van Kate bij,' zei hij hees. *Mijn zusje.*

'Weet ik. Wat moet ik doen?'

Wat moet ik doen. Die vraag was typisch voor Rhett Porter. In godsnaam, Kates foto stond op die bladzijde en Rhett was alleen maar bezorgd om zichzelf. Egoïstische eikel. 'Heb je nog iets anders gekregen?' vroeg hij.

'Nee. Hoezo?' Door de paniek werd Rhetts stem een half octaaf hoger. 'Wat heb jij dan nog meer gekregen?'

Alsof een foto van Kate al niet genoeg is. 'Niks.' Maar hij kon de minachting niet uit zijn stem weren.

'Zeg op, verdomme.' Rhett snikte nu.

'Bel me niet nog een keer.' Hij klapte zijn telefoon dicht. Die begon onmiddellijk weer te trillen. Hij schakelde hem uit en smeet hem toen zo hard mogelijk tegen de muur.

Hij haalde een oude asbak uit zijn bureaula. Niemand mocht tegenwoordig nog op kantoor roken, maar die asbak was een Vaderdagcadeau van zijn zoon geweest, een onhandig prul gemaakt door de handen van een vijfjarige. Het was een schat die hij nooit zou weggooien. Zijn gezin was alles voor hem. Ze moesten worden beschermd, koste wat het kost. Ze mochten het nooit weten. *Je bent een lafaard. Je moet iets zeggen. Je moet die vrouwen waarschuwen.*

Maar dat zou hij niet doen. Want als hij hen waarschuwde zou hij moeten vertellen hoe hij het wist, en daar was hij niet toe bereid. Hij pakte zijn aansteker en hield de vlam bij de hoek van de kopie. Het papier brandde langzaam, opkrullend zodat hij niet langer de foto van zijn eigen zus kon zien, die nadrukkelijk was omcirkeld. Kate had haar diploma gekregen in hetzelfde jaar als Janet Bowie en Claudia Silva-Barnes. Het dreigement was duidelijk. Betalen, of Kate zou de volgende zijn.

De laatste foto die verbrandde was de elfde, degene die kennelijk alleen zíjn krant had. Hij staarde ernaar terwijl Rhett Porters gezicht smolt en vervolgens tot as verbrandde.

Rhett, stomme klootzak. Je gaat eraan omdat je je bek niet kon houden. Toen de fotokopie eindelijk was verbrand, dumpte hij de as in de koffie die hij nog van die ochtend had staan. Hij stond op en streek zijn stropdas glad.

Ik, echter, trek lering uit andermans fouten. Hij vouwde de instructies voor de vereiste bankstorting zorgvuldig op en stopte ze in zijn portefeuille. Hij kende een kerel die een bankoverschrijving kon regelen en zijn mond kon houden.

Hij veegde met een tissue het stof uit de asbak en zette die toen zorgvuldig terug in de la. Hij moest naar de bank.

Dutton, dinsdag 30 januari, 17:45 uur

O, god. *Alex.* Daniels hart begon te bonzen toen hij de straat naar Bailey Crightons huis in reed. Er stond een ambulance met flitsende zwaailichten langs de stoeprand geparkeerd.

Hij rende ernaartoe. Alex zat achterin, met haar hoofd tussen haar knieën.

Hij dwong zijn stem rustig te klinken, ook al zat zijn hart in zijn keel. 'Hé.'

Ze keek met een bleek gezicht op. 'Het is maar een huis,' zei ze hees. 'Waarom kan ik me er niet overheen zetten?'

'Wat is er gebeurd?'

De ambulanceverpleegkundige kwam van de andere kant van het voertuig. 'Ze heeft een doodgewone paniekaanval gehad,' zei hij op een neerbuigend toontje.

Alex' kin schoot omhoog en ze wierp hem een blik toe. Maar ze zei niets, en de verpleegkundige verontschuldigde zich niet.

Daniel legde zijn arm om haar heen. 'Wat is er precies gebeurd, lieverd?' mompelde hij, met een snelle blik op de badge van de verpleegkundige. *P. Bledsoe.* Hij herinnerde zich die naam vaag.

Alex leunde tegen hem aan. 'Ik wilde naar binnen gaan. Toen ik op de veranda stond werd ik misselijk.'

Bledsoe haalde zijn schouders op. 'We hebben haar nagekeken. Ze had een iets verhoogde bloeddruk, maar niet overdreven. Misschien heeft ze gewoon een kalmeringsmiddeltje nodig.'

Hij zei het op sarcastische toon, en pas toen Alex verstijfde begreep Daniel waar de man op doelde.

Kolere. Daniel stond op terwijl de woede de randen van zijn gezichtsveld wazig maakte. 'Pardón?'

Alex greep hem bij zijn jas. 'Daniel, alsjeblieft.'

Maar ze klonk beschaamd en hij kon zijn woede niet intomen. 'Nee. Dat was onvergeeflijk.'

Bledsoe knipperde onschuldig met zijn ogen. 'Ik opperde alleen maar dat mevrouw Tremaine wat moest kalmeren.'

'Maak dat de kat wijs,' beet Daniel hem toe. Bereid je maar voor op het invullen van vijftig formulieren, vriend, want je baas zal hiervan horen.'

Bledsoes wangen kleurden. 'Ik bedoelde er verder echt niks mee.'

'Vertel dat je baas maar.' Daniel tilde Alex' kin op. 'Kun je lopen?'

Ze wendde haar blik af. 'Ja.'

'Kom mee dan. Je kunt in mijn auto gaan zitten.'

Ze zweeg tot ze bij zijn auto waren. Hij opende het portier, maar ze stapte weg toen hij haar in haar stoel wilde helpen. 'Je had niets moeten zeggen. Ik kan hier in de stad niet nog meer vijanden gebruiken.'

'Niemand heeft het recht om zo tegen je te praten, Alex.'

Haar mond vertrok. 'Denk je dat ik dat niet weet? Denk je dat het al niet vernederend genoeg is dat ik niet eens dat huis in kan lopen?' Haar stem werd koel. 'Maar wat hij suggereerde is wel waar. Ik heb een heel potje kalmeringsmiddelen geslikt en mezelf bijna van kant gemaakt.'

'Daar gaat het niet om.'

'Natuurlijk gaat het daar niet om. Het gaat erom dat ik de mensen hier in de stad nodig heb tot ik erachter ben wat er met Bailey is gebeurd. Op de lange termijn interesseren ze me niet. Ik ben toch niet van plan hier te blijven wonen.'

Daniel knipperde met zijn ogen en realiseerde zich voor het eerst dat ze op enig moment zou terugkeren naar het leven dat ze zo abrupt had achtergelaten. 'Het spijt me. Zo had ik het niet bekeken.'

Haar schouders zakten en de koele façade verdween. 'Mij ook. Je probeerde alleen maar te helpen. Laten we het maar gewoon vergeten.' Ze bukte, stapte in de auto en haar gezicht ontspande. 'Riley.'

Riley zat achter het stuur, alert en snuffelend.

'Hij vindt het leuk in de auto,' zei Daniel.

'Dat zie ik. Hé, Riley.' Ze krabde de hond achter zijn oren en keek door de zijruit naar Baileys huis. 'Een volwassen vrouw zou niet bang moeten zijn voor een huis.'

'Wil je het nog een keer proberen?' vroeg Daniel.

'Ja.' Ze ging achteruit de auto uit. Riley stapte over de versnellingspook en volgde haar naar de passagiersstoel. Ze keek ernstig. 'Laat me niet wegvluchten. Dwing me om naar binnen te gaan.'

'Ed zal niet blij zijn als je op zijn plaats delict kotst,' zei hij vriendelijk, terwijl hij haar arm pakte en het autoportier voor Rileys neus dichtsloeg.

Ze grinnikte proestend. 'Als ik groen word: wegwezen.'

Maar het gegrinnik verstomde toen ze het huis naderden. Haar passen vertraagden en ze trilde. Dit was een echte fysieke reactie, besefte Daniel.

'PTSS,' mompelde hij. Posttraumatische stressstoornis. Ze had er alle tekenen van.

'Daar was ik zelf al achter,' mompelde ze. 'Laat me niet wegvluchten. Beloof me dat.'

'Ik beloof het. Ik ben bij je.' Hij duwde haar zachtjes het trapje naar de veranda op.

'Zo ver ben ik de vorige keer ook gekomen.' Ze zei het met opeengeklemde kaken. Haar gezicht was heel bleek geworden.

'De vorige keer was ík niet bij je,' zei hij. Bij de open voordeur leunde ze naar achteren. Daniel duwde haar zachtjes maar beslist naar voren. Ze struikelde, maar hij ving haar en hield haar overeind.

Haar lichaam trilde nu, en hij hoorde haar in zichzelf mompelen. 'Stil, stil.'

'Hoor je dat geschreeuw weer?' vroeg hij, en ze knikte. Hij keek over haar schouder. Ze had haar armen strak over haar borst gevouwen, haar gezicht stond gespannen, haar ogen waren stijf dicht.

Haar lippen bewogen in een geruisloos mantra: 'Stil, stil.'

Daniel legde zijn armen om haar middel en hield haar tegen zich aan. 'Je doet het prima. Je staat in de woonkamer, Alex.'

Ze knikte alleen, met haar ogen nog steeds stijf dicht. 'Vertel me wat hier is.'

Daniel blies zijn adem uit. 'Nou, het is een zooitje. Er ligt vuilnis op de vloer.'

'Ik ruik het.'

'En er ligt ook een oude matras op de grond. Geen laken. Er zitten vlekken op.'

'Bloedvlekken?' vroeg ze nerveus.

'Nee, zweet waarschijnlijk.' Ze trilde nog steeds, maar niet meer zo heftig.

Hij legde zijn kin op haar hoofd; het paste perfect. 'Er hangt een poster scheef aan de muur. Het is zo'n strandfoto met duinen. Hij is verkleurd en oud.'

Langzaam maar zeker voelde hij haar wat meer ontspannen. 'Die hing hier vroeger nooit.' Ze deed haar ogen open en hield hoorbaar haar adem in. 'De muren zijn geschilderd.' Er klonk opluchting in haar stem, en Daniel dacht aan hoe dit huis er in haar dromen uit moest hebben gezien.

In deze kamer had ze haar dode moeder gevonden. Hij had in zijn carrière ook wel slachtoffers gevonden die zich door het hoofd hadden geschoten. Minstens een van de muren moest onder het bloed, hersens en stukjes bot hebben gezeten. Wat een vreselijke herinnering om al die jaren te hebben meegedragen.

'De vloerbedekking is blauw,' zei hij.

'Vroeger was het bruin.' Ze draaide haar hoofd en bekeek alles. 'Het is allemaal anders.'

'Het is dertien jaar geleden, Alex. Het is te verwachten dat het is opgeknapt. Geverfd. Niemand zou het huis zo achterlaten als jij het je herinnert.'

Ze lachte vol zelfspot. 'Weet ik. Of eigenlijk hád ik het moeten weten.'

'Ssst.' Hij kuste haar op haar hoofd. 'Je doet het geweldig.'

Ze knikte en slikte hoorbaar. 'Dank je. Wauw, de politie had gelijk. Het is hier een zwijnenstal.' Ze porde met haar schoen tegen de matras. 'Bailey, waar was je toch mee bezig?'

'Wil je met me mee om Ed te zoeken?'

Ze knikte snel. 'Ja,' zei ze meteen. 'Laat –'

Laat me niet alleen. 'Ik laat je niet alleen, Alex. Heb je die oude vaudeville-komieken wel eens gezien? We lopen gewoon net zoals zij.'

Ze grinnikte, maar het klonk gepijnigd. 'Dit is belachelijk, Daniel.'

Hij begon te lopen, en hield haar dicht tegen zich aan. 'Ed?' riep hij.

De achterdeur sloeg dicht en Ed kwam door de keuken naar binnen. Zijn ernstige gezicht vertrok van verbazing toen hij Alex zag. 'Zeiden de ambulancemensen dat ze in orde was?'

'Had jij ze gebeld?' vroeg Daniel.

'Ja. Ze was zo wit als een laken en haar hart was op hol geslagen.'

'Dank u, agent Randall,' zei ze, en Daniel hoorde de schaamte in haar stem. 'Het gaat wel weer.'

'Blij dat te horen.' Hij keek Daniel geamuseerd aan. 'Ik heb ook aangeboden haar vast te houden, maar míjn aanbod sloeg ze af.'

Daniel zond hem een haal-het-maar-niet-in-je-hoofd-blik en Ed onderdrukte zijn glimlach. Toen werd hij ernstig, zette zijn handen in zijn zij en keek om zich heen. 'Dit is in scène gezet,' verklaarde Ed, en onder Daniels kin schoot Alex' hoofd omhoog.

'Wát?' riep ze uit.

'Jazeker. Iemand wilde dat het hier een puinhoop leek. De vloerbedekking is vuil, maar dat vuil is er niet in getrapt. De onderkant van de tapijtvezels is schoon – iemand heeft hier pas nog gestofzuigd, en vaak ook. Dat stof overal? We hebben monsters genomen en gaan tests uitvoeren in het lab, maar ik durf te wedden dat het allemaal dezelfde samenstelling heeft. Het lijkt op een mengsel van as en zand. De toiletten zijn zo schoon dat je eruit kunt drinken.' Hij glimlachte. 'Niet dat ik dat aanraad, natuurlijk.'

'De maatschappelijk werkster zei dat ze Hope in een kast hadden gevonden.' Ze wees. 'Daar.'

'We gaan wel even kijken.'

Daniel kende Ed goed genoeg om te weten dat er nog meer kwam. 'Wat heb je gevonden?'

Hij voelde Alex verstijven. 'Vertel. Alstublieft.'

'Buiten in het bos achter het huis is gevochten. We hebben bloed gevonden.'

'Hoeveel bloed?' vroeg Alex heel zachtjes.

'Veel. Iemand had de grond bedekt met bladeren, maar de wind van gisteravond heeft ze weggeblazen. Er liggen een heleboel bladeren met bloed erop. Sorry.'

Ze knikte beverig en trilde weer. 'Ik begrijp het.'

Daniel pakte haar nog steviger vast. 'Heb je ook bloed hier in huis gevonden, Ed?'

'Nog niet, maar we zijn eigenlijk net begonnen. Hoezo?'

'Omdat Hope met rode krijtjes kleurt,' antwoordde Alex in Daniels plaats. 'Als ze al die tijd in de kast verstopt heeft gezeten, kan ze geen bloed hebben gezien.'

'Dus ze keek door een raam, of ze was hier binnen,' vulde Daniel aan.

'We zoeken het uit,' beloofde Ed.

Daniel trok aan Alex. 'Kom mee, Alex. We gaan naar buiten. Je hebt genoeg gezien.'

Haar kin kwam omhoog. 'Nog niet. Mag ik naar boven, agent Randall?'

'Als u niets aanraakt.'

Maar ze kwam niet in beweging. Daniel boog zich naar voren en mompelde in haar oor: 'Wil je het komische loopje weer doen, of moet ik je als een holbewoner over mijn schouder gooien?'

Ze deed haar ogen dicht. 'Ik moet dit doen, Daniel.' Maar haar stem sloeg over. Ze was de koelte, de angst voorbij.

Daniel was er niet van overtuigd dat dit een goed idee was. Hij zag de verandering in haar gezicht al. Ze was bleek en haar voorhoofd was klam. Toch gaf hij haar een bemoedigend kneepje. 'Als jij dat vindt, dan ga ik met je mee.'

Ze kwam tot aan de trap, maar daar bleef ze staan. Ze trilde van top tot teen en haar ademhaling was snel en oppervlakkig. Ze greep de trapleuning vast en haar vingers klemden zich er als klauwen omheen. 'Gewoon een stom huis,' mompelde ze, en ze trok zichzelf twee treden omhoog voor ze weer bleef staan.

Daniel draaide haar gezicht, zodat ze naar hem keek. Haar ogen stonden glazig en doodsbang.

'Ik kan het niet,' fluisterde ze.

'Het hoeft ook niet,' fluisterde hij terug.

'Het moet.'

'Waarom?'

'Weet ik niet. Maar het moet.' Ze deed haar ogen dicht, grimassend van pijn. 'Het klinkt nu heel hard,' zei ze, en ze klonk meer als een kind.

'Wat zeggen ze?' vroeg hij, en haar ogen schoten open.

'Wat?'

'Wat schreeuwen ze daarbinnen?'

'"Nee." En zij zegt: "Ik haat je, ik haat je. Ik wou dat je dood was."' Er rolden tranen over haar asgrauwe wangen.

Daniel veegde de tranen met zijn duim weg. 'Wie zegt dat?'

Ze snikte nu geruisloos. 'Mijn moeder. Het is mijn moeder.'

Daniel draaide haar om in zijn armen en ze greep de revers van zijn jasje beet terwijl haar hele lichaam schokte van haar stille gehuil. Hij liep achteruit de paar treden af die ze hadden beklommen en nam haar mee. Toen ze buiten kwamen stond de ambulance net op het punt om te vertrekken.

Bledsoe wierp één blik op Alex, boog zich naar voren en liep struikelend op hen af. Daniel keek de man zo kil mogelijk aan.

Bledsoe bleef abrupt staan. 'Wat is er gebeurd?' vroeg hij.

'Dit is geen doodnormale paniekaanval,' bitste Daniel. 'Ga aan de kant, verdomme.'

Bledsoe liep langzaam achteruit. 'Het spijt me. Ik dacht niet...'

'Nee, je dacht inderdaad niet. Aan de kánt, zei ik.'

Bledsoe was bij de stoeprand aangekomen en leek ontdaan. 'Gaat het wel met haar?'

Alex huilde nog altijd in zijn armen, en Daniels hart brak. 'Nee, maar dat komt wel.'

Dutton, dinsdag 30 januari, 18:45

Er zat een slanke roodharige vrouw op het trapje naar Alex' veranda, met haar hoofd in haar handen. De voordeur stond open, en zodra Daniel uit de auto stapte, hoorde hij het deuntje waarover Alex hem had verteld. Steeds maar weer opnieuw. De vrouw keek op en Daniel zag dat ze het bijna niet meer aankon.

Toen zag ze Alex en ze stond met een geschrokken blik op. 'Mijn god, wat is er gebeurd?'

'Het gaat wel,' zei Daniel. Hij liep om de auto heen en hielp Alex uitstappen. 'Kom mee, Riley.' De hond maakte een loom sprongetje de stoep op.

Alex grimaste toen ze de muziek hoorde. 'Speelt ze nog steeds?'

De vrouw knikte. 'Ja.'

'Waarom trek je de stekker niet uit het orgel?' vroeg Daniel, en de vrouw wierp hem zo'n kwade blik toe dat hij bijna achteruitstapte. 'Sorry.'

'Dat heb ik geprobéérd,' zei ze verbeten. 'Ze begon te gillen. Hard.' Ze keek in machteloze frustratie naar Alex. 'Iemand heeft de politie al op mijn dak gestuurd.'

'Dat meen je niet,' zei Alex. 'Wie is er gekomen?'

'Een of andere hulpsheriff die Cowell heette. Hij zei dat hij de sociale dienst moest bellen als we haar niet konden laten ophouden met gillen, dat de buren klaagden. Ik heb de stekker van het orgel er voorlopig maar weer ingestoken. Alex, we moeten haar misschien een kalmeringsmiddel geven.'

Alex' schouders zakten omlaag. 'Verdomme. Daniel, dit is mijn nicht, Meredith Fallon. Meredith, agent Daniel Vartanian.' Ze keek omlaag. 'En Riley.'

Meredith knikte. 'Dat dacht ik al. Kom binnen, Alex. Je ziet er verschrikkelijk uit. Sorry dat ik zo snauwde, agent Vartanian. Mijn zenuwen begeven het bijna.'

De muziek begon hem nu al te irriteren, na een paar minuten. Hij moest er niet aan denken om het urenlang te moeten aanhoren. Hij liep achter hen aan de bungalow in, waar een klein meisje met goudblonde krullen achter het orgel zat en met één vinger steeds dezelfde zes noten speelde. Ze scheen hen niet eens op te merken.

Alex' kaak verstrakte. 'Dit heeft lang genoeg geduurd. Hope moet eens gaan praten.' Alex liep naar de muur en trok de stekker uit het orgel. De muziek stopte onmiddellijk, en Hopes hoofd kwam met een ruk omhoog. Haar mond ging open en haar borstkas kwam omhoog toen ze diep ademhaalde, maar voor ze geluid kon maken, stond Alex recht voor haar. 'Niet doen. Niet gillen.' Ze legde haar handen op de schouders van het meisje. 'Kijk me aan, Hope. Nu.'

Geschrokken keek Hope naar Alex op. Naast hem zuchtte Meredith gefrustreerd. '"Niet gillen,",' mompelde ze sarcastisch. 'Ik wou dat ik daar verdomme aan had gedacht.'

'Ssst,' waarschuwde Daniel.

'Ik ben net bij jouw huis geweest, Hope,' zei Alex. 'Schatje, ik weet wat je hebt gezien. Ik weet dat iemand je mama pijn heeft gedaan.'

Meredith staarde Daniel aan. 'Is ze in het huis geweest?' fluisterde ze, en hij knikte.

Hope staarde met een gefolterde uitdrukking op haar gezichtje naar Alex op, maar in plaats van te gillen begonnen er stilletjes tranen over haar wangen te stromen.

'Je bent bang,' zei Alex. 'En ik ook. Maar je mama houdt van je, Hope. Dat weet je. Ze zou je nooit expres in de steek laten.'

Daniel vroeg zich af wie Alex probeerde te overtuigen: zichzelf of Hope.

Ik haat je. Ik wou dat je dood was. Of haar moeder dat nu daadwerkelijk had gezegd of niet, in Alex' gedachten was het echt. Het was een vreselijke last om mee te leven. Dat wist hij.

Terwijl de tranen nog over haar wangen biggelden, begon Hope heen en weer te wiegen op het orgelbankje. Alex ging naast haar zitten, trok Hope in haar armen en wiegde met haar mee. 'Ssst. Ik ben bij je. Meredith is bij je. We laten je niet alleen. Je bent nu veilig.'

Riley liep naar Alex en Hope toe en porde met zijn snuit tegen haar bovenbeen.

Alex pakte Hopes vuistje, spreidde haar vingertjes en legde Hopes hand op Rileys kop. Riley zuchtte diep en legde zijn kop op Hopes knie. Het meisje begon Riley te aaien.

Naast hem haalde Meredith Fallon beverig adem. 'Ik hoop dat ze je hond niet net zo fanatiek gaat aaien als ze kleurt of op dat orgel speelt. Dan is Riley kaal tegen de tijd dat het bedtijd is.'

'We mengen wel een haargroeimiddel door zijn voer,' zei Daniel.

Meredith lachte snuivend, maar het klonk meer als een snik. 'Ze is het huis in gegaan.'

Daniel zuchtte. 'Ja.'

'En jij bent met haar meegegaan.'

'Ja.'

'Dank je.' Ze schraapte haar keel. 'Alex, ik heb honger en ik moet hier even weg. Toen ik vanmorgen ging hardlopen kwam ik langs een pizzatent naast het postkantoor.'

'Presto's Pizza?' vroeg Daniel verbaasd.

'Ken je het?' vroeg Meredith.

Hij knikte. 'Ik lééfde vroeger op hun pizza's. Ik wist niet dat het nog bestond.'

'Dan gaan we daarheen. Alex, doe wat make-up op. We gaan uit eten.'

Alex keek fronsend op. 'Ik denk het niet. We moeten bij zuster Anne langs.'

'Dat doen we wel na het eten. Hope moet er ook eventjes uit. Ik heb haar zachtjes aangepakt om haar te observeren, maar jij hebt een doorbraak behaald. Ik wil niet dat ze weer afglijdt.'

'We moeten toch eten, Alex,' zei Daniel, wat hem een dankbare blik van Meredith opleverde. 'Het zal niet lang duren, en dan kunnen we daarna naar de opvang. En wie weet wie er langskomt als we zitten te eten. Die kerel die jou probeerde aan te rijden had je in de gaten gehouden. Als hij niet degene is die Bailey heeft meegenomen, weet hij misschien wie wél.'

Ze knikte. 'Je hebt gelijk. En het gaat niet alleen om Bailey. Er zijn ook andere vrouwen bij betrokken. Sorry, Daniel. Ik denk alleen maar aan mezelf. Ik geloof dat ik niet zo helder kan nadenken op het moment.'

'Geeft niet. Je hebt een drukke dag gehad.' En omdat ze eruitzag alsof ze het nodig had, liep hij naar haar toe en nam haar in zijn armen. Ze legde haar wang tegen zijn borst. 'Kom, ga je omkleden.' Hij keek naar Hope, die nog altijd Riley over zijn kop aaide. Riley keek hem melancholiek aan, en Daniel grinnikte. 'Schiet op, voordat die arme Riley een toupetje nodig heeft.'

Dinsdag 30 januari, 19:00 uur

Hij omklemde het stuur, keek in de achteruitkijkspiegel en likte nerveus langs zijn lippen. Hij was er nog. De auto die hem al volgde sinds hij de US-19 op was gereden.

Rhett Porter had geen idee waar hij naartoe ging. Hij wist alleen dat hij moest wegwezen. *Wegwezen.* Hij was ten dode opgeschreven. Dat wist hij al sinds hij zijn vriend zo minachtend 'niks' had horen zeggen. *Zijn vriend.* Ha. Fijne vriend, die hem als een baksteen liet vallen zodra het lastig werd.

Hij zou wel wegkomen. Hij wist dingen. Dingen die elke fatsoenlijke aanklager zou willen weten. Waar die zelfs voor zou betalen. Hij zou om betaling vragen in de vorm van getuigenbescherming.

En dan naar een afgelegen plek verhuizen, zijn accent afleren. Verdwijnen.

Hij hoorde de auto achter zich toeren maken, net voordat hij de schok voelde. Het stuur werd uit zijn handen gerukt toen de banden over de rand van het asfalt gingen. Hij probeerde de macht over het voertuig te houden, maar het was te laat. De weg verdween. De bomen flitsten langs zijn raampjes. Hij hoorde het geknars van metaal langs hout. Voelde de enorme klap tegen zijn schedel, de stekende pijn in zijn borst, de duizeligheid toen zijn auto over de kop ging. Hij rook de metaalachtige geur van bloed. Zijn eigen bloed. *Ik bloed.*

Toen de wereld ophield met bewegen, keek hij verdwaasd om zich heen. Hij hing ondersteboven, nog steeds vast in zijn stoel. Hij hoorde voetstappen, zag knieën toen iemand hurkte om het wrak in te turen dat zijn auto was geweest. Door het verbrijzelde glas van zijn voorruit staarden twee ogen hem aan. Zijn hoop stierf. Het waren ogen die hij kende en die hij ooit had vertrouwd.

Toch probeerde hij het nog. 'Help me,' kreunde hij.

De ogen keken hem spottend aan. 'Natuurlijk had je weer je gordel om. Zelfs doodgaan kun je niet.'

De ogen verdwenen. De voetstappen verwijderden zich en keerden toen weer terug.

'Help me. Alsjeblieft.'

'Je bent een klootzak, Porter.' Hij duwde met zijn elleboog het gebroken glas weg, stak zijn hand naar binnen en haalde de sleutel uit het contact. Even later werd de sleutel teruggestopt. Eén sleutel aan de bos, wist Rhett, zou ontbreken. Hij glimlachte bijna, wensend dat hij hun stomverbaasde reactie kon zien als ze zagen wat die sleutel openmaakte. Toen rook hij benzine en de zure stank van brandend hout en wist hij het.

Ik ga dood. Hij deed zijn ogen dicht en vervloekte de mannen die hij zo lang had beschermd. Dertien jaar had hij het geheimgehouden. Nu... *Ik zie jullie allemaal in de hel.*

Hij stond met zijn handen in zijn zij op de weg, keek toe terwijl de vlammen langs de auto daarbeneden likten. Hij voelde de hitte zelfs van deze afstand. Straks zou er iemand komen. Hij zette de jerrycan in de kofferbak en reed weg. *Dag, Igor, stomme klootzak.*

Hij slikte onder het rijden. Ooit waren ze met zeven man geweest. Nu nog maar met drie.

Hij was verantwoordelijk geweest voor de eliminatie van twee van hen. DJ's lichaam was nooit gevonden. Hij herinnerde zich de zwavelgeur van het moeras, de plons toen hij DJ's lichaam over de rand van zijn boot had gegooid. Hij stelde zich een krokodil voor die die nacht goed had gegeten.

DJ was een blok aan het been geweest. Gokken, drank, vrouwen. Een heleboel vrouwen. Ze hadden Jared O'Brien niet voor niets de bijnaam 'Don Juan' gegeven. Jared begon altijd te tieren als hij dronken werd. Het was een kwestie van tijd geweest voor hij hen allemaal had verraden. Het was of Jared, of de rest van hen. Die keus was niet zo moeilijk geweest.

Op een of andere manier was het veel moeilijker geweest om Igor te vermoorden. Als het vuur klaar was met Rhett Porter, zou er niet meer veel van hem over zijn. Dus kwam het allemaal op hetzelfde neer, behalve dat er nu ergens een krokodil zonder eten naar bed moest.

Hij dacht aan de andere twee die nu weg waren. Daniel Vartanian had Ahab uitgeschakeld. Ze hadden Simon uiteraard nooit zo genoemd waar hij bij was. Simon was een doodenge smeerlap geweest, en zijn kunstpoot was slechts een van de vele onderwerpen die taboe waren bij hem. Hij herinnerde zich de dag dat ze Simon voor het eerst hadden begraven. De opluchting die ze allemaal hadden gevoeld, maar geen van allen hadden uitgesproken.

En die andere? Dat was ook een kwestie van tijd geweest. Eigenlijk stond hij ervan te kijken dat Po'boy nog zo lang had geleefd, terwijl hij kogels ontdook in elk godverlaten oorlogsgebied op de planeet. Uiteindelijk was Wade door een Irakese opstandeling uitgeschakeld. Aanvankelijk was hij opgelucht geweest om het nieuws dat de oorlogsheld uit Dutton in een kist naar huis kwam. Jarenlang was Wade Crighton een ongeleid projectiel geweest, de enige van hen die de stad had verlaten, de enige die buiten het zicht en de controle van de anderen was.

Behalve Simon dan. Ze hadden al die jaren gedacht dat ze veilig waren en dat hij dood was. Hij nam aan dat ze Daniel Vartanian moesten bedanken omdat hij die engerd eens en voor altijd had vermoord, maar de gedachte om Daniel waar dan ook voor te bedanken maakte hem misselijk. Simon was eng geweest, maar Daniel was zelfingenomen, en dat maakte hem kwaad.

Nu waren zowel Simon als Wade weg, net als Rhett en Jared. Nu waren ze nog maar met hun drieën. Simon en Wade waren beiden ergens ver weg gestorven, waardoor hij niet wist waar hun sleutels waren. Een week geleden had hij nog gedacht dat al zijn problemen opgelost zouden zijn als hij die kon vinden. Maar nu waren die sleutels wel de minste van zijn problemen.

Janet en Claudia, allebei dood, net zo gevonden als Alicia Tremaine. *En ik heb hen niet vermoord.* En zijn baas ook niet. *Stom van me om te denken dat hij dat ooit zou doen.* Harvard was een gestoorde gek, maar hij was niet dom.

Ze waren allemaal stomme kinderen geweest, maar nu waren ze volwassen. Belangrijke figuren in de gemeenschap. De onbehaaglijke wapenstilstand tussen hen had jarenlang stand gehouden, omdat niemand van hen het leven wilde kwijtraken dat ze voor zichzelf hadden opgebouwd. De respectabele positie die ze hadden verworven.

Iemand anders had Janet en Claudia vermoord, iemand die de moord op Alicia Tremaine tot in het kleinste detail had nageaapt. Misschien was het een copycat. Alleen wist iemand van de sleutels af. Iemand treiterde hen. Hij dacht aan Rhett Porter. Iemand wilde dat ze in paniek raakten. Rhett was in paniek geraakt, en nu was hij dood.

Nu waren ze nog maar met z'n drieën. Als verder niemand in paniek raakte was het onmogelijk dat er nog iemand anders achter zou komen, onmogelijk dat ze in verband konden worden gebracht met Alicia Tremaine.

Omdat zij haar niet hadden vermoord. Ze hadden Alicia Tremaine verkracht, maar ze hadden haar niet vermoord, en ook haar in een deken gewikkelde lijk niet in een greppel gedumpt. De vent die Alicia Tremaine had vermoord, zat al dertien jaar achter de tralies. Niemand kon hen nu ergens voor pakken, zolang ze maar rustig bleven. Ze hoefden alleen maar rustig te blijven.

Rustig blijven. En nadenken. Hij moest uitzoeken wie die vrouwen vermoordde, voordat Vartanian dat deed. Als Vartanian die smeerlap als eerste vond... De moordenaar van Janet en Claudia was op de hoogte van de club.

Die klootzak zou hen verraden. En alles wat ze hadden opgebouwd zou hen worden afgepakt. Verwoest.

Ik moet uitvissen wat Daniel Vartanian weet. Waarom was nu juist Vartanian op deze zaak gezet? Wist Vartanian het? Wist hij het van Simon... *en ons*? Had Vartanian Simons sleutel gevonden?

Hij knarste met zijn tanden en remde af. De auto voor hem kroop over de weg, zonder enige haast. Hij knipperde met zijn koplampen en de auto ging onmiddellijk opzij, zodat hij erlangs kon. *Goed zo.*

Hij richtte zich op de open weg voor zich. Het hielp hem om zijn hoofd helder te krijgen, om na te denken. Áls Vartanian iets vermoedde liet hij dat niet merken, maar Daniel was altijd een gesloten kerel geweest. Op zijn eigen manier eng, met die ogen van hem.

En Vartanian had het aangelegd met Alex Fallon, die op zich al een groot probleem vormde. Zelfs als ze ontdekten wie Janet en Claudia had vermoord, was de schade al aangericht. Iedereen had het over Alicia Tremaine, aan hoe ze was gestorven. En nu liep Alex Fallon door de stad, terwijl ze zo veel op Alicia leek, en dat was alleen maar olie op het vuur. Alex Fallon liep in de stad rond omdat Bailey nog steeds werd vermist.

Hij had niet langer controle over wat er met Bailey gebeurde, maar hij had wel controle over wat er met Alex zou gebeuren. Zijn mannetje had het vanmiddag grondig verkloot. Die kerel had Alex alleen maar in de gaten moeten houden, zich moeten melden, zorgen dat ze niet met de verkeerde mensen ging praten. Het was nooit zijn bedoeling geweest dat hij haar zou aanrijden. Er waren andere, discretere manieren om van mensen af te komen, wist hij. Hij zou zich discreet van Alex ontdoen. En dan zou hij uitvissen wie hen tartte met dode vrouwen en sleutels. Voordat Vartanian die klootzak als eerste te pakken kreeg.

Want als Daniel ontdekte wat er echt was gebeurd, zou al het andere niet meer uitmaken. Dan gingen ze naar de gevangenis. *Ik ga liever dood.* Hij trapte het gaspedaal tot op de bodem in en scheurde terug naar de stad. Hij was niet van plan om naar de gevangenis te gaan of als eerste te sterven. Hij had werk te doen.

Mack liet met een grimmige glimlach op zijn gezicht zijn camera zakken. Hij wist wel dat ze zich tegen elkaar zouden keren. Hij had alleen niet verwacht dat het zo snel zou gaan. Maar elke keer als een van de vier de afgelopen maand de stad uit was gereden, was Mack erachteraan gegaan. Meestal werd hij beloond met schitterende nieuwe geheimen, en natuurlijk was vanavond geen uitzondering geweest.

Nu waren er geen vier meer, maar drie, en Mack was een stapje dichter bij de vervulling van zijn droom. Hij bekeek de foto's die hij net had gemaakt. Zijn plan voor de overgebleven drie was goed, maar die foto's zouden een handig plan B zijn voor het geval zijn oorspronkelijke plan mislukte. Je moest altijd een noodplan hebben, een achterdeurtje, een ontsnappingsweg. Een plan B. Weer zo'n les die hij had geleerd in de gevangenis.

Over lessen gesproken, hij had er nog eentje te geven. Over een paar uur zou hij de trotse bezitter zijn van nog een meisje en een heel aardige Corvette.

11

Dutton, dinsdag 30 januari, 19:30 uur

'Nou.' Meredith nipte van haar drankje en spiedde als een spion om zich heen. 'Niks zo fijn als een beetje opvallen.'

Alex keek haar treurig aan over de tafel bij Presto's Pizza Parlor.

'Ik heb je nog geprobeerd te waarschuwen dat dit zou gebeuren. De mensen staren al de hele week naar me.' Ze keek op naar Daniel, die opzichtig zijn arm om haar schouder had geslagen zodra ze in de nis waren gaan zitten. 'En jij maakt het er niet veel beter op.'

Hij haalde zijn schouders op. 'Ze weten toch al dat ik je gisteravond heb gekust.'

'En dat hij met jou naar binnen is gegaan in Baileys huis,' voegde Meredith eraan toe.

Alex trok een gezicht. 'Hoe weten ze dat? Het is nog maar een paar uur geleden.'

'Gehoord. Jij viel flauw en Daniel heeft je in zijn armen naar buiten gedragen.'

'Ik ben niet flauwgevallen. En ik ben zelf dat huis uit gelopen.' Ze tuitte haar lippen. 'Echt hoor, die mensen moeten een hobby zoeken.'

'Die hebben ze,' mompelde Daniel. 'Wij. Er komen niet vaak twee verloren schapen tegelijkertijd weer naar huis.'

'Die dan meteen ontucht gaan plegen.' Meredith stak haar hand op. 'Hun woorden, niet de mijne. Ik zweer het.'

'Wie zei dat?' vroeg Alex.

Daniel trok haar dichter naar zich toe. 'Maakt niet uit,' zei hij. 'We zijn hier, en we zijn publieksvoer tot er iets interessanters gebeurt.'

Meredith keek naar de strip op de placemat die Hope had ingekleurd. 'Heel mooi, Hope.'

Alex zuchtte. 'En heel rood,' zei ze, zo zachtjes dat alleen Daniel het kon verstaan. Hij kneep in haar schouder bij wijze van antwoord. Ze keek hem aan. 'Heeft agent Randall nog iets gevonden over die andere twee vrouwen?' fluisterde ze.

Hij drukte zijn vinger tegen haar lippen en schudde zijn hoofd. 'Niet hier,' fluisterde hij. Hij keek om zich heen naar de gezichten die naar hen toe gewend waren. Zijn ogen werden hard en behoedzaam, en ze wist dat hij zich afvroeg of de persoon die verantwoordelijk was voor twee doden en Baileys verdwijning, hier was en naar hen zat te kijken.

Naar mij zit te kijken, dacht ze, en ze onderdrukte het weeë gevoel in haar maag. Ze staarde naar haar opengehaalde handpalmen. Ze had het dikke verband eraf gehaald, maar ze hoefde er alleen maar naar te kijken of de schrik van die middag keerde weer terug. De piepende banden, het geschreeuw – zowel van de omstanders als in haar hoofd.

Iemand had geprobeerd haar te vermoorden. Het drong nog altijd niet helemaal tot haar door.

Iemand had twee vrouwen vermoord. Dat drong ook nog niet helemaal door.

Iemand had Bailey ontvoerd. Hoewel ze het al had geweten, was het realistischer nu ze wist dat er bloed was vergoten. Ze dacht aan het huis. Nu ze daar weg was kon ze objectiever kijken naar wat daar was gebeurd.

'Niemand had er ooit eerder naar gevraagd,' mompelde ze, en toen pas besefte ze dat ze het hardop had gezegd.

Daniel schoof achteruit om haar aan te kijken. 'Wát gevraagd?'

Ze keek hem in zijn ogen. 'Wat ze schreeuwen.'

Zijn blauwe ogen vernauwden zich een beetje. 'Echt? Daar sta ik van te kijken. Dus... wist je eerder ook al wat ze zeiden, of schoot je dat vandaag pas te binnen?'

Ik haat je. Ik wou dat je dood was. Ze wendde haar blik af. 'Ik wist het al, maar toen ik daar stond... het was zo duidelijk. Ik hoorde haar stem weer, als de dag van gisteren.'

Zijn hand kroop onder haar haren en omvatte haar achterhoofd, terwijl zijn duim precies de plek in haar nek vond waar ze pijn had. 'En wie zegt er "nee"?'

Ze slikte moeizaam. 'Ik, denk ik. Dat weet ik niet zeker.' Ze liet haar kin op haar borst zakken.

Hun bestelling arriveerde en Alex keek op naar de serveerster, een vrouw met een streng gezicht en rode lippenstift. Ze kwam Alex bekend voor, maar ze wist niet waarvan. Ze droeg te veel make-up en haar ogen waren hard. Ze was ergens tussen de vijfentwintig en vijfendertig. Op haar naamplaatje stond SHEILA en ze keek indringend naar Daniels gezicht, maar niet op een verleidelijke manier. Ze scheen haar woorden te overpeinzen.

'Jij bent Daniel Vartanian,' zei Sheila uiteindelijk vlak.

Hij keek haar onderzoekend aan. 'Ja,' zei hij. 'Maar jou herken ik niet. Sorry.'

Haar rode lippen werden dun. 'Nee, dat zal ook wel niet. We gingen met verschillende mensen om. Mijn vader werkte in de fabriek.'

Alex' schouders verstijfden. In de papierfabriek werkte zo ongeveer de halve stad. Baileys vader had er gewerkt. Daar was Craig Crighton die avond geweest. De avond dat haar moeder hem nodig had. *De avond dat ik mijn moeder nodig had.* Ze deed haar ogen dicht. *Stil. Stil toch.*

'Jij bent Sheila Cunningham,' zei Alex. 'We zaten naast elkaar bij biologie.' *Het jaar dat ik niet heb afgemaakt. Het jaar dat Alicia stierf.*

Sheila knikte. 'Ik had niet verwacht dat je me nog zou kennen.'

'Ik herinner me heel veel niet.'

'Wat kunnen we voor je doen, Sheila?' vroeg Daniel.

Sheila's kaak verstrakte. 'Je was vandaag in Baileys huis.'

Meredith keek op, alert en aandachtig. De mensen in de nis achter die van hen hadden zich omgedraaid en luisterden overduidelijk mee.

Sheila scheen het niet te merken. Haar ogen waren samengeknepen en er klopte een adertje in haar hals. 'De mensen hier in de stad willen je laten geloven dat Bailey een slet was. Dat ze tuig was. Maar dat is niet waar.' Sheila richtte een blik op Hope. 'Ze was een goeie moeder.'

'Je zegt "was",' zei Daniel zachtjes. 'Weet je wat er met haar is gebeurd?'

'Nee. Als ik het wist zou ik het je vertellen. Maar ik weet dat ze dat kind niet in de steek heeft gelaten.' Ze beet op haar lip en deed duidelijk moeite om dat wat ze écht wilde zeggen binnen te houden. 'Iedereen is van streek omdat die rijke meisjes dood zijn. Niemand gaf om de gewone meisjes. Niemand geeft om Bailey.' Ze keek Alex aan. 'Behalve jij.'

'Sheila.' Een stem blafte vanuit de keuken. 'Kom hier.'

Sheila schudde met een spottende glimlach haar hoofd. 'Oeps, ik moet ervandoor. Te veel gezegd. We moeten natuurlijk geen deining veroorzaken of de hogere machten van streek maken.'

'Hoezo?' vroeg Daniel. 'Wat zou er gebeuren als je deining veroorzaakt?'

Haar rode lippen vertrokken in een sneer. 'Vraag maar aan Bailey. O nee, dat kan niet.' Ze draaide zich abrupt om en liep terug naar de keuken, waar ze de klapdeur met vlakke hand open mepte.

Alex leunde naar achteren. 'Nou nou.'

Daniel keek naar de keukendeur, die nog heen en weer zwaaide. 'Inderdaad.' Hij richtte zijn aandacht op de pizza, deelde punten uit, maar hij had een verontruste uitdrukking op zijn gezicht. 'Eten.'

Meredith duwde een bord naar Hope toe, maar het meisje staarde er alleen maar naar. 'Kom op, Hope,' vleide ze. 'Eten.'

'Heeft ze überhaupt al iets gegeten?' vroeg Daniel.

'Uiteindelijk eet ze wel, als je het lang genoeg voor haar neus laat staan,' antwoordde Meredith, 'maar we hebben alleen nog maar brood gegeten. Dit is onze eerste echte maaltijd sinds ik hier ben.'

'Sorry,' zei Alex. 'Ik ben niet zo'n goeie gastvrouw geweest.'

'Geen punt.' Meredith nam een hap pizza en sloot genietend haar ogen. 'Hij is lekker, Daniel. Je had gelijk.'

Daniel nam een hap en knikte. 'Voor sommige dingen kun je inderdaad wel terugkomen.' Hij zuchtte toen de buitendeur opengging. 'Geweldig.'

Een grote man in een duur pak liep met een boze blik het restaurant door.

'De burgemeester,' mompelde Alex tegen Meredith. 'Garth Davis.'

'Weet ik,' mompelde Meredith terug. 'Ik zag vanochtend zijn foto in de krant staan.'

'Daniel.' De burgemeester bleef bij hun tafel staan. 'Je had beloofd te bellen.'

'Als ik iets te melden had. Ik heb nog niets.'

De burgemeester plantte beide handen op tafel en boog zich naar voren, tot vlak voor Daniels gezicht. 'Je zei dat ik je één dag moest geven. Je zei dat je eraan werkte. En nou zit je hier.'

'En nou zit ik hier,' bevestigde Daniel vriendelijk. 'Laat me met rust, Garth.'

De burgemeester gaf geen krimp. 'Ik wil een update.' Hij sprak luid, voor zijn publiek, dacht Alex. Zijn kiesgemeente. Politici.

'Laat me met rust, Garth,' mompelde Daniel, terwijl hij de burgemeester zo kil aankeek dat zelfs Alex huiverde. 'Nu.' De burgemeester kwam langzaam overeind en Daniel haalde diep adem. 'Dank u, burgemeester Davis. Ik begrijp heel goed dat u informatie wilt hebben. U moet echter beseffen dat zelfs als ik u iets te vertellen had, dit niet de juiste plek daarvoor is. Ik heb vanmiddag naar uw kantoor gebeld. De telefoon ging wel over, maar er werd niet opgenomen.'

Davis kneep zijn ogen tot spleetjes. 'Ik was vanmiddag bij de familie Bowie thuis. Ik heb geen bericht gekregen. Het spijt me, Daniel.' Maar zijn ogen zeiden dat het hem helemaal niet speet. 'Ik zal er met mijn assistent over praten en vragen waarom hij de telefoon niet opnam.'

'Doe dat. Als u nog een update wilt, praat ik graag op een andere plek met u.'

De wangen van de burgemeester kleurden. 'Vanzelfsprekend. Dit is een vreselijke dag geweest, met het nieuws over Janet en Claudia.'

'En Bailey Crighton,' vulde Alex kil aan.

Burgemeester Davis had het fatsoen om beschaamd te kijken. 'En Bailey. Natuurlijk. Daniel, ik ben het grootste deel van de avond op mijn kantoor. Bel me, alsjeblieft.'

'Als dát je eetlust niet bederft...' zei Alex toen hij weg was.

'Alex.' Merediths stem klonk gespannen en Alex zag onmiddellijk waarom.

Hope had de kaas van de pizza geschoven en had saus over haar handen en haar hele gezicht gesmeerd. Ze zag eruit alsof ze onder het bloed zat. En ze wiegde heen en weer op een manier waar Alex koud van werd.

Daniel reageerde razendsnel. Hij stond op en veegde met een servet de saus weg. 'Hope, lieverd,' zei hij, met een humor in zijn stem waarvan Alex wist dat hij die niet voelde. 'Kijk toch wat een troep. En ook nog op je mooie nieuwe jurk.'

Het stel in de andere nis draaide zich om en Alex herkende Toby Granville en zijn vrouw. 'Kan ik helpen?' vroeg Toby, die ongerust naar het meisje keek.

'Nee, bedankt,' zei Daniel gladjes. 'We nemen haar wel mee naar huis om haar om te kleden. Je weet hoe kinderen zijn.' Hij haalde zijn portefeuille uit zijn zak, en Sheila kwam de keuken uit met een vochtige handdoek in haar handen.

Ze had dus toegekeken. Net als iedereen. Daniel gaf haar een opgevouwen bankbiljet en Alex zag het witte randje van zijn visitekaartje erboven uitsteken. 'Laat de rest maar zitten.'

Hij trok Alex overeind en ze grimaste vanwege haar stijve knieën. Maar ze dwong haar benen in beweging te komen en liep achter Meredith aan naar de deur. Daniel tilde Hope op. 'Kom mee, prinsesje. We gaan naar huis.'

Alex keek Sheila nog een keer aan en liep met Daniel mee naar zijn auto.

Binnen vijf minuten waren ze terug bij de bungalow. Meredith rende voor hen uit, en toen Alex over de drempel strompelde, had Meredith de kapperspop van prinses Fiona al op tafel gezet. Meredith nam Hope van Daniel over en zette haar ervoor, waarna ze hurkte om Hope in de ogen te kijken.

'Laat ons zien wat er met je moeder is gebeurd, Hope,' zei Meredith op dringende toon. Ze pakte het blikje rode Play-Doh en schudde de klei in haar hand. 'Laat zien.'

Hope smeerde een klodder op de kop van Fiona. Ze herhaalde dat tot Fiona's gezicht en haar onder de rode klei zaten. Toen ze klaar was, staarde ze Meredith hulpeloos aan.

Alex voelde de adem uit haar longen sijpelen. 'Ze heeft alles gezien.'

'Wat betekent dat ze misschien ook de dader heeft gezien,' zei Daniel gespannen. 'We gaan morgen wel naar de opvang, Alex. Ik wil Hope vanavond nog bij een forensisch tekenaar brengen. Meredith, mijn baas wilde dat ik morgenochtend met Hope naar onze afdelingspsycholoog ging, maar ik denk dat dat ook vanavond moet gebeuren.'

Alex brieste. 'Meredith is een prima kinderpsychologe. En Hope vertrouwt haar.'

Maar Meredith knikte. 'Ik ben er te nauw bij betrokken, Alex. Bel je expert maar, Daniel. Ik zal helpen waar ik kan.'

Atlanta, dinsdag 30 januari, 21:00 uur

Er zaten al een stuk of tien knappe meisjes in het café, maar Mack wist precies welke hij mee naar huis zou nemen. Hij wist dat al vijf lange jaren, al sinds de avond dat zij en haar twee vriendinnen hun rotgeintje hadden uitgehaald en hem zijn leven hadden afgenomen. Ze dachten dat ze zó slim waren. Nu waren Claudia en Janet zó dood. En Gemma zou snel volgen. Een tinteling van voorpret liep over zijn huid toen hij haar naderde. Hoe ze ook reageerde, haar avond zou op dezelfde manier eindigen. Afgelopen, dood, en in een bruine wollen deken gewikkeld. Nog een hulpmiddel om de hoekstenen van Dutton doodsbang mee te maken. Hij leunde tegen de bar, negeerde het protest van de vrouw achter hem terwijl hij haar van haar kruk duwde.

Hij had alleen oog voor zijn beloning.

Gemma Martin. De eerste die hij ooit had geneukt. Hij zou haar laatste zijn. Ze waren zestien geweest en ze had als beloning een uur achter het stuur van zijn Corvette willen zitten. Ze was dronken geweest en had die avond een deuk in zijn bumper gereden. Ze was nu ook goed op weg om dronken te worden, en de deuk zou deze keer in háár komen. Mack was van plan heel erg te genieten van zijn wraak.

'Pardon,' zei hij boven het lawaai van de muziek uit.

Ze draaide haar hoofd, liet haar blik van top tot teen over hem heen gaan. Ze had belangstelling, dat zag hij in haar ogen. Vijf jaar geleden had ze hem uitgelachen. Vanavond was ze geïnteresseerd en had ze geen flauw idee wie hij was.

Ze hield haar hoofd schuin. 'Ja?'

'Ik zag die schitterende rode Corvette waarmee je kwam aanrijden. Ik overweeg er ook eentje te kopen. Hoe bevalt de jouwe?'

Haar glimlach was katachtig en Mack wist dat hij het flesje Rohypnol in zijn zak niet nodig zou hebben om haar mee te krijgen. Ze zou meekomen omdat ze dat zelf wilde. Het zou haar einde alleen maar heerlijker maken.

'Het is de ideale auto. Stoer, snel en gevaarlijk.'

'Dat is precies wat ik zoek.'

Atlanta, dinsdag 30 januari, 21:00 uur

'Bel me alstublieft als u iets hoort,' zei Daniel voor hij ophing. Op dat moment kwam Chase zijn kantoor in, en die zag er even moe uit als Daniel zich voelde. Chase was net van een bespreking met de hoge heren gekomen, en aan de blik in zijn ogen te zien was die niet goed gegaan.

'Wie was dat?' vroeg Chase.

'Fort Benning. Ik heb al een heleboel berichtjes ingesproken voor die legerkapelaan.'

'Die gistermorgen bij Baileys huis was en met Alex aan de praat raakte.'

'Ja. Hij was naar Benning gevlogen voor zijn vakantie. Hij was op weg naar een plaatsje ergens ten zuiden van Albany, naar het huis van zijn ouders, maar daar is hij nooit komen opdagen. Zelfs met een tussenstop in Dutton zou hij met gemak rond etenstijd in Albany kunnen zijn. Ze geven hem als vermist op.'

'Verdomme, Daniel. Kom eens met goed nieuws.'

'Ik denk dat ik weet waar Janet is gegrepen. Ik heb onderzoek gedaan op het terrein waar vandaan ze naar haar vriend heeft gebeld, en bij een broodjeszaak vond ik een medewerker die zich haar herinnerde, en zelfs het broodje dat ze had besteld. Ze hebben haar op de beveiligingstape terwijl ze haar bestelling doorgeeft. Felicity heeft geen broodje aangetroffen in haar maag, dus ze heeft het niet opgegeten. Ik denk dat hij in haar busje had ingebroken en haar heeft overmeesterd toen ze naar buiten kwam.'

'Hebben we dat busje ook op tape?'

'Nee. Geen camera's op de parkeerplaats, alleen binnen. En geen van de omringende bedrijven heeft er camera's hangen. Dat heb ik nagevraagd.'

Chase trok een boos gezicht. 'Vertel me dan in elk geval dat de tekenaar iets opschiet met dat kind.'

'De tekenaar kan pas morgenochtend komen,' zei Daniel, die vermoeid een hand opstak toen Chase begon te briesen. 'Ik kan er niks aan doen. Beide tekenaars zijn bezig met slachtoffers. Wij zijn hierna aan de beurt.'

'Bij wie is dat kind dan nu?' wilde Chase weten.

'Chase.' Mary McCrady kwam Daniels kantoor in en keek Chase vermanend aan. '"Dat kind" heet Hope.'

Daniel had Mary McCrady altijd graag gemogen. Ze was iets ouder dan hij, iets jonger dan Chase. Ze had een nuchtere kijk op de wereld en liet zich nooit door iemand intimideren – en ook de patiënten die ze onder haar hoede nam niet.

Chase draaide met zijn ogen. 'Ik ben moe, Mary. Het afgelopen uur ben ik uitgebeend en door de mangel gehaald door mijn baas en zíjn baas. Zeg me dat je iets bent opgeschoten met Hópe.'

Mary haalde haar schouders op. 'Je bent een grote jongen, Chase. Je kunt wel wat uitbenen en mangelen hebben. Hope is een getraumatiseerd kind. Zij kan dat niet hebben.'

Chase wilde uitvallen, maar Daniel was hem voor. 'Wat heb je ontdekt, Mary?' vroeg hij rustig.

Mary ging in een stoel zitten. 'Niet veel. Meredith Fallon heeft precies hetzelfde gedaan wat ik zou doen. Ze heeft speltherapie gebruikt en Hope een veilig gevoel gegeven. Ik kan niets uit Hope trekken als ze niet wil.'

'Dus je hebt niks.' Chase bonsde met zijn hoofd tegen de muur. 'Geweldig.'

Mary keek geërgerd over haar schouder. 'Ik zei niet dat we niks hebben. Ik zei dat we niet veel hebben.' Ze haalde een vel papier uit haar map. 'Ze heeft dit getekend.'

Daniel keek naar het papier. Het was de ruwe tekenstijl van een kind, een liggende gestalte met rode krassen over het hoofd. De andere gestalte, mannelijk en rechtopstaand, vulde bijna de hele bladzijde. 'Het is meer dan we tot nu toe hadden. Sinds ze vrijdag in de kast is gevonden, heeft ze alleen maar tekeningen in kleurboeken ingekleurd.'

Mary stond op en liep naar zijn kant van het bureau. 'We denken dat dit Bailey voorstelt.' Ze wees naar de liggende gestalte.

'Ja, dat snap ik. Dat rood is wel duidelijk.' Hij keek vanuit zijn ooghoeken naar haar op. 'Meredith heeft je zeker verteld over de pizzasaus en de Play-Doh?'

'Ja,' zei Mary. 'Ik wilde dat kleintje echt niet zo onder druk zetten, maar we moeten precies weten wat ze heeft gezien.' Ze wees naar de staande gestalte. 'Baileys aanvaller.'

'Ja, ook dat snapte ik al. Hij is reusachtig, drie keer zo groot als Bailey.'

'Zo groot is de man niet echt,' zei Mary.

'Het komt door zijn dreiging, zijn kracht,' zei Chase bij de deur, en hij trok een schaapachtig gezicht toen Mary verbaasd opkeek. 'Ik ben geen monster, Mary. Ik weet dat dat meisje vreselijke dingen heeft meegemaakt. Maar hoe eerder het naar buiten komt, hoe eerder jullie kunnen beginnen... haar op te lappen.'

Mary zuchtte geërgerd, maar met genegenheid. 'We gaan haar behandelen, Chase, niet óplappen.' Ze keek weer naar de tekening. 'Hij heeft iets op zijn hoofd.'

'Een honkbalpet?' vroeg Daniel.

'Moeilijk te zeggen. Kinderen van haar leeftijd kunnen maar een beperkt aantal afbeeldingen tekenen. Alle hoofddeksels zien er grotendeels hetzelfde uit. Alle figuren zien er hetzelfde uit. Maar kijk eens naar zijn hand.'

Daniel wreef in zijn ogen en pakte de tekening op. 'Een stok. Druipend van het bloed.'

'Heeft het team van Ed stokken met bloed eraan gevonden?' vroeg ze.

'Ze zijn nog bezig op de plaats delict,' antwoordde Daniel. 'Ze hebben lampen in het bos opgezet, op zoek naar de plek waar Hope zich had verstopt. Waarom is die stok zo klein?'

'Omdat ze die verdringt,' antwoordde Chase. 'Ze wordt er doodsbang van, dus maakt ze hem in gedachten zo klein mogelijk.'

Mary knikte. 'Dat klopt wel zo ongeveer. Ik dacht dat je dit zou willen zien. We zijn er voor vandaag mee gestopt. Toen we dit hadden, durfde ik haar niet verder onder druk te zetten. We kunnen morgen doorgaan. Ga slapen, Daniel.' Ze glimlachte. 'Doktersvoorschrift.'

'Ik zal het proberen. Welterusten, Mary.' Toen ze weg was keek Daniel naar Hopes tekening, en hij voelde zich schuldig en verscheurd. 'Eigenlijk zou ik ze het liefst alle drie, Alex, Hope en Meredith, in een veilig toevluchtsoord willen onderbrengen. Maar tot nu toe zijn Hope en Alex onze enige connectie naar wie hier dan ook achter zit. Als we ze verstoppen...'

Chase knikte. 'Ik weet het. Ik heb de politiebeveiliging opgevoerd.

De klok rond. Dat is onderdeel van wat er tijdens de laatste bespreking op de agenda stond.'

'Dat zou Alex wel gerust moeten stellen. En mij. Bedankt, Chase.'

'Mary heeft gelijk. Ga slapen, Daniel. Ik zie je morgenochtend.'

'Ik zal Ed om acht uur hierheen laten komen,' zei Daniel, terwijl hij uitrekende hoe lang het in de ochtendspits rijden was van Dutton naar het GBI-gebouw. Want zelfs met politiesurveillance voor de deur nam Daniel geen risico's. Er stond een bank in de woonkamer van de bungalow. Daar zou hij vannacht slapen.

Dinsdag 30 januari, 21:00 uur

Zijn mobiele telefoon ging. Degene die niet op zijn naam stond. Hij hoefde niet op het schermpje te kijken. Híj was de enige die ooit dit nummer belde.

'Ja.' Hij klonk vermoeid, zelfs in zijn eigen oren. Want dat was hij ook. Lichamelijk en... in zijn ziel. Als hij nog een ziel had. Hij herinnerde zich de blik in Rhett Porters ogen. *Help me.*

'Is het gebeurd?' Zijn stem was kil en had geen geduld voor zwakte.

Dus rechtte hij zijn rug. 'Ja. Rhett is in rook opgegaan.'

Hij gromde. 'Je had hem aan de krokodillen moeten voeren, zoals DJ.'

'Ja, nou, deze keer niet. Ik had geen tijd om naar het moeras en weer terug te rijden. Luister, ik ben moe. Ik ga naar huis en –'

'Nee, je gaat nog niet naar huis.'

Hij wilde zuchten, maar hij hield zich in. 'En waarom niet?'

'Omdat je nog niet klaar bent.'

'Ik zorg wel voor Fallon. Ik heb al plannen in gang gezet. Discrete plannen.'

'Mooi, maar nu is er nog meer. Vartanian is vanavond uit eten geweest met Alex Fallon en Baileys dochter.'

'Praat dat kind?'

'Nee.' Er viel een boze stilte. 'Maar ze heeft haar gezicht volgesmeerd met pizzasaus. Alsof ze onder het bloed zat.'

Hij verstijfde en zocht koortsachtig naar een verklaring. 'Dat is onmogelijk. Ze zat in een kast. Ze heeft niks gezien.'

'Misschien is ze dan wel helderziend.' De woorden klonken bijtend scherp. 'Maar Baileys kind heeft iets gezien, Doperwtje.'

Zijn maag verkrampte. 'Nee.' *Het is maar een kind.* Hij zou nooit... 'Ze is maar een kleuter.'

'Als ze je heeft gezien, ben je de lul.'

'Ze heeft me niet gezien.' De wanhoop klauwde in zijn keel. 'Ik was buiten.'

'Daarna ben je naar binnen gegaan.'

'Maar dan kan ze alleen hebben gezien dat ik rommel maakte. Ik heb Bailey buiten gepakt.'

'En ik zeg je dat een restaurant vol mensen heeft gezien dat dat kind zichzelf ondersmeerde met saus.'

'Dat doen kinderen wel vaker. Niemand zal er iets van denken.'

'Op zichzelf misschien niet.'

'Wat nog meer?' vroeg hij mat.

'Sheila Cunningham.'

Hij deed zijn ogen dicht. 'Wat zei ze?'

'Voornamelijk dat Bailey niet de slet was waar iedereen haar voor uitmaakte. En dat iedereen zo van streek is over die rijke meisjes die dood zijn, maar dat niemand iets gaf om de gewone meisjes, dat niemand geeft om Bailey.'

'En dat is alles?' Hij voelde zich wat beter. 'Dus ze heeft niks gezegd.'

'Heb je niet geluisterd?'

'Jawel,' zei hij, nu defensief. 'Waar heb je het over?'

Het bleef volkomen stil aan de andere kant, en in de stilte vielen de woorden op hun plek.

'O, verdomme.'

'Ja. En je kunt ervan op aan dat die goeie ouwe Danny het ook heeft gehoord. Híj is niet achterlijk.'

Hij liet die sneer over zich heen komen. 'En heeft hij verder nog met Sheila gepraat?'

'Nog niet. Hij heeft dat kind van Bailey daar zo snel weggehaald dat het iedereen duizelde. Maar hij heeft Sheila wel zijn kaartje gegeven.'

Verdomme. 'Was jij erbij?'

'Ja. Ik heb alles gezien. En iedereen in de stad kletst erover.'

'Is Vartanian nog een keer met Sheila gaan praten?'

'Nog niet. Ze hebben dat kind meegenomen naar het huis dat die meid van Fallon huurt, en een kwartier later zijn ze met z'n allen in Vartanians auto gestapt en de stad uit gereden.'

'Wacht even. Ik dacht dat je zei dat ze met hun drieën waren.'

'Je weet niet eens wat er gaande is in je eigen stad, hè? Dat mens van Tremaine heeft haar nicht erbij gehaald om haar te helpen voor dat kind te zorgen. Die vrouw is kinderpsycholoog.'

Het kleine beetje hoop dat hij nog controle over de zaken had, sputterde en stierf. 'Wil je ze allemaal uit de weg hebben?'

'Discreet. Als Vartanian weet dat ze dood zijn, rust hij niet tot hij weet wie het gedaan heeft. Dus laat het erop lijken dat ze allemaal gewoon naar huis zijn gegaan.'

'Vroeg of laat komt hij er toch wel achter.'

'En tegen die tijd heb ik al met hem afgerekend. Zorg eerst voor Sheila, dan voor de andere drie. Bel me als het gebeurd is.'

Dinsdag 30 januari, 23:30 uur

Mack keek van de motor van de Corvette naar Gemma Martin, die vastgebonden aan handen en voeten en met grote, doodsbange ogen op zijn garagevloer lag.

'Je hebt hem goed onderhouden,' zei hij goedkeurend.

'Ik denk dat ik deze maar zelf hou.' Hij had al kopers in de coulissen staan voor de z4 en de Mercedes. Het was een van de weinige voordeeltjes van de gevangenis. Je ontmoette allerlei hulpvaardige mensen.

'Wie ben jij?' vroeg ze hees, en Mack lachte.

'Je weet wel wie ik ben.'

Ze schudde haar hoofd. 'Alsjeblieft. Als je geld wilt...'

'O ja, ik wil geld, en ik heb al flink wat van jou.' Hij stak het geld op dat hij in haar tas had gevonden. 'Vroeger liep ik ook met zulke pakken geld rond. Maar de tijden veranderen.' Hij voelde zich een beetje als een agent in een oude *Mission: Impossible*-film toen hij het dunne latex van zijn gezicht afpelde. Samen met de make-up had hij daarmee zijn enige opvallende kenmerk kunnen verbergen.

Gemma's ogen werden nog groter. 'Nee. Jij zit in de gevangenis.'

Hij grinnikte. 'Niet meer zoals je ziet, maar logica was nooit je sterkste punt.'

'Jij hebt Claudia en Janet vermoord.'

'Hadden ze dat dan niet verdiend?' zei hij vriendelijk. Hij ging op de vloer naast haar zitten. 'En jij ook?'

'We waren kinderen.'

'Jullie waren rotwijven. En straks ben je een dood rotwijf.' Hij haalde zijn stiletto uit zijn zak en begon haar kleren kapot te snijden. 'Jullie drie dachten dat jullie zo slim waren.'

'We bedoelden er niks mee,' riep ze.

'Wat dacht je dan dat er zou gebeuren, Gemma?' vroeg hij, nog altijd vriendelijk. 'Ik vroeg je mee naar het eindexamenfeest, jij zei ja. Maar je wilde niet. Ik behoorde niet langer tot jouw klasse.'

'Het spijt me.' Ze huilde nu; dikke, doodsbange tranen.

'Nou, daar is het nu te laat voor, zelfs al zou ik je verontschuldiging willen aannemen. Maar dat wil ik niet. Herinner je je die nacht nog, Gemma? Ik namelijk wel. Ik weet nog dat ik je in de oude auto van mijn schoonzus ophaalde, omdat dat de enige was die we nog hadden. Ik verwachtte dat je je eigen auto zou aanbieden. Ik had argwaan moeten krijgen toen je dat niet deed. Ik weet nog dat ik je vriendinnen ontmoette. En daarna herinner ik me niks meer, tot ik uren later bijkwam, naakt op een parkeerplaats, honderdvijftig kilometer verderop. Mijn auto was weg, en jij en je vriendinnen ook.'

'We bedoelden er niks mee,' herhaalde ze, zich verslikkend in haar tranen.

'Jawel. Het was jullie bedoeling om me te vernederen, en dat is gelukt. Ik weet nog wat er daarna gebeurde. Ik weet nog dat ik in de struiken heb gewacht tot een kerel van ongeveer mijn postuur stopte om te pissen. Ik heb zijn auto gestolen om thuis te komen. Hij kwam terug terwijl ik de motor aan de praat probeerde te krijgen. We gingen op de vuist en ik was zo kwaad op jou dat ik hem bewusteloos sloeg. Ik was nog geen tien kilometer verder toen ik door de politie staande werd gehouden. Bedreiging, mishandeling, autodiefstal. Ik heb vier jaar in de bak gezeten omdat niemand in Dutton me wilde helpen. Niemand wilde mijn moeder helpen de borgsom op te brengen. Niemand hielp me aan een fatsoenlijke advocaat.'

'Jullie bedoelden er niks mee,' voltooide hij kil. 'Maar jullie hebben me alles afgenomen. Nu pak ik alles van jou af.'

'Alsjeblieft,' snikte ze. 'Vermoord me alsjeblieft niet.'

Hij lachte. 'Als de pijn te erg wordt, zul je dat voor me schreeuwen, schatje.'

Dutton, dinsdag 30 januari, 23:30 uur

Daniel reed de oprit van de bungalow op. Het was stil in de auto sinds ze uit Atlanta waren vertrokken. Achterin lagen Meredith en Hope te slapen.

Naast hem zat Alex. Ze was wakker en was in gedachten verzonken. Enkele keren had hij bijna gevraagd wat eraan scheelde, maar dat was een belachelijke vraag. Wat scheelde er níét aan? Alex' leven was al eens eerder in duigen gevallen. Dat gebeurde nu weer. *En ik sta op het punt het nog duizend keer erger te maken.*

Want de stilte had hem de tijd gegeven om eindelijk na te denken, om de stukjes in elkaar te passen, en één zinsnede liet hem niet met rust. Het was naar de achtergrond verdwenen omdat Garth Davis verscheen en door Hopes doorbraak. Die zinsnede was gekomen van de serveerster bij de pizzeria, bitter uitgesproken met rode lippen.

Niemand gaf iets om de gewone meisjes. Gáf. Sheila had de tegenwoordige tijd gebruikt toen ze het over 'de rijke meisjes' en Bailey had. *Iedereen is van streek over de rijke meisjes. Niemand geeft om Bailey.*

Maar niemand gáf om de gewone meisjes. Hij begon het te begrijpen. Toen hij Sheila's gezicht voor het eerst had gezien, had hij daarin iets herkend. Eerst had hij gedacht dat hij haar van school kende. Maar dat was het niet.

Hij zette de motor af en er was alleen nog maar stilte, op de ritmische ademhaling vanaf de achterbank na. Alex' blik gleed naar de onopvallende politiewagen langs de stoeprand, en haar profiel was zilverachtig in het bleke maanlicht. Kwetsbaar, zo had hij haar gisterochtend in gedachten beschreven. Ze zag er nu breekbaar uit. Maar hij wist dat ze geen van beide was. Alex Fallon was misschien wel sterker dan zij allemaal. Hij hoopte dat ze sterk genoeg was om aan te kunnen wat hij haar zou vertellen, iets wat hij niet langer geheim kon houden.

Hij zou wachten tot Meredith en Hope in bed zouden liggen. Dan zou hij het haar vertellen en haar reactie daarop, wat die ook was, accepteren. Wat voor boete hij ook zou moeten doen. Maar ze had het recht om het te weten.

'Je baas werkt wel snel,' mompelde ze, verwijzend naar de onopvallende auto.

'Het is ofwel dit, of een onderduikadres. Wil je een onderduikadres, Alex?'

Ze keek naar de achterbank. 'Voor hen misschien wel, maar niet voor mezelf. Als ik me verstop kan ik niet naar Bailey zoeken, en ik denk dat ik in de buurt kom.' Ze keek naar haar handpalmen. 'Of althans, iemand wil niet dat ik zoek. Misschien kijk ik te veel televisie, maar volgens mij wijst dat erop dat ik iemand zenuwachtig maak.'

Ze sprak met haar koele stem. Ze was bang. Maar hij kon niet tegen haar liegen. 'Ik denk dat dat een redelijke aanname is. Alex...' Hij zuchtte zachtjes. 'Laten we naar binnen gaan. Ik moet je wat dingen vertellen.'

'Zoals?'

'We gaan eerst naar binnen.'

Ze pakte zijn arm, maar toen grimaste ze en trok haar geschaafde hand terug. 'Vertel.'

Haar ogen werden groot en hij zag haar angst. Hij had niets moeten zeggen tot ze binnen waren, en alleen. Maar hij had wel iets gezegd, dus zou hij haar nu vertellen wat hij kon, gewoon om haar naar binnen te krijgen. 'Beardsley wordt vermist.'

Haar mond viel open. 'Ik heb hem gisteren nog gezien.' Een gepijnigd besef verscheen in haar ogen. 'En iemand heeft mij sindsdien in de gaten gehouden.'

'Ook dat is denk ik een redelijke aanname.'

'Jij moet ook iets weten. Terwijl dokter McCrady bij Hope was heb ik Baileys beste vriendin van de kapsalon gebeld. Ze heet Sissy. Ik had de hele dag al geprobeerd te bellen, maar ik had haar niet te pakken gekregen. Alleen haar voicemail. Daarna heb ik met een van de telefoons op jullie bureau gebeld. Toen nam ze meteen op.'

'Denk je dat ze je telefoonnummer herkende?'

'Dat weet ik wel zeker. Toen ik zei wie ik was hield ze de boot af. Ik vroeg of ik naar haar toe kon komen om over Bailey te praten, maar ze zei dat ze Bailey eigenlijk helemaal niet zo goed kende. Dat ik beter met de andere kapsters kon praten.'

'Maar de eigenaar had gezegd dat zij Baileys beste vriendin was.'

'Ja. Hij zei dat Bailey elke zaterdagnacht bij haar logeerde. En de maatschappelijk werkster zei dat Sissy degene was die vrijdag naar Baileys huis zou komen.'

'Iemand heeft haar dus onder druk gezet,' zei Daniel.

'Sissy heeft een dochter, oud genoeg om op Hope te passen als Bailey op zaterdag moest werken.' Alex beet op haar lip. 'Als iemand Sissy heeft bedreigd, en Beardsley wordt vermist, dan zijn zuster Anne en Desmond misschien ook in gevaar.'

Daniel legde zijn duim op haar lip en streek de deukjes glad die ze er met haar tanden in had gemaakt. 'Ik zal een auto naar de opvang en naar Desmonds huis sturen.' Hij trok zijn hand terug. 'Laten we Hope naar bed brengen. Het is al laat.'

Alex had het achterportier al opengedaan en reikte naar Hope, maar Daniel duwde haar voorzichtig aan de kant. 'Doe jij de voordeur maar open. Ik draag haar wel.' Hij schudde aan Merediths schouder, en ze schrok wakker, knipperend met haar ogen. Hij maakte de gordel van het kinderzitje los en tilde Hope op. Ze nestelde zich tegen zijn schouder, te uitgeput om bang te zijn.

Hij liep achter Alex aan naar de bungalow, zich bewust van de agenten die Chase op wacht had gezet. Hij kende en vertrouwde Hatton en Koenig al jaren. Hij knikte naar hen toen hij passeerde. Hij zou over een paar minuten naar buiten lopen om met hen te praten.

Riley ging overeind zitten toen ze binnenkwamen en liep meteen met hen mee.

Alex leidde Daniel de slaapkamer in. Voorzichtig legde hij Hope op het bed en trok haar schoenen uit. 'Wil je haar een pyjama aantrekken?' fluisterde hij.

Ze schudde haar hoofd. 'Ze kan wel een nachtje in haar kleren slapen,' fluisterde ze terug.

Daniel trok de deken over Hope heen en veegde een goudblonde lok van haar gezicht. Ze had blosjes op haar wangen. Hij slikte. De pizzasaus had vlekken op haar huid en haar achtergelaten. Het leek nog steeds op bloed. Voorzichtig veegde hij de lok terug en verborg de vlek.

Hij had al te veel verontrustende beelden in zijn hoofd. Hij kon er geen bebloede vierjarige bij gebruiken.

'Ik slaap ook hier,' fluisterde Alex, die aan de andere kant van het bed stond. Daniel keek naar de schone witte lakens en toen weer naar Alex, die hem nadrukkelijk aanstaarde.

'Ga je nú slapen?' vroeg hij.

'Dat zal dan wel niet. Kom mee.' Ze draaide zich om bij de deur en trok haar wenkbrauwen op. 'O, kijk.'

Riley was op een koffer geklommen en probeerde zich op de stoel aan Hopes kant van het bed te hijsen. 'Riley,' fluisterde Daniel. 'Kom eraf.'

Maar Alex gaf Riley het zetje dat hij nodig had om op de stoel te komen. Van daaraf klauterde de hond op het bed, liep naar Hopes kant en liet zich met een diepe zucht op zijn buik zakken.

'Riley, ga van dat bed af,' fluisterde Daniel, maar Alex schudde haar hoofd.

'Laat hem maar. Als ze wakker wordt door een nachtmerrie is ze tenminste niet alleen.'

Dutton, dinsdag 30 januari, 23:30 uur

Hij trok aan zijn stropdas en schoof naar achter in zijn stoel, maar een grote man kon het zich nu eenmaal nooit helemaal gemakkelijk maken als hij postte in zijn auto. Zijn zus Kate was thuisgekomen van haar werk, haar degelijke Volvo stond veilig in de garage. Hij zag haar binnen rondlopen, om de kat te voeren, haar jas op te hangen. Hij was van plan elke nacht voor haar huis te gaan staan tot dit voorbij was. Hij was haar gevolgd vanuit de stad, en was zo ver achter haar gebleven dat ze hem niet had gezien. Als ze hem wel zag zou hij toegeven dat hij zich zorgen maakte om haar veiligheid. Maar hij kon haar met geen mogelijkheid vertellen dat ze een doelwit was. Als hij dat deed zou ze willen weten hoe hij dat wist. Dat mocht ze niet weten. Niemand mocht het weten. En niemand zóú het weten als hij zich gewoon koest hield en zijn mond dichthield. Beide vrouwen waren vermoord tussen acht uur 's avonds en twee uur 's nachts. Beide vrouwen waren uit hun auto ontvoerd, dus hij zou Kate volgen als een schaduw als ze van het werk naar huis reed, en haar 's nachts bewaken. Overdag was ze wel veilig, dacht hij, omringd door mensen op haar werk.

Gedachten aan de jaarboekfoto's drongen zich aan hem op. Tien foto's, twee doorgekruist. Hij had de hele avond geprobeerd er niet aan te denken. Het was een duidelijke waarschuwing. Behalve Kate hadden er nog zeven andere vrouwen op dat papier gestaan. Zeven andere vrouwen waren doelwit. Hij had die kopie aan Vartanian kunnen geven, had die andere zeven kunnen redden. Maar hij dacht aan zijn zus Kate. Zijn vrouw. Zijn kinderen. En als hij de kans kreeg zou hij het papier weer verbranden, wist hij. Ze mochten het nooit weten.

Als hij dat papier aan Vartanian had gegeven, zou Daniel zich hebben afgevraagd waarom hij die waarschuwing had ontvangen. Zelfs als hij het anoniem had opgestuurd, zou Daniel de cirkel om de foto van Kate zien en zich afvragen waarom zíj nu juist was gemarkeerd.

Je had Kates foto eruit kunnen knippen en de rest kunnen insturen. Je had die andere zeven vrouwen kunnen beschermen. Je had ze moeten beschermen.

En de kans lopen dat Vartanians GBI-lab zijn vingerafdrukken op dat papier zou vinden? Nee, dat was een te groot risico. Bovendien zou Vartanian zijn gaan speuren, en god weet wat hij dan zou vinden.

Als een van die andere zeven vrouwen sterft kleeft haar bloed aan jouw handen.

Het zij zo. Hij moest zijn eigen gezin beschermen. De andere vrouwen hadden bij Janet en Claudia op school gezeten. Als hun families slim waren zouden ze hun vrouwen ook beschermen. *Maar zij weten niet wat jij weet.*

Hij had dingen gedaan in zijn leven. Vreselijke, abnormale dingen. Maar hij had nooit eerder iemands bloed aan zijn handen gehad. *Wel waar.* Alicia Tremaine. Het beeld van Alicia's gezicht schoot door zijn hoofd, samen met de herinnering aan die nacht, dertien jaar geleden.

We hebben haar niet vermoord. Maar ze hadden haar wel verkracht. Allemaal. Allemaal, behalve Simon. Hij had alleen maar foto's gemaakt. Simon was altijd een zieke smeerlap geweest in die dingen.

En jij niet? Jij hebt dat meisje verkracht, en hoeveel anderen nog?

Hij deed zijn ogen dicht. Hij had Alicia Tremaine en veertien anderen verkracht. De hele groep had het gedaan. Behalve Simon. Hij had alleen foto's gemaakt. *En waar waren die foto's?*

Die gedachte plaagde hem al dertien jaar. De foto's waren opgeborgen, een verzekeringspolis om ervoor te zorgen dat niemand van hen zou vertellen wat ze allemaal hadden gedaan. Verdomde stomme blagen waren ze geweest. Niets zou ooit uitwissen wat ze hadden gedaan. *Wat ik heb gedaan.*

Al die afgrijselijke dingen. Vastgelegd op foto's. Toen Simon de eerste keer was overleden, waren ze allemaal opgelucht geweest, maar tegelijkertijd ook doodsbang dat die foto's zouden opduiken. Dat was echter nooit gebeurd, en de jaren waren verstreken. In onbehagen.

Ze hadden het nooit meer over de foto's gehad, of de club, of de dingen die ze hadden gedaan. Pas toen DJ aan de drank raakte. En verdween. Net zoals Rhett vannacht was verdwenen. Hij wist dat Rhett dood was. Rhett had willen praten, en hij was uit de weg geruimd. Net als DJ.

Ik, echter, ben slim genoeg om mijn mond dicht te houden en me gedeisd te houden tot dit allemaal voorbij is. Destijds hadden de foto's hun zwijgen gegarandeerd. Als een van hen werd gepakt, zouden ze allemaal worden gepakt. Maar nu, al die jaren later... Ze waren niet langer stomme blagen. Ze waren volwassen mannen met respectabele banen en gezinnen om te beschermen. Maar nu, al die jaren later... vermoordde iemand hun vrouwen. Vrouwen die dertien jaar geleden onschuldige meisjes waren. *De meisjes die jij hebt verkracht waren ook onschuldig. Onschuldig. Onschuldig. Onschuldig.*

'Dat weet ik.' Hij spoog die woorden hardop uit en fluisterde toen: 'God, denk je dat ik dat niet weet?'

Nu, al die jaren later, wist iemand anders het ook. Diegene wist van de sleutel, dus wist hij van de club en moest hij het ook weten van Simons foto's. Het was niet een van hen, niet een van de vier die nog over waren. Nee, geen vier. Hij dacht aan Rhett Porter. Rhett was dood.

De dríé die nog over waren. Geen van hen zou dit doen.

Dat deze hele nachtmerrie één week na Simon Vartanians werkelijke dood was begonnen, kon geen toeval zijn. Had Daniel misschien Simons foto's gevonden?

Nee. Geen schijn van kans. Als Daniel Vartanian de foto's had zou hij onderzoek doen.

Hij dóét ook onderzoek, idioot.

Nee, hij doet onderzoek naar de moord op Janet en Claudia.

Dus Daniel wist het niet. Dat betekende dat het iemand anders was. Iemand die geld wilde. Iemand die twee vrouwen had vermoord om te bewijzen dat hij het meende. Iemand die dreigde er nog meer te vermoorden als ze niet luisterden.

Dus had hij geluisterd. Hij had de instructies opgevolgd die hij bij de kopie van de jaarboekfoto's had ontvangen. Hij had honderdduizend dollar overgemaakt naar een rekening in het buitenland. Er zou een volgende eis komen, voor meer geld, wist hij. En hij zou blijven betalen wat hij moest betalen om ervoor te zorgen dat zijn geheim dat bleef: *geheim.*

12

Dutton, dinsdag 30 januari, 23:55 uur

Meredith stond met haar hoofd in de koelkast toen Alex de slaapkamerdeur dichtdeed en Hope en Riley alleen liet. 'Ik ben uitgehongerd,' klaagde Meredith. 'Ik heb maar twee happen pizza binnengekregen.'

'Je bent niet de enige,' zei Daniel, wrijvend over zijn buik. 'Bedankt voor de herinnering,' voegde hij er droog aan toe.

Alex wendde haar blik af van Daniel Vartanians slanke bovenlichaam, geschrokken door het plotselinge verlangen dat haar van binnenuit verwarmde. Na alles wat er was gebeurd, kon ze niet gaan denken aan Daniels platte buik.

Meredith zette een pot mayonaise en wat hamreepjes op het werkblad tussen de keuken en de woonkamer. Ze keek Alex aan en haar lippen vormden een veelbetekenende glimlach. Alex wierp haar een boze blik toe en daagde haar uit iets te zeggen.

Meredith schraapte haar keel. 'Daniel, zal ik een boterham voor je smeren?'

Daniel knikte. 'Lekker.' Hij leunde met zijn onderarmen op het granieten aanrecht. Toen hij zuchtte grinnikte Meredith.

'Je lijkt op je hond als je dat doet,' zei ze, terwijl ze ham op de boterhammen legde.

Daniel grinnikte vermoeid. 'Ze zeggen dat mensen op hun hond gaan lijken. Ik hoop dat ik alleen op die manier op Riley lijk. Hij is een lelijkerd.'

'O, dat weet ik niet hoor. Ik vind hem schattig,' zei Meredith, en ze grijnsde weer naar Alex toen ze Daniels bord naar hem toe schoof. 'Jij niet, Alex?'

Alex draaide met haar ogen, te moe om het grappig te vinden. 'Eet nou maar, Mer.' Ze liep naar het raam en trok het gordijn opzij om naar de onopvallende politieauto langs de stoep te kijken. 'Moeten we ze geen koffie brengen of zo?'

'Dat stellen ze vast op prijs,' zei Daniel. 'Als jij het maakt breng ik het wel naar ze toe. Ik wil niet dat jullie naar buiten gaan als het niet absoluut noodzakelijk is.'

Meredith nam haar bord mee naar de tafel. Ze duwde de met Play-Doh besmeurde prinses Fiona opzij en ging zuchtend zitten. 'Hebben we huisarrest, Daniel?'

'Je weet wel beter. Maar het zou slordig zijn als we geen verstandige voorzorgsmaatregelen namen.'

Alex zette koffie voor de brigadiers. 'Het wordt of dit, of een onderduikadres.'

Meredith keek haar bedachtzaam aan. 'Ik vind dat jij en Hope daarheen moeten gaan.'

Alex keek op terwijl ze koffie in het apparaat schepte. 'Ik dacht eigenlijk dat jíj en Hope maar moesten gaan.'

'Natuurlijk dacht je dat,' zei Meredith. 'Verdomme, Alex, je bent zo traag van begrip. Niemand heeft geprobeerd om míj te vermoorden. Jij bent degene met de schietschijf op je rug.'

'Tot nu toe,' wierp Alex tegen. 'De pastoor wordt vermist, Mer. En ik denk dat iemand Baileys vriendin heeft bedreigd. Jij bent míjn vriendin. Denk niet dat ze jou niet hebben opgemerkt.'

Meredith deed haar mond open, maar ze sloot hem weer en tuitte haar lippen. 'Shit.'

'Precies,' zei Daniel. 'Slaap er een nachtje over. Jullie kunnen morgen besluiten naar een onderduikadres te gaan, als jullie willen. Die auto buiten blijft nog minstens een dag staan.' Hij wreef over zijn voorhoofd. 'Hebben jullie toevallig aspirine, dames?'

Alex stak haar hand over de werkbank uit naar zijn kin en tilde zijn hoofd op. Ze zag de pijn in zijn ogen. 'Waar doet het pijn?'

'Mijn hoofd,' zei hij nukkig.

Ze glimlachte. 'Kom eens naar voren.' Met zijn ogen wantrouwig samengeknepen boog hij zich over de werkbank. 'En doe je ogen dicht,' mompelde ze. Na nog een laatste blik gehoorzaamde hij. Ze drukte met haar vingertoppen op zijn slapen tot zijn ogen ineens open schoten.

'Dat is beter,' zei hij verbaasd.

'Mooi. Ik heb een paar lessen acupressuur genomen, in de hoop dat het bij mij zou werken, maar mijn eigen hoofdpijn krijg ik nooit weg.'

Hij liep om de werkbank heen en schoof zijn hand onder haar haren. 'Nog steeds pijn hier?'

Ze knikte en liet haar hoofd naar voren zakken terwijl zijn duim onfeilbaar de juiste plek in haar nek vond. Er liep een rilling over haar rug. 'Ja, daar.' Maar het klonk hees en plotseling kreeg ze niet genoeg lucht.

Het werd stil in de kamer toen zijn handen zich naar haar schouders verplaatsten en haar kneedden door het dikke tweed van haar jas. Alles wat Alex hoorde was het gedruppel in de koffiepot en het geluid van haar eigen hartslag, bonzend in haar hoofd.

Meredith schraapte haar keel. 'Ik geloof dat ik maar eens naar bed ga,' zei ze.

Merediths deur ging dicht en ze waren alleen. Alex huiverde nog eens toen hij haar jas van haar schouders trok, maar de warmte van zijn handen verjoeg de kilte.

'Umm.' Het was een zachte keelkreun terwijl ze op haar onderarmen leunde, net zoals hij had gedaan.

'Ga niet slapen,' mompelde hij, en ze liet haar adem ontsnappen.

'Weinig kans.'

Hij draaide haar om zodat ze naar hem opkeek. Zijn ogen leken blauwer, intenser, en veroorzaakten lichte tintelingen in haar lichaam. Ze sloeg haar armen om zijn nek en gaf zich over aan de overstelpende gevoelens die ze niet meer had gehad sinds... sinds de vorige keer dat hij haar had gekust. Zijn mond was zacht en hard tegelijk en zijn handen...

Toen werd alles verpest door het gebons op de voordeur. 'Vartanian!'

Daniel sprong naar achteren, wreef met één hand over zijn gezicht, en zijn ogen stonden meteen alert. Zijn rechterhand ging naar het pistool in de holster op zijn heup. 'Blijf hier,' droeg hij op, en hij opende de deur zodat zij erdoor werd afgeschermd. 'Wat is er?' vroeg hij.

'Oproep voor alle eenheden ter plaatse,' zei een mannenstem, en Alex stapte naar voren zodat ze om de deur heen kon kijken. Het was een van de agenten uit de auto buiten. 'Schoten gehoord op Main

Street, nummer 256. Een pizzatent. Er is een brigadier gewond, en er zijn twee andere slachtoffers. Een ervan is de serveerster, die het restaurant aan het afsluiten was.'

'Sheila,' concludeerde Alex onthutst.

Daniels kaak verstrakte. 'Ik ga wel, kom jij maar binnen. Zit Koenig nog in de auto?'

'Ja.' De brigadier stapte naar binnen en knikte naar Alex. 'Mevrouw. Ik ben agent Hatton.'

'Je kunt agent Hatton vertrouwen, Alex,' zei Daniel. 'Ik moet weg.'

Dutton, woensdag 31 januari, 0:15 uur

Allemachtig. De stilte was surrealistisch toen Daniel naar binnen ging door de deur van Presto's Pizza, waar hij een paar uur eerder nog met Alex en Hope was geweest. Hij greep zijn Sig, al zijn zintuigen alert, maar zag onmiddellijk dat hij te laat was.

Over de toonbank bij de openstaande kassa lag een zwarte man. Zijn armen lagen slap over de rand, beide handen open, en op de vloer lag een .38. Er lag een bloedplas op de toonbank, die langs de zijkant omlaag droop, en Daniel dacht onwillekeurig aan Hopes gezichtje, besmeurd met pizzasaus.

Hij onderdrukte een rilling en zag Sheila op de vloer in de hoek bij de jukebox zitten. Haar benen lagen gespreid, haar ogen waren wijd open en levenloos, en haar rode lippenstift stak fel af tegen haar wasbleke gezicht. Ze hield nog altijd een pistool in beide handen geklemd, nu slap op haar schoot. Haar uniform glom van het bloed dat nog uit de wonden in haar buik en borst sijpelde. De muur achter haar zat onder het bloed. Een .38 maakte een verdomd grote uitgangswond.

Vanuit zijn ooghoeken zag Daniel beweging en hij bracht zijn Sig omhoog, klaar om te schieten. 'Politie! Sta op en zorg dat ik je handen kan zien!' Achter een omgekieperde tafel stond een man op en Daniel liet in verbaasde herkenning zijn wapen zakken. 'Randy?'

Hulpsheriff Randy Mansfield knikte zwijgend. Zijn witte uniformhemd was besmeurd met bloed en hij zette een wankele stap naar voren. Daniel rende naar hem toe om hem op te vangen en hem in een stoel te laten zakken, en toen zoog hij zijn adem tussen zijn tanden door.

'Verdomme,' fluisterde hij. Achter de tafel lag een jonge agent in een uniform van het bureau van de sheriff in Dutton, plat op zijn rug, met één arm uitgestoken en zijn vinger nog om de trekker van zijn dienstpistool gekruld. Op het voorpand van zijn witte overhemd zat een vlek van twintig centimeter lang, en er liep een stroompje bloed onder zijn rug vandaan.

'Ze zijn allemaal dood,' mompelde Randy in shock. 'Allemaal dood.'

'Ben je gewond?' wilde Daniel weten.

Randy schudde zijn hoofd. 'We hebben allebei geschoten. Hulpsheriff Cowell en ik. Cowell is geraakt. Hij is dood.'

'Randy, luister naar me. Ben je gewond?'

Weer schudde Randy zijn hoofd. 'Nee. Het is zíjn bloed.'

'Hoeveel schutters?'

De kleur kwam langzaam terug in Randy's gezicht. 'Eentje.'

Daniel drukte zijn vingers tegen de hals van de jonge brigadier. Geen hartslag. Hij hield zijn pistool langs zijn lichaam toen hij door de klapdeuren de keuken in stapte.

'Politie!' kondigde hij luid aan, maar er kwam geen reactie. Helemaal geen geluid. Hij keek in de koelcel en zag dat ook die leeg was. Hij opende de deur naar het steegje achter het restaurant, waar een donkere Ford Taurus met stationair draaiende motor stond. Als de schutter gezelschap had gehad, dan was die persoon allang gevlucht. Hij stopte zijn wapen in de holster en liep terug naar Sheila. Er stak iets wits uit haar borstzakje. Hij trok een paar latexhandschoenen aan die hij altijd bij zich had en hurkte bij haar neer, wetend wat hij zou vinden.

Het witte ding was het hoekje van een visitekaartje. Zijn eigen kaartje. Daniel slikte een bittere smaak weg terwijl hij haar gezicht bekeek. Als hij haar de eerste keer zó had gezien, dan had hij haar meteen herkend, dacht hij bitter. Met haar dode ogen en slappe gezichtsspieren leek ze veel meer op de vrouwen op Simons foto's.

'Waar denk je verdomme dat je mee bezig bent?'

Daniel schrok van de stem en kwam langzaam overeind. Frank Loomis stond midden in het restaurant, met twee rode blossen op zijn bleke gezicht.

'Ze was mijn getuige,' zei Daniel.

'Nou, dit is mijn stad. Mijn jurisdictie. Mijn plaats delict. Je bent niet uitgenodigd, Daniel.'

'Je bent een stommeling, Frank.' Daniel keek naar Sheila en wist wat hij moest doen. 'Ik ben zelf ook een stommeling geweest, maar nu niet meer.' Hij liep de pizzeria uit, langs de kleine menigte geschokte toeschouwers die zich had verzameld. Toen hij alleen was belde hij Luke.

'Papadopoulos.' Hij hoorde de televisie op de achtergrond.

'Luke, met Daniel. Ik heb je hulp nodig.'

Het televisiegeluid verstomde abrupt. 'Zeg het maar.'

'Ik ben in Dutton. Ik heb de foto's nodig.'

Luke zweeg een tijdje. 'Wat is er gebeurd?'

'Ik denk dat ik er nog een heb geïdentificeerd.'

'Levend?'

'Tot twintig minuten geleden nog wel. Nu niet meer.'

'God.' Luke blies zijn adem uit. 'Wat is de combinatie van je kluis?'

'De verjaardag van je moeder.'

'Ik kom er zo snel mogelijk aan.'

'Bedankt. Breng ze naar Main Street nummer 1448. Het is een kleine gelijkvloerse bungalow naast een park.'

Daniel hing op en belde Chase, voor hij van gedachten kon veranderen. 'Ik heb je in Dutton nodig. Kom alsjeblieft.'

Dutton, woensdag 31 januari, 0:55 uur

'Weet u zeker dat ik niets voor u kan halen, agent Hatton?'

'Ik vind het prima zo, mevrouw.'

'Nou, ik niet,' mompelde Alex, ijsberend door de kleine woonkamer.

'Alex, ga zitten,' zei Meredith rustig. 'Dit helpt niet.'

'En niemand heeft er last van.' Ze liep in de richting van het raam, maar toen zag ze agent Hattons waarschuwende blik. 'Sorry.'

'Uw nicht heeft gelijk, mevrouw Fallon. U moet proberen zich te ontspannen.'

'Ze slaapt niet en ze eet niet,' zei Meredith tegen de agent.

Hatton schudde zijn hoofd. 'En u bent nog wel verpleegkundige. U zou beter moeten weten.'

Alex keek hen allebei boos aan en plofte op de bank neer. Een tel later werd er aangeklopt en veerde ze weer op.

'Vartanian hier,' riep Daniel.

Hatton opende de deur. 'En?'

'Drie doden,' zei Daniel. 'Een van hen was mijn getuige. Hatton, ik moet even met mevrouw Fallon praten.'

Agent Hatton zette zijn hand in een spottend saluut tegen zijn slaap. 'Dames,' groette hij. 'Ik ben buiten,' zei hij tegen Daniel.

'Moet ik gaan?' vroeg Meredith, maar Daniel schudde zijn hoofd. Toen sloot hij de deur en staarde er lange, lange tijd naar. Bij elke tel die verstreek voelde Alex haar paniek toenemen.

Uiteindelijk kon ze de stilte niet langer verdragen. 'Wat moest je me vertellen?'

Hij draaide zich om. 'Het is niet best.'

'Voor wie?' vroeg ze.

'Ons allemaal,' antwoordde hij cryptisch. Hij liep naar het keukenkastje waar hij haar had staan kussen en leunde er met gebogen hoofd tegenaan. 'Toen ik je voor het eerst tegenkwam schrok ik me rot,' zei hij.

Alex knikte. 'Je had net die foto van Alicia gezien bij dat oude artikel.'

'Ik had haar gezicht al eerder gezien. Je hebt de verhalen over mijn broer Simon gelezen.'

'Een paar.' Alex liet zich op de bank zakken. '"Ik zie je in de hel, Simon,"' mompelde ze. 'Je wist al wat het betekende toen ik je dat de eerste keer vertelde.'

'Nee. Pas vanavond. Heb je dat artikel gelezen waarin stond dat mijn ouders naar Philadelphia waren gegaan, op zoek naar een afperser?'

Alex schudde haar hoofd, maar Meredith zei: 'Ik wel.' Ze haalde haar schouders op. 'Ik moest af en toe nog iets anders doen dan kleuren. Ik werd gek. In dat artikel stond dat een vrouw Daniels ouders chanteerde. Toen ze naar Philadelphia gingen om haar te zoeken ontdekten ze dat Simon al die tijd nog in leven was, en hij vermoordde ze.'

'Het laatste en grootste nieuws heb je niet meegekregen,' zei Daniel spottend. 'Mijn vader wist al die tijd dat Simon nog leefde. Hij had hem het huis uit geschopt toen hij achttien werd. Hij had iets... om zich ervan te verzekeren dat Simon wegbleef. Toen vertelde hij iedereen dat Simon dood was, zodat mijn moeder niet zou blijven zoeken. Hij heeft Simons dood, zijn begrafenis... alles in scène gezet. Ik dacht dat hij dood was. Dat dachten we allemaal.'

'Het moet een schok zijn geweest te ontdekken dat hij nog leefde,' zei Meredith zachtjes.

'Dat is zacht uitgedrukt. Simon was altijd al een rotte appel. Toen hij achttien was vond mijn vader iets, en dat was de druppel die de emmer deed overlopen. Daarom schopte hij Simon het huis uit, en dat gebruikte hij ook om te zorgen dat hij dood zou blijven.'

'Wat dan, Daniel?' wilde Alex weten. 'Zeg het maar gewoon.'

In zijn kaak trok een spiertje. 'Foto's van vrouwen, meisjes. Tieners. Die werden verkracht.'

Ze hoorde Meredith een hap lucht nemen, maar Alex had het gevoel dat ze niet kon ademen.

'Was Alicia daarbij?' vroeg Meredith.

'Ja.'

Meredith likte langs haar lippen. 'Hoe was de afperser aan die foto's gekomen?'

'Niet. Mijn moeder had ze, en toen ze besefte dat Simon nog leefde, liet ze die foto's liggen voor mij, voor het geval ze... het niet overleefde. De afperser kende Simon toen ze klein waren. Ze zag hem in Philadelphia en wist dat hij dood hoorde te zijn.'

'Dus,' zei Meredith, 'chanteerde ze je vader met het gefingeerde overlijden en de nepbegrafenis.'

'Daar komt het op neer. Twee weken geleden vond ik de foto's die mijn moeder voor me had achtergelaten. Dat was de dag dat ik ontdekte dat mijn ouders dood waren. Een paar dagen later was Simon ook dood.'

'En wat heb je toen gedaan?' vroeg Meredith. 'Met die foto's, bedoel ik.'

'Ik heb ze aan de rechercheurs in Philadelphia gegeven,' zei Daniel. 'De dag dat ik ze kreeg. Op dat moment dacht ik nog dat die foto's het motief waren voor de chantage.'

'Dus ze liggen daar?' vroeg Alex. 'Foto's van Alicia liggen daar... bij vréémden?' Ze hoorde de hysterische klank in haar stem.

'Extra exemplaren, ja. Maar de originelen heb ik gehouden. Ik zwoer dat ik die vrouwen zou zoeken. Ik wist niet wie ze waren of welke rol Simon in dat alles had gespeeld. Ik wist niet waar ik moest beginnen. En op mijn eerste dag terug vonden we die vrouw in Arcadia.'

Meredith zoog haar adem naar binnen toen ze het besefte. 'De deken en de greppel. Het was hetzelfde.'

'Een van de mannen uit Arcadia herinnerde zich de moord op Alicia. Toen ik haar foto bij een oud krantenartikel zag, wist ik dat zij een van de meisjes op Simons foto's was. Ik wilde de volgende dag Alicia's familie gaan opsporen.' Hij keek Alex aan. 'En toen kwam jij binnen.'

Alex staarde hem verdoofd aan. 'Heeft Simon Alicia verkracht? Maar ze hebben de man gepakt die haar heeft vermoord. Gary Fulmore. Hij was een zwerver. Een junk.'

Daniel liet vermoeid zijn hoofd hangen. 'Er waren vijftien foto's van meisjes. Slechts een van hen was dood, voor zover ik wist. Alicia. Tot vanavond.'

'O, god,' mompelde Meredith. 'Sheila.'

Daniel keek met matte ogen op. 'Ik denk het wel.'

Alex stond op terwijl een enorme woede in haar opborrelde. 'Je wist het. Klóótzak. Je wist het, en je zei niks.'

'Alex,' waarschuwde Meredith.

Daniels gezicht werd streng. 'Ik wilde je niet kwetsen.'

Alex schudde haar hoofd. 'Je wilde me niet kwétsen?' herhaalde ze verdoofd. 'Je wist dat je broer mijn zus had verkracht en je wilde me niet kwétsen?'

'Je stiefbroer kan erbij betrokken zijn geweest,' zei Daniel zachtjes.

Alex bleef stokstijf staan. 'O, god. Zijn brief.'

Daniel knikte zwijgend.

'En de brief die hij aan Bailey had gestuurd,' voegde ze eraan toe. Verbluft ging ze zitten. 'Mijn god. En de pastoor.' Haar blik schoot naar hem toe. 'Wade heeft gebiecht bij Beardsley.'

'En nu wordt Beardsley vermist,' zei Daniel.

'Wacht.' Meredith stond hoofdschuddend op. 'Als Simon en Wade die meisjes hebben verkracht, en zij allebei dood zijn, wie zit hier dan achter? Wie heeft Bailey ontvoerd? En wie heeft al die vrouwen vermoord?'

'Weet ik niet. Maar ik denk niet dat Simon meedeed aan de verkrachtingen.'

Alex werd weer kwaad. 'Het is ongelooflijk, ver–'

Daniel stak vermoeid zijn hand op. 'Alex, alsjeblieft. Simons been was geamputeerd. Geen van de mannen op de foto's mist een been. Ik denk dat Simon die foto's misschien heeft gemaakt. Dat zou echt iets voor hem zijn.'

'Wacht even,' zei Meredith opnieuw. 'Mannen? Staan er meer dan één man op die foto's?'

'Vijf mannen, misschien meer. Het is moeilijk te zien.'

'Dus er waren anderen bij betrokken,' zei Alex.

'En ze willen niet dat iemand erachter komt.' Meredith zuchtte. 'Vijftien meisjes. Dat is een verdomd groot geheim om mee rond te lopen.'

Alex sloot haar ogen om de kamer te laten ophouden met draaien. 'Waar zijn die foto's?'

'Ze lagen in een kluisje bij mij thuis. Luke heeft ze opgehaald en is ermee onderweg hiernaartoe.'

Ze hoorde hoe hij zich afzette tegen de keukenkast en de kamer door liep. Hij ging naast haar zitten, maar hij raakte haar niet aan. 'Ik heb ook mijn baas gebeld. Ik moet het hem vertellen.'

Ze deed haar ogen open. Hij zat op het randje van de bank, met gebogen rug en zijn hoofd omlaag. 'Krijg je problemen omdat je het niet eerder had verteld?'

'Waarschijnlijk wel. Maar ik wist niet wat ik moest doen.' Hij draaide zijn hoofd en keek haar aan, en ze zag de pijn in zijn ogen. 'Als het van hem mag, wil ik graag dat jij naar die andere foto's kijkt. Jij herkende Sheila vanavond. Misschien herken je nog een paar andere meisjes.'

Ze streek zachtjes over zijn rug. De pijn in zijn ogen had haar woede getemperd. 'En misschien kennen we een paar van die mannen.'

Hij slikte. 'Dat ook.'

'Jullie hebben hier allebei gewoond,' zei Meredith. 'Waarom zou Alex gezichten herkennen die jij niet kent?'

'Ik ben vijf jaar ouder,' zei Daniel. 'Toen het allemaal gebeurde zat ik op de universiteit.'

'En hij was rijk,' voegde Alex eraan toe. 'De rijke jongelui gingen naar de particuliere school. Alicia, Sheila, Bailey en ik zaten op de openbare school. Er was een heel duidelijke grens tussen de twee werelden.'

'Maar Simon en Wade waren vrienden.'

'Of in ieder geval handlangers,' zei Daniel. 'Simon is van de particuliere school getrapt. Hij heeft zijn diploma gehaald op de openbare school. We moeten een paar jaarboeken in handen zien te krijgen.'

'Hoe passen Janet en Claudia hierin?' vroeg Alex. 'Zij waren pas negen toen Alicia stierf.'

'Weet ik niet,' antwoordde Daniel. Hij leunde naar achteren op de bank en sloot zijn ogen. 'Ik weet wel dat Sheila me iets wilde vertellen. Ze had mijn visitekaartje in haar zak.'

'Wie heeft haar vermoord?' vroeg Meredith.

'Een of andere kerel die de kassa wilde leeghalen.' Daniel haalde zijn schouders op. 'Of dat is althans wat ze willen dat we denken.' Hij kwam abrupt overeind terwijl er een gekwelde blik over zijn gezicht trok. Hij besefte opeens iets. 'Ongelooflijk dat ik dat heb gemist.' Hij rukte de voordeur open. 'Hatton! Kun je even hier komen?' Hij draaide zich om naar Alex. 'Ik ga naar Luke en Chase in het restaurant. Blijf hier.'

Dutton, woensdag 31 januari, 1:35 uur

Daniel liep Presto's Pizza weer in, waar Corey Presto vlak bij deur stond, volkomen in shock. Hij had gehuild en er waren nog sporen van tranen op zijn gezicht te zien.

Dokter Granville onderzocht het lijk dat over de toonbank lag, en een van Franks hulpsheriffs maakte foto's met een digitale camera.

Frank zat gehurkt op de plek waar de jonge brigadier was gestorven en staarde naar de vloer. Ze hadden de jongeman waarschijnlijk meteen naar het mortuarium gebracht.

Sheila zat nog in de hoek, in haar groteske poppenhouding.

Daniel zag Randy Mansfield niet en nam aan dat hij ofwel naar het ziekenhuis was gebracht, of dat hij had mogen gaan. 'Frank,' zei Daniel.

Frank keek op, en heel even was er wanhoop op zijn gezicht te zien. Toen was het moment voorbij en werden de ogen van zijn oude vriend mat. 'Wat doe je hier nu weer, Daniel?'

'Ik neem deze plaats delict over. Toby, ga weg bij dat lijk, alsjeblieft. Ik roep de staatspatholoog en de technische recherche erbij.'

Granvilles blik ging naar Frank, die langzaam opstond en zijn handen in zijn zij zette. 'Nee, dat doe je niet,' zei Frank.

'Die auto die achter staat is vanmiddag nog betrokken geweest bij een poging tot aanrijding van een getuige onder mijn bescherming. Nu staat hij hier en is er een andere getuige dood. Dit restaurant is nu een plaats delict van het GBI. Alsjeblieft, Frank. Ga aan de kant, anders zét ik je aan de kant.'

Franks mond was opengevallen en hij verplaatste met een ruk zijn blik naar de man die over de toonbank hing. 'Poging tot aanrijding?' vroeg hij ontdaan. 'Waar? Wie?'

'In Atlanta, bij het winkelcentrum,' antwoordde Daniel. 'Alex Fallon.'

Hij keek de arts aan. 'Het spijt me, Toby. Ik moet dit intern verwerken. Niet rottig bedoeld.'

Granville liep achteruit en stak zijn gehandschoende handen op. 'Geen probleem.'

'Wacht even.' Corey Presto schudde zijn hoofd alsof hij zijn gedachten wilde ordenen. 'Bedoel je dat dit geen roofoverval was? Dat die man hier was om Sheila te vermoorden?'

'Ik zeg alleen dat die auto vanmiddag betrokken was bij een poging tot moord.' Daniel richtte zijn blik op Frank, die er gebroken uitzag. 'En Sheila is dood.'

'Waar was ze getuige van?' vroeg Frank zachtjes, en Daniel zag een glimp van de man die hij zo goed had gekend. Die hij had gedacht te kennen, althans.

'Dat is vertrouwelijke informatie. Sorry, Frank.'

Frank liet zijn blik naar de met bloed besmeurde vloer zakken. 'Hij was pas eenentwintig.'

'Het spijt me, Frank,' zei Daniel. 'Je mag hier blijven terwijl we de plaats delict onderzoeken, als je wilt.' Hij wendde zich tot Presto. 'Meneer Presto, we moeten weten of er geld weg is.'

Presto veegde met de rug van zijn hand over zijn mond. 'Ik had het al gestort bij de bank.'

'U was hier vanavond,' zei Daniel, 'toen ik hier was met Alex Fallon.'

'Ja, ik was hier.' Hij rechtte zijn schouders. 'Nou, en?'

'Sheila praatte met me. U riep haar terug naar de keuken, niet al te vriendelijk.'

'De bestellingen stapelden zich op. Ik betaal haar niet om te kletsen.'

'Ze zei dat ze te veel had gezegd, dat ze de "hogere machten" niet van streek wilde maken. Wie denkt u dat ze bedoelde?'

'Weet ik niet.' Maar de man loog, en ze wisten het allebei.

'Hoe lang werkte ze al voor u?'

'Vier jaar. Sinds ze uit de afkickkliniek kwam. Ik heb haar een kans gegeven.'

'Waarom? Waarom hebt u haar een kans gegeven?'

Presto's wangen kleurden. 'Omdat ik medelijden met haar had.'

'Waarom?' Daniels blik werd zachter.

Presto slikte moeizaam. 'Ze had het moeilijk gehad. Ik had medelijden met haar, dat is alles.' Maar toen hij naar Sheila's levenloze lichaam keek, schoot zijn adamsappel op en neer en verscheen er een unieke pijn in zijn ogen, samen met nieuwe tranen, en begreep Daniel het.

'U hield van haar,' zei hij vriendelijk.

Presto's borstkas kwam omhoog en hij liet zijn kin zakken, met zijn vuisten langs zijn lichaam gebald. Verder antwoord was niet nodig.

'Daniel.' Toby Granville was achter hem verschenen, met een medelevend gezicht. 'Laat hem gaan. Hij kan je vragen morgen beantwoorden.' Toby legde zijn arm om Presto's schouders en leidde hem het restaurant uit.

Ed Randall passeerde hen op weg naar binnen.

Hij wierp één blik op het interieur van het restaurant en floot zachtjes. 'Mijn god.'

'Een van de slachtoffers is al weggehaald,' zei Daniel. 'Ik kan je een gedetailleerde beschrijving geven van de plaats delict van toen ik binnenkwam. Hulpsheriff?'

De jonge agent die foto's had gemaakt keek geschrokken op. 'J-ja?'

'Als we uw camera even mogen lenen, kopieer ik de bestanden en krijgt u hem weer terug.'

De hulpsheriff keek Frank aan, en die knikte. 'Prima. Je mag gaan, Alvin.'

De man leek eindeloos opgelucht en vertrok snel.

'Ik was net klaar bij het huis van Bailey Crighton toen ik je telefoontje kreeg,' zei Ed. 'Ik was nog maar een kwartier weg uit Dutton toen ik omdraaide. Ik denk dat de jongens van de patholoog hier over twintig minuten zijn. Vertel me intussen maar wat je hebt gezien.'

Luke kwam aan terwijl Malcolm en zijn partner Trey de schutter in een lijkzak op een brancard naar buiten reden. Sheila lag op een andere brancard, maar de lijkzak was maar tot midden op haar borst dichtgeritst.

Luke liep meteen door naar het meisje en bleef even met een harde blik in zijn ogen naar haar gezicht staan kijken. 'Je hebt gelijk,' mompelde hij. 'Ik had gehoopt dat je het mis had.'

'Waar zijn ze?' vroeg Daniel zachtjes.

'In de kofferbak. Mijn moeder is trouwens op één juni jarig, niet op de vierde.'

'Zeg maar niks tegen haar, oké?'

'Je geheim is veilig,' zei hij, maar hij glimlachte niet. 'Weet je zeker dat je dit wilt doen?'

Daniel keek naar het wasbleke gezicht van Sheila en wist dat hij nog nooit ergens zekerder van was geweest. 'Ja. Als ik een week eerder iets had gezegd, had ze misschien nog geleefd.'

'Dat weet je niet.'

'Zal ik ook nooit weten. En zij ook niet.'

Luke zuchtte. 'Ik zal de envelop even halen.'

Daniel ging opzij toen Malcolm en Trey terugkwamen voor de andere brancard. Chase kwam binnen terwijl ze bezig waren de zak met Sheila dicht te ritsen. Zijn baas stond midden in het restaurant en keek om zich heen.

Een tel later keek hij Daniel recht in de ogen. 'In mijn auto,' zei hij.

'Oké.' Daniel liep langs Luke, en Luke schoof de envelop onder Daniels arm.

'Ik wacht wel,' zei Luke, en Daniel knikte.

Daniel voelde zich als een ter dood veroordeelde toen hij in de auto van Chase stapte en het portier dichttrok. Chase nam plaats achter het stuur.

'Wat zit er in die envelop, Daniel?'

Daniel schraapte zijn keel. 'Mijn demonen.'

'Dat dacht ik al.'

Hij zag Malcolm en Trey de brancard in de auto schuiven en de achterportieren dichtgooien. *Sheila's bloed kleeft aan mijn handen*. Geen geheimen meer. Geen leugens meer. 'Hier eindigt het.'

'Wat eindigt hier, Daniel?'

'Hopelijk niet mijn carrière. Hoewel, als het daarop uitdraait zal ik me niet verzetten.'

'Laat mij dat maar beoordelen.'

Een geschikte plek om te beginnen, dacht Daniel. 'Mijn vader was rechter,' zei hij.

'Ja, weet ik. Daniel, vertel op. Wat er ook is, we lossen het wel op.'

'Ik ben al aan het vertellen. Het begon allemaal bij mijn vader, de rechter.' En Daniel vertelde hem het hele verhaal, inclusief de details die hij niet aan Alex had verteld – over toen hij elf jaar eerder voor het eerst de foto's had gezien, maar dat zijn vader ze had verbrand om te zorgen dat hij er niet mee naar de politie kon gaan.

Toen hij klaar was, staarde Chase recht voor zich uit, met zijn ellebogen op het stuur en zijn kin op zijn vuisten. 'Dus technisch gesproken heb je die foto's pas een week.'

'Ik heb een setje aan Vito Ciccotelli in Philadelphia gegeven op de dag dat ik ze kreeg.'

'En dat is het enige wat je zal redden. Waarom ben je niet naar mij toe gekomen?'

Daniel drukte de muis van zijn handen tegen zijn voorhoofd. 'God, Chase, heb je wel eens zoiets verschrikkelijks gedaan dat je je dood zou schamen als iemand erachter kwam?'

Chase zweeg zo'n lange tijd dat Daniel dacht dat hij niet meer zou antwoorden. Maar uiteindelijk knikte hij. 'Ja.' En dat was kennelijk alles wat Chase van plan was over dat onderwerp te zeggen.

'Dan weet je waarom. Elf jaar lang heb ik geleefd met de wetenschap dat die meisjes slachtoffers waren. Dat ik het wíst en niks had gezegd. Ik beloofde mezelf dat ik ze zou zoeken, dat ik dit recht zou zetten. Toen, zodra ik Alicia's identiteit kende, vond ik allerlei redenen om niets te zeggen. Ik wilde de zaak niet in gevaar brengen. Ik wilde boete doen. Ik wilde Alex niet kwetsen.'

'Heb je het Alex verteld?'

Daniel knikte. 'Ja. Ze was niet zo kwaad als ik had verwacht. En jij?'

'Wat? Zo kwaad als je had verwacht?' Chase zuchtte. 'Ik ben teleurgesteld. Ik dacht dat je me vertrouwde. Maar ik heb zoiets ook meegemaakt, en op zo'n moment zijn goed en kwaad niet zwart en wit.' Hij keek naar de envelop. 'Zijn dat de foto's?'

'Ja. Ik dacht dat Alex misschien een paar van die andere meisjes zou herkennen. Ze herkende Sheila nog van de middelbare school.'

Chase stak zijn hand uit en Daniel gaf hem de envelop, waarbij het gevoel kreeg alsof er een groot gewicht van zijn schouders viel.

Chase' gezicht verstrakte van walging terwijl hij naar de foto's keek. 'Verdomme.' Hij stopte ze terug in de envelop en schoof die naast zijn stoel. 'Oké. Ik zal je vertellen wat we gaan doen. Jij gaat zo snel mogelijk een formele aanvraag voor die foto's bij Ciccotelli in Philadelphia indienen. Je zegt tegen hem dat je dacht dat Alicia een van die meisjes was, maar dat je geen van de anderen kende tot je Sheila vanavond zag. Daarom willen we die foto's weer hebben.'

'Dat is niet helemaal onwaar,' zei Daniel langzaam.

Chase keek hem bedroefd aan. 'Daarom betalen ze mij zo veel. Je zegt niet dat je extra afdrukken had gemaakt en de originelen had gehouden. Wie weet nog meer dat je deze hebt, behalve Luke?'

'Alex en haar nicht Meredith.'

'Zijn ze te vertrouwen?'

'Ja. Maar Chase, ik wil die originelen vanavond al gebruiken. Ik moet uitzoeken wie die andere meisjes waren. Misschien weet een van hen nog wie dit heeft gedaan. Er loopt iemand rond die niet wil dat hun identiteit bekend wordt.'

Chase schudde peinzend zijn hoofd. 'De moord op Sheila ondersteunt die theorie, maar de moord op Janet en Claudia niet. Waarom zouden ze de aandacht op zichzelf vestigen?'

'Misschien is iemand erachter gekomen,' zei Daniel zachtjes. 'En we moeten de sleutels niet vergeten. Die zijn belangrijk. Ik weet alleen nog niet op welke manier.'

'En het haar. Heb je Alex' haar naar het lab gestuurd om te laten vergelijken?'

'Ja. Wallin gaat zo snel mogelijk een polymerase kettingreactie uitvoeren. Hij denkt dat hij morgenmiddag een DNA-vergelijk kan maken.' Daniel keek op zijn horloge. 'Ik bedoel vandaag.'

Chase tikte zichzelf tegen zijn wangen. 'We moeten slapen, Daniel. Vooral jij. Je bent al drie weken dag en nacht in de weer.'

'Ik wil Alex vanavond nog die foto's laten zien.'

'Best. Ga maar naar haar bungalow. Ik rij wel achter je aan.'

Daniel trok zijn wenkbrauwen op. 'Ga je mee?'

Chase' glimlach was gespannen en niet heel erg vriendelijk. 'Vriend, ik ben je nieuwe partner. Je gaat nergens heen en je doet niks zonder het mij te vertellen.'

Daniel knipperde met zijn ogen. 'Voor altijd, of alleen voor deze zaak?'

'Alleen voor deze zaak, behalve als je een of andere domme stunt uithaalt. Je hebt maar een beperkt aantal gratis-uit-de-problemenkaarten.'

'Gratis uit de gevangenis,' corrigeerde Daniel glimlachend.

'Als dit anders was gelopen, had je daar inderdaad kunnen eindigen,' waarschuwde Chase, die niet terug glimlachte. 'Geen geheimen meer. Je vertelt me alles.'

'Best. Ik slaap vannacht bij Alex op de bank.'

Chase keek hem langdurig aan. 'Prima. Maar blijf op de bank.'

Daniel tilde zijn kin op. 'En zo niet?'

Chase draaide met zijn ogen. 'Dan wil ik het niet weten. Kom op. Als we haar die foto's gaan laten zien, laten we dat dan doen voor het licht wordt.'

13

Dutton, woensdag 31 januari, 2:30 uur

Ze waren vreselijk. Obsceen. Maar Alex dwong zichzelf ze allemaal te bekijken, zelfs toen de boterham die ze onder dwang van Meredith had gegeten zich een weg naar boven dreigde te klauwen.

'Nee, sorry,' zei Alex voor de zevende keer, hoofdschuddend kijkend naar de foto van een meisje dat werd verkracht. *Ik dacht dat mijn dromen al erg waren...* 'Ik ken haar niet.'

Daniel legde er nog een op tafel voor haar neer terwijl Chase in ijzige stilte toekeek. Meredith zat tegenover haar, en Daniels vriend Luke zat op de bank in de woonkamer met zijn computer op schoot, en hij bekeek haar op dezelfde peinzende manier als bij het winkelcentrum.

Het lijkt wel jaren geleden. Maar het was nog geen vierentwintig uur geleden dat ze bijna was doodgereden.

'Alex?' mompelde Daniel, en ze dwong zichzelf naar de achtste foto te kijken.

'Nee.' Ze fronste haar wenkbrauwen, de ontkenning vergeten. Ze pakte de foto van tafel en hield hem vlak voor haar ogen, die aanvoelden alsof er gemalen glas in zat. Ze tuurde naar het gezicht van het meisje. *Die neus.* 'Ik ken haar. Dit is Rita Danner.'

'Hoe weet je dat?' vroeg Daniel.

'Haar neus. Hij is gebroken geweest. Rita ging om met de populaire groep, maar ze had iets gemeens in zich, vooral als ze jaloers op je was. Ze pestte de studiebollen.'

'Heeft ze jou gepest?' vroeg Meredith.

'Eén keer maar. We hadden een logeerpartijtje, en ik werd 's nachts wakker doordat Rita pindakaas in mijn haar aan het smeren was. Ik heb een handvol pindakaas gepakt en in haar neus gewreven.'

Daniel knipperde met zijn ogen. 'Heb jij haar neus gebroken?'

'Ik wreef een beetje te hard.' Alex zuchtte. 'Ik had de pest aan haar. Maar dit... Mijn god.'

'Luke?' vroeg Daniel.

'Ik heb een huwelijksaankondiging gevonden. Rita is getrouwd met ene Josh Runyan uit Columbia, Georgia.' Hij tikte nog een paar toetsen in. 'En hier is een scheidingsbericht van twee jaar geleden. Maar het lijkt erop dat Rita nog steeds in Columbia woont.'

'Dat is niet zo ver,' zei Daniel. 'We kunnen bij haar langs gaan. Kijken wat ze zich herinnert. En deze?' Hij legde nog een foto op tafel.

'Haar ken ik ook. Cindy... Bouse. Ze was een aardig meisje. Haar neus heb ik niet gebroken.'

'Dan moeten we misschien eerst maar met haar gaan praten,' zei Daniel droog. 'Luke?'

Luke keek hen onthutst aan. 'Ze heeft acht jaar geleden zelfmoord gepleegd.'

Alex zoog haar adem naar binnen. 'O, god.'

Daniel legde een hand op haar rug. 'Wat erg.'

Alex knikte beverig. 'Laat de volgende maar zien.' Ze herkende het meisje op de tiende foto niet, en ook niet op de elfde. Er waren vijftien slachtoffers geweest, en Daniel had haar meteen verteld dat hij haar Alicia's foto niet zou laten zien. Daar was ze dankbaar om geweest. Daniel had de foto met Sheila er al uitgehaald, dus had Alex er nog maar twee te gaan.

Hij schoof de twaalfde foto op tafel.

'Gretchen French,' zei Alex onmiddellijk. 'We waren bevriend op de middelbare school.'

'Ik zoek al,' zei Luke voordat Daniel ernaar kon vragen. 'Hier is er een. Ze woont aan Peachtree Boulevard in Atlanta. Ze is diëtiste. Heeft haar eigen website.' Hij nam de laptop mee naar de tafel. 'Hier is haar recente foto.'

Daniel vergeleek de foto's. 'Dat is ze.'

'Dan beginnen we daar,' zei Chase. Het waren de eerste woorden die hij had gezegd sinds ze waren begonnen. 'Kijk nog even naar de laatste.'

Alex concentreerde zich. 'Carla Solomon. Ze speelde in het schoolorkest met Bailey.'

'Ik zie een C. Solomon op Third Avenue, hier in Dutton,' meldde Luke. 'Dat is alles wat ik heb.'

'En de negen die je niet kent?' vroeg Meredith.

'Zij zaten misschien op een andere school,' antwoordde Alex. 'De middelbare school in Dutton was nogal klein. Iedereen kende iedereen.'

'We zullen jaarboeken boven water halen van alle plaatselijke middelbare scholen,' zei Chase bruusk. 'Daniel, nu heb je wel genoeg aanwijzingen. Iedereen naar bed. Ik zie je om stipt acht uur op het bureau.' Hij keek Alex aan. 'Bedankt. Je hebt ons enorm geholpen.'

Ze was zo uitgeput dat ze niet goed meer kon nadenken. 'Ik wou dat het ons hielp om Bailey te vinden.'

Daniel kneep in haar knie. 'Geef het niet op,' mompelde hij.

Ze hief koppig haar kin. 'Nee.'

Woensdag 31 januari, 2:30 uur

Mack kon zijn gegrinnik niet onderdrukken terwijl hij naar het beeldscherm knikte. Alles ging uitstekend. Gemma was dood en kon gedumpt worden, *en ik ben honderdduizend dollar rijker.* Aan de andere kant ging het eigenlijk niet om het geld. Het ging erom dat ze het geld betáálden. Dat betekende dat ze bang waren. Degene die de honderdduizend had betaald was zo bang dat hij op dit moment voor het huis van zijn zus Kate op wacht stond, gewoon voor het geval dat.

Zijn boodschap was duidelijk overgekomen. *Ik ben hier. Je bent niet veilig. Je familie is niet veilig.*

En het had gewerkt. Kates grote broer had een ton betaald. De jammerende vriend van haar grote broer had geen cent betaald, maar hij was ook bang geweest.

Hij glimlachte. Degene die het geld niet had betaald, had op een andere manier betaald, die veel meer voldoening had gegeven. Hij had succes gehad met de twee die hij had gekozen voor zijn eerste aanval. Zij waren de zwaksten geweest. Laaghangend fruit, klaar om te plukken. Maar de andere twee werden ook beïnvloed. Ze werden zenuwachtig. Bang.

Er begonnen dingen te gebeuren. Dingen waar hij niet rechtstreeks de hand in had gehad. *Janet, Claudia, Gemma, allemaal van mij.* Allemaal gewoon aanmaakhout om het vuurtje op te stoken, maar nu leek het erop dat de brand goed woedde. Bailey Crighton was als vermist opgegeven. Uiteraard wist Mack precies waar ze was en wie haar had meegenomen. En waarom. Eigenlijk had hij een beetje medelijden met Bailey. Ze was onschuldig, maar toch was ze bij dit alles betrokken geraakt. Hij wist hoe dat voelde. Als dit voorbij was, als ze dan nog leefde, bevrijdde hij haar misschien wel. Hij wist dat iemand had geprobeerd Alex Fallon te vermoorden. Zo onhandig. Totaal geen klasse. Nu had ze lijfwachten, twee GBI-agenten met goede ogen die haar huis in de gaten hielden. En één agent met goede ogen die binnen de wacht hield. Hij wist dat er vanavond een of andere bijeenkomst in Fallons huis was geweest. Vartanian kwam dichtbij.

Hij heeft er lang genoeg over gedaan.

Hij wist dat er trammelant was geweest bij de pizzeria. Drie doden. Sheila ook. Ja, Vartanian kwam dichtbij. En de andere dríé waren bang. Een van de vier was dood, slachtoffer van zijn eigen schuldgevoel en angst. Al had het natuurlijk ook geholpen dat hij van de weg was geduwd en in een ongelooflijke vuurbal de lucht in was gegaan. Wat alleen maar bewees wat hij al die tijd al had gedacht. De groep fatsoenlijke hoekstenen van de samenleving zou zonder met hun ogen te knipperen een van hun eigen leden vermoorden.

Ze hadden het vanavond gedaan bij Rhett Porter. Uit zijn bureaula pakte hij het laatste dagboek van zijn broer. Het eindigde halverwege, omdat ze het vijf jaar geleden bij zijn broer Jared hadden gedaan. Ja, hij wist dat een van de vier dood was. Bij zonsopgang zou iedereen in Dutton het weten.

Woensdag 31 januari, 2:30 uur

'Bailey.'

Bailey had Beardsleys gefluister gehoord. *Ik ben hier. Help me alsjeblieft.* Ze had de woorden in haar hoofd, maar kon ze niet op haar tong krijgen. Alle spieren in haar lichaam verkrampten en deden pijn. *Meer.* Ze had méér nodig. Verdomme, híj had ervoor gezorgd dat ze het weer nodig had. Die smerige klootzak.

'Bailey.'

Ze zag vier vingers onder de muur door komen. Beardsley had nog een stukje van de vloer weggegraven. Hysterisch gelach welde van ergens diep binnen in haar omhoog. Ze zaten gevangen. Ze zouden hier sterven. Maar nu kon Beardsley in elk geval gedag zwaaien.

De vingers verdwenen. 'Bailey, ssst. Anders komt hij.'

Hij komt toch wel. Haar ogen vielen dicht en ze bad dat ze mocht sterven.

Woensdag 31 januari, 3:15 uur

Mack sloop zachtjes de trap op. Inbreken in het huis van een politieman had eigenlijk moeilijker moeten zijn. Hij was langs de indrukwekkende wapenkast op de begane grond gekomen, wensend dat hij kon pakken wat hij wilde. Maar vannacht moest hij de boel heimelijk verkennen, het ging niet om wapens. Als hij aan de verleiding toegaf en de wapenkast plunderde zou het feit dat hij hier was geweest niet langer een geheim zijn. En hij wilde dat het een geheim bleef.

Hij was erop voorbereid geweest dat hij de man onschadelijk zou moeten maken met wat chloroform op een zakdoek, maar hij had geluk. Zijn prooi sliep zijn roes uit, met zijn schoenen nog aan. Voorzichtig klopte hij op de zakken van de man en glimlachte toen hij een mobiele telefoon vond. Hij schreef snel het nummer van het toestel en alle nummers van inkomende en uitgaande gesprekken over.

Het was een belangrijk onderdeel van Macks plan om te weten hoe hij contact kon opnemen met deze man op een manier die bij hem geen argwaan zou wekken. Hij schoof de telefoon weer even voorzichtig terug in zijn zak. Toen keek hij op zijn horloge. Hij zou moeten opschieten als hij Gemma's lijk nog wilde dumpen en zijn ochtendronde nog op tijd wilde doen.

Dutton, woensdag 31 januari, 05:05 uur

Donder en bliksem. Ik haat je. Ik haat je. Ik wou dat je dood was.

Alex schrok wakker, trillend en ijskoud. Ze ging overeind zitten in bed en duwde de rug van haar hand tegen haar mond. Hope sliep als een roos en Alex onderdrukte de neiging om haar goudblonde krullen aan te raken. Hope moest slapen. *Ik hoop dat ze niet zo droomt als ik.*

Tussen hen in tilde Riley zijn kop op en keek met zijn droevige bassetogen naar haar op. Alex aaide met een beverige hand over zijn lange rug. 'Blijf,' fluisterde ze, en ze stapte uit bed. Ze trok haar ochtendjas over haar nachthemd aan en liep de kamer uit, waarbij ze zachtjes de deur achter zich sloot. Ze wilde Daniel niet wakker maken.

Hij sliep op de bank. Hij had geweigerd te vertrekken, ook al zaten de agenten Hatton en Koenig buiten. Ze bleef even naar hem staan kijken, wrijvend over haar armen tegen de kou, terwijl er te veel gedachten door haar hoofd raasden.

Hij is mooi. Dat was hij ook, met zijn blonde haar, zijn sterke kaaklijn en die blauwe ogen die vriendelijk konden kijken, maar ook meedogenloos als ze door haar verdedigingen boorden.

Hij heeft tegen me gelogen. Nee, niet echt. Ze wist hoe moeilijk het voor hem moest zijn geweest om te weten wat er met Alicia was gebeurd en haar dat niet te vertellen. Te weten dat zijn eigen vlees en bloed op een of andere manier verantwoordelijk was geweest.

Ik zie je in de hel, Simon. Wade was tenminste niet haar vlees en bloed geweest. Ze dacht terug aan dat feestje lang geleden, toen hij haar benen uit elkaar had geduwd. Hij had gedacht dat ze Alicia was. Alex herinnerde zich zijn oprechte schok toen ze nee had gezegd.

Betekende dat dat Alicia op enig moment ja had gezegd? Het was een verontrustende gedachte, naast alle andere die haar geest bestookten. Alex had geweten dat Alicia seksueel actief was en had gedacht dat ze ook wist met wie... maar Alicia en Wáde? Ze kreeg kippenvel bij dat beeld. Wat voor meisje was Alicia werkelijk geweest?

Wat voor monster was Wade geweest? Ze dacht aan de foto's die ze had gezien: pervers en verschrikkelijk. Wade had die meisjes verkracht. Ze had jarenlang met hem onder één dak gewoond en nooit vermoed dat hij in staat was tot dergelijke... verdorvenheid. Wreedheid.

Alicia. Sheila en Rita. Gretchen en Carla. En Cindy. Ze waren allemaal verkracht. En die arme Cindy had zelfmoord gepleegd. Wat moest ze door diepe dalen van depressie zijn gegaan. Alex kende die diepe dalen goed. *Arme Cindy. Arme Sheila.*

En de negen anderen die ze niet kende...

Daniel had het beeld van hun gezichten een week lang met zich meegedragen. *Arme Daniel.*

Zijn knappe gezicht stond streng, zelfs in de slaap. Hij had zijn jasje uitgetrokken, kennelijk zijn enige concessie aan comfort. Zijn gespierde borstkas rees en daalde onder zijn overhemd, dat hij een stukje open had geknoopt om zijn kraag wat losser te maken. Hij had zijn stropdas half weggetrokken van zijn hals. Zijn wapen zat nog in de holster op zijn heup. Hij had zijn schoenen nog aan. Hij was voorbereid, zelfs terwijl hij sliep.

Wederom schoten de foto's door haar hoofd. Nadat ze er dertien had gezien, was er niet veel verbeelding voor nodig om te bedenken hoe die van Alicia eruit moest zien. Ze dacht aan de eerste keer dat Daniel haar had gezien op het bureau van het GBI. De schok op zijn gezicht.

Ze dacht aan de manier waarop hij naar haar had gekeken, net voor hij haar had gekust, vanavond en eerder vandaag in zijn auto nadat ze bijna was doodgereden. *Wat wil je van me?* had ze gevraagd. *Niets wat je niet vrijwillig en... graag wilt geven*, had hij geantwoord.

Ze had hem geloofd. Ze wist niet zeker of ze hem nu nog geloofde. Hij voelde zich schuldig. Een diep, tergend schuldgevoel. Daniel Vartanian wilde boete doen.

Alex wilde geen boetedoening zijn. Ze wilde geen liefdadigheidsproject zijn. Dat was ze al eens geweest, bij Richard. En dat was een onvoorstelbare mislukking geworden. Ze wilde niet nog een keer een mislukking worden.

Ze wist het zodra Daniel wakker werd. Hij opende zijn ogen doelbewust, zoals alles wat hij deed. En toen hij die felblauwe blik op haar gezicht richtte, huiverde ze. Even staarde hij haar aan, toen rolde hij op zijn zij en stak zijn hand uit.

En ze wist dat het niet uitmaakte wat ze wel of niet wilde. Het ging erom wat ze nodig had, en op dat moment had ze hem nodig. Hij ging tegen de hoek van de bank zitten en trok haar op schoot. Ze liet het toe en absorbeerde gretig zijn warmte.

'Je handen zijn ijsklompen,' mompelde hij, terwijl hij met zijn handen zorgzaam de hare omvatte.

Ze nestelde haar wang tegen zijn stevige borstkas. 'Riley pikt de dekens in.'

'Daarom mag hij thuis ook niet bij mij slapen.'

Ze keek naar hem op, want ze moest het weten. 'Wie wel?'

Hij deed geen poging het verkeerd op te vatten. 'Niemand. Al heel lang niet meer, in elk geval. Hoezo?'

Ze dacht aan Richards nieuwe vrouw. 'Ik moet weten of ik eerste of tweede viool ga spelen.'

Ze dacht dat hij misschien weer zou glimlachen, maar hij bleef volkomen serieus. 'Eerste.' Hij streek met zijn duim over haar lip en ze voelde een tinteling door haar hele lichaam gaan. 'Jij bent getrouwd geweest.'

'En gescheiden.'

'Was je tweede viool?' vroeg hij, heel zachtjes.

'Eerder de koffiejuf van het orkest,' zei ze met een halve grijns.

Nog altijd glimlachte hij niet. 'Hield je van hem?'

'Ik dacht van wel. Maar ik denk nu dat ik gewoon 's nachts niet alleen wilde zijn.'

'Dus hij was er voor je...' zijn blik werd intens, '...'s nachts.'

'Nee. In het begin was hij coassistent in het ziekenhuis waar ik werkte. We zijn een paar keer uitgegaan. Mijn kamergenoot vertrok, en voor ik het wist trok hij bij me in. Ik zag hem in het ziekenhuis, maar onze vrije tijd had weinig overlap. Hij was niet vaak thuis.'

'Maar je bent toch met hem getrouwd.'

'Ja.' Ze waren min of meer toevallig in het huwelijk beland, Richard en zij. Eigenlijk kon ze zich het moment dat hij haar gevraagd had niet eens meer voor de geest halen.

'Hield je van hem?'

Dat was nu de tweede keer dat hij het vroeg. 'Nee. Ik wilde het wel, maar het was niet zo.'

'Was hij aardig voor je?'

'Ja. Richard is... hij is aardig. Hij is goed met kinderen en gek op honden...' Ze zweeg toen ze besefte welke kant haar woorden op gingen. 'Maar ik denk dat hij me als een soort van uitdaging zag.'

Hij keek haar niet-begrijpend aan. 'Waarom zou hij je willen veranderen?'

Even staarde ze hem aan. Zijn woorden waren een zoete balsem. Ze verminderden de teleurstelling die ze voelde omdat ze nooit helemaal had kunnen zijn wat Richard nodig had, of wat zij voor hen beiden had willen zijn. 'Het lag vooral aan mij, denk ik. Ik wilde... interessant zijn. Dynamisch. Tomeloos.'

'Tomeloos?'

Ze lachte beschaamd. 'Je weet wel.' Ze wiebelde met haar wenkbrauwen en hij knikte, maar nog altijd lachte hij niet.

'Je wilde dat hij thuiskwam, naar jou.'

'Ik denk het. Maar ik kon niet zijn wat hij wilde dat ik was. Wat ík wilde zijn.'

'Dus ging hij weg?'

'Nee, ik. Ziekenhuizen zijn net dorpjes. Veel verborgen geheimen. Richard had affaires. Allemaal heel discreet.' Ze bleef hem aankijken. 'Hij had me gewoon moeten verlaten, maar hij wilde me niet kwetsen.'

Daniel grimaste. 'Die zit. Dus toen ging je weg?'

'Hij had iemand leren kennen, gelukkig niet een van de verpleegkundigen. Dan had ik niet kunnen blijven.'

Hij keek haar bedachtzaam aan. 'Ik dacht dat je weg was gegaan.'

'Bij hem. We hadden net een huis gekocht, en dat heb ik hem laten houden. Maar ik was niet van plan om bij het ziekenhuis weg te gaan. Ik werkte daar het eerst.'

Hij keek haar onthutst aan. 'Je hebt hem het huis gegeven, maar niet de baan.'

'Precies.' Ze zei het zakelijk, want voor haar was het dat ook. 'Hij was klaar met zijn coassistentschap en had een baan gekregen als fulltime arts op de spoedeisende hulp. Iedereen had verwacht dat ik zou vertrekken, denk ik. Dat ik naar de kindergeneeskunde of de chirurgie zou gaan of zo. Maar ik hou van de spoedeisende hulp. Dus ben ik gebleven.'

Hij was verbijsterd. 'Dat zal wel voor wat onbehaaglijke momenten zorgen.'

'Dat is zacht uitgedrukt.' Ze haalde haar schouders op. 'Maar goed, een jaar geleden ben ik het huis uit gegaan en is de nieuwe vrouw er meteen in getrokken. Ze zijn... een goed stel.'

'Wat grootmoedig van je,' zei hij behoedzaam, en ze lachte treurig.

'Ik denk dat ik hem mocht en niet wilde dat hij ongelukkig was. Maar Meredith zou hem het liefst in de honing dopen en tussen twee mierenhopen ophangen.'

Eindelijk kwam die ene kant van zijn mond omhoog, en haar hart ging mee.

'Onthouden,' mompelde hij. 'Meredith niet kwaad maken.'

Ze knikte, blij dat ze hem had kunnen laten glimlachen.

'Precies.'

Maar zijn glimlach vervaagde snel. 'Heb je vannacht weer gedroomd?'

De gedachte aan haar droom verkilde haar. 'Ja.' Ze wreef over haar armen om warm te worden en hij nam het over, trok haar tegen zich aan en wreef stevig over haar rug.

Ze zoog haar adem naar binnen, plotseling een stuk warmer. Hij verlangde naar haar. En zij verlangde naar hem. Snel wierp hij een blik op Merediths deur. 'Luister, ik had beloofd dat er niets zou gebeuren wat je niet wilde.'

Alex overwoog het meest geschikte antwoord. Hij probeerde voor haar te zorgen, en hoewel ze dat lief vond, begon ze zich ook te ergeren. 'Daniel.' Ze wachtte tot hij zijn ogen opendeed. 'Ik ben geen zestien meer, en ik wil absoluut geen slachtoffer zijn, in jouw ogen of van wie dan ook. Ik ben bijna dertig. Ik heb een goeie baan. Een goed leven. En het gezonde verstand om mijn eigen beslissingen te nemen.'

Hij knikte met respect in zijn ogen. Het was grimmig, maar het was respect. 'Begrepen.'

'Maar Daniel...' Ze haakte haar vinger achter zijn losgetrokken stropdas en wilde het zwoel laten klinken, maar eigenlijk klonk ze smachtend. 'Ik wil nog altijd... tomeloos zijn.'

Hij legde haar het zwijgen op met een vurige kus, maakte de gesp van zijn holster open en legde zijn wapen voorzichtig op de vloer. Hij peuterde zijn portefeuille uit zijn achterzak, haalde er een condoom uit en smeet de portefeuille naast zijn wapen. Hij keek haar aan, zijn blauwe ogen feller dan de kern van een vlam en twee keer zo heet. 'Zorg dat je het zeker weet, Alex.'

Ze hield haar blik op die van hem, schoof haar katoenen slip over haar benen omlaag en schopte die weg. 'Alsjeblieft, Daniel.' Zijn ogen schoten omlaag naar haar ontblote huid. Ze zag zijn keel bewegen toen hij probeerde te slikken.

Hij maakte zijn mond van haar los. 'Dit is belachelijk,' fluisterde hij tegen haar lippen. 'We zijn geen tieners die seks hebben op de bank.'

'Nee, ik ben bijna dertig en ik wil seks hebben op de bank.' Ze keek hem uitdagend in de ogen. 'Met jou. Dus wil je dat ik ophou?'

'Nee,' zei hij, verstikt en schor. 'Maar weet je het zeker?'

'O, ja. Heel zeker.' Ze deed langzaam zijn gulp open. Haar eerste aanraking was aarzelend, maar zijn lichaam bewoog spastisch en hij vloekte sissend. Snel trok ze haar hand terug. 'Maar als je niet... Ik wil niets doen waarbij je niet op je gemak –'

Toen kwam hij bij haar binnen, met een trage eerbied die haar de adem benam. Elke beweging van zijn heupen was doelgericht en hij keek naar haar om haar reactie te peilen. Toen verschoof hij, en ze haalde hoorbaar adem omdat er een onverwacht genot door haar lichaam golfde.

Toen het schokken van haar lichaam was afgenomen tot getril, werd zijn lichaam stram en kromde zijn rug alsof hij naar de maan wilde huilen, maar hij maakte geen geluid. Zijn kaken waren strak opeen geklemd terwijl zijn heupen schokten, hard en diep duwend. Lange tijd bleef hij roerloos boven haar hangen, schitterend mannelijk. Toen blies hij zijn adem uit en liet zich vallen, waarop hij zijn gezicht in de holte van haar hals begroef. Hij hijgde en trilde. Alex streek met haar handen over zijn rug, onder het overhemd dat hij nog altijd droeg.

'Politie! Blijf staan!'

Het geschreeuw kwam van buiten en Daniel was meteen alert, zat meteen op zijn knieën. Hij ritste zijn broek dicht, rolde overeind en griste onderweg zijn wapen van de grond. 'Blijf hier,' zei hij tegen haar. Hij ging naast het raam staan en gluurde tussen de vitrage door.

Alex bleef liggen tot ze zijn schouders zag ontspannen. 'Wat?' vroeg ze.

'Wat?' echode Meredith, die haar slaapkamerdeur op een kiertje opendeed.

'Het is de krantenjongen,' zei Daniel. 'Hatton heeft de krant aangepakt en komt aanlopen. Maar hij kijkt niet blij,' voegde hij eraan toe, terwijl hij zelf ook niet blij klonk. 'Wat nu weer?'

Alex pakte vlug haar ondergoed van de vloer en propte het in de zak van haar ochtendjas voordat ze de ceintuur strak om haar middel bond. Ze negeerde Merediths opgetrokken wenkbrauwen en vluchtte de keuken in om koffie te zetten, terwijl Daniel de deur opendeed voor agent Hatton.

‘Sorry, Daniel,’ zei Hatton. ‘Mevrouw Fallon.’ Hij knikte naar Alex, toen naar Meredith. Kennelijk was hij niet iemand die woorden verspilde: hij kon de naam voor beide vrouwen gebruiken en herhaalde die niet. Hij wendde zich weer tot Daniel. ‘Hij kwam aanrijden in een busje. We wisten eerst niet dat hij de krantenjongen was. Maar kijk eens naar de voorpagina. Je vriendje Woolf is druk geweest.’

Daniel greep de krant en keek toen met een grimmige blik op.

Alex vergat de koffie en liep snel naar hem toe om de krant van hem over te nemen. Eerst fronste ze haar voorhoofd. Toen werden haar ogen groot. ‘Is Rhett Porter dood?’

‘Wie is Rhett Porter?’ vroeg Meredith, die over Alex’ schouder meelas.

‘Rhett was een vriend van Wade,’ antwoordde Alex. ‘Rhetts vader was eigenaar van alle autoshowrooms hier in de buurt. Wade werkte voor hem als autoverkoper.’

‘Rhett was ook de broer van de jongens die Alicia’s lijk hadden gevonden,’ zei Daniel.

‘Toeval?’ vroeg Hatton.

‘Niks is toeval in deze stad.’

‘Hoe zou Woolf aan dat nieuws zijn gekomen?’ vroeg Meredith. ‘Het is niet op het nieuws geweest, of op internet. Ik was net nog online om mijn mail te checken.’

Ze zei het met een veelbetekenende blik, en Alex wist dat Meredith niet alleen wakker was geweest, maar het hele gebeuren op de bank had meegekregen.

Met een blos op zijn wangen knoopte Daniel zijn overhemd dicht. ‘Ik ga maar eens even praten met meneer Woolf.’

‘Ik blijf wel hier bij de dames Fallon,’ bood Hatton aan.

‘En ik schenk koffie in,’ zei Alex. ‘Ik heb er behoefte aan.’

Meredith liep grijnzend achter haar aan naar de keuken. ‘Ík heb behoefte aan een sigaret,’ mompelde ze.

Alex keek haar woest aan. Ze rookten geen van beiden. ‘Hou jij je mond nu maar.’

Meredith grinnikte. ‘Als jij iets doet, doe je het goed.’

Dutton, woensdag 31 januari, 5:55 uur

Daniel reed Main Street op toen hij het licht zag uitgaan in het kantoor van de *Dutton Review*. Zijn intuïtie zei hem dat hij moest opletten, dus zette hij zijn auto achter een schutting van palmhout, deed de koplampen uit en wachtte. Een paar minuten later verscheen Jim Woolf van achter het gebouw en reed, eveneens met uitgeschakelde koplampen, langs Daniel.

Daniel pakte zijn mobiele telefoon en belde Chase.

'Wat nu weer?' vroeg Chase nors.

'Woolf heeft gisteravond weer een grote primeur gehad. Een man hier uit de stad is verongelukt toen zijn auto van de weg af raakte. Ik wilde hem ernaar vragen, maar het lijkt erop dat onze vriend weer op een vroeg ochtenduitstapje gaat.'

'Verdomme,' mompelde Chase. 'Waar gaat hij heen?'

'Naar het oosten. Ik ga hem achterna, maar ik heb versterking nodig. Ik wil niet dat hij me ziet.'

'Zeg Hatton dat hij bij de dames blijft en laat Koenig samen met jou de achtervolging inzetten. Ik kom jouw kant op. Bel me voordat je hem aanspreekt.'

'Ja, baas, partner-baas.'

Woensdag 31 januari, 6:00 uur

Nee, nee, nee, nee, nee... Bailey wiegde heen en weer en bonsde met haar hoofd tegen de muur. De pijn was een welkome afleiding van de walging en afkeer die haar het gevoel gaven dat ze dood wilde.

'Bailey, hou op.'

Het was Beardsley die haar dat beval, maar Bailey luisterde niet.

Beng, beng, beng. Haar hoofd bonsde, maar dat verdiende ze. Ze verdiende de pijn. Ze verdiende het om te sterven.

'Bailey.' Beardsleys hele hand schoot onder de muur door en greep haar pols vast. Hij kneep er hard in. 'Ik zei: ophouden.'

Bailey liet haar hoofd zakken, legde haar kin op haar knieën. 'Ga weg.'

'Bailey.' Hij wilde niet weggaan. 'Wat is er gebeurd?'

Ze staarde neer op de vuile hand die haar pols in een ijzeren greep hield.

'Ik heb het gezegd,' snauwde ze. 'Nou goed? Ik heb het hem gezegd.'

'Je moet het jezelf niet kwalijk nemen. Je hebt het langer uitgehouden dan de meeste soldaten zouden hebben gedaan.'

Het kwam door de heroïne, dacht ze somber, terwijl haar gedachten door haar hoofd wervelden en haar misselijk maakten. Hij had de spuit net buiten bereik gehouden en ze had het willen hebben... nodig gehad. Het was zo'n sterk verlangen dat niets anders er nog toe deed. 'Wat heb ik gedaan?' fluisterde ze.

'Wat heb je hem verteld, Bailey?'

'Ik heb geprobeerd te liegen, maar hij wist het. Hij wist dat hij niet bij mij thuis lag.' En hij had haar elke keer geschopt en op haar gespuugd als ze had gelogen. Toch was ze sterk gebleven. Tot de naald kwam. Nu maakte het niet meer uit. Niets maakte nog uit.

'Waar had je hem dan verstopt?'

Ze was zo moe. 'Ik heb hem aan Alex gegeven.' Ze probeerde te slikken, maar haar keel was te droog. Ze probeerde te huilen, maar ze had geen vocht meer in haar lichaam.

'Nu gaat hij achter Alex aan, en Alex heeft Hope. En hij vermoordt me, en jou waarschijnlijk ook. Hij heeft ons niet meer nodig.'

'Hij vermoordt me niet. Hij denkt dat ik Wades biecht heb opgeschreven en verstopt.'

'Is dat zo?'

'Nee, maar ik kan er tijd mee rekken. Hij houdt jou ook in leven tot hij je verhaal heeft nagegaan.'

'Het maakt niet uit. Ik wou dat hij me gewoon had vermoord.'

'Dat moet je niet zeggen. We komen hier wel weg.'

Ze liet haar hoofd weer tegen de muur zakken. 'Nee, dat lukt nooit.'

'Jawel, dat lukt wel. Maar je moet me helpen. Bailey.' Hij drukte zijn vingers in haar pols. 'Help me. Voor je dochter en al die andere meisjes die je 's nachts hoort huilen.'

Bailey aarzelde. 'Heb jij ze ook gehoord? Ik dacht dat ik gek aan het worden was.'

'Nee. Ik heb een van die meisjes gezien toen hij me naar die kamer bracht.'

Zijn kamer, waar hij haar dagenlang had gefolterd. 'Wie is ze, dat meisje?'

'Weet ik niet, maar ze was jong, een jaar of vijftien.'

'Waarom heeft hij ze?'

'Waarom denk je, Bailey?' zei hij ernstig.

'O, god. Hoeveel heeft hij er?'

'Er waren twaalf deuren in die gang. Help me nu. Voor die meisjes en voor Hope.'

Bailey haalde diep adem, en het deed vanbinnen en vanbuiten pijn. 'Wat moet ik doen?'

Beardsley liet haar pols los en verstrengelde zijn vingers met die van haar. 'Goed zo.'

14

Dutton, woensdag 31 januari, 06:15 uur

'Wilt u nog koffie, agent Hatton?' vroeg Alex. Hij zat aan tafel, kalm en zonder haast. Zijn partner was vertrokken om Daniel te assisteren.

Hatton schudde zijn hoofd. 'Nee, dank u. Van mijn vrouw mag ik maar één kop per dag.'

Alex keek hem verbaasd aan. 'Luistert u naar uw vrouw? Echt? De mannen die ik op de spoedeisende hulp zie, luisteren nooit naar hun vrouw, en daarom zijn ze daar ook terechtgekomen.'

Hij knikte ernstig. 'Ik luister naar elk woord dat ze zegt.'

Meredith spotte vanuit de keuken: 'Maar dóét u ook wat ze zegt?'

Hatton grijnsde. 'Ik luister naar elk woord dat ze zegt.'

'Dacht ik al,' zei Meredith, en ze vulde zijn mok bij.

Hatton hief proostend de mok naar Meredith en zette hem weer neer. 'Hé hallo.'

Hope stond vanuit de slaapkamer naar Hatton te staren.

'Dit is agent Hatton.' Alex pakte Hope bij de hand. 'Agent Hatton, mijn nichtje Hope.' Alex keek ongelovig toe terwijl Hope Hattons zachte grijze baard aanraakte.

Hatton boog zich naar voren in zijn stoel zodat Hope er gemakkelijker bij kon. 'Iedereen zegt dat ik met die baard op de Kerstman lijk,' zei hij.

Hij spreidde zijn armen, en tot Alex' opperste verbazing klom Hope bij hem op schoot. Ze streelde met vlakke handen over zijn baard.

Meredith kreunde zachtjes. 'Niet weer.'

Alex keek Hatton hulpeloos aan. 'Hope heeft de neiging om zich op dingen te fixeren.'

'Nou, het doet helemaal geen pijn, dus laat haar maar even,' zei Hatton, waardoor Alex hem voor altijd in haar hart sloot.

Alex ging bij hen aan tafel zitten. 'Hebt u kinderen, agent Hatton?'

'Zes. Allemaal meisjes. Van acht tot achttien.'

Meredith keek naar het orgel, toen naar Alex. 'Misschien kent hij dat deuntje.'

'Ik wil haar niet weer laten beginnen,' zei Alex zuchtend. 'Maar we moeten het proberen.'

'Wat voor deuntje?' vroeg Hatton.

Meredith neuriede het en Hatton haalde zijn schouders op. 'Sorry, dames. Ik ken het niet.' Hij keek op zijn horloge. 'Vartanian zei dat jullie vanochtend om acht uur een afspraak hadden bij dokter McCrady en de forensische tekenaars. We kunnen beter gaan.'

Teleurgesteld omdat ook hij het liedje niet had herkend stond Alex op, haar knieën nog stram van haar valpartij van de vorige dag. 'Ik moet Daniels hond uitlaten.'

Hatton schudde zijn hoofd. 'Dat doe ik wel, mevrouw Fallon.'

Tegen Hope zei hij: 'Je moet je klaarmaken. Kleine meisjes hebben tijd nodig om zich op te doffen.'

'Hij heeft écht zes dochters,' merkte Meredith droogjes op.

Hope drukte haar handen tegen Hattons zachte baard en haar gezichtje nam een intense blik aan. 'Opa.' Het was het eerste woord dat ze zei, met een klein, lief stemmetje.

Hatton knipperde een keer met zijn ogen en keek Hope glimlachend aan. 'Heeft je opa net zo'n baard als ik?'

'Is dat zo?' vroeg Meredith, en Alex probeerde zich Craig Crighton voor de geest te halen.

Stil. Doe de deur dicht. Toen ze weer kon nadenken, schudde ze haar hoofd.

'Voor zover ik weet heeft hij nooit een baard gehad.' Ze legde haar hand tegen Hopes wang. 'Heb je opa gezien?'

Hope knikte, met grote grijze ogen die zo droevig waren dat Alex wel kon huilen. Maar ze forceerde een glimlach. 'Wanneer, lieverd? Wanneer heb je opa gezien?'

'Had de non bij de daklozenopvang niet gezegd dat Bailey wel had gezocht, maar hem niet had gevonden?' mompelde Meredith.

'Zuster Anne zei dat ze dacht dat Bailey hem niet had gevonden.' Alex trok een peinzende blik. 'Weet je, Daniel heeft me nooit verteld of hij zuster Anne al heeft gevonden. Of Desmond.'

'Ik weet dat hij het gisteravond heeft gemeld. Ik zal het navragen terwijl jullie je klaarmaken,' bood Hatton aan. Hij zette Hope neer en legde zijn hand onder haar kin. 'Ga met je tante mee,' zei hij haar, en Hope legde gehoorzaam haar hand in die van Alex.

'We moeten hem houden,' zei Meredith, wijzend naar Hatton. 'Hij is goed met haar.'

'Of hij moet ons zijn toverstafje lenen,' antwoordde Alex droog, en Hopes gezicht schoot met een paniekerige blik omhoog. Alex keek Meredith aan, negeerde haar protesterende knieën en hurkte neer om Hope in de ogen te kunnen kijken. 'Liefje, wat is het toverstafje?'

Maar Hope zweeg, met een verstijfd, doodsbang gezicht. Alex sloeg haar armen om haar heen. 'Lieverd,' fluisterde ze tegen Hopes goudblonde krullen, 'wat heb je gezien?' Maar Hope zei niets, en de moed zonk Alex in de schoenen. 'Kom, schatje. We gaan je in bad doen.'

Bernard, Georgia, woensdag 31 januari, 6:25 uur

'Lenige rotzak,' mompelde agent Koenig achter Daniel.

Daniel zag Jim Woolf een boom in klimmen. 'Je zou het hem niet geven.' Zijn kaak verstrakte terwijl hij tussen de bomen door naar de greppel langs de weg tuurde. 'Hij heeft een heleboel foto's gemaakt voordat hij die boom uitzocht. Ik wil niet weten wie het is.'

'Het spijt me, Daniel.'

'Mij ook.' De mobiele telefoon in zijn zak trilde. Het was Chase. 'We zijn er net,' zei hij. 'Koenig en ik. Ik heb de plaats delict nog niet bekeken. Hoe ver weg zijn jullie?'

'Niet ver. Ik heb de zwaailichten aangezet. Ga maar kijken. Ik wacht wel.'

Daniel drong tussen de bomen door, met het toestel nog tegen zijn oor gedrukt. Hij probeerde zich het stomverbaasde gezicht van Woolf voor te stellen. Aan de rand van de greppel bleef hij staan. 'Er ligt er weer een,' vertelde hij Chase. 'In een bruine wollen deken.'

Chase gromde kwaad. 'Trek die stomme idioot uit de boom en wacht op me. Ik ga nu van de snelweg af. De technische recherche en de patholoog zijn ook onderweg.'

Dutton, woensdag 31 januari, 6:45 uur

Hij reed zijn eigen oprit op, opgelucht, uitgeput, stram over zijn hele lijf. Maar Kate was veilig, en dat was het enige wat telde. Hij had een uur om te douchen, te eten en enigszins te herstellen voordat hij bij Bowies huis moest zijn voor een briefing.

Je had tragedie, dacht hij, en je had politiek. Soms waren ze één en hetzelfde. Hij bleef op de veranda staan om de ochtendkrant te pakken, en hoewel hij het nieuws had verwacht, viel het toch tegen. 'Rhett,' mompelde hij. 'Stommeling. Ik had je gewaarschuwd.'

De voordeur ging open en daar stond zijn vrouw, met een gekwetste blik. 'Vroeger probeerde je nachtelijke uitstapjes nog wel te verbergen voor de buren. En voor de kinderen.'

Hij lachte bijna. Al die keren dat hij laat thuis was gekomen, rechtstreeks vanuit het bed van een andere vrouw, had ze niets gezegd. En uitgerekend vandaag had ze besloten hem erop aan te spreken. De enige keer dat hij niet schuldig was.

Ja, dat ben je wel. Je moet Vartanian vertellen over de zeven andere vrouwen. Het is niet voldoende om alleen maar te zorgen dat Kate veilig is. Als een van hen sterft... is het jouw schuld.

Zijn vrouw kneep haar ogen tot spleetjes. 'Je ziet eruit alsof je in je kleren hebt geslapen.'

'Is ook zo.' Hij had het al gezegd voordat hij er erg in had.

'Waarom?'

Hij kon het haar niet vertellen. Hij hield niet van haar. Hij wist eigenlijk niet of hij dat ooit wel had gedaan. Maar ze was zijn vrouw en de moeder van zijn kinderen, en hij merkte dat hij nog altijd voldoende zelfrespect had om toe te geven dat haar mening over hem ertoe deed. Hij kon haar niets vertellen over Kate, over de hele toestand.

Dus stak hij in plaats daarvan de krant uit. 'Rhett is dood.'

Zijn vrouw haalde beverig adem. 'Wat erg.'

En dat vond ze echt. Want ze was een fatsoenlijk mens. Ze had Rhett nooit gemogen, hun 'vriendschap' nooit begrepen. Ha. Vriendschap, tuurlijk. Het was een wederzijds genootschap tot zelfbehoud geweest. Hou je vijanden dicht bij je; dan zul je het weten als ze op het punt staan dubbel spel te spelen. Het was waardevol advies dat hij lang geleden eens van zijn vader had gekregen. Zijn vader had het over zijn politieke vijanden gehad. Niet over zijn zogenaamde vrienden. Maar het advies was toch van toepassing. 'Hij... eh... is met zijn auto van de weg geraakt.'

Ze deed de deur een stukje verder open. 'Kom dan maar binnen.'

Hij stapte over de drempel en keek in haar ogen. Ze was al die jaren een goede vrouw voor hem geweest. Hij wilde haar geen pijn doen. Alleen scheen hij er niet toe in staat te zijn zichzelf daarvan te weerhouden. Geen van zijn affaires had eigenlijk iets betekend, behalve de laatste.

Hij had nog altijd een naar gevoel over de laatste. Normaal gebruikte hij vrouwen gewoon voor seks. Maar Bailey Crighton had hij gebruikt om informatie te krijgen. Ze was veranderd sinds haar dochter was geboren. Ze was niet langer de slet van de stad, met wie ze allemaal wel eens naar bed waren geweest.

Ze had gedacht dat hij om haar gaf, en ergens had hij dat ook wel gedaan. Bailey had zo veel moeite gedaan om een leven op te bouwen voor zichzelf en Hope, en nu was ze er niet meer. Hij wist waar ze was en wie haar had meegenomen. Maar hij kon niets zeggen om Bailey te helpen, net zomin als hij de andere zeven vrouwen die het doelwit van een moordenaar waren kon helpen.

'Ik zal een paar eieren voor je bakken terwijl jij je gaat douchen en omkleden,' zei zijn vrouw zachtjes.

'Dank je,' antwoordde hij, en haar ogen werden groot. Toen schoot hem te binnen dat hij dat lang niet vaak genoeg tegen haar had gezegd. Aan de andere kant leek onbeleefdheid, in zijn lijst van vele zonden, in het niet te vallen bij verkrachting. Of de moord op de vrouwen die hij had geweigerd te helpen.

Atlanta, woensdag 31 januari, 8:45 uur

Daniel liet zich in een stoel naast de vergadertafel zakken. Hij wreef met zijn handen over zijn gezicht. Hij had niet eens tijd gehad om zich te scheren. Dankzij Luke had hij in elk geval wel schone kleren kunnen aantrekken.

Luke had alle lof doorgewuifd naar Mama Papadopoulos, die hem de vorige avond elk uur had gebeld om haar zorgen te uiten over die 'arme Daniel'. Luke had een pak van Daniel gebracht op weg naar zijn eigen kantoor. Maar Lukes gezicht had afgetrokken en vermoeid gestaan, en Daniel wist dat zijn vriend zelf ook problemen had. Hij dacht aan de foto's die Luke elke dag moest bekijken bij zijn onderzoek naar het uitvaagsel dat op internet met kinderen leurde.

Hij dacht aan Alex. Ze was nog een kind geweest toen Wade haar aanrandde, of ze dat nu wilde toegeven of niet. Er borrelde een diepe woede in hem op, en hij was blij dat Wade Crighton dood was. Tuig zoals Wade en de roofdieren waarop Luke joeg deden zo veel meer dan hun slachtoffers lijfelijk aanvallen. Ze roofden hun vertrouwen, hun onschuld.

Daniel dacht aan hoe Alex er de vorige avond uit had gezien – kwetsbaar en breekbaar. Hij huiverde. De seks was de beste van zijn leven geweest. Het had hem doen beven op zijn grondvesten. De gedachte om haar te verliezen maakte hem doodsbang.

Hij moest een einde aan deze waanzin maken. Nu. *Dus ga aan het werk, Vartanian.*

Chase, Ed, Hatton en Koenig kwamen bij hem aan tafel zitten, met bekers koffie en grimmige gezichten. 'Hier,' zei Chase, en hij reikte hem ook een beker aan. 'Het is sterk.'

Daniel nam een slok en trok een gezicht. 'Slachtoffer nummer drie is Gemma Martin, eenentwintig. Het is drie uit drie. Alle drie zijn ze opgegroeid in Dutton, allemaal diploma's van Bryson Academy, in hetzelfde jaar. Gemma woonde bij haar oma. Die werd bezorgd toen Gemma niet naar beneden kwam voor het ontbijt. Ze zag dat het bed onbeslapen was en belde ons.'

'We hebben haar identiteit bevestigd aan de hand van haar vingerafdrukken,' vertelde Ed. 'Alles op de plaats delict was identiek aan de eerdere moorden, tot en met de sleutel en de haar die om haar teen waren gewikkeld.'

'Ik wil weten hoe hij haar heeft gegrepen,' zei Chase. 'Waar was ze gisteravond?'

'Gemma zei tegen haar oma dat ze zich niet lekker voelde en vroeg naar bed ging, maar haar grootmoeder vertelde me dat Gemma wel vaker loog. Haar Corvette staat niet meer in de garage. We beginnen bij de plekken waar ze normaal vaak komt.'

'En de tapes van het verhuurbedrijf van dat busje dat Janet had gehuurd?' wilde Chase weten.

'Die heb ik bij TR afgeleverd toen ik gisteravond met Hope naar Mary ging. Ed?'

'Ik heb een van de techneuten vannacht de banden laten bekijken,' zei Ed, en hij schoof een foto over tafel. 'We hebben geluk gehad. Ziet die er bekend uit?'

Daniel pakte de foto op. 'Het is die jongen die de dekens had gekocht.'

'Hij deed ook deze keer geen poging om zijn gezicht te verbergen. Hij had een sleutel van Janets z4.'

'En we hebben geen idee wie hij is?' wilde Chase weten.

'Zijn smoel zit tegen de zonneklep van alle politieauto's in de stad geplakt, Chase,' zei Ed. 'De volgende stap is zijn foto te laten zien op het televisiejournaal.'

Daniel keek Chase aan. 'Als we dat doen duikt hij misschien onder.'

'Die gok moeten we maar nemen, denk ik,' zei Chase. 'Doe het maar. Wat nog meer?'

'Jaarboeken,' zei Daniel. 'We moeten de vrouwen op die foto's opsporen.'

'Zijn we al mee bezig,' zei Chase. 'Leigh belt elke middelbare school in een omtrek van dertig kilometer van Dutton om hun jaarboeken van dertien jaar geleden op te vragen.'

Ed ging met een verwonderde blik achteroverzitten. 'Waarom van dertien jaar geleden? Janet, Claudia en Gemma waren toen pas negen.'

'Daar kom ik straks nog op.' Uit zijn koffertje haalde Daniel Simons foto's tevoorschijn, en hij vertelde de anderen de versie van het verhaal die Chase en hij de avond ervoor hadden afgesproken.

'Daniel had de foto's aan de politie in Philadelphia gegeven,' vulde Chase aan. 'De rechercheur daar was zo aardig om ze te laten scannen en meteen vanochtend naar ons te mailen. De originelen zijn onderweg per koerier.'

Het speet Daniel dat Vito Ciccotelli al die moeite had gedaan om de foto's te scannen en te mailen, maar hij was gisteravond volkomen eerlijk tegen Vito geweest toen hij hem had gebeld. Vito had zelf aangeboden de foto's te scannen. Daniel had er niet eens om hoeven vragen.

Vito had zijn bedankjes weggewuifd en gezegd dat Daniel hem iets veel kostbaarders had gegeven: hij had Vito geholpen het leven van zijn vriendin Sophie te redden. Daniel dacht aan Alex en begreep wel dat Vito het redden van zijn Sophie als de hoogste beloning beschouwde.

Ed schudde zijn hoofd. 'Oké. Dus Simon had die foto's, inclusief een foto van Alicia Tremaine en eentje van de serveerster die gisteravond is doodgeschoten, Sheila Cunningham.'

'Ja. Alex heeft nog vier anderen kunnen identificeren. Een van hen is dood; zelfmoord. De anderen moeten we matchen met meisjes van de plaatselijke scholen. Daarom wil ik die jaarboeken hebben.'

Ed blies zijn adem uit. 'Je weet wel hoe je de zaken moet opschudden, Vartanian.'

'Het is echt niet mijn bedoeling,' mompelde Daniel. 'Wat hebben we nog meer?'

Hatton wreef afwezig over zijn baard. 'Die non van de opvang. Zuster Anne.'

Daniels maag protesteerde. 'Vertel me nou alsjeblieft niet dat ze dood is.'

'Ze is niet dood,' zei Hatton. 'Maar het scheelt niet veel. De uniformen die gisteravond naar haar op zoek gingen, troffen haar niet bij de daklozenopvang, en ook thuis deed ze niet open. Ze hadden niet begrepen dat die vrouw in levensgevaar was, alleen dat jullie haar zochten. Ze zijn gisteravond haar appartement niet binnen gegaan.'

'En vanochtend?' vroeg Daniel grimmig.

'Toen ik ze belde benadrukte ik hoe belangrijk deze zaak was.' Hattons stem klonk nog steeds rustig, maar zijn ogen waren dat niet. 'Ze hebben de deur ingetrapt en haar gevonden. Ze was in elkaar geslagen. Het lijkt erop dat iemand door het raam is binnengekomen. Ze is ongeveer een uur geleden naar het ziekenhuis gebracht. Ze zeiden dat ze bewusteloos was, maar dat is alles wat ik weet.'

'Weet Alex dit?' vroeg Daniel.

'Nog niet. Ik dacht dat jij het haar misschien zou willen vertellen.'

Daniel knikte, maar hij zag er als een berg tegenop. 'Doe ik. En die kapper, Desmond?'

'Met hem gaat het prima. Hij heeft geen bezoekjes of telefoontjes gehad, geen problemen.'

'Dan hoef ik haar tenminste niet twee slechte berichten te brengen.'

'Dus...' Chase trommelde met zijn vingers op tafel. 'Onze enige getuige is een meisje van vier dat niet wil praten.'

'Hope is nu bij McCrady en de forensisch tekenaar,' meldde Daniel.

'Ze heeft wel gepraat,' zei Hatton. 'Eén woord, in elk geval. Ze noemde me "opa". Schijnbaar heeft die net zo'n baard als ik.'

Daniel fronste zijn voorhoofd. 'Dan had Bailey hem dus toch gevonden.'

'Weet McCrady dit?' wilde Chase weten.

'Ja.' Hatton keek Daniel aan. 'Er is ook iets met een toverstafje.'

'O, in godsnaam,' mompelde Chase.

'Chase,' vermaande Daniel hem geërgerd. 'Wat is er met dat toverstafje?' vroeg hij Hatton.

'Mevrouw Fallon zei dat de twee keer dat ze "toverstafje" had gezegd, Hope ophield met waar ze mee bezig was en bang opkeek. Geen van de dames Fallon wist wat het betekende. Ik denk dat we Baileys vader moeten zoeken. Ik kan de straten afspeuren als je wilt. Ik heb Craig Crightons laatste rijbewijsfoto opgehaald. Hij is vijftien jaar oud, maar het is alles wat we hebben.'

'Heeft hij zijn rijbewijs al vijftien jaar niet laten verlengen?' vroeg Daniel.

'Het verliep twee jaar na Alicia's dood,' zei Hatton. 'Wil je dat ik hem opspoor?'

'Ja, bedankt. Wat nog meer?'

'Hoe zit het met onze boomklimmende Woolf?' vroeg Koenig.

Daniel schudde zijn hoofd. 'Ik heb alle telefoons nagetrokken waarvoor we bevelschriften hebben, om te kijken wanneer hij is gebeld over Gemma, maar er zijn geen nieuwe telefoontjes geweest. Wat ik wil weten is hoe hij aan dat verhaal over Rhett Porter kwam.'

'Die autoverkoper die gisteravond met zijn auto van de weg is geraakt,' zei Chase. 'Houdt het verband met elkaar?'

'Dat ongeluk gebeurde op de US-19, meer dan honderd kilometer van Dutton vandaan. Niemand heeft Porter van de weg zien gaan.

Het is gemeld door een automobilist die langsreed toen de auto al was uitgebrand. Het vuur was al bijna uit.'

'Hoe wist hij dat het Porter was?' vroeg Ed, met een blik op de foto op de voorpagina van de *Dutton Review*. 'Ik kan me niet voorstellen dat er veel van hem over was.'

'Ze hebben het lijk ook nog niet geïdentificeerd,' antwoordde Daniel. 'Ze hopen gebitsgegevens te kunnen gebruiken. Maar Porter was autoverkoper en hij reed in testmodellen met zijn magnetische dealerkenteken erop. Zijn kentekenplaat was van de auto gevlogen toen hij het talud af rolde, en zo is hij geïdentificeerd.'

'Hoe wist Woolf het dan?' vroeg Chase.

Daniel schudde walgend zijn hoofd. 'Weten we nog niet. Toen ik die rotzak van een Woolf vanochtend uit de boom trok, zei hij dat Porter volgens zijn vrouw al de hele week niet zichzelf was. En iedereen wist dat de Lincoln die over de kop is geslagen de auto is waarin Porter reed. Maar hoe Woolf net op tijd ter plaatse was om dit plaatje te schieten... Woolf weigert zijn bron te onthullen, en als hij niet heeft gecommuniceerd via een van de lijnen die wij in de gaten houden, hebben we niks.'

'En is er behalve het feit dat Rhett Porter in Dutton woonde, kennelijk niet zichzelf was, en dat artikel van Woolf nog iets anders wat hem in verband brengt met deze drie moorden?' vroeg Chase.

'Hij heeft bij Wade Crighton en Simon op school gezeten. Alex weet nog dat hij bevriend was met Wade. En hij was de oudste broer van de twee jongens die Alicia's lijk hadden gevonden.'

Chase kreunde. 'Daniel.'

Daniel haalde zijn schouders op. 'Ik som alleen de feiten maar op. Bovendien moet je niet vergeten dat Jim Woolf daar op de plaats van het ongeluk was. Ik heb het veldkantoor in Pike County gevraagd om een oogje op het onderzoek te houden. Ik wil dat elke centimeter van die auto wordt onderzocht. Ik wil eigenlijk ook graag Jim Woolf doorlopend laten schaduwen. Hij heeft nog niks gedaan waarvoor ik hem kan arresteren, maar dat komt nog wel.'

Daniel haalde diep adem en zette zich schrap voor wat hij nu moest gaan zeggen. 'En zodra Leigh die jaarboeken heeft, moeten we uitzoeken wie er nog meer op school zaten bij Wade, Simon en Porter. De verkrachters op de foto's van Simon kunnen allemaal kerels uit Dutton zijn.'

'Iemand is nerveus,' zei Hatton zachtjes. 'Ze werden slordig toen ze probeerden mevrouw Fallon aan te rijden. Het lijkt erop dat ze meer succes hebben gehad bij Porter.'

'Lijkt erop.' Daniel wendde zich tot Ed. 'Baileys huis en de pizzeria. Iets gevonden?'

'Bij Bailey verder niks, zeker niet waar Hope was toen ze zag dat Bailey werd meegenomen. We hebben Baileys bloedgroep gematcht met het bloed dat in de grond was getrokken. We hebben ook een paar haren meegenomen uit een borstel in de badkamer. We zullen proberen er DNA uit te krijgen, maar ik ben er vrij zeker van dat het Baileys bloed is.'

'En de pizzeria?'

'We hebben vingerafdrukken genomen van de schutter. Die trekken we vandaag na in het systeem. We willen ook praten met de agent die achter die auto aan is gegaan die gisteren probeerde Alex aan te rijden,' voegde Ed eraan toe. 'Kijken of hij de identiteit kan bevestigen van ofwel de automobilist, ofwel de schutter.'

'Dat kan ik wel doen,' bood Koenig aan.

Daniel noteerde de actiepunten in zijn aantekenboekje. 'Bedankt. Ik ga praten met de verkrachtingsslachtoffers van dertien jaar geleden. Ik wil graag dat er een vrouwelijke agent met me meegaat.'

'Neem Talia Scott mee,' zei Chase. 'Ze is goed in dat soort gesprekken.'

Daniel knikte. 'Doe ik. Als Leigh de jaarboeken van Bryson Academy heeft, kan ze een lijst maken van alle vrouwen die op school zaten bij Janet, Claudia en Gemma. Vraag haar of ze die lijst naar mij stuurt. We moeten uitvissen waarom de dader hen heeft uitgekozen om de moord op Alicia opnieuw in scène te zetten. Misschien kan een van haar klasgenoten ons helpen het verband te leggen met Alicia of een van de andere slachtoffers.'

'We moeten hen ook waarschuwen,' zei Ed, 'als ze al geen voorzorgsmaatregelen hebben getroffen.'

'Ik waarschuw ze wel,' zei Chase. 'We zullen onze communicatie via bepaalde kanalen goed moeten afstemmen. We willen geen paniek zaaien, en we hebben niet de mankracht om alle potentiële slachtoffers politiebescherming te bieden.'

Daniel stond op. 'Dan gaan we maar. We zien elkaar hier weer om zes uur.'

Atlanta, woensdag 31 januari, 9:35 uur

'Alex, ga nou eindelijk eens zitten.'

Alex hield op met ijsberen en keek naar Merediths weerspiegeling in de doorkijkspiegel. Meredith zat achter haar kalmpjes op haar laptop te werken, terwijl Alex op was van de zenuwen. Aan de andere kant van de spiegel zat Hope met kinderpsychologe Mary McCrady en een forensisch tekenaar die een engelengeduld scheen te hebben.

'Hoe kun je zo kalm blijven? Ze krijgen er níks uit.'

'Gisteren was ik een wrak. Kwam door die muziek.' Ze huiverde. 'Vandaag heb ik geen muziek hoeven aanhoren, en ik heb een eindje kunnen hardlopen. Prima dus.'

Ze keek naar Hope, die weigerde de psychologe of de tekenaar in de ogen te kijken. 'Ze zijn net begonnen, Alex. Geef Hope een beetje tijd.'

'We hébben geen tijd.' Alex wrong in haar handen. 'Bailey is al een week weg. Er zijn vier vrouwen dood. We hebben geen tijd om te wachten.'

'En dat geijsbeer zal daar niks aan veranderen.'

Alex draaide met haar ogen. 'Weet ik,' knarsetandde ze woedend. 'Denk je dat ik dat niet wéét?'

Meredith zette haar laptop aan de kant en sloeg haar arm om Alex heen. 'Alex...'

Alex legde haar hoofd tegen Merediths schouder. 'Ze hebben nog een slachtoffer gevonden,' mompelde ze met een gevoel van... machteloosheid. Eventjes, met Daniel op de bank, had ze zich machtig gevoeld, belangrijk. Nu drong de realiteit zich weer op en wist ze hoe machteloos ze eigenlijk was.

'En als het Bailey was geweest, had Daniel je dat al verteld.'

'Weet ik wel. Maar Mer... drie vrouwen en Sheila. En pastoor Beardsley. Dit is erger dan alle nachtmerries die ik ooit heb gehad.'

Meredith omhelsde Alex steviger, en samen keken ze door het glas naar Hope. Toen de deur achter hen opengeging, draaiden ze zich snel om. Daniel sloot de deur achter zich.

Alex' hart maakte een sprongetje toen ze hem zag. Maar hij glimlachte niet, en ze wist dat wat hij te zeggen had niet best zou zijn. Ze zette zich schrap voor het ergste, hoewel ze niet eens zeker wist wat er nog erger kon zijn.

'Ik heb niet veel tijd,' mompelde hij, 'maar ik moet met je praten.'

'Wil je dat ik wegga?' vroeg Meredith.

Daniel schudde zijn hoofd. 'Hoeft niet.' Hij pakte Alex bij haar bovenarmen. 'Ik weet niet hoe ik dit zeggen moet, dus ik zeg het maar gewoon. Zuster Anne ligt in het ziekenhuis. Ze is in elkaar geslagen. Het is niet best.'

Alex' knieën knikten en ze liet zich, plotseling uitgeput, in een stoel zakken. 'O, nee.'

Hij hurkte neer zodat zijn ogen op gelijke hoogte met de hare kwamen. 'Sorry, lieverd,' zei hij zachtjes. Hij pakte haar handen en warmde ze. 'We hebben een team van de technische recherche naar haar appartement gestuurd.'

Ze slikte. 'En Desmond?'

'Met hem gaat het goed.'

Ze zuchtte met een mengeling van opluchting en angst. 'Zuster Anne. Mijn god.'

Hij kneep in haar handen. 'Alex, het is niet jouw schuld.'

'Ik voel me zo machteloos.'

'Weet ik,' fluisterde hij, en ze zag dat ook zijn ogen gekweld stonden. Hij schraapte zijn keel. 'Maar ik hoor net dat Hope Hatton "opa" noemde.'

Alex knikte. Het woeste gekrijs in haar geest bij het horen van de naam Craig Crighton verraste haar niet langer. 'We denken dat Bailey haar vader heeft gevonden. Misschien heeft ze hem de brief gegeven die Wade had geschreven.'

'Hatton probeert hem vandaag op te sporen.'

Alex gebruikte de weinige energie die ze nog had om het gekrijs op afstand te houden. 'Ik ga mee.'

Daniel stond op met een afwijzende uitdrukking op zijn gezicht. 'Nee, te gevaarlijk.'

'Hij weet niet hoe Craig eruitziet.'

'Hij heeft de foto van zijn rijbewijs.'

'Ik móét mee, Daniel.' Ze pakte zijn arm, ze moest het hem laten begrijpen. 'Elke keer dat iemand zijn naam noemt, begint het in mijn hoofd. Hij maakt iets in mij los. Ik moet hem zien. Ik moet begrijpen waarom.'

Zijn ogen boorden zich in die van haar en zijn gezicht kreeg een strenge uitdrukking. 'Ik moet zeker weten dat je veilig bent.'

'En ik moet dit laten ophouden,' bracht ze tussen haar opeengeklemde tanden door uit. 'Ik moet uitzoeken waarom ik zo bang voor hem ben. Ik moet weten of hij weet wie Bailey heeft meegenomen.'

Ze wees naar het glas, met trillende hand. 'Hope heeft al een week niet gepraat. Ik moet weten wat er is gebeurd.'

Hij pakte haar kin, zodat ze hem in de ogen moest kijken. 'Toen of nu, Alex?' vroeg hij.

'Allebei. Je zei dat ik Hatton kon vertrouwen. Bij hem ben ik veilig. Dwing me niet om hier te blijven.' Ze kneep harder in zijn arm. 'Daniel, alsjeblíéft. Ik heb het gevoel dat ik gek word.'

Hij bleef haar nog lange tijd aankijken terwijl er in zijn ogen een storm woedde. Toen drukte hij een kus op haar voorhoofd. 'Als Hatton het goed vindt, zal ik je niet tegenhouden. Ik heb uit betrouwbare bron vernomen dat je oud genoeg bent om je eigen beslissingen te nemen.'

Haar lippen vormden een bedroefde glimlach en hij kuste haar teder op haar mond. 'Dank je, Daniel.'

Hij trok haar nog een keer stevig tegen zich aan en liet haar toen los. 'Ik moet me omkleden. Ik ga proberen de vrouwen te vinden die jij herkende op de foto's. Bel me,' zei hij vurig, 'elk uur. Als ik niet opneem, spreek dan mijn voicemail in. Beloof me dat.'

'Beloofd.'

'Ik zou bij je moeten zijn als je met hem praat,' zei hij.

Ze ging op haar tenen staan en kuste zijn stoppelige wang. 'Ik red me wel. Ik zal je bellen. Echt.'

'Daniel.' Meredith leunde tegen de muur en keek naar hen. 'Je zei dat we konden nadenken over een onderduikadres voor Hope.'

Daniel knikte. 'Ik kan dat vandaag nog regelen.'

'Voor Hope en Meredith,' corrigeerde Alex.

Meredith keek afwijzend, maar ze knikte. 'Alex zal niet alleen zijn?'

'Nee,' zei Daniel, en zijn stem en ogen waren weer vurig. 'Ik zal ervoor zorgen.'

Eén kant van Merediths mond kwam omhoog. 'Op de een of andere manier geloof ik dat direct,' zei ze droogjes.

'Ik ben blij dat te horen.' Hij wilde weglopen, maar Alex hield hem tegen.

'Daniel, dat nieuwe slachtoffer. Wie is ze?'

'Gemma Martin. Ken je haar?'

'Nee. Ik ken de naam Martin wel, maar ik heb nooit bij ze opgepast. De Martins hadden kinderjuffen en butlers. Was ze even oud als de andere twee?'

Hij knikte. 'De andere twee woonden in Atlanta, maar Gemma woonde hier, bij haar oma in Dutton. De school schijnt tot nu toe de enige connectie tussen hen te zijn.' Hij kuste haar nog een laatste keer. 'Vergeet niet te bellen.'

'Elk uur,' zei Alex plichtmatig. 'Beloofd.' Ze dacht aan wat hij moest gaan doen, aan de vrouwen met wie hij wilde gaan praten. 'Sterkte.'

Hij knikte kort, en toen was hij weg.

Even viel er een stilte, toen verbrak Meredith die. 'Dus nu weet je het.'

Alex keek door het glas naar Hope. 'Wat weet ik?' Maar ze wist het wel.

'Dat nadenken over Craig Crighton één ding is waardoor het geschreeuw begint.'

Alex slikte, te vermoeid om het geschreeuw weer te onderdrukken. 'Ik heb altijd geweten dat er iets met Craig was. Ik wilde alleen nooit weten wat het was.'

'Alex... heeft Baileys vader je aangerand?'

Alex zag haar eigen weerspiegeling in het glas. Haar hoofd ging in slow motion heen en weer. 'Ik denk van niet. Maar ik weet het niet. Telkens als ik probeer het me te herinneren...' Ze deed haar ogen dicht. 'Maar nu wil het geschreeuw niet meer ophouden. Ik kan ze niet laten ophouden.'

'Alex, wat herinner je je nog van de dag dat we je mee naar huis namen, weghaalden uit Dutton?'

Alex legde haar voorhoofd tegen de ruit. 'Ik herinner me nog die vreselijke oude dames die het over Alicia en mij hadden. Tante Kim die je een veeg uit de pan gaf omdat je er niets van had gezegd.'

'En daarna?'

'Toen kwam hij.' Ze dwong zichzelf zijn naam te zeggen. 'Craig. Met Bailey. En Wade. Hij maakte ruzie met Kim. Hij wilde me houden. Zei dat hij van me hield. Zei dat ik hem "papa" noemde.' Het woord bleef steken in haar keel. Het smaakte vies.

'Maar dat was niet zo.'

'Nee. Nooit. Hij was mijn vader niet. Hij was Baileys vader. Altijd.'

Meredith zei niets en wachtte geduldig af. Alex draaide haar hoofd opzij, zodat haar hete wang tegen het koele glas lag. 'Hij was vaak streng voor ons, voor Alicia en mij. Hij zei dat mama ons verwende. Misschien had hij wel gelijk. We waren zo lang alleen maar met ons drietjes geweest... sinds mijn echte vader was overleden. Maar je vraagt of Craig... of hij ons dwong seks met hem te hebben. Nee. Daar herinner ik me niks van. En ik denk dat ik dat nog wel zou weten.'

'Misschien niet.' Merediths stem klonk rustig. 'Wat herinner je je nog meer van die dag, Alex? Die dag dat we je uit het ziekenhuis haalden en mee naar Ohio namen?'

Alex deed haar ogen open. Staarde naar haar gebalde vuist. 'Pillen.'

Een herinnering drong zich door de kakofonie in haar hoofd naar boven. 'Jij hebt ze afgepakt.'

'Ik wist niet wat ik ermee aanmoest. Ik was een boekenwurm. Beschermd opgevoed. Ik had nog nooit drugs gezien. Je maakte me doodsbang, hoe je in dat ziekenhuis in het niets zat te staren.'

'Zoals Hope nu doet.'

'Zoals een heleboel mensen doen na een trauma,' zei Meredith geruststellend. 'Pa heeft je uit de rolstoel getild en in de auto gezet. Toen vroeg je om water. We waren zo blij dat je iets zei... Mam gaf je water en we reden weg. En ik zag je in je vuist gluren. Dus hield ik je in het oog. Ik liet je denken dat je onbespied was, en toen je ze probeerde in te nemen heb ik ze afgepakt. En jij zei geen woord.'

'Ik haatte je die dag,' fluisterde Alex.

'Weet ik. Ik zag het in je ogen. Jij wilde niet meer leven, en ik wilde je niet laten sterven. Je betekende op dat moment te veel voor mijn moeder. Jij was alles wat ze nog van tante Kathy had. Er was al zo veel geweld geweest. Ik kon het je niet laten doen.'

'Dus kwam je elke dag na school naar mijn kamer en ging je bij me zitten. Je wilde niet dat ik het karwei afmaakte.'

'Ik was niet van plan dat te laten gebeuren. En toen, stukje bij beetje, kwam je bij ons terug.'

Alex' ogen prikten. 'Jullie hebben me gered.'

'Mijn ouders hielden van je. Ik nog steeds.' Merediths stem sloeg over en ze schraapte haar keel. 'Alex, weet je nog hoe je aan die pillen was gekomen?'

Ze probeerde na te denken. Probeerde zich te concentreren op de stilte. 'Nee. Ik weet nog dat ik in mijn hand keek en dat ze daar lagen. Ik weet nog dat het me niet kon schelen waar ze vandaan waren gekomen.'

'Alle drie de Crightons hebben je omhelsd voordat we je meenamen.'

Alex slikte. 'Dat weet ik nog.'

'Ik heb me altijd afgevraagd of een van hen je die pillen had gegeven.'

Alex zette zich af van het glas, plotseling verkild. 'Waarom zouden ze dat doen?'

'Weet ik niet. Maar nu we dat weten over Wade en Simon... en Alicia... moeten we het in overweging nemen. Het zou de reden kunnen zijn dat je altijd zo reageert op Craigs naam.'

Alex onderdrukte een huivering. 'Heb je het altijd geweten?'

'Ja. Ik nam aan dat je het wel onder ogen zou zien als je er klaar voor was. Het was het gemakkelijkste om gewoon zijn naam niet te zeggen. Maar nu... moeten we wel. We moeten het weten. Voor Bailey, voor Hope en voor jou.'

'En voor Janet, Claudia en Gemma,' voegde Alex eraan toe. 'En Sheila en al die andere meisjes.' Een golf van droefheid stortte over haar heen. 'Zo veel levens verwoest.'

'Jij hebt je leven nog, Alex. En nu heb je Hope. Bailey heeft het roer omgegooid voor Hope. Laat haar nu niet in de steek.'

'Nee, doe ik ook niet. Ik ga Craig opzoeken en ontdekken wat hij weet.' Ze klemde haar kaken op elkaar. 'En ik ga dat huis in. En de trap op. Al is het het laatste wat ik doe.'

'Daniel heeft me verteld over de aanval die je kreeg op de trap. Dokter McCrady en ik hadden het gisteravond over het gebruiken van een vorm van hypnose bij Hope, om te proberen langs de muur te komen die ze in haar geest heeft opgebouwd. Als haar voogd zul jij de toestemmingsformulieren moeten ondertekenen.'

'Natuurlijk.'

'En dan wil ik hetzelfde bij jou doen.'
Alex haalde diep adem. 'In dat huis?'
Meredith legde haar hand tegen Alex' wang, met een vastberaden blik in haar ogen. 'Denk je niet dat het tijd wordt?'
Alex knikte. 'Ja. Het wordt tijd.'

15

Atlanta, woensdag 31 januari, 10:00 uur

Agent Talia Scott was een nuchtere vrouw met een elfengezichtje en een lieve glimlach die slachtoffers op hun gemak stelde. Maar Daniel had eerder met haar gewerkt, en hij wist dat iedereen die tegenover een bewapende Talia in haar gevechtspak had gestaan haar nooit meer 'lief' zou noemen.

Ze zat tegenover hem aan zijn bureau en staarde hem aan alsof ze water zag branden. 'Als ik Hollywoodproducer was zou ik hier meteen de rechten van kopen.'

'Dat proberen ze vast al,' zei Daniel duister.

'Dus we hebben van die vijftien slachtoffers zes vrouwen geïdentificeerd.' Talia bladerde er doorheen, en het samenknijpen van haar mond was haar enige fysieke reactie. 'Twee van hen zijn dood.'

'Drie,' corrigeerde Daniel. 'Alicia, Sheila en Cindy Bouse, die een paar jaar geleden zelfmoord heeft gepleegd. We hebben drie namen. Gretchen French woont hier in Atlanta, Carla Solomon in Dutton, en Rita Danner in Columbia.'

'Die vrouwen zijn nu allemaal een jaar of dertig, Daniel,' zei Talia. 'Ze willen hier misschien niet over praten, vooral als ze een leven hebben opgebouwd met mensen die er niets van weten.'

'Weet ik,' antwoordde Daniel. 'Maar we moeten zorgen dat ze ons vertellen wat ze weten. We moeten ontdekken wie zich door dit alles zo bedreigd voelt dat hij om zich heen begint te meppen.'

'Denk je dat een van die verkrachters deze week de drie vrouwen heeft vermoord?'

'Nee, maar de dader wil wel dat we ons verdiepen in de moord op Alicia.'

'En Sheila ook.' Talia knikte ferm. 'Laten we dan maar gaan.'

Woensdag 31 januari, 10:00 uur

De Jaguar stond al te wachten toen hij afremde en het raampje omlaag begon te draaien.

'Je bent laat,' snauwde hij al voor het raampje volledig open was. 'En je ziet er verschrikkelijk uit,' voegde hij er minachtend aan toe.

Klopt. Gisteravond had hij zich bewusteloos gezopen en zich toen op zijn buik op bed laten vallen zonder zijn broek of schoenen uit te trekken. Het trillen van de mobiele telefoon in zijn zak had hem gewekt. 'Ik had geen tijd om me te scheren.' In feite had hij niet in de spiegel willen kijken. Hij kon zijn eigen aanblik niet verdragen.

'Het was een ongelukkige misrekening. Verman je en ga door.'

Een ongelukkige misrekening. Zijn woede kwam omhoog en maakte zijn tong los. 'Een van mijn hulpsheriffs is dóód. Dat is geen "ongelukkige misrekening".'

'Hij was een schietgrage boerenpummel die graag de stadsagent wilde uithangen.'

'Hij was eenentwintig, verdomme.' Zijn stem brak, maar hij was te kwaad om zich daar druk over te maken.

'Je had voor meer discipline bij je mensen moeten zorgen.' Hier was geen medelijden. Alleen minachting. 'De volgende keer luisteren je jongens wel voordat ze naar binnen rennen om het tegen een grote, kwaaie kerel met een nog groter, kwaaier geweer op te nemen.'

Hij zei niets. Hij zag het bloed nog voor zich. *Al dat bloed*. Hij dacht dat hij het bloed van die jongen elke keer zou blijven zien als hij zijn ogen sloot, misschien wel voor de rest van zijn leven.

'Nou?' blafte hij vanuit de Jaguar. 'Waar is hij?'

Hij opende zijn ogen en viste vermoeid een sleutel uit zijn zak. 'Hier.'

Donkere ogen knepen zich samen. 'Dat is de verkeerde.'

Hij lachte bitter. 'Ha. Zelfs Igor was slim genoeg om hem niet bij zich te dragen. Dit zal wel een sleutel zijn van een kluisje bij de bank.'

Hij gaf de sleutel terug. 'Ga die stomme kluis dan openmaken,' zei hij, te zachtjes. 'Breng me de goeie sleutel.'

'Ja, tuurlijk.' Hij stopte de sleutel in zijn zak. 'Waarom zou jij risico's nemen?'

'Pardon?' zei hij zijdezacht.

Hij keek zonder te verbleken in de donkere ogen. 'Ik zoek de meisjes en breng ze naar je toe. Ik grijp Bailey voor je. Ik vermoord Jared en Rhett voor je. Nu ga ik voor je naar de bank. Ik neem de risico's. Jij blijft in je dure auto zitten en verstopt je in de schaduw, zoals altijd.'

Even staarde hij alleen, toen verbreedde zijn mond zich tot een glimlach. 'Heel af en toe laat je zien dat je toch wel kloten hebt. Haal de goeie sleutel op en breng me die.'

'Best.' Hij was te moe om te protesteren. Hij zette zijn auto in de versnelling.

'Ik ben nog niet klaar. Ik weet waar Bailey Wades sleutel heeft gelaten.'

Hij zoog zijn adem naar binnen. 'Waar?'

'Ze heeft hem aan Alex Fallon gestuurd. Dat mens heeft hem al die tijd al.'

De woede sputterde op en ontbrandde. 'Ik vind hem wel.'

'Zorg daarvoor. O, en aangenomen dat Fallon wat slimmer is dan Igor, heeft zij hem waarschijnlijk ook niet steeds bij zich.' Het raampje van de Jaguar ging omhoog en hij reed weg.

Atlanta, woensdag 31 januari, 11:00 uur

Gretchen French was een knappe vrouw met heel behoedzame ogen, vond Daniel. Hij hield zich stil en liet Talia het voortouw nemen.

'Ga toch zitten,' zei Gretchen. 'Wat kan ik voor u doen?'

'Rechercheur Vartanian en ik doen onderzoek naar een reeks aanrandingen.'

'Vartanian?' Gretchens ogen werden groot en knepen zich toen samen tot spleetjes. Ze had hem herkend. 'U bent Daniel Vartanian. U werkt aan de moorden op Claudia Barnes en Janet Bowie.'

Daniel knikte. 'Ja, dat klopt.'

'Maar daarvoor zijn we niet hier, mevrouw French,' zei Talia. 'Terwijl we onderzoek deden naar de recente moorden op Claudia Barnes en de anderen –'

Gretchen stak haar hand op. 'Wacht even. Anderen? Zijn er behalve Janet en Claudia nog anderen?'

‘We hebben vanochtend het lichaam van Gemma Martin gevonden,’ zei Daniel zachtjes.

Gretchen liet zich in haar stoel naar achteren vallen, haar gezicht uitdrukkingsloos van de shock. ‘Wat is hier toch aan de hand? Dit is waanzin.’

‘We begrijpen dat u schrikt.’ Talia’s stem klonk rustig, zonder neerbuigend te zijn. ‘Maar zoals ik al zei, we zijn hier niet om over de recente moorden te praten. Tijdens ons onderzoek hebben we bewijzen gevonden van een reeks aanrandingen.’ Talia boog zich naar voren. ‘Mevrouw French, ik wou dat ik een manier wist om dit gemakkelijker te maken, maar het gaat om aanrandingen die plaatsvonden rond de tijd van de moord op Alicia Tremaine. U was even oud als Alicia. U zat bij haar op de middelbare school.’

Daniel zag een flits van angst in Gretchens ogen. ‘Ik weet niet wat u bedoelt.’

Talia sloeg haar ogen neer en keek weer op. ‘We hebben foto’s gevonden van meisjes die werden verkracht. Uw foto zat daar ook bij, mevrouw French. Het spijt me.’

Daniels hart verkrampte van hulpeloos medelijden toen hij Gretchens gezichtsuitdrukking zag veranderen. Elk spoortje kleur trok uit haar gezicht weg, tot ze asgrauw was. Haar lippen weken vaneen en bewogen, alsof ze iets probeerde te zeggen. Toen schoot haar blik weg, omlaag, beschaamd. Daniel zag dat ook Talia’s gezichtsuitdrukking was veranderd. Er was medeleven in te zien, maar ook kracht, en Daniel begreep waarom Chase haar had aangeraden voor deze klus.

Talia legde haar hand over die van Gretchen heen. ‘Ik wou dat ik u niet hoefde te vragen dat moment nog eens door te maken, maar ik moet wel. Kunt u ons vertellen wat er is gebeurd?’

‘Ik weet het niet meer.’ Nerveus likte ze langs haar lippen. Haar ogen waren opvallend droog. ‘Anders zou ik het wel vertellen. Ik wilde het vertellen toen het was gebeurd, maar ik kon het me niet herinneren.’

‘We denken dat degene die dit gedaan heeft u had gedrogeerd,’ mompelde Daniel.

Gretchens kin kwam met een ruk omhoog en haar ogen stonden gekweld, maar ze waren nog steeds droog. ‘Weet u niet wie?’

Daniel schudde zijn hoofd. ‘We hoopten dat u ons dat kon vertellen.’

Gretchen haalde amper adem. 'Ik... Ik was pas zestien. Ik weet nog dat ik wakker werd in mijn auto. Het was donker en ik was... zo bang. Ik wist het... Ik bedoel, ik voelde...' Haar adamsappel ging op en neer. 'Het deed pijn. Veel pijn.'

Talia bleef Gretchens hand vasthouden. 'Had u nooit eerder seks met iemand gehad?'

Gretchen schudde haar hoofd. 'Nee. Een paar jongens hadden het wel geprobeerd, maar ik zei altijd nee.'

Daniel onderdrukte de woede die binnen in hem opborrelde. En zei niets.

'Daarna... had ik nooit meer vriendjes. Ik was zo bang. Ik wist niet wie...' Ze deed haar ogen dicht. 'Of waarom. Of ik het had kunnen voorkomen. Ik wist dat ik voorzichtiger had moeten zijn.'

De woede laaide op en was moeilijk onder controle te houden. Maar het lukte hem toch. 'Mevrouw French,' vroeg hij toen hij zijn stem weer kon vertrouwen, 'weet u nog waar u vandaan kwam, waar u naartoe ging, of er iemand bij u was?'

Ze deed haar ogen open en scheen zich een klein beetje te hebben hersteld. 'Ik was onderweg van mijn werk naar huis. Ik waste toen borden af bij de Western Sizzlin'. Ik wilde geld verdienen voor de universiteit. Ik was alleen. Het was al laat, een uur of halfelf. Ik weet nog dat ik moe was, maar ik studeerde, had een baantje en hielp op de boerderij... Ik was altijd moe. Ik weet nog dat ik dacht dat ik eigenlijk zou moeten stoppen en uitstappen. Even een frisse neus halen, voordat ik in slaap zou vallen achter het stuur.'

Talia glimlachte bemoedigend. 'U doet het geweldig,' zei ze. 'Weet u nog of u iets gedronken had voordat u van het werk wegging, of dat u onderweg ergens iets had gedronken?'

'Ik werkte in de keuken. We mochten net zoveel cola drinken als we wilden. En ik was bordenwasser, dus wilde ik niet elke keer een nieuw glas vuil maken. Ik gebruikte gewoon steeds hetzelfde glas.'

'Dus iemand heeft iets in uw drankje kunnen doen,' zei Talia zachtjes.

Gretchen beet op haar wang. 'Ik denk het. Dat was behoorlijk stom van me.'

'U verwachtte dat u veilig was op uw werk,' zei Daniel, en de dankbare blik die ze hem toewierp gaf hem de neiging te gaan gillen. Ze was aangerand, maar ze was dankbaar om te horen dat het niet haar eigen stomme schuld was geweest.

'Agent Vartanian heeft gelijk. U hebt niets doms of verkeerds gedaan. Wat herinnert u zich nog van toen u wakker werd?'

'Ik had hoofdpijn en was misselijk. En die pijn. Ik wist... dat ik bloedde.' Ze slikte moeizaam en haar lippen trilden. 'Ik had een nieuwe witte broek aan. Ik had ervoor gespaard om hem te kunnen kopen. Hij was verpest.' Ze keek omlaag. 'Ik was verpest.'

'U werd wakker in uw auto,' spoorde Talia haar behoedzaam aan, en Gretchen knikte. 'Uw broek was verpest, dus u had uw kleren aan. Al uw kleren?'

Gretchen knikte weer mat. 'De foto's die u hebt. Ben ik...' Er welden tranen op in haar ogen, en die van Daniel prikten ook. 'O, god.'

'Niemand krijgt die foto's te zien,' zei Daniel. 'Geen enkele krant krijgt ze.'

Ze knipperde, waardoor de tranen over haar wangen stroomden. 'Dank u,' fluisterde ze. 'En er lag een fles.'

'Wat voor fles?' vroeg Talia, terwijl ze Gretchen een tissue in de hand drukte.

'Een whiskyfles. Leeg. Er zat ook whisky op mijn kleren en in mijn haar. En ik wist dat als ik naar de sheriff ging, het zou lijken alsof ik had gedronken. Dat ik erom had gevraagd.'

Talia's kaak verstrakte. 'Dat is niet zo.'

'Weet ik. Als het me nu zou gebeuren, zou ik direct de politie bellen... Maar dat was toen, en ik was zestien en bang.' Ze hief haar kin en deed Daniel op heel veel manieren aan Alex denken. 'Wilt u zeggen dat dit met meer vrouwen is gebeurd?'

Daniel knikte. 'We kunnen u niet zeggen hoeveel. Maar het zijn er nog meer geweest.'

Haar lippen vormden een intens droevige glimlach. 'En als u de dader vindt kunt u niets doen, hè?'

'Hoezo?' vroeg Talia.

'Het is dertien jaar geleden. Is het niet allang verjaard?'

Daniel schudde zijn hoofd. 'De klok begint pas te tikken als we een aanklacht indienen.'

Gretchens blik verhardde. 'Dus als u de dader vindt kunt u hem vervolgen?'

'Jazeker,' zei Talia vurig. 'Dat beloven we u.'

'Zet mij dan maar op de getuigenlijst. Ik wil mijn zegje doen.'

Talia's glimlach was scherp. 'En wij zullen ons uiterste best doen om dat mogelijk te maken.'

'Mevrouw French,' zei Daniel. 'U zei dat een paar jongens dingen hadden geprobeerd en dat u nee had gezegd. Weet u nog wie die jongens waren?'

'Zo veel vriendjes had ik niet. Mijn moeder liet me pas uitgaan toen ik zestien was, en dat was ik nog maar net, een paar maanden. De jongen die ik me herinner was Rhett Porter. Ik dacht dat hij het misschien was geweest, maar...'

Eindelijk. Maar het was een connectie die een dag te laat kwam. 'Maar wat?' vroeg hij vriendelijk.

'Maar hij ging om met foute jongens. Ik was bang dat als ik iets zei...'

'U dacht dat ze u iets zouden doen?' vroeg Daniel.

'Nee.' Ze lachte bitter. 'Hij zou rondbazuinen dat ik erom had gevraagd, en iedereen zou hem hebben geloofd. Dus ik hield mijn mond en was blij dat ik niet zwanger was.'

'Nog één vraag,' zei Daniel. 'Wanneer is dit gebeurd?'

'Mei. Het jaar voordat Alicia Tremaine werd vermoord.'

Daniel en Talia stonden op. 'Bedankt voor uw tijd, mevrouw French,' zei Talia. 'En uw openheid. Ik weet dat dit moeilijk was.'

'Nu weet ik in elk geval dat ik het me niet heb ingebeeld. En misschien wordt de dader nog wel gepakt.' Ze fronste haar wenkbrauwen. 'Gaat u met Rhett Porter praten?'

'Waarschijnlijk niet,' antwoordde Daniel.

Talia's ogen werden groot van verbazing.

Gretchen rechtte haar rug. 'Ik begrijp het.'

'Nee, mevrouw French,' zei Daniel, 'ik denk van niet. Rhett Porters auto is gisteravond van de weg geraakt. Hij is waarschijnlijk overleden.'

'O. Dan snap ik het toch. U hebt een behoorlijke puinhoop voor u liggen, rechercheur Vartanian.'

Daniel lachte bijna om dat understatement. 'Ja, dat klopt.'

'Dat van Porter had je me wel eens mogen vertellen,' zei Talia toen ze bij zijn auto waren.

'Sorry. Ik dacht dat ik je alles had verteld.'

'Nou, zoals Gretchen French al zei, het is een behoorlijke puinhoop. Ik kan me wel voorstellen dat je dan iets vergeet.'

Ze deden hun gordel om en Daniel startte de motor, waarna hij haar in de ogen keek. 'Je deed het goed daarbinnen. Ik vind gesprekken met verkrachtingsslachtoffers verschrikkelijk. Ik weet nooit wat ik moet zeggen, maar jij wel.'

'Jij doet veel moorden. Dat zal ook niet meevallen.'

Daniel trok een gezicht en reed de straat op. 'Ik zou niet beweren dat ik veel moorden dóé.'

Ze grimaste. 'Sorry. Slechte woordkeus.'

'De laatste tijd heb ik het inderdaad druk met een aantal moordzaken.'

'Daniel, denk je dat je broer dertien jaar geleden Alicia Tremaine heeft vermoord?'

'Ik doe niet anders dan me dat afvragen. Maar ze hebben iemand anders gearresteerd, een of andere zwerver die aan de drugs was. Ze vonden Alicia's ring in zijn zak en haar bloed op zijn kleren, en op de moersleutel waar hij mee zwaaide toen ze hem arresteerden.'

'Wat denk jij dan? Vond die verkrachting plaats rond dezelfde tijd dat ze werd vermoord, of op een ander moment?'

Daniel tikte in een gelijkmatig ritme op het stuur terwijl hij nadacht. 'Dat weet ik niet.' Maar nu knaagde er iets anders aan hem. Iets waar hij eerder aan had moeten denken, maar wat hij niet had gedaan. Iets wat hij aan de kant had geduwd, tot het door de pijn en angst in Gretchen French' ogen naar de voorgrond was gesleurd.

'Daniel? Denk hardop, alsjeblieft. En hou op met dat getik. Ik word er gek van.'

Daniel zuchtte. 'Alicia Tremaine heeft een tweelingzus. Alex.' Hij richtte zijn aandacht op de weg om de angst niet in zijn gedachten toe te laten. 'Alex heeft nachtmerries en paniekaanvallen. Die zijn erger geworden sinds ze een paar dagen geleden is teruggekomen naar Dutton.'

'O.' Talia draaide zich een stukje naar hem toe. 'Je vraagt je af wie van de twee zussen is verkracht.'

'Alex ontkent dat zoiets ooit met haar is gebeurd.'

'Niet ongebruikelijk. Heb je nog meer dan alleen die foto? Forensisch bewijs?'

'Nee. Zoals ik al zei, de sheriff van Dutton en zijn medewerkers zijn niet bepaald behulpzaam geweest.'

'En dat zet je aan het denken over de arrestatie van die zwerver.'

Hij knikte. 'Ja.'

'Zo te horen moet je een bezoekje brengen aan de staatsgevangenis, Daniel.'

'Ik weet het. Ik moet de feiten over de moord op Alicia scheiden van de verkrachting.'

Talia beet peinzend op haar lip. 'Ik heb eens een zaak gehad met een eeneiige tweeling, waarvan de ene een slachtoffer van verkrachting was, en zij overleed later aan de verwondingen die ze bij die aanval had opgelopen. In het appartement van de dader vonden we een haar, maar die smeerlap van een advocaat bleef maar roepen dat we niet konden bewijzen van wie van de twee zussen die haar was. Dat zorgde voor gegronde twijfel.'

'Omdat het DNA van eeneiige tweelingen identiek is.'

'In dit geval was de genetica geen vriend van ons. Het zag er heel slecht uit voor de staat, tot de openbaar aanklager de andere helft van de tweeling liet getuigen. Het leek wel alsof de beklaagde een spook zag. Hij werd lijkbleek en begon zo te trillen dat zijn boeien rammelden als Jacob Marley die bij Scrooge kwam spoken. Het maakte nogal indruk op de jury, en ze bevonden hem schuldig.'

'Alex trekt overal in Dutton aandacht. Man, zelf schrok ik me ook rot toen ik haar zag. Maar dat helpt niet bij het uitzoeken wie erbij betrokken was.'

'Nee,' zei ze geduldig, 'maar misschien schrikt die vent die in de cel zit voor de moord op haar zus wel zo dat hij interessante dingen gaat zeggen. Het is maar een idee.'

Dat was een verdomd goed idee. Daniel ging een zijstraat in om te keren. 'Ik heb het vermoeden dat iedere vrouw met wie we praten een verhaal zal vertellen dat op dat van Gretchen lijkt.'

'Ik denk dat je waarschijnlijk gelijk hebt. Zal ik die gesprekken overnemen? Dan kun jij jouw Alex ophalen en met haar naar die zwervende junk gaan, hoe heet hij ook alweer.'

'Gary Fulmore. Vind je het niet erg om de rest zelf te doen?'

'Daniel, dit is mijn werk. Ik neem wel een andere agent mee. Jij moet je richten op wat in deze zaak belangrijk is. Op dit moment krijg je hieruit niks nieuws, behalve als een van die vrouwen zich een naam of een gezicht herinnert.'

'Maar ze zijn wel allemaal belangrijk,' protesteerde hij.

'Natuurlijk zijn ze dat. En elk van die vrouwen moet horen dat ze niet de enige is, net zoals Gretchen. Maar dat kan ik net zo goed als jij.'

'Waarschijnlijk beter.' Hij keek haar aan. 'Míjn Alex?'

Talia glimlachte. 'Het staat op je voorhoofd geschreven.'

Hij voelde een spoortje warmte door de kilte in zijn geest sijpelen. 'Mooi.'

Atlanta, woensdag 31 januari, 12:45 uur

Alex leunde tegen een lantaarnpaal terwijl agent Hatton aan de telefoon met Daniel sprak. Ze zochten pas twee uur naar Baileys vader, en nu al was Alex moe; lichamelijk, maar vooral in haar ziel. Zo veel gezichten met zo veel pijn en zo weinig hoop. Zo veel herrie in haar hoofd. Ze had haar pogingen om die het zwijgen op te leggen opgegeven. In plaats daarvan had ze Craigs gezicht voor ogen gehouden. Ze probeerde zich hem dertien jaar ouder voor te stellen, met een zachte baard zoals die van Hatton.

Tot nu toe had niemand Craig Crighton gezien, althans: had niemand dat willen toegeven. Maar ze hadden nog een heel eind te gaan. Als haar knieën het niet begaven. Ze was nog steeds stram van haar val, en stilstaan hielp niet bepaald.

Uiteindelijk hing Hatton op en zei: 'Kom mee.'

Ze duwde zich af van de lantaarnpaal. 'Waarheen?'

'Mijn auto. Vartanian komt u ophalen. U gaat een bezoekje brengen aan Macon State.'

'De universiteit?' vroeg ze verwonderd.

'Eh, nee. De gevangenis. U gaat op bezoek bij Gary Fulmore.'

'Waarom?' Maar zodra het woord haar mond uit kwam schudde ze haar hoofd. 'Stomme vraag. Het is logisch dat we hem vroeg of laat moeten spreken. Maar waarom vanmiddag?'

'Dat moet u aan Daniel vragen. Maak u niet druk. Ik blijf zoeken en bel u als ik hem heb gevonden.'

Ze grimaste toen haar knieën kraakten. 'Maar eerst wil ik langs het de opvangtehuis waar zuster Anne werkt. Ik moet een pakketje afleveren.' Hatton pakte haar arm en ondersteunde haar. 'U zult wel blij zijn dat u van me af bent. Ik loop u alleen maar voor de voeten.'

'Ik was niet van plan om door de straten te rennen, mevrouw Fallon. U doet het prima.'

'Weet u, u mag me ook gewoon Alex noemen.'

'Ik weet niet... Mevrouw Fallon is makkelijker. Anders moet ik twee namen onthouden.'

Hij plaagde haar, en ze glimlachte. 'Hebt u ook een voornaam, agent Hatton?'

'Jawel.'

Ze keek naar hem op. 'En gaat u me vertellen wat die is?'

'George,' antwoordde hij met een zucht.

'George? Dat is toch een prima naam? Waarom die zucht?'

Hij trok een gezicht. 'Mijn doopnaam is Patton.'

Ze glimlachte een beetje. 'George Patton Hatton. Interessant.'

'Vertel het maar niet verder.'

'Geen woord,' beloofde ze, en ze voelde zich een stukje beter – tot ze bij de daklozenopvang van zuster Anne aankwamen en ze weer somber werd. Zuster Anne verkeerde in levensgevaar. De verpleegsters op de IC in het ziekenhuis in Atlanta hadden Alex de prognose gegeven, en die was niet goed.

Een andere non liet hen glimlachend binnen. 'Kan ik u helpen?'

'Ik ben Alex Fallon. Ik was hier eergisteravond om met zuster Anne te praten over mijn stiefzus, Bailey Crighton.'

De glimlach van de non verdween. 'Anne zei dat u gisteravond terug zou komen.'

'We konden gisteren niet; we moesten met Hope naar de dokter. Heeft zuster Anne gisteren iets gezegd waardoor u misschien enig idee hebt wie haar dit heeft aangedaan?'

De non weifelde, maar toen schudde ze haar hoofd. 'Ze was hier gisteren niet. Ze is op zoek gegaan naar Baileys vader. Omdat u haar had gezegd dat u gisteravond weer zou komen.'

De moed zonk Alex in de schoenen. 'En heeft ze hem gevonden?'

'Weet ik niet. Ik had haar vanmorgen weer hier verwacht, en dan had ze me het vast wel verteld. Maar ze kwam niet.' De lippen van de non trilden, en ze perste ze op elkaar.

'Ik kom net uit het ziekenhuis,' zei Alex. 'Ik vind het heel erg.'

De non knikte bruusk. 'Dank u. Nou, als dat alles is... ik moet het eten opzetten.'

'Wacht.' Alex hield de deur open. 'Ziet u Sarah Jenkins vanavond nog?'

'Hoezo?' vroeg de non argwanend.

Alex stak de tas uit, met monsters van goede antibacteriële crème die de verpleegkundigen van de spoedeisende hulp in Atlanta haar hadden gegeven. 'Haar dochtertje heeft een allergische reactie, en dit zou moeten helpen. Er zitten ook nog wat andere dingen in.'

Het gezicht van de non verzachtte. 'Dank u.' Ze wilde de deur dicht doen.

'Wacht. Ik heb nog één vraag. Kent u dit liedje?' Ze neuriede de zes muzieknoten waar Hope de vorige dag op gefixeerd was geweest.

De non schudde haar hoofd. 'Nee, maar ik kom de laatste tijd niet veel buiten. Wacht even. Ik ben zo terug.' Ze deed de deur dicht, en Alex en Hatton bleven een hele tijd staan wachten.

Hatton keek op zijn horloge. 'We moeten weg. Vartanian komt zo.'

'Nog een minuutje. Alsjeblieft.' Een minuut verstreek en Alex zuchtte. 'Ik ben bang dat ze niet terugkomt. Laten we maar gaan.' Ze waren al bijna de straat uit toen de deur opengink en de non haar hoofd om de hoek stak. 'Ik zei toch dat ik terug zou komen?'

'We hebben een hele tijd gewacht. We dachten dat u niet meer kwam,' zei Alex.

'Ik ben zesentachtig,' snauwde de non. 'Zelfs schildpadden lopen nog sneller dan ik. Hier. Praat met haar.' Ze deed de deur verder open en onthulde een andere non, slechts een klein beetje jonger, die heel ongerust keek. 'Vertel het ze, Mary Catherine.'

Mary Catherine keek de straat in en fluisterde: 'Ga kijken in Woodruff Park.'

Alex keek op naar Hatton. 'Wat is dat?'

'Het is een plek waar vaak muzikanten bij elkaar komen,' zei hij. 'Moeten we met iemand in het bijzonder praten, zuster?'

Mary Catherine kneep haar lippen samen, en de oude non gaf haar een por. 'Vertel het haar.'

'Hebt u dat liedje eerder gehoord?' vroeg Alex, waarop Mary Catherine knikte.

'Bailey neuriede het op de laatste zondag dat ze hier was, terwijl ze pannenkoeken bakte. Ze zag er zo droevig uit. Dat liedje klonk droevig. Toen ik haar vroeg wat het was trok ze een bang gezicht en zei ze dat het gewoon een liedje was dat ze op de radio had gehoord. Maar Hope zei dat het niet op de radio was, en toen vroeg ze of mama niet meer wist dat opa dat liedje altijd op zijn fluit speelde.'

Alex verstijfde. *Hopes toverstafje.*

'Wat deed Bailey toen?' vroeg Hatton, en ze wist dat hij aan hetzelfde dacht.

'Ze kleurde helemaal en stuurde Hope weg om te helpen de tafels te dekken, en ze zei tegen ons dat Hope iedere man met een baard aanzag voor haar opa. Ze zei dat het gewoon een dronkenlap op de hoek was die fluit stond te spelen, en dat was alles.'

Alex keek bedenkelijk. 'Maar zuster Anne zei dat ze niet dacht dat Bailey haar vader had gevonden.'

De oude non gaf Mary Catherine opnieuw een por. 'Toe maar.'

Mary Catherine zuchtte. 'Anne was toen niet in de keuken. Ik vertelde het haar pas op maandagavond, nadat u alweer weg was. Daarom besloot ze gisteren naar hem op zoek te gaan.'

Alex' schouders zakten. 'Ze had mij moeten bellen. Ik zou hem zelf wel zijn gaan zoeken. Waarom is ze alleen gegaan?'

De oude non snoof. 'Anne werkt al jaren hier in de buurt. Ze is niet bang om in haar eentje rond te lopen.' Toen zuchtte ze. 'Misschien had ze dat beter wel kunnen zijn. Maar goed, ze wilde u geen valse hoop geven. Ze zei dat ze zou gaan kijken en het u dan zou vertellen als u gisteravond hier zou komen. Maar u kwam niet, en zij ook niet.' De oude non vermande zich en zei bruusk: 'Bedankt voor de medicijnen. Ik zal ervoor zorgen dat ze goed terechtkomen.' Ze deed de deur voor Alex' neus dicht.

Alex keek de straat in. 'Welke kant op is Woodruff Park?'

Maar Hatton pakte haar bij de arm. 'Je hebt geen tijd om te gaan kijken. Ik zoek die fluitist wel op, en zelfs als het Crighton niet is, neem ik hem toch mee naar het bureau. Kom nu mee. Je hebt een afspraak.'

Atlanta, woensdag 31 januari, 15:30 uur

Daniel had zijn auto op de parkeerplaats bij de gevangenis gezet, maar hij zat nog achter het stuur. Hij had haar over het gesprek met Gretchen French verteld, over de aanranding en de lege whiskyfles. Hij had haar verteld over zijn plan om Fulmore te laten schrikken van haar gezicht, dat noch Fulmore, noch zijn advocaat wist dat ze zou komen. Dat hele gesprek had ongeveer twintig minuten gekost. De rest van de rit was hij diep in gedachten verzonken geweest. Ze had hem laten broeden, hopend dat hij uiteindelijk iets zou zeggen, maar hij had de hele weg gezwegen.

Uiteindelijk verbrak zij de stilte. 'Ik dacht dat we naar de gevangenis gingen.'

Hij knikte. 'Doen we ook, maar we moeten eerst praten.'

Haar maag verkrampte van angst. 'Waarover?'

Daniel deed zijn ogen dicht. 'Ik weet niet hoe ik je dit moet vragen.'

'Vráág het gewoon, Daniel,' zei ze met trillende stem.

'Die foto die ik had gevonden, is dat Alicia... of ben jij dat?'

Alex deinsde achteruit. 'Nee. Dat ben ik niet. Hoe... Waarom vraag je dat?'

'Omdat je nachtmerries hebt en geschreeuw hoort, en omdat er dingen zijn die je je niet herinnert. Ik nam aan dat Alicia was verkracht in dezelfde nacht als ze was vermoord, maar de werkwijze is te verschillend. Ik vroeg me af of die dingen op verschillende momenten waren gebeurd, door verschillende daders. En toen begon ik me af te vragen...' Hij deed zijn ogen open, en ze stonden vol pijn en schuldgevoel. 'Stel dat de slachtoffers ook verschillend waren? Stel dat Simon en de anderen jóú hebben aangerand?'

Alex drukte haar vingers tegen haar lippen en richtte zich een tijdje uitsluitend op haar ademhaling.

'Sorry,' fluisterde hij. 'Ik vind het heel erg.'

Alex liet haar handen op haar schoot zakken en dwong zichzelf na te denken. *Zou het kunnen?* Nee. Zoiets zou ze zich wel herinneren. *Misschien niet.* Meredith had dat gezegd in reactie op haar uitspraak van eerder die dag; precies dezelfde uitspraak.

'Jij bent vandaag al de tweede die vraagt of ik ben verkracht. Ik weet niet wat ik daarop moet antwoorden, behalve dat ik me van zoiets niets herinner, maar ik kan me ook de nacht dat zij overleed niet herinneren. Ik begon me onderweg van school naar huis akelig te voelen en ben meteen naar bed gegaan. Het volgende dat ik me herinner is dat mijn moeder me de volgende morgen wakker schudde en wilde weten waar Alicia was. Maar ik bloedde niet en ik herinner me geen whiskyfles. Ik denk dat je zulke details niet gauw vergeet.'

Even zwegen ze allebei. Toen hief Alex haar kin. 'Je hebt me die foto van Alicia nooit laten zien,' zei ze.

Hij keek haar vol afgrijzen aan. 'Wil je die zien?'

Snel schudde ze haar hoofd. 'Nee. Maar er is één ding waarin we verschilden.' Ze tilde haar linker broekspijp op. 'Zie je het door de panty heen?'

Daniel boog zich over de versnellingspook heen. 'Die schaaptatoeage. Je zei dat Bailey er ook eentje had. Nee, je zei dat jullie er alle drie eentje hadden, die maandagochtend toen je het lichaam van Janet kwam bekijken.'

'Eigenlijk is het een lammetje. Die vonden we schattiger dan schapen. Mijn moeder noemde ons haar lammetjes. Op onze zestiende verjaardag kreeg Alicia het idee voor die tatoeages. Achteraf denk ik dat ze misschien een beetje high was. Maar Bailey ging ook, en we waren jarig, Alicia en ik, en ik wilde niet achterblijven.'

'Jullie liepen als zestienjarigen een tattooshop in en kregen tatoeages?'

'Nee, Bailey kende er iemand. Ze had hem gezegd dat we zeventien waren. Ik probeerde er op het laatste moment nog onderuit te komen, maar Alicia zei dat ik een schijterd was.'

Hij glimlachte scheef. 'Dat kun je natuurlijk niet over je kant laten gaan.'

'Ik deed nooit iets spannends of leuks. Dat was altijd Alicia. Dus ging ik erin mee. Kun je op die foto die je van Alicia hebt haar tatoeage zien?'

'Ik heb niet naar haar enkel gekeken.'

'Doe dat dan, naar haar rechterbeen.'

Hij trok zijn wenkbrauwen op. 'Hebben jullie hem niet op hetzelfde been laten zetten?'

Alex' mond vertrok in een klein grijnsje. 'Nee. Bailey ging eerst, toen Alicia, zoals het meestal ging. Ze waren elkaars tatoeages aan het bewonderen toen die jongen met die van mij begon. Ik stak expres mijn linkerbeen uit. Ik was het zat om in de problemen te komen door Alicia's wilde haren.'

'Je wilde dat mensen verschil tussen jullie konden zien. Wat zei Alicia ervan?'

'Tegen de tijd dat ze het in de gaten had, was hij al half klaar en was het te laat. Maar o, wat was ze kwaad. En mijn moeder ging door het lint. Ze strafte ons alle drie, en voor het eerst in heel lange tijd moest Alicia verantwoording afleggen voor haar eigen daden in plaats van mij de schuld te geven. Ik had eindelijk het gevoel dat ik ergens de controle over had.' Maar toen was Alicia vermoord en was hun leven volkomen ingestort. Haar grijns vervaagde. 'Kijk nog eens naar die foto, Daniel, en vertel me wat je ziet.'

'Goed.' Hij zocht de foto op in zijn koffertje en hield die zo, dat zij hem niet kon zien. Toen pakte hij een vergrootglaasje uit zijn zak.

Toen hij opgelucht zuchtte, deed Alex dat ook, zich er tot op dat moment niet van bewust dat ze haar adem had ingehouden. Hij stopte de foto weg en keek haar aan. 'Rechterenkel.'

Alex likte langs haar lippen en kneep ze samen tot ze er zeker van was dat haar stem niet zou trillen. 'Dan is dat in elk geval opgelost.' Het was geen antwoord op Merediths vraag, maar dat zou later nog wel komen. 'Laten we dan maar gaan.'

16

Dutton, woensdag 31 januari, 15:45 uur

Kijk eens aan. Hij staarde in het kluisje van Rhett Porter. Zijn gegrinnik klonk bitter terwijl hij de brief las die Rhett had achtergelaten.

Mijn sleutel ligt bij een advocaat die jullie niet kennen, op een plek waar jullie nog nooit zijn geweest, samen met een verzegelde brief waarin onze zonden uiteen worden gezet. Als er iets met mijn vrouw of kinderen gebeurt, wordt die brief naar alle grote kranten in het land gestuurd, en mijn sleutel gaat naar de officier van justitie. Ik zie jullie in de hel.

Hij was gedateerd op minder dan een week nadat hij DJ aan de krokodillen had gevoerd. Kennelijk was Rhett Porter toch niet zo dom geweest.

Hij stopte het briefje in zijn zak, liep de kluisruimte uit en knikte naar de oude Rob Davis die buiten wachtte. Davis was de bankdirecteur en normaal gesproken delegeerde hij simpele taken – zoals kluisjes openen – aan een baliemedewerker. Maar dit was een gevoelige zaak, en hij was zonder bevelschrift gekomen. Hij had geweten dat Davis hem de toegang niet zou ontzeggen, want hij wist meer over die oude Rob Davis dan Davis over hem wist. Dat was macht.

'Ik ben klaar.'

Davis keek hem minachtend aan. 'Je maakt misbruik van je positie.'

'Jij zeker niet? Doe de groeten aan je vrouw, Rob,' zei hij met nadruk. 'En als Garth ernaar vraagt, zeg dan maar dat ik hem heb.'

Rob Davis keek hem niet-begrijpend aan. 'Hem?'

'Je neef begrijpt het wel. Garth is best slim.' Hij tikte tegen zijn hoed. 'Tot ziens.'

Macon, Georgia, woensdag 31 januari, 15:45 uur

'We zijn laat,' zei Alex toen Daniel het bezoekersregister tekende.

'Weet ik. Ik wilde dat Fulmore en zijn advocaat er als eerste waren. Ik wil een entree maken.'

'Hij zegt toch dat hij haar niet heeft vermoord, zoals hij al dertien jaar beweert.'

'Misschien heeft hij het wel gedaan, en misschien niet. Met jouw hulp en de jaarboeken die we hebben verzameld, hebben we tien van de vijftien slachtoffers geïdentificeerd. Alleen Alicia is vermoord.'

'En Sheila,' corrigeerde ze, 'maar ik snap wat je bedoelt. Daniel, ik heb over de rechtszaak gelezen. Ze hadden bewijzen tegen Gary Fulmore die hem in verband brachten met het lichaam van Alicia. Haar bloed zat op zijn kleren. Het was echt geen ongegronde aanklacht.'

'Weet ik. Een van de dingen die ik hiermee hoop te winnen, is een manier om te bepalen of die foto van Alicia is genomen op de avond van de moord, of op een ander moment. Als het dezelfde avond was en de verkrachters dezelfde werkwijze gebruikten, hebben ze haar misschien ergens gedumpt en kwam Fulmore toevallig langs en vond haar.'

'Ik wou dat ik me die avond herinnerde,' zei ze, knarsend met haar tanden. 'Verdomme.'

'Het komt wel. Je zei dat je die avond ziek was.'

'Ja. Ik had kramp in mijn maag en ben naar bed gegaan. Het was vreselijk.'

'Was je vaak ziek?'

Ze hield haar pas in en keek met grote, gekwelde ogen naar hem op. 'Nee. Bijna nooit. Weer een toevalligheid, hè? Denk je dat ik ook gedrogeerd was?'

Hij legde zijn arm om haar heen en drukte haar stevig tegen zich aan toen ze bij het kamertje aankwamen. Daarbinnen zou ze oog in oog komen te staan met de man die ervan werd beschuldigd haar zus te hebben verstikt en vervolgens op haar gezicht te hebben ingeslagen met een moersleutel. 'Eén ding tegelijk. Ben je er klaar voor?'

Ze slikte moeizaam. 'Het moet maar.'

'Loop jij dan als eerste naar binnen. Ik wil zien hoe hij op jou reageert.'

Haar schouders verstijfden en ze haalde diep adem. Toen, vastberaden, pakte ze de deurklink en duwde de deur open. Binnen zaten een man in een oranje overall en een man in een goedkoop pak te wachten. De man in het goedkope pak was Jordan Bell, de advocaat voor de verdediging.

Bell stond geërgerd op. 'Het werd tijd dat je –' Hij onderbrak zichzelf toen er naast hem gerammel klonk. Gary Fulmore had zichzelf omhooggeduwd tegen de tafel, zijn stoel stuiterde op de betonnen vloer en zijn boeien rammelden. Zijn mond hing open en zijn gezicht was plotseling bleek.

Bell kneep zijn ogen tot spleetjes. 'Wat moet dit voorstellen?'

Fulmore ging achteruit toen Daniel een stoel voor Alex onder de tafel vandaan trok en ze langzaam ging zitten.

Hoe bleek Fulmore ook was, Alex was bleker. Ze was... lijkbleek. Daniel voelde zich de grootste klootzak die er bestond omdat hij haar dit liet doorstaan. Maar ze wilde Bailey vinden. Ze wilde hem helpen gerechtigheid te krijgen voor de drie vermoorde vrouwen.

Op de een of andere manier was de moord op Alicia het bindmiddel dat alles bij elkaar hield.

'Ik zei,' siste de advocaat door opeengeklemde tanden, 'wat moet dit voorstellen?'

'L-l-laat haar w-w-wegg-g-gaan,' stamelde Fulmore, die gejaagd hijgde. 'Ga w-weg.'

'Ik wilde je spreken,' zei Alex rustig. 'Weet je wie ik ben?'

Bell keek bijzonder ontstemd. 'Je had niet gezegd dat je haar zou meebrengen.'

Alex stond op en boog zich naar voren, met haar vuisten op het tafelblad. 'Ik vroeg je wat, Fulmore. Weet je wie ik ben?'

Je bent ongelooflijk indrukwekkend, dacht Daniel. Kalm, koel en beheerst onder extreme stress. Simpel gezegd benam ze hem de adem. Ze had datzelfde effect op Fulmore, die bijna hyperventileerde. Daniel ging tussen Fulmore en Alex in staan. Ze was nog altijd lijkbleek, haar ogen waren groot en hadden een intense blik, en hij besefte dat ze helemaal niet koel en beheerst was. Ze was alleen maar koel, en dat betekende dat ze doodsbang was. Maar ze hield zich goed.

'Alicia Tremaine was mijn zus. Jij hebt haar vermoord.'

'Nee.' Fulmore schudde heftig zijn hoofd. 'Niet waar.'

'Jij hebt haar vermoord,' vervolgde Alex alsof Fulmore niets had gezegd. 'Je hebt je handen over haar mond geslagen en haar verstikt tot ze dóód was. Toen heb je steeds weer op haar gezicht ingeslagen tot zelfs haar eigen móéder haar niet meer herkende.'

Fulmore staarde Alex aan. 'Niet waar,' herhaalde hij wanhopig.

'Jawél,' spoog ze. 'En toen heb je haar in een greppel gedumpt alsof ze een zak afval was.'

'Nee. Ze lag al in die greppel.'

'Gary,' zei Bell. 'Hou je mond.'

Alex draaide met een ruk haar hoofd om en keek vol minachting en afkeer naar Bell. 'Hij zit een levenslange gevangenisstraf uit. Wat kan ik hem in godsnaam nog aandoen?'

Fulmore had zijn blik niet van Alex afgewend. 'Ik heb haar niet vermoord, ik zweer het. En ik heb haar ook niet in die greppel gedumpt. Ze was al dood toen ik haar vond.'

Ze wendde zich weer naar hem, haar minachting nu geconcentreerd en kil. 'Je hebt haar vermoord. Haar bloed zat op je kleren. Op die moersleutel die je in je hand had.'

'Nee. Zo is het niet gegaan.'

'Misschien kun je ons dan vertellen hoe het wel is gegaan,' zei Daniel zachtjes.

'Gary,' waarschuwde Bell. 'Mond dicht.'

'Nee.' Fulmore beefde. 'Ik zie haar gezicht nog steeds. Ik zie haar als ik probeer te slapen.' Met een van ellende vertrokken gezicht staarde hij Alex aan. 'Ik zie haar gezicht.'

Alex deed geen poging hem te troosten, haar gezicht nu als uit steen gehouwen. 'Mooi. Ik ook. Elke keer als ik in de spiegel kijk zie ik haar gezicht.'

Fulmore slikte, en zijn adamsappel ging op en neer in zijn magere keel.

'Wat is er gebeurd, Gary?' herhaalde Daniel. Toen Jordan Bell wilde protesteren, legde Daniel de advocaat met één blik het zwijgen op. Alex stond te trillen, en hij duwde haar zachtjes terug in haar stoel, terwijl Fulmores ogen haar volgden.

'Het was warm,' mompelde Fulmore. 'Heet, zelfs. Ik liep rond. Zwetend. Dorstig.'

'Waar liep je heen?' spoorde Daniel hem aan.

'Nergens. Overal. Ik was high. PCP. Dat zeiden ze tenminste.'

'Wie zei dat?' vroeg Daniel, nog altijd zachtjes.

'De agenten die me arresteerden.'

'Weet je nog wie dat waren?'

Fulmores lippen werden een streep. 'Sheriff Loomis.'

Daniel wilde meer vragen over Frank, maar die vragen hield hij binnen. 'Dus je was high en je liep rond, het was warm en je had dorst. En toen?'

Hij trok zijn wenkbrauwen kort op. 'Ik rook het. Whisky. En ik weet nog dat ik wel wat lustte.'

'Waar was je toen?'

'Langs een of andere weg in de buurt van een of ander stadje. Dutton.' Hij spoog het uit. 'Ik wou dat ik er nooit van had gehoord.'

Ik ook, dacht Daniel, en hij keek naar Alex. *Zij ongetwijfeld ook.* 'Weet je nog hoe laat het was?'

Hij schudde zijn hoofd. 'Ik had nooit een horloge. Maar het was weer licht, de hele tijd. Ik kon eindelijk zien waar ik was. Ik had maar wat rondgelopen... Ik denk dat ik verdwaald was.'

Licht? Daniel nam zich voor de stand van de maan op de avond dat Alicia werd vermoord te checken. 'Oké. Dus je rook whisky. En toen?'

'Ik ben mijn neus achterna gelopen naar de whisky in die greppel. Er lag een deken, en die wilde ik meenemen. Mijn eigen deken was smerig.' Hij slikte moeizaam, met zijn blik nog altijd op Alex gericht. 'Ik greep die deken en gaf er een ruk aan. En toen... viel ze eruit.'

Alex kromp ineen. Haar huid was asgrauw, haar lippen felroze van haar lippenstift, en Daniel dacht aan Sheila, dood in de hoek, met haar pistool nog in haar handen geklemd. Hij overwoog meteen een einde te maken aan dit gesprek en Alex snel naar een plek te brengen waar ze veilig zou zijn. Maar ze waren al zo ver gekomen, en hij wist dat ze taai was. Dus slikte hij de emoties weg en hield zijn stem gelijkmatig. 'Hoe bedoel je, Gary, "ze viel eruit"?'

'Ik greep die deken en ze rolde eruit, naakt. Haar armen waren helemaal slap en rubberig en ze flapperden, vielen opzij. Haar hand belandde op mijn voet.' Zijn stem klonk nu hol. Zijn blik verliet Alex' gezicht geen moment. 'Toen zag ik haar gezicht,' zei hij, en de pijn klonk door in elk woord. 'Haar ogen staarden me aan. Leeg. Net lege gaten.' Net zoals die van Alex hem nu aanstaarden. Leeg en vlak. 'Ik werd... gek. Doodsbang.'

Hij zweeg, opgaand in een herinnering die overduidelijk nog altijd de kracht had om hem doodsangst aan te jagen.

'Gary, wat deed je toen?'

'Weet ik niet. Ik wilde dat ze... ophield met staren.' Zijn gebalde vuisten stompten twee keer hard en snel in de lucht, waardoor zijn kettingen rammelden. 'Dus sloeg ik haar.'

'Met je handen?'

'Ja. Eerst wel. Maar ze wilde niet ophouden met staren.' Fulmore wiegde nu heen en weer, en Alex bleef hem vlak aankijken.

Daniel spande zijn spieren, zodat hij Fulmore tegen kon houden – voor het geval deze niet meer in staat was om de Alex van nu te onderscheiden van de Alicia van toen. 'Hoe kwam je aan die moersleutel?'

'In mijn deken. Ik droeg hem altijd met me mee, in mijn deken. Maar toen had ik hem in mijn hand en sloeg ik op haar gezicht. Ik sloeg haar steeds opnieuw, en opnieuw.'

Daniel zag het voor zich en haalde diep adem. En op dat moment wist hij dat die man Alicia Tremaine niet had vermoord.

De tranen liepen over Fulmores wangen, maar zijn gebalde vuisten bleven verstijfd voor hem uitgestoken. 'Ik wilde gewoon dat ze ophield met staren.' Zijn schouders zakten omlaag. 'En toen, eindelijk, deed ze dat.'

'Je had haar gezicht ingeslagen.'

'Ja. Maar alleen haar ogen.' Hij keek kinderlijk smekend. 'Ik moest haar ogen dichtdoen.'

'En wat deed je daarna?'

Fulmore veegde met zijn schouder langs zijn gezicht. 'Ik heb haar ingepakt. Beter.'

'Beter?'

Hij knikte. 'Ze zat eerst nogal los in de deken. Ik heb haar stevig ingepakt.' Hij slikte weer. 'Als een baby, alleen was ze geen baby.'

'En haar handen, Gary?' vroeg Daniel.

Fulmore knikte afwezig. 'Ze had mooie handen. Die heb ik over haar buik gevouwen voor ik haar inpakte.'

Ze hadden Alicia's ring in zijn zak gevonden. Vanuit zijn ooghoeken wierp Daniel een blik op Bell en hij zag dat de advocaat aan hetzelfde dacht.

'Had ze iets om?' vroeg Bell hem, op dezelfde zachte toon.

'Een ring. Hij was blauw.'

'Was de steen blauw?' vroeg Daniel. Hij zag Alex haar vingers strekken en ernaar staren, toen langzaam haar handen tot vuisten ballen.

'Ja.'

'En je hebt haar weer in die deken gerold met de ring om haar vinger,' mompelde Bell.

Fulmores blik schoot paniekerig en boos naar Daniel. 'Ja.' De afwezige toon was verdwenen. 'Ze zeiden dat ik hem had gepikt, maar dat is niet zo.'

'Wat gebeurde er toen, Gary?'

'Weet ik niet meer. Ik heb zeker weer PCP genomen. Toen doken er ineens drie kerels boven op me en die sloegen me met knuppels.' Fulmores kin kwam naar voren. 'Ze zeiden dat ik haar had vermoord, maar dat is niet zo. Ze wilden dat ik schuld bekende, maar dat deed ik niet. Ik heb wel iets vreselijks met dat meisje gedaan, maar ik heb haar niet vermoord.' Die laatste woorden kwamen langzaam en zelfverzekerd naar buiten. 'Dat heb ik niet gedaan.'

'Weet je nog dat je naar die garage bent gelopen?' vroeg Bell hem.

'Nee. Zoals ik al zei, ik werd wakker met drie kerels boven op me.'

'Bedankt voor je tijd,' zei Daniel. 'Je hoort nog van ons.'

Fulmore keek Bell aan met een sprankje hoop in zijn ogen. 'Kunnen we de zaak heropenen?'

Bell keek Daniel in de ogen. 'Kan dat?'

'Weet ik niet. Ik kan niks beloven, Bell, dat weet je. Ik ben geen aanklager.'

'Maar je ként de aanklager,' zei Bell behoedzaam. 'Gary heeft je verteld wat hij weet. Hij werkt mee, zonder garantie op verhaal. Dat moet iets betekenen.'

Daniel keek Bell met samengeknepen ogen aan. 'Ik zei dat je nog van ons hoort. Nu moet ik terug naar Atlanta voor een bespreking.' Hij hielp Alex overeind. 'Kom, we gaan.'

Ze liep bereidwillig mee, meer als een pop dan een levend mens, en weer kwam de herinnering aan het lijk van Sheila bij Daniel boven. Hij legde zijn arm om Alex' schouders en nam haar mee de kamer uit.

Ze waren bijna bij Daniels auto toen Bell riep dat ze moesten wachten en hijgend de parkeerplaats over kwam rennen. 'Ik ga toch proberen de zaak te heropenen.'

'Voorbarig,' kaatste Daniel terug.

'Ik denk het niet, en jij ook niet, anders was je niet helemaal hierheen gereden en had je haar dat niet laten doorstaan.' Hij wees naar Alex, die haar kin hief en hem koel aankeek. Maar ze zei niets en hij knikte, ervan overtuigd dat hij het goed had geraden. 'Ik heb het nieuws gevolgd, Vartanian. Iemand aapt die moorden na.'

'Het kan een copycat zijn,' zei Daniel.

Bell schudde zijn hoofd. 'Dat geloof je zelf niet,' zei hij opnieuw. 'Luister. Ik weet dat uw zus is vermoord, mevrouw Fallon, en dat spijt me, maar Gary is dertien jaar van zijn leven kwijtgeraakt.'

Daniel zuchtte. 'Als dit voorbij is zien we elkaar bij de officier van justitie.'

Bell knikte ferm. 'Goed.'

Atlanta, woensdag 31 januari, 17:30 uur

Ze waren vlak bij Atlanta toen Daniel eindelijk de stilte verbrak. 'Gaat het wel met je?'

Met gefronst voorhoofd staarde ze naar haar handen. 'Ik weet niet...'

'Toen hij zei dat Alicia uit die deken "viel", leek het wel alsof je in trance raakte.'

'O ja?' Ze draaide zich abrupt om en keek hem aan. 'Meredith wil hypnose proberen.'

Hij was het met Meredith eens, maar in zijn ervaring moest iemand die hypnose onderging er voor openstaan. Hij wist niet zeker hoe open Alex nu was. 'Wat wil jíj?'

'Ik wil dat dit afgelopen is.' Ze fluisterde het op felle toon.

Hij pakte haar hand. 'Ik ga wel met je mee.'

'Dank je. Daniel... ik... ik had niet verwacht dat ik me zo zou voelen als ik hem eindelijk zag. Ik wilde hem zelf vermoorden.'

'Bedoel je dat je Fulmore nog nooit had gezien?' vroeg Daniel verbaasd.

'Nee. Ik was in Ohio tijdens de hele rechtszaak. Tante Kim en oom Steve wilden me beschermen. Ze waren goed voor me.'

'Dan heb je geluk gehad.' De woorden klonken bitterder dan hij had verwacht. Hij hield zijn blik op de weg gericht, maar hij voelde dat ze hem onderzoekend aankeek.

'Jouw ouders waren niet goed voor je.'

Het was zo'n simpele verklaring dat hij bijna lachte. 'Nee.'

Haar wenkbrauwen kwamen omhoog. 'En je zus, Susannah? Zijn jullie close?'

Suze. Daniel zuchtte. 'Nee. Ik zou het wel willen, maar het is niet zo.'

'Ze heeft pijn. Jullie hebben allebei je ouders verloren en hoewel ze al een paar maanden eerder waren gestorven, is het voor jullie eigenlijk pas vorige week gebeurd.'

Daniel stootte een humorloos lachje uit. 'Onze ouders waren voor ons al lang dood. Voordat Simon ze vermoordde. We waren wat je een verstoord gezin zou noemen.'

'Weet Susannah van die foto's?'

'Ja. Ze was erbij toen ik ze in Philadelphia aan Ciccotelli gaf.' Suze wist veel over Simon, meer dan ze hem had verteld, daar was Daniel van overtuigd.

'En?'

Hij keek haar aan. 'Hoe bedoel je?'

'Je kijkt alsof je nog meer wilt zeggen.'

'Kan niet. Ik weet niet eens of ik het zou kunnen als ik het wist.' Hij dacht aan zijn zus, die veel uren maakte als assistent-aanklager in New York City, en die alleen woonde, met alleen haar hond als gezelschap. Hij dacht aan de foto's en de pijn op het gezicht van Gretchen French.

Het was dezelfde pijn die hij bij Susannah had gezien toen hij had gevraagd wat Simon haar had aangedaan. Ze was niet in staat geweest het hem te vertellen, maar Daniel was bang dat hij het al wist. Hij schraapte zijn keel en richtte zich op de zaak. 'Ik denk niet dat Gary Fulmore je zus heeft vermoord.'

Alex keek hem vlak aan, zonder verbazing. 'Waarom denk je dat?'

'Ten eerste geloof ik zijn verhaal. Je zei het zelf al: hij zit een levenslange gevangenisstraf uit, dus hoe kunnen we hem op dit moment nog kwaad doen? Wat heeft hij er nu nog aan om te liegen?'

'Hij hoopt op een heropening van zijn zaak.'

Hij hoorde het spoortje paniek in haar stem en hij probeerde zo vriendelijk mogelijk te klinken. 'Alex, lieverd, ik denk dat hij dat misschien ook wel verdient. Luister naar me. Hij zei dat hij haar herhaaldelijk in het gezicht had geslagen. Probeer je over het feit heen te zetten dat het over Alicia gaat en denk aan wat je weet. Wees even de verpleegkundige voor me. Als Alicia nog had geleefd, of zelfs als hij haar net had vermoord, en hij haar zo hard en zo vaak had geslagen...'

'Dan zou er heel veel bloed moeten zijn geweest,' mompelde ze. 'Hij zou ermee ónder hebben gezeten.'

'Maar dat was niet zo. Wanda bij het bureau van de sheriff zei dat er alleen bloed op zijn broekspijpen zat. Alicia was al een poosje dood tegen de tijd dat hij haar sloeg.'

'Misschien had Wanda het mis.' Haar stem klonk wanhopig, en hij besefte dat Alex wilde dat Fulmore schuldig was.

'Ik zal het nooit weten,' antwoordde hij behoedzaam. 'Alle bewijzen zijn weg. De deken, Fulmores kleren, die moersleutel... allemaal weg. Ik moet ervan uitgaan dat Wanda gelijk heeft, tot ik het tegendeel kan bewijzen, en als Wanda gelijk heeft was Alicia al dood toen Fulmore haar sloeg.'

Ze bevochtigde haar lippen. 'Hij kan haar nog steeds hebben vermoord, gewacht, en later zijn teruggekomen om haar te slaan.' Er lag geen overtuiging in haar stem. 'Maar dat is niet logisch, hè? Als hij haar had vermoord, was hij waarschijnlijk gevlucht. Dan zou hij niet later terugkomen, haar slaan en dan een garage in lopen. Wat zit je nog meer dwars aan zijn verhaal?'

'Veel. Als haar arm zo naar buiten viel...' Daniel stopte toen hij haar heel stil voelde worden. 'Alex, wat is er?'

Ze deed haar ogen dicht en klemde haar kaken op elkaar. 'Ik weet niet...'

'Maar het geschreeuw begint weer, zeker?' Ze knikte gespannen en hij drukte haar hand tegen zijn lippen. 'Sorry dat ik je dit laat doormaken.'

'Het onweerde,' zei ze ineens. 'Die nacht. Donder en bliksem.'

Het was weer licht, de hele tijd, had Fulmore gezegd. Voor die tijd moest het hebben geonweerd. Hij zou dat moeten nagaan. 'Het was april,' zei hij zachtjes. 'Dan onweert het zo vaak.'

'Weet ik. Het was een warme dag geweest. Het was een warme nacht.'

Daniel wierp kort een blik op haar en keek toen weer op de weg, waar het verkeer begon vast te lopen. 'Maar je hebt die nacht gewoon doorgeslapen,' zei hij heel zachtjes. 'Vanaf het moment dat je thuiskwam van school tot de volgende morgen, toen je moeder je wekte. Je was ziek.'

Haar mond ging open en weer dicht. Toen ze sprak, klonk haar stem koel. 'Als Alicia's lichaam slap was, was er nog geen lijkstijfheid opgetreden. Als hij de waarheid vertelt, was Alicia op dat moment niet meer dan een paar uur dood.'

'Je denkt nog steeds dat hij liegt.'

'Misschien. Maar als hij haar niet heeft vermoord... Gary Fulmore zit al heel lang in de gevangenis.'

'Ik weet het.' Hij gaf een klap op het stuur toen het verkeer helemaal tot stilstand kwam. Hij zat vast op de linker rijbaan. Zijn vergadering begon over minder dan twintig minuten. Hij zou weer te laat komen. Hij richtte zijn aandacht weer op Gary Fulmore. 'Fulmore heeft verdomd heldere herinneringen aan die nacht, voor iemand die high was van de PCP.'

'Misschien heeft hij dat hele verhaal wel zelf verzonnen,' zei Alex, en haar kin kwam omhoog. Toen zakten haar schouders. 'Of misschien had hij helemaal geen PCP gebruikt.'

En dat was een van de dingen die Daniel het meest dwarszaten. Frank Loomis had de arrestatie verricht, en er klopten te veel dingen niet. 'Randy Mansfield zei dat ze hem met drie man moesten grijpen. Dat riekt naar iemand op PCP.'

'Maar dat was uren later. Nadat ze Alicia hadden gevonden.'

'Alex, wat gebeurde er toen Alicia was gevonden? Bij jou thuis? Bij je familie?'

Ze huiverde. 'Mijn moeder had iedereen in de stad gebeld. Daar was ze de hele ochtend mee bezig, nadat ze had gezien dat Alicia's bed leeg was.'

'Leeg of onbeslapen?'

'Onbeslapen. Ze nam aan dat Alicia de avond ervoor was weggeglipt.'

'Sliepen jullie samen op een kamer?'

Alex schudde haar hoofd. 'Toen niet. Alicia was nog steeds kwaad over de tatoeage. Ze was van onze kamer naar die van Bailey verkast. Ze praatte niet tegen me.'

'Hoe lang geleden was jullie verjaardag geweest, toen jullie die tatoeages lieten zetten?'

'Een week. Ze was pas een week zestien.'

Jij ook, lieverd. 'Denk je dat Bailey wist dat ze die avond het huis uit was geglipt?'

Ze bewoog haar schouders; net geen schouderophalen. 'Bailey zwoer van niet. Maar Bailey was toen een wilde meid. Ze kon heel goed liegen om problemen te ontlopen. Dus ik weet het niet. Ik weet dat ik me nog steeds niet goed voelde, een beetje...' Ze werd weer stil. 'Een beetje alsof ik een kater had.'

'Alsof je was gedrogeerd?'

'Misschien. Maar niemand heeft me er ooit naar gevraagd, vanwege wat er... later die avond gebeurde.' Ze deed haar ogen dicht en grimaste. 'Je weet wel.'

Toen ze een overdosis kalmeringsmiddelen had genomen die de arts haar hysterische moeder had voorgeschreven. 'Ik weet het. Hoe hoorde je dat Alicia's lichaam was gevonden?'

'De jongens van Porter vonden haar en renden naar het huis van mevrouw Monroe om hulp te halen. Mevrouw Monroe wist dat mam op zoek was naar Alicia, dus belde ze haar. Mijn moeder was er nog eerder dan de politie.'

Daniel trok een gezicht. 'En je moeder heeft haar zo gevonden?'

Ze slikte hoorbaar. 'Ja. Later gingen ze naar het mortuarium om... om haar te identificeren.'

'Ze?'

Ze knikte. 'Mijn moeder.' Ze draaide haar gezicht en keek uit het raampje naar het vastgelopen verkeer, haar lichaam gespannen en haar gezicht weer asgrauw. 'En Craig. Toen ze thuiskwamen was mijn moeder hysterisch. Ze huilde, gilde... Híj gaf haar pillen.'

'Craig?'

'Ja. Toen ging hij naar zijn werk.'

'Ging hij naar zijn werk? Na zoiets? Liet hij jullie helemaal alleen?'

'Ja,' zei Alex bitter. 'Hij deed waar hij zin in had.'

'Dus hij gaf je moeder pillen. Wat gebeurde er toen?'

'Mama huilde, dus ben ik bij haar in bed gekropen, en toen ging ze slapen.' Ze was bleek en trilde weer.

Het verkeer was geen centimeter opgeschoten, dus zette Daniel de versnelling in zijn vrij en boog zich over de versnellingspook heen om haar te omhelzen. 'En toen, lieverd?'

'Toen werd ik wakker en was ze er niet. Ik hoorde haar schreeuwen en ging de trap af...' Abrupt schoot ze naar voren en sprong de auto uit.

'Alex!' Daniel stapte uit toen ze naar de rand van de weg rende, waar ze zich op haar knieën liet vallen en overgaf. Hij knielde naast haar neer en wreef over haar trillende rug.

Er keken automobilisten toe, geïntrigeerd door de plotselinge opwinding. Een man draaide zijn raampje open. 'Hebt u hulp nodig? Moet ik het alarmnummer bellen?'

Daniel wist dat de mobiele telefooncamera's tevoorschijn zouden komen zodra iemand Alex herkende, dus glimlachte hij beschaamd. 'Nee, bedankt. Gewoon een beetje een laat gevalletje van ochtendziekte.' Hij boog zich over haar heen en fluisterde in haar oor: 'Kun je staan?'

Ze knikte met een klam gezicht. 'Sorry.'

'Ssst. Stil maar.' Hij legde zijn arm om haar middel en hielp haar overeind. 'Kom mee. We gaan hier weg.' Hij keek langs de snelweg. 'De volgende afslag is vijf kilometer verderop. Ik kan mijn zwaailichten aanzetten, maar dan trekken we aandacht.'

'Ik denk dat ik net al aandacht heb getrokken,' mompelde ze.

'Je hebt de aandacht gevestigd op een zwanger stel. Hou gewoon je hoofd omlaag, dan houden we dat zo.' Voorzichtig leidde hij haar terug naar de auto en hielp haar instappen, waarna hij haar hoofd tussen haar knieën duwde. 'Hoofd omlaag.' Hij stapte achter het stuur en reed de linker vluchtstrook op, en hij negeerde de woedende blikken van de automobilisten die hij passeerde.

'Je krijgt nog een bekeuring,' mopperde Alex.

Hij glimlachte, streelde over haar nek en voelde haar spieren wat ontspannen. 'Jullie zwangere vrouwen zijn zo lichtgeraakt,' zei hij, en ze grinnikte kort.

Hij nam de eerste noodafslag die hij tegenkwam en ging toen met het verkeer mee de andere kant op, waar het wel doorreed.

Hij zette zijn zwaailichten aan en het verkeer maakte een pad vrij. Het leek de Rode Zee wel. 'We gaan voorlopig maar via de secundaire wegen. Wil je dat ik ergens stop om een beetje water voor je te halen?'

Er was wat kleur op haar wangen teruggekeerd. 'Dat zou fijn zijn. Bedankt, Daniel.'

Hij wenste dat ze eens ophield hem te bedanken. Wenste dat ze niet langer in de gelegenheid zou komen, dat die gelegenheden zouden ophouden. Wenste dat hij in haar hoofd kon kijken en precies kon begrijpen wat die heftige, zeer lichamelijke reactie veroorzaakte. Haar nicht had gelijk. Ze moesten dit grondig uitzoeken, en misschien was hypnose daarvoor wel de beste manier.

Woensdag 31 januari, 18:15 uur

Nou, dat heeft lang genoeg geduurd, dacht hij, terwijl hij naar het televisiescherm keek. De nieuwslezer had een foto van de jongen laten zien en gezegd dat de politie hem wilde verhoren. Het was niet zo'n slim joch, maar hij had alles gedaan wat hem was gevraagd.

Jammer dat hij nu moest sterven, maar... *zo gaat dat*. Het joch was opgegroeid met alle luxe die maar te koop was. Nu was het tijd om het gelag te betalen, of in elk geval te betalen voor de zonden van zijn vader. Of in het geval van deze knul, die van zijn grootvader.

Wie had kunnen denken dat zo'n rijk joch zo eenzaam zou zijn? Maar dat was hij wel geweest. Hij was dolblij geweest dat hij een vriend had en had hem graag op alle mogelijke manieren willen helpen. Hij zou het pijnloos maken. Eén kogel, door het hoofd. De jongen zou al dood zijn voor hij de grond raakte.

17

Atlanta, woensdag 31 januari, 18:45 uur

Chase zat al aan de vergadertafel te wachten toen ze aankwamen. 'Alles goed, Alex?'

'Alleen een beetje een laat geval van ochtendziekte,' mompelde Alex klaaglijk.

Chase' ogen werden groot. 'Ben je zwánger?'

Hij zei het zo luid dat Daniel grimaste. 'Nee. Stil.' Daniel pakte een stoel voor Alex en duwde haar er zachtjes in. 'Alex werd een beetje misselijk op de snelweg en ik wilde niet nog meer aandacht trekken. Het leek me op dat moment de beste uitvlucht.'

Daniel begon Alex' nek en schouders te masseren. Hij wist inmiddels op welke plekjes ze dat het lekkerst vond.

Chase schraapte zijn keel. 'Ik ben zo blij dat je het hoofd helder hebt gehouden,' zei hij droogjes.

Daniel bloosde bij de veelbetekende blik waar Chase' opmerking mee gepaard ging. 'Waar is iedereen? We zijn laat.'

'Iedereen was aan de late kant. Ik heb de vergadering verzet naar zeven uur.'

'Waar is Hope?' vroeg Alex. 'Heeft dokter McCrady vandaag nog iets bereikt?'

'Jazeker.' Chase leunde met over elkaar geslagen armen tegen de vergadertafel. 'We weten dat het "toverstafje" een fluit is. Mary McCrady legde er eentje op tafel en het meisje begon meteen dat deuntje te neuriën. De forensisch tekenaar heeft een paar proeftekeningen gemaakt van uw stiefvader, mevrouw Fallon. Hij heeft Crighton ouder gemaakt en een baard gegeven, en toen heeft hij er een stuk of zes andere tekeningen van oude mannen bij gelegd, maar Hope pikte Crighton er zó uit.'

Alex klemde haar kaken op elkaar en slikte moeizaam, maar ze hield haar ogen open en haar blik op Chase gericht. 'Heeft agent Hatton hem in Woodruff Park gevonden?'

'Nee. Voor zover Hatton heeft kunnen achterhalen is Crighton vreselijk opvliegend en vecht hij vaak. De meeste andere zwervers durfden amper over hem te praten.'

'Is hij wel eens gearresteerd?' vroeg Daniel.

'Niet dat wij weten.' Chase richtte een aarzelende blik op Alex. 'Een van de zwervers zei dat hij Crighton gisteravond laat met een non had zien ruziemaken.'

Alex' schouders zakten onder zijn handen omlaag. 'O, god. Heeft Cráíg zuster Anne in elkaar geslagen?'

'Het spijt me,' zei Chase vriendelijk. 'Ik denk dat Crighton niet gevonden wil worden.'

Ze schudde vermoeid haar hoofd. 'Ik denk steeds dat het niet erger kan, en dan gebeurt het toch. Waar zijn Hope en Meredith?'

'Die zitten in de kantine te eten,' zei Chase. 'Als ze klaar zijn staan er twee vrouwelijke agenten te wachten om hen naar het onderduikadres te brengen. Een van de agenten blijft daar bij hen, de andere komt naar uw huis in Dutton om hun spullen op te halen.'

'Bedankt. Jullie hebben werk te doen, dus ik ga wel bij Meredith en Hope zitten.'

Daniel keek haar na, wensend dat hij haar verdriet en angst kon wegnemen.

Hij draaide zich om en zag Chase smalend naar hem kijken. 'Je kon niet gewoon op die bank blijven liggen, hè?'

Daniel kon de grijns die over zijn gezicht trok niet tegenhouden. 'Eigenlijk heb ik dat wel gedaan.'

Chase sloeg zijn ogen ten hemel. 'O, in godsnaam, Daniel. Op de bánk?'

Daniel haalde zijn schouders op. 'Het leek op dat moment een goed idee.'

'Wat?' vroeg Ed, die binnenkwam met een map in zijn hand.

'Niks bijzonders,' zei Chase grijnzend.

'Dan was het dus goed,' gromde Talia, die achter Ed aan binnenkwam. 'Ik reed McCrady en Berg op de parkeerplaats voorbij, en Hatton en Koenig zijn ook onderweg.'

Binnen vijf minuten zat iedereen om de tafel. Mary McCrady zat aan het uiteinde, werkend aan andere zaken tot ze haar nodig hadden, en Daniel zag dat Felicity naast Koenig was gaan zitten, zo ver mogelijk bij Daniel vandaan. Het maakte hem een beetje droevig, maar hij wist niet wat hij eraan kon doen, dus concentreerde hij zich op het werk. 'Koenig, ga jij maar eerst.'

'De schutter in de pizzeria gisteravond was Lester Jackson. Strafblad van hier tot Tokio: mishandeling, inbraak, gewapende overvallen. Hij heeft vaker wél in de gevangenis gezeten dan niet. Die agent bij het winkelcentrum zei dat hij er voor vijfenzeventig procent zeker van was dat hij de kerel was die probeerde Alex dood te rijden. Hij was zekerder van de auto zelf.'

'Weten we hoe Jackson gisteravond in Dutton is beland?' vroeg Chase.

'We vonden een mobiele telefoon in zijn auto,' zei Ed. 'Volgens de telefoongegevens heeft hij gisteren drie oproepen van hetzelfde nummer gekregen, en er was één uitgaand gesprek naar datzelfde nummer.'

'Wat is daar dan precies gebeurd?' vroeg Chase.

'Ik heb vanmorgen een verklaring opgenomen van hulpsheriff Mansfield,' rapporteerde Koenig. 'Hij zei dat ze een melding hadden gekregen dat het alarm bij de pizzeria was geactiveerd. Mansfield zei dat hij de eerste agent ter plaatse had opgedragen op versterking te wachten voordat hij naar binnen ging. Dat deed brigadier Cowell niet. Mansfield hoorde de schoten toen hij kwam aanrijden. Hij rende naar binnen, net toen Lester Jackson Cowell doodschoot. Toen Jackson het geweer op Mansfield richtte, heeft Mansfield hem neergeschoten.'

Koenig trok zijn wenkbrauwen op. 'Maar zijn verhaal klopt niet helemaal. Daarom is Felicity hier.'

'De TR heeft vier wapens gevonden,' zei Felicity. 'Jacksons .38, Sheila's .45, en de twee negenmillimeters van hulpsheriffs Cowell en Mansfield. Hulpsheriff Cowell was twee keer geraakt door Jacksons .38. Beide schoten zouden hem ogenblikkelijk hebben gedood. In feite deed het eerste dat ook. Het eerste schot raakte hem in zijn keel, van een afstand van ongeveer drie meter.'

'Dat is de afstand tussen de plek waar Jackson achter de toonbank stond en de plek waar hulpsheriff Cowell is gevallen,' zei Daniel. 'En de tweede kogel?'

'Hij was al dood toen die in zijn hart terechtkwam,' zei Felicity, 'van heel korte afstand.'

'Dus Jackson stond bij de kassa, schoot Cowell de eerste keer neer, liep eromheen, ging boven hem staan en schoot nog eens op hem.' Daniel schudde zijn hoofd. 'Kille smeerlap.'

'Cowell raakte Jackson in zijn arm,' zei Koenig. 'Sheila heeft niet geschoten.'

Daniel herinnerde zich de naargeestige aanblik van Sheila die in de hoek zat, met beide handen nog om haar pistool geklemd. 'Ze moet bang zijn geworden of zijn verstijfd.'

'Jackson heeft twee schoten op haar gelost,' zei Felicity. 'Maar aan de hoek ervan te zien stond hij toen niet achter de toonbank. Hij stond bij de gesneuvelde hulpsheriff.'

'Dus klopt Mansfields verhaal niet,' zei Koenig, 'want hij zei dat hij Jackson neerschoot zodra hij de deur door kwam, omdat Jackson net Cowell had doodgeschoten.'

'Maar Jackson zal toen niet achter de toonbank hebben gestaan.' Daniel wreef over zijn hoofd. 'Dus ofwel Mansfield had het mis over de timing, of hij heeft gewacht tot Jackson achter de toonbank stond voor hij hem neerschoot.'

Felicity knikte. 'De kogel die Jackson doodde kwam vanuit een hoek omhoog. Hij was dwars door hem heen gegaan, dus Mansfield zat op zijn hurken toen hij vuurde.'

'En,' voegde Koenig eraan toe, 'de hoek van de ingangswond van Jackson bewijst dat de kogel niet was afgeschoten van bij de deur. Mansfield hurkte naast Cowell neer toen hij schoot.'

'Waarom zou hij liegen?' vroeg Talia. 'Mansfield is hulpsheriff. Hij wist heus wel dat de ballistiek de waarheid zou onthullen.'

'Omdat hij verwachtte dat het intern zou worden uitgezocht,' antwoordde Daniel zwaarmoedig. 'Hij verwachtte dat Frank Loomis onderzoek zou doen, niet wij.'

Chase keek grimmig. 'Dus de sheriff van Dutton is niet in de haak?'

Daniel was nog niet bereid dat te accepteren. 'Dat weet ik niet. Ik weet wel dat bij het onderzoek naar de moord op Tremaine alles fout is gegaan. Geen foto's van de plaats delict, bewijzen ondeskundig opgeslagen zodat ze verloren zijn gegaan in een overstroming, geen rapporten in het dossier. Ik denk dat Fulmore er misschien in is geluisd. In het beste geval probeert iemand iets te verbergen.'

'En ik heb het rapport van de patholoog niet kunnen krijgen,' zei Felicity. 'Dokter Granville zei dat zijn voorganger de vereiste papieren niet had ingediend.'

'Maar het moet toch in de rechtbankdossiers zitten?' vroeg Talia.

'Niet dus,' antwoordde Daniel. 'Ik heb Leigh de transcripties van de rechtbank en alle andere ingediende documenten laten opvragen. Die kreeg ze vanochtend. Het is een nogal dun dossier. Niets van dat spul zit erin.'

'En de aanklager en rechter?' drong Talia aan.

'Respectievelijk dood en een gepensioneerde kluizenaar,' antwoordde Daniel.

'Dit ziet er niet best uit voor Loomis,' zei Chase. 'Ik zal de officier van justitie op de hoogte moeten stellen.'

Daniel zuchtte. 'Weet ik. Maar we moeten nog zien te achterhalen voor wie of wat Jackson gisteravond naar Dutton is gekomen. Diegene heeft te maken met de poging tot aanrijding van gisteren.'

'Jacksons ene uitgaande telefoontje is gepleegd net nadat Alex bijna was aangereden,' zei Koenig. 'Ik denk dat hij degene die hem had ingehuurd moest vertellen dat het was mislukt.'

'We moeten uitzoeken van wie dat andere nummer is,' merkte Chase op.

'Daar zal ik morgen aan werken,' zei Koenig, die een geeuw onderdrukte. 'Ik heb de hele nacht voor Fallons huis gepost en de hele dag gewerkt, dus ik ben op.' Hij gaf Hatton een por, die was ingedommeld. 'Wakker worden, schat.'

Hatton keek Koenig vuil aan. 'Ik sliep niet.'

'Ik heb Daniel al verteld wat jullie over Craig Crighton hebben ontdekt,' zei Chase. 'Als jullie verder niets toe te voegen hebben, gaan jullie dan maar naar huis om te slapen.'

'Ik doe wel een dutje,' zei Hatton, 'en dan ga ik terug naar Peachtree en Pine om Crighton te zoeken. Ik heb een aanwijzing over een van de plekken waar hij vaak komt. Ik zal me kleden voor de gelegenheid, zien of ik wat minder kan opvallen dan vandaag.'

'Dan kan ik beter met je meegaan,' zei Koenig. 'Eerst even slapen, en dan verkleed ik me ook als zwerver. Ik loop wel op een afstandje achter je aan om je rugdekking te geven.'

Chase glimlachte. 'Ik zal de auto die in de buurt patrouilleert laten weten dat jullie daar als zwervers rondlopen.'

Felicity Berg stond ook op. 'Het enige nieuws dat ik had waren die ingangswonden bij Jackson. Ik ga naar huis.'

'Dank je, Felicity,' zei Daniel oprecht.

Ze glimlachte dunnetjes. 'Graag gedaan. Bezorg me niet nog meer lijken, Daniel.'

Hij glimlachte wrang. 'Nee, mevrouw.'

Toen ze weg waren, wendde Chase zich tot Ed. 'De haar.'

'Komt precies overeen met Alex' DNA,' zei Ed zonder met zijn ogen te knipperen.

De moed zonk Daniel in de schoenen. Nu zou hij Alex niet alleen moeten vertellen over de haren die ze op de lijken hadden gevonden, hij zou moeten toegeven dat hij doelbewust met zijn manchetknoop in haar haren was blijven haken.

'Verdomme,' mompelde Chase.

'We hadden het haar eerder moeten zeggen,' mompelde Daniel terug. 'Nu zit ik in de nesten.'

'Wat heb je dan gedaan?' vroeg Talia.

'Hij heeft me haar van Alex gebracht om te testen zonder dat ze dat wist,' zei Ed.

Talia trok een gezicht. 'Slechte zet, Danny. Je zit écht in de nesten.'

'Je bedenkt wel iets,' zei Chase.

'Je zou de waarheid eens kunnen proberen,' riep Mary McCrady vanaf het uiteinde van de tafel. Chase keek haar knorrig aan en ze haalde haar schouders op. 'Ik zeg maar wat,' zei ze.

'Verdorie,' gromde Daniel. 'Ik had nooit naar je moeten luisteren, Chase.'

'Maar toch doe je dat altijd. Dus nu weten we dat de moordenaar van Claudia, Janet en Gemma toegang had tot haren van een van de tweeling. Hoe?'

'Een oude borstel, misschien,' zei Talia. 'Wie heeft na Alicia's dood haar spullen gekregen?'

'Dat is een goeie vraag,' zei Daniel. 'Ik zal het Alex vragen. Talia, wat heb jij?'

'Ik heb Carla Solomon en Rita Danner gesproken. Hun verhalen kwamen overeen met die van Gretchen French. Alles hetzelfde, tot en met de whiskyfles. Toen ik terug was heb ik Leigh geholpen met de jaarboeken doorbladeren en hebben we de negen andere slachtoffers geïdentificeerd. Ze zaten allemaal op drie openbare scholen tussen Dutton en Atlanta in. Geen van hen ging naar de particuliere school waar de vermoorde vrouwen op zaten, dus daar ligt geen verband.'

Daniel dacht aan Susannah en vroeg zich af of er niet nog een slachtoffer was geweest dat op Bryson Academy had gezeten. *Ik moet Suze spreken. Vanavond nog.*

'Leven de andere verkrachtingsslachtoffers nog?' vroeg Daniel, en ze knikte.

'Er zijn er vier naar een andere staat verhuisd, maar de anderen wonen nog in Georgia. Ik zal reisgeld nodig hebben om naar die vier buiten de staat te gaan. En, Daniel, wat is er in de gevangenis gebeurd?'

Daniel bracht verslag uit en Mary kwam erbij zitten.

'Dus je denkt dat die Gary Fulmore misschien onschuldig is?' vroeg ze.

'Dat weet ik niet, maar het klopt allemaal niet. En Alex scheen banger te worden van de gedachte dat Fulmore misschien niet schuldig was, dan van de aanval op haar eigen zus.'

'Het is de enige afsluiting die ze bij dit alles heeft gekregen, Daniel,' zei Ed meelevend.

'Zou kunnen.' Daniel keek Mary aan. 'Al die tijd dat Fulmore het over die ring had die hij om Alicia's vinger had laten zitten, zat Alex naar haar handen te staren. Ze was bijna in trance.'

'Heeft Alex je verteld dat haar nicht en ik het over hypnose hebben gehad?'

Daniel knikte. 'Ja. Het lijkt me een goed idee, als het de situatie niet verergert.'

'Het enige wat hypnose doet is haar zo laten ontspannen dat haar verdedigingsmechanismen uitgeschakeld worden. Ik vind dat we het zo snel mogelijk moeten proberen.'

'Vanavond?' vroeg Daniel.

'Meredith heeft het er op dit moment met haar over.'

'Goed. Dus als we hier klaar zijn rijden we naar Baileys huis. Maar eerst,' zei Daniel, 'moeten we eens een lijstje maken van mogelijke leden van die verkrachtingsbende. We verdenken Wade, Rhett en Simon. Die kregen in hetzelfde jaar hun diploma. In de lente dat Alicia werd vermoord, zaten zij twee klassen lager.'

'Maar Gretchen was bijna een jaar eerder verkracht,' bracht Talia hem in herinnering.

Daniel zuchtte. 'Het jaar dat Simon van Bryson Academy is geschopt en naar Jefferson High is gestuurd. Het klopt. Hij was toen zestien.'

Chase haalde een stapel papier uit een van de dozen op tafel. 'Leigh heeft kopieën gemaakt van de jaarboekfoto's van alle jongens op Simons openbare middelbare school. Deze' – hij haalde een nog dikkere stapel tevoorschijn – 'zijn van de jongens op de andere middelbare scholen, inclusief die dure particuliere school waar jij op zat, Daniel.' Chase trok geamuseerd zijn wenkbrauw op. 'Jij bent verkozen tot degene die de grootste kans had om president van de Verenigde Staten te worden.'

Daniel lachte vermoeid. 'Het is zo veel dat ik niet weet waar we moeten beginnen.'

'Leigh heeft alles in spreadsheets ingevoerd zodat we het beter kunnen sorteren, en ze zoekt naar de meest recente gegevens over iedereen. We kunnen er al een paar wegstrepen, die zijn overleden. Alle daders op Simons foto's waren blanke jongens, dus ik heb ook alle minderheden uitgesloten.'

Daniel staarde naar de stapel, half verdwaasd bij de gedachte aan de vele uren die nodig zouden zijn om alles door te spitten. Hij knipperde met zijn ogen en zette de stapel even uit zijn hoofd. 'Chase, hoe zit het met de rijke meisjes?'

'Ik heb een lijstje van alle meisjes die hun diploma kregen van Bryson Academy in dezelfde jaren als Claudia, Janet en Gemma, plus een jaar ervoor en erna. Leigh en ik hebben er zo veel gebeld als we konden bereiken, om ze te waarschuwen dat ze moeten oppassen. De meesten hadden het nieuws al gehoord en die conclusie zelf al getrokken. We proberen morgen de rest van hen te bereiken.'

Mary boog zich opzij en kneep in Daniels arm. 'Mevrouw Fallon en Hope zullen nu wel klaar zijn met eten. Zullen we gaan kijken of Alex vanavond die hypnose wil proberen?'

Hij knikte grimmig. 'Ja. Laten we dat maar doen.'

Dutton, woensdag 31 januari, 21:00 uur

'Hope ligt te slapen in de auto, bij agent Shannon,' zei Meredith, die in de surveillancebus stapte. Meredith had geweigerd Alex in haar eentje onder hypnose te laten gaan, en Hope was van streek geraakt toen agent Shannon had geprobeerd haar alleen naar het onderduikadres te brengen, dus hadden ze Hope maar meegebracht. 'Gelukkig viel Hope onderweg in slaap. Ik weet niet hoe ze zou reageren als ze haar huis weer zag. Hebben jullie dit al eens eerder gedaan?'

Meredith zat in een klapstoel naast Daniel. Ed bemande de videocamera en Mary McCrady stond op de veranda van Baileys huis met Alex, die er griezelig kalm uitzag. In tegenstelling tot haar was Meredith één bonk zenuwen.

'Rustig maar, Meredith,' zei Daniel. 'Ze redt zich wel.'

'Weet ik. Ik wou alleen dat ik met haar mee kon.' Ze balde haar vuisten. 'Ik ben altijd de rustigste van ons twee, Daniel. Ik heb dit eerder gedaan.'

Het was standaardprocedure dat alleen de therapeut en de patiënt aanwezig waren tijdens een forensische hypnosesessie. Maar Daniel begreep hoe Meredith zich voelde. 'Ik wilde ook met haar mee. Maar we doen gewoon het op één na beste, en blijven hier.'

Met zijn karakteristieke medelevende blik draaide Ed de monitor een beetje, zodat Meredith hem beter kon zien. 'Zie je het zo?'

Ze knikte. 'Ik voel me net een voyeur,' zei ze somber.

'Dat zou niet voor het eerst zijn,' mompelde Daniel.

Na een korte, geschokte stilte, grinnikte ze. 'Dank je, Daniel. Dat had ik net nodig.'

'Zo te zien zijn ze er klaar voor,' zei Ed.

Mary en Alex verschenen op de monitor en liepen de woonkamer in. Een minuut lang stond Alex verstijfd te trillen, en Daniel moest zichzelf dwingen op zijn stoel te blijven zitten. Mary's stem kwam door de luidspreker, zacht en rustig, en uiteindelijk liep Alex naar de lederen leunstoel die Mary in de kamer klaar had gezet.

'Ze moet Alex misschien een paar keer in en uit hypnose brengen,' mompelde Meredith. 'Als ze haar voldoende in trance wil krijgen om rond te lopen.'

In de woonkamer zat Alex in de stoel, met haar voeten op het voetenbankje en haar ogen dicht. Maar ze was nog altijd verstijfd, en Daniels borstkas verkrampte. Ze was bang. Hij bleef echter zitten kijken terwijl Mary op kalmerende toon tegen Alex zei dat ze in gedachten een vredig plekje moest zoeken en daarheen moest gaan.

'En als me dat niet lukt?' vroeg Alex in paniek. 'Als ik nou geen vredig plekje kan vinden?'

'Denk dan aan een moment dat je je veilig voelde,' zei Mary. 'Gelukkig.'

Alex knikte en zuchtte, en Daniel vroeg zich af waar ze uiteindelijk naartoe was gegaan.

Mary bleef langzaam en rustig doorgaan, en bracht Alex dieper in een ontspannen toestand.

'Gebruiken jullie vaak hypnose tijdens moordzaken?' vroeg Meredith.

Daniel wist dat ze er behoefte aan had om te praten en dat de afleiding hen allebei zou helpen. 'Af en toe, vooral om aanwijzingen te krijgen. Maar ik ben in een zaak nog nooit helemaal op teruggehaalde herinneringen afgegaan als die niet via een andere bron te verifiëren waren. Herinneringen zijn kwetsbare dingen, heel eenvoudig te manipuleren.'

'Dat is verstandig,' zei Meredith. Ze hadden allebei hun blik op het scherm gericht, waar Mary nu controleerde hoe ver Alex weg was. Alex keek naar haar arm, die omhoog kwam en omhoog bleef. 'Alex gelooft al in hypnose door haar werk. Dat maakt Mary's taak gemakkelijker.'

'Daniel.' Ed wees naar de monitor. 'Ik denk dat Mary haar zo ver heeft.'

Alex had beide armen omhoog en keek met afstandelijke nieuwsgierigheid van de ene naar de andere arm. Mary droeg haar op ze te laten zakken, en ze gehoorzaamde.

'Dan lopen we nu naar de trap,' zei Mary, die Alex bij haar hand pakte. 'Ik wil dat je in gedachten teruggaat naar de dag dat Alicia stierf.'

'De dag erna,' zei Alex zachtjes. 'Het is de dag erna.'

'Goed,' zei Mary. 'Het is de dag erna. Vertel me wat je ziet, Alex.'

Alex kwam tot aan de vierde tree voordat ze bleef staan, met haar hand zo stevig om de leuning geklemd dat Daniel op het scherm haar witte knokkels kon zien.

'Zo ver kwam ze gisteren ook,' mompelde hij. 'Ik dacht dat ze een hartaanval kreeg, zo snel ging haar hartslag.'

'Alex,' spoorde Mary met rustig gezag aan. 'Loop verder.'

'Nee.' Er kroop paniek in Alex' stem. 'Ik kan het niet. Ik kan het niet.'

'Goed. Vertel dan maar wat je ziet.'

'Niks. Het is donker.'

'Waar ben je?'

'Hier. Op deze plek.'

'Was je onderweg naar boven? Of naar beneden?'

'Naar beneden. O, god.' Alex begon heel snel adem te halen, en Mary duwde haar zachtjes omlaag tot ze op de trap zat. Mary haalde haar uit de hypnose en bracht haar opnieuw in trance.

Toen Alex weer ontspannen was begon Mary opnieuw. 'Waar ben je?'

'Hier. Deze tree kraakt.'

'Goed. Is het nog donker?'

'Ja. Ik heb het licht in de gang niet aangedaan.'

'Waarom niet?'

'Ik wilde niet dat ze me zien.'

'Wie, Alex?'

'Mijn moeder. En Craig. Ze zijn beneden. Ik heb ze beneden gehoord.'

'Wat deden ze dan?'

'Ruziemaken. Schelden.' Ze deed haar ogen dicht. 'Schreeuwen.'

'Wat schreeuwen ze?

'Ik haat je. Ik haat je,' zei Alex, met een stem die verontrustend vlak en gelijkmatig klonk.

'Ik wou dat je dood was,' mompelde Daniel, net toen Alex diezelfde woorden op dezelfde monotone toon uitsprak. 'Ze dacht dat haar moeder dat tegen háár zei.'

'Maar ze zei het tegen Craig,' zei Meredith zachtjes.

'Wie zegt dat?' vroeg Mary.

'Mijn moeder. Mijn moeder.' Er liepen tranen over haar wangen, maar haar gezichtsuitdrukking bleef kalm. Als een pop. Er liep een rilling over Daniels rug.

'Wat zegt Craig?' vroeg Mary.

'Ze vroeg erom met haar korte broeken en haltertopjes. Wade heeft haar gegeven wat ze wilde.'

'En je moeder? Wat zegt zij nu?'

Alex veerde abrupt op, en Mary stond ook op. 'Die rotzak van een zoon van je heeft mijn meisje vermoord. Jij liet hem zijn gang gaan. Jij hebt hem niet tegengehouden.' Haar ademhaling versnelde en haar stem verhardde. 'Wade heeft haar niet vermoord.' Ze liep een tree omlaag en Mary stak haar handen uit, voor het geval Alex zou struikelen. 'Jij hebt haar meegenomen. Jij hebt haar meegenomen en in die greppel gedumpt. Dacht je dat ik die deken niet zou zien, dat ik het niet zou merken?'

Ze bleef staan, en Daniel besefte dat hij zijn adem inhield. Hij dwong zichzelf uit en weer in te ademen. Naast hem zat Meredith te trillen.

'Wat zeggen ze nu?' vroeg Mary.

Alex schudde haar hoofd. 'Niks. Ze heeft glas gebroken.'

'Wat voor glas?'

'Weet ik niet. Ik kan het niet zien.'

'Kom dan verder, waar je het wel kunt zien.'

Alex daalde de trap verder af en liep naar de deur van de woonkamer.

'Zie je het nu?'

Alex knikte. 'Er ligt glas op de vloer. Ik sta erin. Het doet pijn.'

'Huil je?'

'Nee. Ik wil niet dat hij me hoort.'

'Wat voor glas heeft je moeder gebroken, Alex?'

'Van zijn wapenkast. Ze heeft zijn geweer gepakt. Ze richt het op hem en schreeuwt.'

'O, god,' mompelde Daniel. Meredith pakte zijn hand en kneep er hard in.

'Wat schreeuwt ze, Alex?'

'Je hebt haar vermoord en haar in Toms deken gewikkeld en gedumpt, als afval.'

'Wie is Tom?' siste Daniel.

'Alex' vader,' fluisterde Meredith vol afgrijzen. 'Hij stierf toen ze vijf was.'

Alex stond heel stil, met haar hand op de deur. 'Ze heeft zijn geweer, maar hij wil het terug.'

'Wat doet hij?' vroeg Mary heel rustig.

'Hij graait naar haar polsen, maar ze verzet zich.' Er stroomden weer tranen over Alex' wangen. 'Ik vermoord je. Ik vermoord je, zoals jij mijn meisje hebt vermoord.' Haar hoofd ging heen en weer. 'Ik heb haar niet vermoord. Wade heeft haar niet vermoord. Je moet je mond houden. Je mag niet praten.' Ze haalde diep adem.

'Alex?' vroeg Mary. 'Wat gebeurt er?'

'Ze zag je. Ze zei dat ze je had gezien.'

'Over wie heeft ze het, Alex?'

'Over mij. Ze zegt: "Alex heeft je met die deken gezien."' Toen kromp ze ineen. 'Nee, nee, nee.'

'Wat is er gebeurd?' vroeg Mary, maar Daniel wist het al.

'Hij heeft het geweer onder haar kin gezet. Hij heeft haar doodgeschoten. O, mama.' Alex legde haar hoofd tegen de deur, sloeg haar armen strak om haar lichaam en wiegde heen en weer. 'Mama.'

Meredith snikte beverig terwijl de tranen over haar wangen liepen. Daniel kneep harder in haar hand, zijn keel zat dichtgesnoerd, hij was nauwelijks nog in staat om te ademen.

Alex hield op met wiegen en werd weer zo stil als een standbeeld.

'Alex.' Mary hervatte haar rustige, gezaghebbende toon. 'Wat zie je?'

'Hij ziet me.' Haar stem klonk scherp van paniek. 'Ik ren weg. Ik ren weg.'

'En dan?'

Alex draaide haar hoofd en keek Mary met een bleek en gepijnigd gezicht aan. 'Niks.'

'O, god.' Naast hem zat Meredith zachtjes te snikken, met haar vuist tegen haar mond gedrukt. 'Al die tijd... Ze heeft dit al die tijd meegedragen, en wij hebben haar nooit geholpen.'

Daniel trok haar tegen zich aan. 'Je wist het niet. Hoe had je het kunnen weten?' Maar zijn stem klonk hees, en toen hij zijn gezicht aanraakte waren zijn wangen vochtig.

Meredith legde haar wang tegen zijn schouder en huilde. Ed slikte hoorbaar en concentreerde zich op de videoapparatuur. Rustig en van buiten beheerst leidde Mary Alex terug naar de stoel. Ze begon Alex uit de hypnose te halen. Maar toen Mary opkeek in de camera waren haar ogen hol en vervuld van afgrijzen.

Met zijn arm nog om Merediths trillende schouders pakte Daniel zijn mobiele telefoon en belde Koenig. 'Met Vartanian,' zei hij. Zijn stem was kil en hij hield zijn woede amper onder controle. 'Hebben jullie Crighton al gevonden?'

'Nee,' zei Koenig zachtjes. 'Hatton zit nu bij een groep zwervers. Een van hen zegt dat ze hem twee uur geleden nog hebben gezien. Hoezo? Wat is er?'

Daniel slikte. 'Als jullie hem vinden, arresteer hem dan.'

'Ja,' zei Koenig langzaam. 'Voor het in elkaar slaan van die non.' Hij zweeg even. 'Waarvoor nog meer, Danny?'

Daniel was dat van zuster Anne al bijna vergeten. 'Voor de moord op Kathy Tremaine.'

'Ah, verdomme. Dat meen je niet. Verdomme.' Koenig zuchtte. 'Goed. Ik bel je als Hatton zijn verblijfplaats weet.'

'Neem versterking mee als je hem gaat ophalen.'

'Zeker weten. Daniel, zeg Alex dat ik het heel erg vind van haar moeder.'

'Doe ik.' Hij stopte het toestel weer in zijn zak en gaf Meredith een zetje. 'Kom mee. Mary is bijna klaar. We wachten ze op als Alex naar buiten komt.'

18

Dutton, woensdag 31 januari, 22:00 uur

Het was surrealistisch, dacht Alex. Nu dat het voorbij was, nu ze het wist...

Maar misschien had ze het ergens altijd wel geweten.

Ze keek naar Daniel, die van Baileys huis naar Main Street reed. Zijn handen had hij om het stuur geklemd. Zijn knokkels waren wit. Sinds hij haar in de auto had gezet, had hij naar haar zitten kijken. Waarschijnlijk dacht hij dat het haar niet was opgevallen. En hij had haar zo teder de autogordel omgedaan dat ze wel had kunnen huilen.

Dat had híj wel gedaan. Huilen. Ze zag het aan zijn ogen zodra ze met Mary McCrady het huis uit kwam en recht in zijn armen was gelopen. Hij had haar zo stevig omhelsd... en zij had hem vastgehouden, hem nodig gehad. Meredith huilde nog terwijl ze wachtte om op haar beurt Alex te omhelzen. Ze had gesmeekt om vergiffenis, terwijl er niets te vergeven viel. Het was gewoon zo. En het was altijd zo geweest. Ze had het zich alleen niet willen herinneren.

Nu wist ze het weer, tot op de laatste seconde, tot het moment dat Crighton haar bij de kraag had gegrepen en alles zwart was geworden. Het volgende dat ze zich herinnerde was dat ze in het ziekenhuis lag, waar de slaapmiddelen die ze volgens de politie had genomen uit haar maag werden gepompt.

Maar dat herinnerde ze zich niet. Vroeger had ze er niet verder bij nagedacht.

Nu...

Hoe kan ik eromheen?

Ze zou het misschien wel nooit weten. Ze wist alleen dat haar moeder geen zelfmoord had gepleegd. Dat ze een wapen in haar handen had gehad dat haar leven had kunnen redden.

Dat was het beeld dat Alex nog wel het meest plaagde.

'Ze stond daar maar gewoon,' mompelde ze. 'Ze had het geweer in haar handen en ze bleef daar maar gewoon staan, tot het te laat was. Als ze had geschoten, had ze nu misschien nog geleefd.'

Daniel slikte moeizaam. 'Soms verstijven mensen. Je kunt nooit echt voorspellen wat je in zo'n situatie doet. Maar toch is het moeilijk om het ze naderhand niet kwalijk te nemen.'

'Ik voel me een beetje... ontworteld, snap je?'

'Dat had Mary al voorspeld.'

Ze bekeek de zijkant van zijn gezicht. Hij was moe en afgemat. 'Gaat het wel?'

Hij grinnikte. 'Vraag je dat aan míj?'

'Ik vraag het jou.'

'Ik... Ik weet niet, Alex... Ik ben boos en... droevig. Ik voel me zo machteloos. Ik wil dit allemaal voor je wegnemen, maar dat kan ik niet.'

Ze legde haar hand op zijn arm. 'Nee, dat kun je niet. Maar het is heel aardig van je dat je het wilt.'

'Aardig.' Hij haalde diep adem. 'Ik voel me nu niet zo aardig.'

Ze pakte zijn hand van het stuur en legde hem tegen haar wang. Het voelde fijn. Sterk en warm en veilig. 'In het begin raakte ik in paniek. Ik kon geen veilige plek bedenken om heen te gaan en ik dacht: "Stel dat we al die moeite voor niks hebben gedaan en dat Mary me niet kan hypnotiseren?"'

'Ik weet het. Ik vroeg me al af waar je uiteindelijk heen ging. Ik hoopte dat het een fijne plek was.'

Ze wreef met haar wang langs zijn hand. 'Er was een moment vanochtend, nadat we... je weet wel... We keken elkaar aan en ik bedacht me dat dat misschien wel het mooiste moment van mijn leven was. Daar ben ik naartoe gegaan.'

Zijn vingers hielden die van haar nog steviger vast.

Ze kwamen bij haar bungalow aan, waar een onopvallende auto van het GBI langs de stoep geparkeerd stond. Meredith had Baileys huis verlaten met de twee agenten die haar en Hope naar het onderduikadres zouden brengen als ze hun spullen hadden gepakt. Een van de agenten zat op de achterbank bij de slapende Hope.

Daniel liep om de auto heen en opende het portier, trok Alex overeind en omhelsde haar zo stevig, zo beschermend, dat Alex wenste dat ze daar gewoon voor altijd met hem kon blijven staan. Ze schoof haar armen onder zijn jas, om zijn middel, en hield hem stevig vast. Zijn hart bonsde onder haar oor en ze begreep dat ze hem had geraakt op een heel ander terrein. *Onbekend terrein*, had hij gezegd... Was dat nog maar eergisteren geweest? Alex had het gevoel dat ze in die twee dagen een heel leven had geleefd.

Daniel streek haar haren uit haar gezicht en streek met zijn lippen over haar wang. Dat deed haar huiveren. Toen fluisterde hij in haar oor, hees en warm. 'Wat wij vanochtend deden, Alex, was niet "je weet wel". We hebben de liefde bedreven. En ik ben nog lang niet klaar.' Hij tilde haar kin op en drukte een stevige kus op haar lippen. 'Als je dat niet erg vindt.'

Dit was het stralende licht aan het eind van de tunnel. Ze hadden een kans om iets goeds te laten voortkomen uit zo veel duisternis. 'Nee.'

'Laten we dan maar naar binnen gaan.' Hij stapte achteruit, trok een gezicht. 'Ik ben Riley vandaag helemaal vergeten. Ik heb hem nog nooit zo lang alleen gelaten. Misschien heeft hij wel een ongelukje gehad in je huis.'

Ze glimlachte naar hem. 'Geeft niet. Ik ben goed verzekerd.'

Met zijn arm beschermend om haar heen geslagen liepen ze naar de veranda. Toen vertraagden ze allebei tegelijk hun pas. Meredith stond midden in de woonkamer, met haar armen over elkaar geslagen. Ze bekeek met vermoeide doelloosheid de kamer om haar heen. Alles was overhoop gehaald – laden uit kasten getrokken, krijtjes op de vloer gesmeten, en de bank waar ze op hadden gevreeën was kapotgesneden, zodat de vulling overal verspreid lag.

'Ik denk niet dat mijn verzekering dít dekt,' mompelde Alex.

Meredith keek op en kneep haar ogen tot spleetjes. 'Er is hier iemand geweest die ergens naar op zoek was.'

Daniel verstijfde. 'Waar is Riley? Riley!' Hij rende Hopes kamer in, en Alex volgde hem op de hielen. De andere agent was daarbinnen en overzag een zelfde soort puinhoop. 'Waar is mijn –'

De agent wees omlaag, naar een staart die onder het bed uit stak, kwispelend als een metronoom in slow motion. Daniel zuchtte opgelucht toen hij Riley voorzichtig tevoorschijn trok. Riley keek met zijn droevige bassetogen naar hem op, en Daniel omvatte de kop van de hond met beide handen, krabbend achter zijn oren. 'Wat is er met je gebeurd, jongen?'

'Er stond een bakje op de badkamervloer, onder het raam,' zei de agent. 'Het raam stond open en er zat nog een beetje hondenvoer uit blik in die bak.'

'Ik had brokken in de keuken gezet. Riley mag geen blikvoer. Dat is slecht voor zijn maag.' Daniels kaak verstrakte. 'Degene die hier binnen is geweest, heeft hem gedrogeerd.'

Alex keek naar Rileys ogen. 'Hij ziet er verdoofd uit. Zou hij blaffen naar een indringer?'

'Luid genoeg om de doden te wekken,' antwoordde Daniel. 'We moeten het voer in die bak laten testen.'

'Nou, het is nogal een puinhoop in de badkamer,' zei de agent. 'Hij heeft niet veel binnengehouden.'

Alex keek Daniel in de ogen. 'Misschien heeft dat wel zijn leven gered.'

Daniel fronste zijn wenkbrauwen. 'Wat zouden ze gezocht hebben?'

Alex stond op en keek zuchtend om zich heen naar de puinhoop in de slaapkamer. 'Ik heb geen idee.'

'Ze hebben hetzelfde gedaan in mijn kamer,' meldde Meredith. 'Gelukkig had ik mijn laptop bij me. Waar is die van jou?'

'Die stond in de kast. Daniel, kun jij hem openmaken?'

Hij had al een paar handschoenen uit zijn zak gehaald en schoof met één hand de kastdeur open. Hij was helemaal leeg. 'Wat stond er op je computer, Alex?'

'Niks, eigenlijk. Misschien wat oude belastingopgaven, zodat ze mijn sofinummer en mijn adres hebben.'

'Dat kunnen we morgen melden bij de creditcardmaatschappijen,' zei Daniel.

Meredith schraapte haar keel. 'Alex, waar is je díng?'

Alex keek Daniel aan. 'Ligt mijn tas nog in je kofferbak?'

Hij knikte grimmig. 'Ja. Hoewel ik ervan overtuigd ben dat ze zelf een wapen bij zich hadden, gewoon voor het geval dat.'

Alex' geschokte blik schoot naar die van Meredith. 'Als we hier waren geweest...'

Meredith knikte beverig. 'Maar we waren er niet. En Hope is veilig. Ze moet misschien een paar dagen in dezelfde kleren rondlopen, maar ze is veilig.'

'Hebben jullie nog iets nodig? Anders kunnen we dat wel onderweg naar het onderduikadres kopen,' zei de agent. 'Hier moet alles zo blijven als het is tot we de plaats delict hebben onderzocht. Wil jij de TR bellen, Vartanian, of moet ik het doen?'

Daniel wreef over zijn hoofd en Alex zag de opkomende hoofdpijn in zijn ogen. 'Als je dat zou willen doen, dan graag, Shannon. Ik moet met Riley naar de dierenarts. Er is een noodkliniek in de buurt van mijn huis, die de hele nacht open is.'

'Ik bel wel,' zei Shannon. 'Heb je hulp nodig om die hond naar je auto te brengen?'

'Nee.' Daniel nam Riley in zijn armen, en de hond legde als een baby zijn kop op Daniels schouder. 'Hij is loodzwaar, maar ik red het wel. Bel me als je op het onderduikadres bent, Meredith.'

'Doe ik.' Meredith trok Alex tegen zich aan in een stevige omhelzing. 'Wanneer zie ik je weer?'

'Morgenochtend. Dan breng je Hope mee voor haar hypnose, toch?'

Meredith knikte beverig. 'Ik hoop dat ik er nog een kan doorstaan.'

'Tuurlijk wel. Bedankt dat je vanavond bij me was.'

Meredith aarzelde. 'Alex...'

'Ssst. Stil maar. Je kon het niet weten. Laat het gaan.'

'Bel je als je bij Daniel thuis bent? Ik neem aan dat je daar vannacht bent.'

'Ja. Daar ben ik vannacht.'

Athens, Georgia, woensdag 31 januari, 23:35 uur

Mack schrok toen zijn mobiele telefoon begon te trillen. Heel voorzichtig, om zijn schuilplaats niet te verraden, keek hij op het display en fronste zijn wenkbrauwen. Het was een sms'je van Woolf. Hij vroeg zich af of Woolf hem hierheen was gevolgd. Maar hij was voorzichtig geweest. Niemand was hem gevolgd. En Woolf zou nu wel druk zijn.

Hij las het bericht. *Bedankt voor tip. Ben ter plaatse. Wie is hij? Te veel bloed om gezicht te zien. Heb ID nodig voor 12u, voor ochtendeditie.*

Hij aarzelde, maar toen haalde hij zijn schouders op. Tot nu toe hadden de Woolfs zichzelf voorgehouden dat hij misschien gewoon een anonieme tipgever was, niet per se een moordenaar. In zijn ervaring konden mensen zichzelf van alles wijsmaken als ze zich daar beter door voelden, en de Woolfs waren daarop geen uitzondering. *Romney, Sean*, sms'te hij terug, en hij klapte het toestel dicht.

De Woolfs deden misschien niet meer wat hij wilde. Maar hij was toch bijna klaar met hen. Hij hoorde voetstappen. Een mannenstem. Gelach van een vrouw.

'Je kunt beter met mij meerijden,' zei de man.

'Niet nodig. Ik zie je bij de les, oké?'

Er klonken kusgeluiden, toen een kreun van een man. 'Ik verlang naar je. Het is al drie dagen geleden.'

Ze lachte klaterend. 'Ik moet morgen een opstel inleveren, dus niet vanavond, grote jongen.'

Mack had niet voorzien dat ze gezelschap zou hebben. Stom van hem. Hij speelde met de veiligheidspal van zijn Colt, bereid om te doen wat nodig was om weg te komen. Maar de man kreunde alleen en vertrok na nog een laatste kus.

Lisa stapte neuriënd in haar auto. Ze keek in haar achteruitkijkspiegel en reed van de stoeprand weg. Hij liet haar een paar straten doorrijden voor hij achter haar opdook. Hij propte de zakdoek in haar mond en drukte zijn mes op haar keel. *Ik word hier goed in.* 'Rijden,' zei hij. Dít zou leuk gaan worden.

Atlanta, woensdag 31 januari, 23:55 uur

'Wat doen we hier?' vroeg Alex. 'Ik dacht dat we naar jouw huis gingen.'

'Hier' was Leo Papadopoulos' schietbaan. 'Deze baan is van Lukes broer. Hij geeft Lukes vrienden van het bureau korting.'

'Dat is heel aardig,' zei ze. 'Maar waarom zijn we hier?'

'Omdat... Verdomme, Alex, Sheila Cunningham hield een pistool vast toen ze stierf.' En hij kon dat beeld niet uit zijn hoofd krijgen. 'Ze heeft niet eens geschoten.'

'Net als mijn moeder,' mompelde ze. 'Is dat iets van vrouwen?'

'Nee, het gebeurt mannen ook. Het heeft met training te maken. Als je bang bent verstijf je. Je moet al die gedragingen, die gewoonten, ingebakken hebben. Jij doet hetzelfde op de spoedeisende hulp. In crisissituaties schakel je bij bepaalde dingen over op de automatische piloot, toch?'

'Soms wel. Ga je me dan trainen, Daniel?'

'Niet in één dag. Maar we komen hier iedere dag terug tot je ofwel wat reflexen hebt opgebouwd, of tot dit voorbij is en het niet meer hoeft.'

'Is die iedere avond open?'

'Nee. Leo heeft voor ons opengedaan. Luke had nog iets van hem tegoed. Terwijl de dierenarts Riley onderzocht, heb ik Luke gebeld om te vragen of we hierheen konden.' De dierenarts had gedacht dat zijn hond was vergiftigd, en dat bericht verhevigde de kolkende woede in Daniels ingewanden alleen maar. Hij kon zelf ook wel wat schietoefeningen gebruiken. 'Kom mee.' Hij liep om de auto heen en hielp haar eruit, pakte toen haar tas uit de kofferbak. 'Je mag hier nog altijd niet mee over straat, weet je.'

Ze knikte. 'Weet ik.'

'Maar je zegt niet dat je het begrepen hebt.'

Ze glimlachte, maar haar ogen lachten niet mee. 'Weet ik.'

Hij schudde zijn hoofd en hield de voordeur open. 'Loop maar naar binnen.'

Binnen stond Leo Papadopoulos achter de toonbank. 'Danny! En wie is dit?'

Leo was een paar jaar jonger dan Luke en even populair bij de dames. 'Dit is Alex. Afblijven, Leo.' Hij had het als grapje bedoeld, maar het klonk onheilspellend.

Leo grijnsde enkel. 'Joh, dat wist ik al. Mama heeft me alles over Alex verteld.'

Alex keek naar hem op. 'En hoe weet Mama dat? Ze heeft me nog nooit ontmoet.'

'O, dat komt nog wel, maak je geen zorgen.' Leo glimlachte stralend. 'Dat komt nog wel. Ga maar naar achteren. Luke is er al.' Leo's glimlach vervaagde. 'Ik geloof dat hij een heel slechte dag heeft gehad.'

'Ja, nou, dan is hij niet de enige,' mompelde Daniel. 'Bedankt, Leo. Je hebt er eentje te goed.'

Op de baan stond Luke in een van de hokjes, met gehoorbeschermers op. Zijn gezicht was in een beestachtige grijns geplooid. Alex fronste haar wenkbrauwen. 'Wat is er met hem?'

'Luke doet onderzoek naar zedenmisdrijven op internet. De laatste tijd zit hij bij een team dat kinderen probeert te redden. Hij zit al twee maanden heel diep in een zaak. Het ziet er niet best uit.'

'O.' Ze zuchtte. 'Wat erg.'

'Het is zijn werk,' zei Daniel schouderophalend. 'Jouw werk, mijn werk. We moeten ermee omgaan, en dat doet Luke ook. Hier, zet deze op.' Hij gaf haar een veiligheidsbril en gehoorbeschermers, maakte haar tas open en bekeek haar pistool. Het was een H&K negen millimeter, klein genoeg om comfortabel in haar hand te passen.

'Dit is een goed wapen. Weet je hoe je het moet laden?' Toen ze knikte voegde hij eraan toe: 'Weet je hoe je het snél moet laden?'

'Nog niet.'

'Daar kunnen we later wel aan werken. Schiet nu eerst maar eens.' Hij gaf haar het pistool en stapte achteruit. Ze stapte in het hokje naast Luke, richtte en schoot een aantal keer – en miste het doelwit elke keer. Hij voelde zijn bezorgdheid toenemen... en zijn opwinding ook. Het was iets heel bijzonders om een mooie vrouw met een goed wapen te zien. Vooral als die vrouw je had verteld dat met jou vrijen haar mooiste herinnering was. Vooral als jij hetzelfde had gedacht. Hij fronste zijn wenkbrauwen toen zijn bezorgdheid het won van zijn opwinding. Ze kon nog geen schuurdeur raken.

Luke onderbrak zijn oefening en kwam kijken. 'Je moet je ogen niet dichtdoen,' zei hij.

Ze liet haar pistool zakken en knipperde met haar ogen. 'Deed ik dat? Nou, dat is eng.' Ze pufte en bereidde zich voor op een nieuwe poging.

Luke stapte naar Daniel toe, met zijn ogen vol vragen. 'Hoe gaat het met haar?' vroeg hij, zo zachtjes dat Alex hem niet zou horen.

De vraag maakte Daniel boos – niet op Luke, maar toch boos. 'Als je nagaat dat ze de afgelopen paar dagen heeft ontdekt dat haar zus door meerdere kerels is verkracht en dat haar moeder is vermoord, niet al te slecht.' Lukes ogen werden groot en Daniel bracht hem op de hoogte.

'Shit. En hoe gaat het met Riley?'

'De dierenarts zegt dat het wel goed komt.' Hij keek Luke onderzoekend aan. 'En wat is er bij jou gebeurd?'

Lukes gezicht kreeg een neutrale uitdrukking. 'Alles is vandaag bij elkaar gekomen. We hadden de locatie gevonden van drie kinderen die we in de gaten hadden gehouden via die kinderpornosite.' Hij richtte zijn blik op Alex, die het doelwit twee keer had weten te raken. 'We waren te laat.'

'Wat erg, Luke.'

Luke knikte opnieuw. 'Twee meisjes en een jongen,' zei hij met gelijkmatige stem, zonder enige emotie. 'Twee zusjes en een broertje. Vijftien, dertien en tien. In het hoofd geschoten, allemaal.'

Daniel slikte, want hij kon zich de aanblik maar al te goed voorstellen. 'Mijn god.'

'We waren minstens een dag te laat. We hebben de site uit de lucht gehaald, maar die lui openen gewoon weer een nieuwe.' Hij staarde nu voor zich uit, en Daniel wilde niet nadenken over wat hij voor zich zag. 'Ik heb behoefte aan even iets anders. Chase zei dat jullie een heleboel namen door moesten zoeken om een profiel te krijgen van die bende.'

'We kunnen je zeker gebruiken.' Hij greep Lukes schouder vast. 'Heb je iets nodig?'

Lukes lippen vertrokken. 'Een sleutel naar de hel. Elke andere plek is te goed voor die smeerlappen.' In zijn gespannen kaak trok een spiertje. 'Ik zie te veel gezichten in mijn dromen.'

De woede die in hem kolkte borrelde hoger op. 'Kan ik me voorstellen.'

Luke draaide zich met tranen in zijn ogen om. 'Ik moet weg. Leo zegt dat je zo lang kunt blijven als je wilt. Hoe laat is de ochtendbespreking voor je zaak?'

'Acht uur,' zei Daniel. 'In de vergaderzaal.'

'Dan zie ik je morgen.' Luke pakte zijn wapen en munitie in en vertrok.

Alex liet haar pistool zakken en zette haar gehoorbeschermers af. 'Het gaat niet zo goed met hem, hè?'

'Nee. Maar net als bij jou komt dat wel weer goed. Zet dat ding op.' Hij ging achter haar staan en pakte haar armen vast. 'Zo moet je richten.' Hij deed het voor, met zijn armen stevig om haar heen. 'Haal nu de trekker over en hou je ogen open.'

Ze deed wat hij zei en knikte scherp toen ze de borst van het papieren doelwit raakte. 'Richten op de borstkas,' zei ze. 'Groter oppervlak, minder kans op fouten. Ik weet nog dat een agent me dat eens vertelde toen hij een slachtoffer met een steekwond bij de spoedeisende hulp bracht. Haar man was met een mes op haar af gekomen. Ze had een pistool, maar ze had op zijn hoofd gemikt en gemist.'

'Hoe is het met haar afgelopen?'

'Ze overleed,' zei ze vlak. 'Laat nog eens zien hoe het moet.'

Dus dat deed hij, terwijl hij haar armen stevig vasthield. Ze concentreerde zich op het papieren doelwit terwijl ze het magazijn leegschoot. Maar met elk schot werd haar lichaam tegen dat van hem gedrukt, en dat verpestte zijn concentratie. Hij dwong zichzelf aan Sheila Cunningham te denken, zittend in de hoek, dood. *Concentreren, Vartanian.*

'Laden,' bromde hij, en hij zette een stap achteruit terwijl ze dat deed.

Haar handen waren soepel en ze verrichtte die taak sneller dan hij had verwacht. 'Dat was goed.'

Ze hief het wapen, maar zonder zijn hulp ging het richten minder goed, en bij het derde schot miste ze het doelwit volkomen.

'Je doet je ogen weer dicht. Hou ze open, Alex.' Hij hielp haar weer richten. Terwijl hij de aangename kwelling onderging van haar lichaam dat tegen het zijne bewoog, leegde zij nog een magazijn. In de stilte liet hij beverig zijn ingehouden adem ontsnappen. 'Laden, verdomme.'

Ze keek naar hem over haar schouder, met grote, vragende ogen vanwege zijn gespannen bevel. Toen werden haar whiskykleurige ogen donker van begrip en een eigen behoefte. Ze draaide zich om en laadde, met even vaste hand als eerst. Die vastheid, wist hij, was een gevolg van jaren in stressvolle situaties moeten werken. Hij zou willen dat hij haar bezig kon zien in haar eigen omgeving en besefte toen met een schok dat dat niet kon. Als dit voorbij was zou ze teruggaan. Terug naar Ohio. Terug naar de baan die ze niet kwijt wilde en naar de 'aardige' ex die ze iedere dag zag.

Hij voelde een steek van jaloezie. Hij wist dat dat volkomen irrationeel was, maar dat andere... Als dit voorbij was ging ze weg. *Nee, ze gaat niet. Ik laat haar niet gaan.*

Je kunt haar niet tegenhouden. Maar hij wist dat hij dit niet door de vingers mocht laten glippen. Hij zou dat wel onder ogen zien als het zover was. Tot die tijd moest hij haar in leven houden. 'Probeer het zelf maar.'

Het ging al wat beter, maar ze dwaalde af, en hij sloeg zijn armen weer om die van haar heen. Ze verschoof, haar achterwerk duwde tegen zijn kruis, eenmaal, toen nog een keer, voordat ze tegen hem aan leunde en weer begon te schieten. Ze had zich expres zo bewogen, en het weinige bloed dat nog in zijn hoofd over was kolkte snel en ritmisch door zijn aderen. Toen was ze klaar.

Ze legde het pistool op de middelhoge tafel, zette haar bril en gehoorbeschermers af, en hij deed hetzelfde. Even stond ze daar en keek ze met een ijzige blik naar haar doelwit. Er was maar heel weinig van over.

Drie ronden van haar H&K hadden het papier aan flarden gescheurd.

'Ik geloof dat ik hem vermoord heb,' zei ze vlak, zonder een spoortje humor.

'Ik geloof het ook,' antwoordde hij met ruwe, knarsende stem.

Ze draaide zich om in zijn armen en tilde haar kin op, waarna ze hem koel en uitdagend in zijn ogen keek. Toen trok ze zijn hoofd omlaag voor de heetste kus die hij ooit had meegemaakt. Binnen enkele tellen nam de passie het over en duelleerden ze woest om de controle, met open mond.

'Stop.' Hijgend maakte hij zijn mond van haar los. Hij had haar kleren wel van haar af willen scheuren en haar willen nemen, hier en nu. Maar ze stonden op Leo Papadopoulos' schietbaan, en Daniel vermoedde dat zelfs Leo zoiets niet op prijs zou stellen. Hij probeerde zijn hartslag weer naar een normaal ritme te krijgen. 'Ik moet de hulzen opruimen voordat we gaan.'

'Dat doe ik wel!' riep Leo op zangerige toon. 'Gaan jullie maar naar huis om... zie maar.'

Daniel lachte snuivend. 'Dank je, Leo,' riep hij droogjes terug.

'Geen punt, Daniel.'

Daniel stopte Alex' wapen weer in de tas en pakte haar hand. Ze had haar ogen geen moment van hem afgewend en door haar blik begon zijn hart weer als een razende te kloppen. Ze zag er vastberaden uit. Gevaarlijk.

Dit zou héél goed gaan worden.

Atlanta, donderdag 1 februari, 00:50 uur

Gelukkig was de schietbaan niet ver van Daniels huis vandaan. En gelukkig was het ver na middernacht en waren er weinig auto's op de snelweg, anders zou hij in de verleiding zijn gekomen om voor de eerste keer ooit zijn zwaailichten om persoonlijke redenen te gebruiken.

Ze had de hele weg naar huis niets gezegd, en elke minuut van stilte voerde de spanning meer en meer op, tot Daniel dacht dat hij als een tiener zijn kruit zou verschieten voordat hij zelfs maar haar kleren uit kreeg. Tegen de tijd dat hij de oprit bij zijn huis in reed, trilde hij. Maar als er gerechtigheid bestond, dan gold dat ook voor haar. Hij greep haar draagtas en sleepte haar mee naar de voordeur, waar hij met trillende handen de sleutel in het slot probeerde te krijgen. Hij miste twee keer, en zij siste: 'Schiet in godsnaam op, Daniel.'

Hij kreeg de deur open en rukte haar naar binnen. Haar armen lagen al om zijn nek en haar mond op die van hem voordat hij de voordeur dicht had. Op de tast sloot hij hem, deed hem op slot, gooide de grendel erop. 'Wacht. Ik moet het alarm nog instellen.'

Ze stapte achteruit en hij draaide zich om naar het alarmpaneel. Toen hij weer omkeek, werd zijn mond droog. Die soepele vingers hadden de knopen van haar blouse al open en rukten het kledingstuk met ongeduldige bewegingen uit haar broek. Haar ogen vernauwden zich.

'Snel,' was alles wat ze zei.

Zijn hartslag schoot omhoog en hij rukte aan zijn broekriem. Hij liet zijn broek zakken, duwde haar tegen de deur. Eindelijk omhulde al die vochtige warmte hem, trok hem dieper naar binnen, maakte hem gek.

'Hou je ogen open,' mompelde hij, en ze knikte eenmaal kort. Haar vingers groeven in zijn schouders en die van hem in haar heupen, en hielden vast terwijl hij stootte. Het genot raakte hem als een baksteen tegen zijn hoofd. Hij zakte tegen haar aan, plette haar tegen de deur. Zijn longen pompten terwijl hij naar lucht hapte, ervan overtuigd dat als hij nu zou sterven, hij niets meer te wensen had. Toen ging hij achteruit om haar gezicht te zien. Ze hijgde, maar haar mond krulde op. En ze leek... trots. Ongelooflijk tevreden, maar toch trots.

Donderdag 1 februari, 01:30 uur

Er huilde weer iemand. Bailey hoorde het klaaglijke gejammer door de muren heen. Verderop in de gang ging een deur open, gevolgd door een holle bons en toen stilte. Dat gebeurde elke nacht zo'n twee of drie keer. Toen vloog haar deur open. Het ding knalde tegen de betonnen muur.

Híj kwam binnen en greep haar vast bij haar blouse, die nu gescheurd was en stonk. 'Je hebt tegen me gelogen, Bailey.'

'Wa–' Ze gilde toen de rug van zijn hand haar wang raakte.

'Je hebt tegen me gelogen. Alex' sleutel ligt niet in haar huis.' Hij schudde haar ruw door elkaar. 'Waar is hij?'

Bailey staarde hem aan, niet in staat te praten. Ze had tegen Alex gezegd dat ze die sleutel moest verstoppen. Ze had geen idee waar hij kon zijn. 'Ik... heb geen idee.'

'Laten we dan maar eens kijken of we je hersens wat beter kunnen laten werken.' Hij trok haar mee, sleurde haar de kamer uit, en ze probeerde haar geest af te sluiten. Probeerde zichzelf ervan te weerhouden nog iets te zeggen. Probeerde zichzelf ervan te weerhouden te gaan bidden om te mogen sterven.

Atlanta, donderdag 1 februari, 02:10 uur

Alex' lichaam deed overal pijn, aangenaam pijn. Ze rolde haar hoofd opzij op het kussen om naar hem te kijken, de enige beweging die ze kon opbrengen. Daniel lag op zijn rug en probeerde met open mond genoeg lucht in zijn longen te krijgen.

'Ik hoop dat je niet gereanimeerd hoeft te worden,' mompelde ze, 'want ik denk niet dat ik me kan bewegen.'

Zijn lach was meer gekreun. 'Ik overleef het wel.' Hij rolde zich op zijn zij en trok haar tegen zich aan, zodat ze lepeltjelepeltje lagen. 'Maar ik had het nodig,' voegde hij er zachtjes aan toe.

'Ik ook,' fluisterde ze.

Hij drukte een kus op haar schouder, deed het licht uit en trok de deken over hen heen. Ze was al aan het indommelen toen hij zuchtte. 'Alex, ik moet met je praten.'

Ze had dit zien aankomen. 'Oké.'

'Vanavond zei je dat je moeder aan Crighton vertelde dat jij hem had gezien met Toms deken.'

Alex slikte. 'Tom was mijn vader. Hij overleed toen ik vijf was.'

'Dat heb ik van Meredith gehoord. Wat was er zo bijzonder aan die deken?'

'Het was de kampeerdeken van mijn vader. We hadden niet veel geld, maar kamperen was goedkoop, en hij was graag in de buitenlucht. Soms stapten we met ons allen in de auto en gingen we naar het meer om te vissen en zwemmen... 's Avonds maakte hij dan een kampvuur, wikkelde Alicia en mij in die oude deken en trok ons op schoot om ons verhalen te vertellen. Mijn moeder had al zijn spullen in Craigs garage laten liggen, voor het geval Alicia en ik ze op een dag wilden hebben. Ik weet nog dat Craig daar niet zo blij mee was. Hij deed heel bezitterig over mijn moeder.'

'Wat heb je dan gezien, lieverd?'

'Weet ik niet, maar ik weet wel dat er iets is. Ik blijf maar denken aan donder en bliksem. Mary zei dat ze een beetje verbaasd was toen ik erop stond om een dag na de dood van Alicia te beginnen. We moeten gewoon nog een dag terug. Dat is alles.'

'Nee, dat is niet alles.' Zijn arm verstrakte om haar middel. 'Je zult wel kwaad worden, en dat neem ik je niet kwalijk. Denk eraan dat ik op dat moment probeerde te doen wat het beste was.'

Fronsend draaide Alex zich om en keek hem aan. 'Wat?'

Hij bleef aan zijn kant van het bed, met een grimmig gezicht. 'Dit heeft niet in de krant gestaan, want we hebben het stil weten te houden. Maar bij twee van de drie lijken die we hebben gevonden, was een haar om de grote teen gewikkeld. Die haren zijn minstens tien jaar oud.' Zijn borst zwol op en daalde weer. 'En ze komen precies overeen met jouw DNA.'

Alex was stomverbaasd. 'Mijn DNA? Hoe weet je dat? Ik heb je nooit een monster gegeven.'

Hij deed zijn ogen dicht. 'Jawel. Weet je nog, dinsdag, toen je met Ed naar Baileys huis ging en ik je kuste en aan je haar trok?'

Alex' kaak verstrakte. 'Deed je dat expres? Waarom? Waarom heb je het niet gewoon gevraagd?'

'Omdat ik niet wilde dat je je zorgen maakte. Ik wilde –'

'Je wilde me niet kwetsen,' voltooide ze. 'Daniel...' Ze schudde haar hoofd, wilde boos zijn, maar hij keek zo ellendig dat ze het niet kon opbrengen. 'Het geeft niet.'

Hij deed zijn ogen open. 'Nee?'

'Nee. Je dacht dat het zo het beste was. Doe het alleen niet nog eens, oké?'

'Oké.' Hij trok haar weer tegen zich aan. 'Laten we maar gaan slapen.'

Ze nestelde zich tegen hem aan. Toen drong de volle betekenis van wat hij had gezegd tot haar door, en ondanks de warmte die van zijn lichaam afstraalde kreeg ze het koud.

'Hij heeft haren van Alicia,' fluisterde ze.

'Ik weet het, lieverd.'

De angst sijpelde haar ingewanden binnen. 'Hoe komt hij daaraan, Daniel?'

De greep van zijn arm, die beschermend om haar heen lag, werd nog steviger. 'Dat weet ik nog niet. Maar ik kom er wel achter.'

Donderdag 1 februari, 2:30 uur

'Bailey,' fluisterde Beardsley. 'Leef je nog?'

Bailey haalde voorzichtig, oppervlakkig adem. 'Ja.'

'Heb je hem nog meer verteld?'

'Weet ik niet meer,' zei ze, en haar stem brak. Ze snikte.

'Ssst. Niet huilen. Misschien heeft Alex hem gewoon verstopt.'

Bailey probeerde na te denken. 'Dat had ik haar gevraagd, in mijn brief.'

'Brief? Dus je had hem opgestuurd?' mompelde hij. 'Naar Ohio? Wanneer?'

'De dag dat ze me meenamen. Donderdag.'

'Dan heeft ze hem misschien niet gekregen. Ze kwam hier zaterdag aan.'

Bailey haalde nog eens adem, sneller deze keer. 'Dan weet ze misschien niks van de sleutel.'

'We moeten tijd rekken. Als je het hem moet vertellen, zeg dan dat je hem had opgestuurd naar haar adres in Ohio. Als ze daar gaan kijken is zij er toch niet, dus zijn zij en Hope veilig. Hoor je wat ik zeg?'

'Ja.'

Dutton, donderdag 1 februari, 5:30 uur

Hij reed langzaam langs Alex Fallons bungalowtje, met samengeknepen ogen. Er zat politielint over haar voordeur. Hij vroeg zich af of die klootzakken die haar eergisteren hadden geprobeerd dood te rijden, haar uiteindelijk toch koud hadden gemaakt. Hij hoopte maar van niet. Hij wilde haar in leven houden, zodat hij haar zelf kon vermoorden. Anders zou zijn cirkel niet rond zijn, en dat zou verdomde jammer zijn.

Hij reed met een slakkengangetje verder en deed waarvoor hij betaald werd. Een paar huizen verderop hobbelde de oude Violet Drummond de straat op, en hij gaf haar door het raampje een krant aan. 'Morgen, mevrouw Drummond.'

'Morgen,' zei ze veelbelovend.

'Wat is er bij de bungalow gebeurd?' vroeg hij nonchalant.

Ze tuitte haar lippen alsof ze een citroen had gegeten. 'Inbraak. Iemand heeft de spullen van dat meisje van Tremaine overhoop gehaald en haar hond vergiftigd. Het hele huis is aan puin. Zodra ze in de stad aankwam wist ik al dat ze problemen mee zou brengen. Ze had gewoon weg moeten blijven.'

Hij keek via zijn zijspiegel naar de bungalow. Iemand was slordig geweest. Iemand begon bang te worden. Vanbinnen grijnsde hij. Vanbuiten keek hij bezorgd. 'Ja. Fijne dag nog, mevrouw Drummond.'

Hij reed weg, opgelucht dat Alex Fallon nog leefde, maar geërgerd omdat ze nu meer dan ooit op haar hoede zou zijn – en niet langer op die handige plek aan Main Street woonde. Maar hij wist wel waar ze logeerde. Zij en Vartanian zaten constant op elkaars lip. Maar hij en Vartanian zouden elkaar snel ontmoeten, en dan zou hij Alex grijpen.

Nu zou hij zijn werk afmaken en dan een beetje slapen. Hij had een heel drukke nacht gehad.

Atlanta, donderdag 1 februari, 5:55 uur

Ze werd gewekt door de telefoon, en Alex nam slaapdronken op. 'Met Fallon. Wat is er, Letta?'

'Eh, ik ben Letta niet en ik wil Daniel spreken. Is hij daar?'

Alex ging rechtop zitten, nu wakker. 'Sorry. Wacht.' Ze porde tegen Daniels arm. 'Ik geloof dat het Chase is. Ik was zo duf dat ik dacht dat ik thuis was en dat mijn hoofdverpleegkundige aan de telefoon was.'

Daniel tilde zijn hoofd op, met zware ogen van de slaap. 'O, verdomme. Geef maar.'

Ze gaf hem de telefoon en vroeg zich af of ze problemen zouden krijgen met hun... slaapregeling. Ze keek grimassend op de klok. Veel hadden ze niet geslapen.

'Sorry. Ik had je wel gebeld over haar moeder.' Daniel ging overeind zitten en boog zich naar voren terwijl hij met zijn vrije hand zijn slapen masseerde. Hij had nu al hoofdpijn. 'Ik had je moeten bellen over de inbraak bij de bungalow, maar ik moest met Riley naar de dierenarts.' Hij keek naar haar met een hoopvolle grijns, draaide toen met zijn ogen. 'Nou, ja, dat ook.'

Alex schoof naar hem toe zodat ze naast zijn heup geknield zat. Ze tilde zijn kin op en zag een schaduw van pijn langs zijn ogen trekken. Ze drukte haar duimen tegen zijn slapen, haar lippen op zijn voorhoofd, tot ze hem voelde ontspannen. Ze leunde naar achteren en hij knikte, maar hij glimlachte niet.

'Wanneer?' vroeg hij. 'Wie? Nooit van gehoord. Waarom heeft de politie van Atlanta ons niet gebeld? Ik dacht dat er een foto van dat joch in elke politieauto in de stad hing.' Hij zuchtte. 'Ja, dat zal het inderdaad wel lastig maken om zijn gezicht te zien. Goed.' Hij rechtte zijn rug en keek op de klok. 'Alwéér? Dan is er nog een. Wie schaduwt hem? Mooi. Laat hem me bellen als Woolf stopt. Ik kom er zo snel mogelijk aan.' Hij wilde ophangen, wachtte even, keek naar Alex. 'Ik zal het haar zeggen. Bedankt, Chase.'

Hij gaf haar de telefoon en ze hing op, maar haar maag begon al te draaien. 'Van wie had de politie van Atlanta een foto in de auto?'

'Een jongen die we zoeken. Ze hebben hem dood in een steegje gevonden, een paar straten van zijn auto vandaan.' Hij wreef met zijn handen over zijn gezicht. 'In zijn hoofd geschoten, allemaal bloed op zijn gezicht. Niemand herkende hem, tot ze hem naar het mortuarium hadden gebracht en zijn gezicht was schoongemaakt. Ze vonden zijn auto, hebben het kenteken nagetrokken. Maar ik heb nooit van hem gehoord.'

'Hoe heet hij dan?'

'Sean Romney.'

'Die ken ik ook niet.' Ze dwong zichzelf de moeilijkere vraag te stellen. 'Is Woolf weer op pad?' vroeg ze, en hij knikte.

'Ik moet daarheen, en jij kunt niet in je eentje hier blijven.'

'Ik kan over tien minuten klaar staan,' zei ze, en hij leek onder de indruk. 'Als je op de spoedeisende hulp werkt, moet je altijd klaar zijn voor een grote crisis. We krijgen bij ons ziekenhuis alle gevallen die vanuit een omtrek van honderd kilometer met helikopters worden aangevoerd. Dus ik kan wel snel zijn als het moet.' Ze rolde uit bed, maar hij bleef nog even zitten om naar haar te kijken. 'Wat is er?'

Zijn ogen hadden die doordringende kleur blauw waar ze de rillingen van kreeg. 'Je bent mooi.'

'Jij ook. Ik hoop dat je geen problemen krijgt doordat ik zomaar de telefoon aannam.'

Hij stapte uit bed en draaide met zijn schouders, terwijl zij toekeek, gewoon omdat het haar genoegen deed. 'Nee,' zei hij lijzig. 'Chase wist het al.'

Haar ogen werden groot. 'Heb je het hem vertéld? *Daniel!*'

'Nee,' zei hij. 'Ik ben een man, Alex. Als wij mannen ongelooflijke seks hebben op de bank, staat het op ons voorhoofd geschreven. Iederéén weet het.'

'O. Nou, oké dan.' Ze voelde haar wangen warm worden. 'En wat moest je me van Chase vertellen?'

Daniel werd meteen weer ernstig. 'Dat hij het erg vindt van je moeder. Schiet op. We moeten weg.'

19

Tuliptree Hollow, Georgia, donderdag 1 februari, 7:00 uur

Daniel liep naar de greppel, met de *Review* onder zijn arm. Ed was er al in geklommen en keek toe terwijl Malcolm en Trey het nieuwste slachtoffer op een brancard tilden.

'Ed, kom eens naar boven,' riep Daniel. 'Ik moet je iets laten zien.'

Ed krabbelde tegen de houten plaat op die ze tegen de zijkant van de greppel hadden gezet. 'Weet je, ik ben het verrekte beu om lijken in dekens te vinden,' zei hij. Hij keek naar Daniels auto, waar Alex ineengedoken in een overjas van Daniel gewikkeld zat. 'Hoe gaat het met haar?'

Daniel keek achterom. 'Ze redt zich wel.' Hij gaf Ed de krant. 'Kijk.'

Eds ogen werden meteen groot. 'Verdomme. Het is die knul die de dekens had gekocht.'

'En die Janets z4 had opgehaald.' Daniel tikte op de pagina. 'Foto van je weet wel wie.'

Ed trok een woest gezicht. 'Hij zit in die boom daar. Ik dacht dat jij hem er misschien wel weer uit zou willen rukken.'

'Met alle plezier. Kijk eens naar de naam van dat joch.'

'Sean Romney, uit Atlanta. En?'

'En... Woolf schrijft hier dat Sean Romney de kleinzoon is van Rob Davis uit *Dutton,* eigenaar van de bank in *Dutton*. Dat maakt Romney een achterneef van Garth Davis, de burgemeester van *Dutton*. Heb je al genoeg *Dutton*s gehoord? Ik wil niemand beschuldigen,' voegde Daniel er fluisterend aan toe, 'maar Garth Davis heeft zijn diploma een jaar eerder gehaald dan Simon en Wade, alleen dan van Bryson Academy.'

Ed blies zijn wangen op. 'De burgemeester? Dat wordt leuk om te bewijzen.'

'We hebben het er op het bureau nog wel over. Nu ga ik Woolf uit zijn boom trekken.'

Woolf klom al omlaag toen Daniel aankwam. 'Godverdomme, Jim. Wat heb je toch? In bomen klimmen alsof je twaalf bent.'

Woolf haalde zijn schouders op. 'Ik sta op openbaar terrein, dus je kunt me niet wegsturen. Dit is een fascinerend verhaal, Daniel. Het moet worden verteld.'

Fascinerend. De woede spoot als een geiser op in Daniels hoofd. 'Verdomme. *Fascinerend verhaal.* Vertel dat maar aan de slachtoffers en hun familie. Je maakt je foto's verdomme vanuit een boom. Wat klinisch, wat verrekte áárdig. Je gaat met mij mee. Je gaat een slachtoffer ontmoeten, van dichtbij en heel persoonlijk.' Hij liep weg, draaide zich weer om. Woolf had zich niet bewogen. Daniels ogen vernauwden zich tot spleetjes. 'Dwing me niet je mee te sleuren, Jim.'

Langzaam liep Woolf mee, met een mengeling van nieuwsgierigheid en onrust op zijn gezicht. Malcolm en Trey tilden het lijk van de draagbaar op de brancard. 'Trek die deken opzij, Malcolm,' beval Daniel scherp.

Malcolm gehoorzaamde. 'Het is hetzelfde. Gezicht ingeslagen, blauwe plekken rondom de mond.'

'Deze heeft heel wat hardware,' zei Trey. 'Een heleboel oorbellen, in beide oren. Een neusring en een tongpiercing.' Hij wees naar de schouder van het slachtoffer. 'En een tattoo. Hier staat L-E-L-L. Leven en laten leven.'

Er klonk een bons achter hem. Daniel draaide zich om en zag Jim Woolf staan in een verstijfde houding. Zijn camera was op de grond gevallen. Daniel had plotseling een heel aardig idee van wie die vrouw was. Hij zou zich schuldig moeten voelen omdat hij Jim dwong te kijken, maar hij voelde enkel medelijden met de jonge vrouw die nooit meer een leven zou hebben. Voor alle jonge vrouwen die nooit meer een leven zouden hebben. Het was, dacht hij bitter, een *fascinerende* ontwikkeling. 'Jim?'

Woolfs mond ging open in van afgrijzen vervulde stilte. Hij zei niets, staarde alleen maar.

Daniel zuchtte. 'Ed, kun jij meneer Woolf in je auto zetten? Dit is zijn zus, Lisa.'

Atlanta, donderdag 1 februari, 8:35 uur

Daniel en Ed lieten zich in een stoel aan de vergadertafel zakken. Chase en Luke zaten er al. Talia was vertrokken om de verkrachtingsslachtoffers, die ze met behulp van de jaarboeken hadden geïdentificeerd, te interviewen. Daniel hoopte dat zij meer geluk zou hebben dan hij.

'We hebben nog twee lijken,' zei Daniel. 'Sean Romney en Lisa Woolf. Toen hij zijn zus zo zag, werd Jims tong wat losser. Hij vertelde me dat een man hem had gebeld met "tips" over de lijken van Janet en Claudia. Alle andere "tips" waren sms'jes die binnenkwamen op een prepaid mobieltje. Het was nergens geregistreerd, dus we hadden dat niet in ons bevelschrift meegenomen.'

'En alle inkomende sms'jes waren ontraceerbaar,' voegde Ed er zuchtend aan toe.

'Misschien is hij nu wat minder willig om verhalen voor die moordenaar de wereld in te helpen, nu zijn zus een slachtoffer is,' zei Chase duister.

Luke las de voorpagina van de *Dutton Review* die Daniel had meegenomen. 'Wie is die Romney?'

'De alarmcentrale in Atlanta kreeg een anoniem telefoontje dat er een dode jongeman in een steegje lag,' zei Daniel. 'Ze vonden Sean Romney met een kogel in zijn hoofd. Ze herkenden hem kennelijk niet aan de hand van de foto in hun auto, omdat er te veel bloed op hem zat. Ze identificeerden hem pas toen hij rond vijf uur vanochtend was gewassen in het mortuarium. Toen belden ze Chase, en Chase belde mij.'

'Hij was pas achttien,' merkte Luke op. 'Hij zat nog op de kleuterschool toen Alicia werd vermoord en die meisjes werden verkracht. En hij is opgegroeid in Atlanta.'

'Maar hij heeft iets te maken met Dutton,' zei Daniel vermoeid. 'Sean is de kleinzoon van Rob Davis, die eigenaar is van de bank in Dutton. Rob Davis is de oom van Garth Davis. Garths vader was jarenlang de burgemeester daar en beste vrienden met congreslid Bowie. Ik denk dat Sean net zoiets is als de sleutels aan de tenen van de slachtoffers. Beslist een boodschap.'

'En jij denkt dat die boodschap gericht is aan Garth Davis,' zei Chase.

Daniel knikte verontrust. 'Garth heeft wél de juiste leeftijd, maar hij liep een jaar voor op Simon en Wade. Garth kende Simon. We kunnen het verband met Simons foto's niet negeren.'

'Jij hebt Garth gekend,' zei Ed. 'Was hij in staat tot de verdorvenheid op die foto's?'

'Voorheen zou ik hebben gedacht van niet. Ik hoop nog steeds van niet. Ik zat een paar klassen hoger dan hij, dus ik kende hem niet al te goed. Ik weet wel dat hij een paar keer bij ons thuis is geweest voor Simon. Ik zou niet bepaald zeggen dat ze vrienden waren, maar ze gingen wel met elkaar om.'

Luke schudde zijn hoofd. 'Misschien heeft hij Simon wel gekend, maar heeft hij ook die vrouwen vermoord?'

Daniel richtte zich weer op het heden. 'Garth kan Claudia niet hebben vermoord. Hij was bij het huis van congreslid Bowie op maandagavond, in het tijdsbestek waarin Claudia volgens Felicity is vermoord. Maar Garth is de eerste die we in verband kunnen brengen met Simon en een van die slachtoffers.'

'Nee, Jim Woolf houdt verband met alle slachtoffers,' corrigeerde Chase. 'Hij heeft van hen allemaal foto's gemaakt voor die stomme krant van hem. Hij krijgt al die tips aangeleverd op een zilveren presenteerblaadje. De dader moet weten dat we Woolf in de gaten houden. Waarom blijft hij hem tips geven als hij weet dat Woolf door ons zal worden geschaduwd?' Chase trok vragend zijn wenkbrauwen op.

'Behalve als hij wíl dat we Woolf in de gaten houden.'

'Hij heeft Jim naar het graf van zijn eigen zus gestuurd,' zei Ed. 'Behoorlijk krachtige boodschap.'

'Die kerel heeft een hoop moeite gedaan om Lisa Woolf te krijgen,' zei Daniel peinzend. 'Ze studeerde aan de universiteit in Athens. Hij moest ofwel daarheen rijden, ofwel haar hierheen lokken. Ik heb haar telefoongegevens opgevraagd en het kantoor in Athens gebeld. Ze gaan haar appartement doorzoeken en met haar vrienden praten. Misschien heeft iemand gezien dat hij haar gisteravond volgde.'

Chase wees naar de *Review*. 'Ik wil weten hoe Woolf aan die foto is gekomen. De agent die hem schaduwde zei dat Woolf van negen uur gisteravond tot twee uur vannacht op het kantoor van de krant was. Hoe is Woolf naar Atlanta gekomen om die foto van Romney te maken? Hij moet iemand anders hebben gestuurd.'

'Hij zou niet zomaar iedereen vertrouwen,' zei Daniel. 'Ik durf te wedden dat die goeie ouwe Marianne er iets mee te maken had. Dat is Jims vrouw. Al heeft Jim natuurlijk vergeten dat te vermelden toen hij zijn ziel blootlegde.'

Ed keek nog altijd peinzend naar de krant. 'Wacht even. De politie in Atlanta identificeerde het lijk pas om vijf uur vanochtend, toen het was gewassen in het mortuarium. Woolf moest zijn verhaal hebben voordat de persen werden gestart. Zelfs bij een krantje als de *Review* moet dat rond middernacht zijn. Ik bedoel, de krant valt tegen zes uur op de mat in Dutton.'

Daniel dacht aan de krantenjongen die de vorige ochtend langs was gekomen, toen Alex en hij nog nahijgend op de bank lagen, en hij voelde zijn wangen branden. 'Het was inderdaad rond die tijd,' beaamde hij. 'Dus Jim Woolf wist op een of andere manier wie Romney was voordat de politie het wist. Dat is meer dan een tip. Dat kan een samenzwering zijn.'

'Je hebt gelijk,' zei Chase. 'Laten we hem ophalen. Misschien zal de dreiging van een echte gevangenisstraf zijn tong nog wat losser maken. Daniel, praat jij met die Marianne?'

'Zodra we klaar zijn. Hebben we van Koenig en Hatton gehoord?'

Chase knikte. 'Koenig belde ongeveer anderhalf uur geleden. Hij zei dat ze de hele nacht hadden gezocht, maar ze hebben Crighton niet kunnen vinden. Ze waren van plan tijdens het ontbijt langs te gaan bij de opvangcentra, en daarna zouden ze naar huis gaan en het vanavond opnieuw proberen.'

'Verdomme.' Daniel klemde zijn kaken op elkaar. 'Ik hoopte echt dat ik die klootzak kon arresteren.'

'Ik heb gisteravond nog eens gekeken naar die band van Alex en McCrady,' zei Ed, 'en ik heb zitten denken: Alex herinnerde zich dat Crighton zei dat Alicia "erom vroeg met haar korte broeken". Het lijkt erop dat hij misschien van die verkrachting wist.'

'Je hebt gelijk,' zei Daniel. 'Hij zei dat Wade Alicia niet had vermoord, maar dat is logisch. Als Wade Alicia heeft verkracht, dan is dat waarschijnlijk wat hij heeft opgebiecht aan pastoor Beardsley voor hij stierf. Misschien staat dat ook in de brieven aan Bailey en Crighton.'

'Ik heb Crighton nagetrokken,' zei Luke. 'Toen Alicia was overleden en Crighton Alex' moeder had vermoord, ging het snel bergafwaarts met hem. Hij had voorheen een goeie baan, maar er is al bijna dertien jaar niets meer van hem vernomen. Geen inkomstenbelasting, geen gegevens van creditcards. Niks.'

'In plaats daarvan leeft hij op straat en speelt fluit, voor kwartjes,' zei Daniel minachtend. 'En slaat hij arme oude nonnetjes in elkaar.'

'O.' Ed schudde fel zijn hoofd. 'Over die fluit. Ik heb de spullen bekeken die we in Baileys huis hebben gevonden, en daar stond een lege fluitkoffer bij. Hij zag er heel oud uit, alsof hij in jaren niet was gebruikt. Enorme stofnesten in de spleten en scharnieren, maar de binnenkant was schoon. Speelde Bailey ook fluit?'

Daniel fronste nadenkend zijn wenkbrauwen. 'Dat zou Alex dan wel meteen hebben gezegd, denk ik. Ik zal het haar vragen.'

'Heb je het verteld over die haren?' vroeg Chase.

'Ja. Vanochtend heb ik haar gevraagd wat er met de spullen van Alicia was gedaan. Ze zei dat haar tante Kim ze naar Ohio had gestuurd, en dat de dozen sindsdien in de opslag staan. Maar ze zei ook dat zij, Bailey en Alicia vaak kleren, make-up en haarborstels van elkaar gebruikten, en Bailey en Alicia sliepen destijds op één kamer omdat Alicia boos was op Alex. Die haar kan nog altijd recent uit Baileys huis zijn gehaald.'

'Ik denk van niet,' zei Ed. 'Als hij al die tijd in een borstel had gezeten, zou hij geknakt zijn, maar hij is intact, en stofvrij. Hij heeft ingepakt gezeten.'

'Een souvenir van de verkrachting,' zei Chase langzaam. 'Verdomme.'

'En, eh, dan nog wat.' Ed legde een plastic zakje op tafel.

Daniel hield hem op tegen het licht. 'Een ring met een blauwe steen. Waar heb je die gevonden?'

'In de slaapkamer waarvan Alex zei dat die vroeger van haar was, pal onder het raam.'

'Ze staarde naar haar handen toen Gary Fulmore het over de ring van Alicia had,' zei Daniel zachtjes. 'Gary zei dat Alicia hem omhad toen hij haar in die deken wikkelde, maar Wanda bij het bureau van de sheriff zei dat ze hem in Fulmores zak hadden gevonden.'

'Als die ring om haar vinger zat toen ze werd gevonden, heeft het bureau van de sheriff in Dutton met bewijzen gerommeld,' zei Chase, net zo zachtjes.

Daniel zuchtte. 'Ik weet het. We moeten weten of ze die ring om haar vinger had toen ze werd gevonden. Ik ga vanochtend naar Dutton om met Garth en zijn oom over Sean Romneys dood te praten. Ik zal ook even bij de jongens van Porter langsgaan als ik daar ben. Zij hebben Alicia gevonden. Ik zal vragen of zij zich een ring herinneren. Luke, verwerk jij alle namen die Leigh uit de jaarboeken heeft gehaald?'

Luke keek naar de afdrukken die zijn assistent de vorige dag had gemaakt en grimaste. 'Waar wil je dat ik begin?'

'Richt je voorlopig op de openbare school waar Simon, Wade en Rhett op zaten, en de particuliere school waar Garth en ik op zaten. Kijk of er personen bij zitten met een strafblad of een achtergrond van gewelddadig gedrag. Kijk of er personen bij zitten die... ik weet niet, betrokken zijn geweest bij rare dingen.'

Luke keek hem twijfelend aan. 'Rare dingen. Oké.'

'En ik ga verder met het bellen van alle potentiële doelwitten die ik gisteren niet heb gesproken,' zei Chase zuchtend. 'Misschien kunnen we hem voor zijn, voordat hij er nog eentje vermoordt.'

Dutton, donderdag 1 februari, 8:35 uur

Hij stapte zijn veranda op, hondsmoe na weer een nacht posten voor Kates huis. Hij was zelfs ergens na vier uur vanochtend in slaap gevallen. Toen hij wakker werd scheen de zon en reed Kate de oprit af om naar het werk te gaan. Ze had hem bijna gezien, en dan had hij het moeten uitleggen. Gezien de drie slachtoffers kon hij waarschijnlijk gewoon zeggen dat hij bezorgd was, maar daar was Kate te slim voor. Ze zou iets vermoeden.

Dit moest snel afgelopen zijn. Hoe dan ook. Zijn vrouw wachtte hem op bij de deur, met rode ogen van het huilen, en zijn hartslag versnelde.

'Wat is er gebeurd?'

'Je oom Rob is er. Hij wacht al sinds zes uur op je. Sean is dood.'

'Wát? *Sean* is dood? Wanneer? Hoe?'

Ze keek hem met trillende lippen aan. 'Wie had jíj dan verwacht dat er dood was?'

Hij liet zijn hoofd hangen, te uitgeput om na te denken. 'Kate.'
Ze blies zachtjes haar adem uit. 'Rob is in de bibliotheek.'
Zijn oom zat bij het raam, met een grijs en vermoeid gezicht. 'Waar heb jij gezeten?'
Hij nam de stoel naast die van Rob. 'Ik heb op Kate gepast. Wat is er gebeurd?'
'Ze hebben hem in een steeg gevonden.' Zijn stem brak. 'Ze konden hem niet eens meteen identificeren. Er zat te veel bloed op zijn gezicht. De politie zegt dat ze Sean zochten, dat ze zijn foto op het nieuws hebben laten zien. Mijn kleinzoon, op het nieuws.'
'Waarom zochten ze hem?'
Robs ogen vulden zich met woede. 'Omdat,' zei hij knarsetandend, 'ze zeggen dat ze bewijs hebben dat hij degene hielp die Claudia Silva, Janet Bowie en Gemma Martin heeft vermoord.'
'En Lisa Woolf,' voegde zijn vrouw er vanuit de deuropening aan toe. 'Ik heb het net op CNN gezien.'
Rob wendde zich naar hem toe, met bitterheid in elke rimpel van zijn gezicht. 'En Lisa Woolf. Dus vertel mij maar wat je weet. En wel nú.'
Hij schudde zijn hoofd. 'Ik weet niks.'
Rob sprong overeind. 'Je líégt! Ik wéét dat je liegt.' Hij wees met een trillende vinger. 'Je hebt dinsdagavond honderdduizend dollar overgemaakt naar een rekening in het buitenland. Gisteren kreeg ik een bezoeker bij de bank, om in Rhett Porters kluisje te kijken.'
Hij voelde de kleur uit zijn gezicht wegtrekken. Toch hief hij zijn kin. 'En?'
'Én, toen hij vertrok zei hij: "Zeg Garth dat ik hem heb." Wat bedoelt hij daarmee?'
'Heb jij iemand honderdduizend dollar betaald?' Het gezicht van zijn vrouw stond stomverbaasd en geschokt. 'Zo veel geld hebben we niet, Garth.'
'Hij heeft de studierekening van de kinderen geplunderd,' zei Rob kil.
De mond van zijn vrouw viel open. 'Jij smeerlap. Ik heb over de jaren een heleboel van je geslikt, maar nu steel je van je eigen kinderen?'
Het ging mis. Allemaal. 'Hij bedreigde Kate.'

'Wie?' wilde Rob weten.

'De moordenaar van al die vrouwen. Hij bedreigde Kate en Rhett. Dus heb ik betaald om Kate in leven te houden. De volgende morgen was Rhett dood.' Hij probeerde te slikken, maar zijn mond was te droog. 'En voor Kates veiligheid zou ik wéér betalen.'

'Nee, dat doe je niet!' krijste zijn vrouw. 'Mijn god, Garth, ben je gék?'

'Nee,' zei hij zachtjes. 'Ik ben niet gek. Rhett is dood.'

'En jij denkt dat die kerel hem heeft vermoord,' zei Rob rustig. 'Zoals hij Sean heeft vermoord.'

'Ik wist dat niet van Sean,' zei hij. 'Eerlijk niet. Hij had geen foto van Sean gestuurd.'

Rob liet zich in de stoel vallen. 'Hij heeft je foto's gestuurd,' zei hij ijl.

'Ja. Van Kate. En Rhett.' Hij weifelde. 'En nog anderen.'

Zijn vrouw liet zich langzaam op de loveseat zakken. 'We moeten het de politie vertellen,' zei ze.

Hij lachte bitter. 'Dat is één ding dat we zeker niet gaan doen.'

'Hij kan wel achter onze kinderen aan gaan. Heb je daaraan gedacht?'

'De afgelopen vijf minuten? Ja. Voordat ik het hoorde van Sean, nee.'

'Jij weet waarom die moordenaar dit doet,' zei Rob kil. 'Dat ga je me vertellen, en wel nu.'

Hij schudde zijn hoofd. 'Nee, dat doe ik niet.'

Rob kneep zijn ogen tot spleetjes. 'En waarom dan wel niet?'

'Omdat ik niet weet wie Rhett heeft vermoord.'

'Garth, wat is hier aan de hand?' fluisterde zijn vrouw. 'Waarom kunnen we niet naar de politie?'

'Dat vertel ik je niet. Geloof me, het is veiliger voor je als je het niet weet.'

'Je geeft niks om onze veiligheid. Je hebt jezelf mee laten slepen in een of andere rottige toestand waar wíj bij betrokken zijn. Ik en je eigen kinderen. Dus kom niet aan met die... *bullshit*. Vertel op, of ik ga nu meteen naar de politie.'

Ze meende het. Ze zou naar de politie stappen. 'Ken je Jared O'Brien nog?'

'Hij is verdwenen,' zei Rob met een vlakke, afstandelijke stem.

'Nou, ja. Hij is waarschijnlijk dronken geworden en op een nacht van de weg gereden en...' Ze werd bleek. 'Net als Rhett. O, god. Garth, wat heb je gedaan?'

Hij gaf geen antwoord. Dat kon hij niet.

'Wat het ook was, daardoor zit er nu iemand achter je aan,' zei Rob. 'Als het alleen om jou ging zou ik ze hun gang laten gaan. Maar godallemachtig, dit verwoest mijn familie. We weten allemaal dat Sean niet zo slim was als de rest van jullie. Hij heeft hem gebruikt, *hem gebruikt en vermoord* om jóú een boodschap te sturen.' Hij stond op. 'Het is afgelopen, Garth.'

Garth keek op naar zijn oom. 'Wat ga je doen?'

'Dat weet ik nog niet.'

'Ga je naar de politie?' vroeg zijn vrouw, die nu huilde.

Rob snoof. 'Niet in deze stad.'

Garth stond op. Keek zijn oom in de ogen. 'Ik zou maar niks zeggen als ik jou was, Rob.'

'En waarom dan wel niet?'

'Heb je een paar uur de tijd? Alhoewel, eigenlijk zou het me maar een paar minuten kosten. Een paar telefoontjes en je hebt zo snel een bankinspecteur op je dak...'

Robs bleke gezicht kreeg boze vlekken. 'Heb je het lef om míj te bedreigen?'

'Ik heb het lef om te doen wat ik moet doen,' zei hij kalm.

Zijn vrouw sloeg haar hand voor haar mond. 'Dit is ongelooflijk. Een nachtmerrie.'

Hij knikte. 'Dat is waar. Maar als je je mond houdt en rustig blijft overleven we dit misschien wel.'

Atlanta, donderdag 1 februari, 9:15 uur

Het was stil in het kamertje met de doorkijkspiegel waar ze zaten te wachten op dokter McCrady. Alex zette haar elleboog op tafel, legde haar wang op haar vuist en keek naar Hope, die zat te kleuren. 'Nu gebruikt ze tenminste ook andere kleuren,' mompelde ze.

Meredith keek met een droevige glimlach op. 'Zwart en blauw. We boeken vooruitgang.'

Iets in Alex knapte. 'Maar niet genoeg. We moeten aandringen, Mer.'

'Alex,' waarschuwde Meredith.

'Jij hebt ze vanochtend niet die vrouw uit de greppel zien halen,' kaatste Alex terug, en haar stem sloeg over van woede. 'Ik wel. Mijn god, met Sheila erbij zijn er al vijf vrouwen dood. Dit moet ophouden. Hope, ik moet met je praten, en jij moet luisteren.' Ze pakte Hopes kin, tot de hand van het kind stilviel en grote grijze ogen naar haar opkeken. 'Hope, heb je gezien wie je mama pijn heeft gedaan? Alsjeblieft, lieverd, ik moet het weten.'

Hope wendde haar blik af, maar Alex trok haar weer terug, terwijl de wanhoop in haar keel klauwde. 'Hope, zuster Anne heeft me verteld hoe slim je bent, hoeveel woorden je kent en hoe goed je kunt praten. Je moet nu tegen me praten. Je bent slim genoeg om te weten dat je mama weg is. Ik kan haar niet vinden.' Alex' stem brak. 'Je moet met me praten, zodat ik haar kan vinden. Heb je de man gezien die je mama heeft meegenomen?'

Langzaam knikte Hope. 'Het was donker,' fluisterde ze met een klein stemmetje.

'Lag je in bed?'

Hope schudde nee, met ogen vol ellende. 'Ik ben naar buiten geslopen.'

'Waarom?'

'Ik hoorde die man.'

'De man die haar pijn heeft gedaan?'

'Hij ging weg en ze huilde.'

'Heeft hij haar geslagen?'

'Hij ging weg en ze huilde,' zei ze opnieuw. 'En speelde.'

'Met speelgoed?' vroeg Alex.

'Fluit.' De woorden waren amper een fluistering.

Alex fronste haar wenkbrauwen. 'Je moeder speelde op een grote, glanzende hoorn. Dat is anders dan een fluit.'

Hopes mond vertrok koppig. 'Fluit.'

Meredith legde een leeg vel papier voor Hope neer. 'Teken het voor me, lieverd.'

Hope pakte haar zwarte krijtje op en tekende een kinderlijk, rond gezicht. Ze maakte ogen, een neus en een dunne rechthoek die zijdelings uitstak van de plek waar de mond hoorde. Toen koos ze een zilvergrijs krijtje uit de doos en kleurde het dunne rechthoekje in. Ze keek naar Alex op. 'Fluit,' zei ze.

'Het is inderdaad een fluit,' zei Meredith. 'Dat is een goeie tekening, Hope.'

Alex omhelsde Hope. 'Het is een prachtige tekening. Wat is er met de fluit gebeurd?'

Hope sloeg haar blik weer neer. 'Ze speelde het liedje.'

'Het liedje van je opa. Wat gebeurde er toen?'

'We gingen rennen.' Haar woorden waren amper te verstaan.

Alex' hart ging tekeer. 'Waarheen?'

'Het bos.' Hope fluisterde het en kromp helemaal ineen.

Alex tilde Hope op schoot en wiegde haar. 'Was je in het bos met mama?'

Hope begon te huilen, een zacht, klaaglijk geluid dat pijn deed in Alex' hart. 'Ik ben bij je, Hope. Niemand zal je iets doen. Waarom zijn jullie naar het bos gerend?'

'De man.'

'Waar gingen jullie je verstoppen?'

'De boom.'

'In een boom?'

'Onder de bladeren.'

Alex haalde diep adem. 'Heeft mama je bedekt met bladeren?'

'Mama.' Het was een angstige smeekbede.

'Heeft hij mama pijn gedaan?' fluisterde Alex. 'Heeft die man mama pijn gedaan?'

'Ze rende weg.' Hopes handen grepen paniekerig Alex' blouse vast. 'Hij kwam, dus rende ze weg. Hij p-p-pakte haar en sloeg haar en sloeg haar en...' Hope wiegde heen en weer terwijl ze de woorden prevelde. Nu ze eenmaal praatte leek ze niet meer te kunnen ophouden.

Omdat ze het niet meer kon aanhoren, legde Alex haar hand om Hopes hoofd en drukte haar tegen haar schouder aan terwijl het kind snikte.

Merediths armen kwamen om haar heen en ze bleven zitten, luisterend naar het verstikte gesnik van Hope. 'Bailey had Hope verstopt, zodat hij haar niet zou vinden,' fluisterde Alex. 'Ik vraag me af hoelang je onder die bladeren bent blijven zitten, lieverd.'

Hope zei niets, wiegde heen en weer en snikte alleen tot ze uiteindelijk hijgend wat bedaarde, met zweet op haar voorhoofd en kletsnatte wangen. De voorzijde van Alex' blouse was drijfnat en Hope omklemde de stof nog altijd met haar handen. Alex verschoof een stukje, peuterde de vuistjes open en wiegde haar.

De deur achter hen ging open en Daniel en Mary McCrady kwamen met ernstige gezichten binnen. 'Heb je het gehoord?' vroeg Alex.

Daniel knikte. 'Ik kwam net de andere kamer in toen ze die fluit begon te tekenen. Ik heb Mary gebeld.'

'Ik was al onderweg voor onze sessie.' Mary streelde Hopes haar. 'Dat was moeilijk, Hope, maar ik ben heel trots op je. En tante Alex ook.'

Hope drukte haar gezicht tegen Alex' borst en Alex vouwde haar armen beschermend om het kind heen. 'Kunnen we het hier voorlopig bij laten?'

'Ja,' zei Mary met een medelevende blik. 'Hou haar nog maar een tijdje vast. Maar laten we niet te lang wachten, oké? Ik denk dat we nu misschien ergens komen met de tekenaar.'

'Eventjes nog,' drong Alex aan. Ze keek op naar Daniel, die zijn blik op haar liet rusten met een bijna voelbare streling. Toen spreidde hij zijn grote hand over Hopes ruggetje, in een zo teder gebaar dat het haar de adem benam.

'Je hebt het goed gedaan, Hope,' zei hij zachtjes. 'Maar, lieverd, mag ik je nog één vraag stellen? Het is belangrijk,' voegde hij eraan toe, meer voor haar, dacht Alex, dan voor Hope.

Hope knikte, met haar gezicht nog tegen Alex aan gedrukt.

'Wat is er met de fluit van je mama gebeurd?'

Hope huiverde. 'In de bladeren,' antwoordde ze met gedempte stem.

'Oké, lieverd,' zei Daniel. 'Dat is alles wat ik moest weten. Ik ga Ed nog eens in dat stuk bos laten kijken. Ik kom straks weer terug.'

Atlanta, donderdag 1 februari, 9:15 uur

Daniel had Ed gesproken en nog maar net opgehangen toen Leigh in de deuropening verscheen. 'Daniel, je hebt bezoek. Michael Bowie, Janets broer. Hij is niet blij.'

'Waar is Chase? Hij zou de communicatie doen.'

'Chase zit in vergadering met de hoofdinspecteur. Wil je dat ik tegen Bowie zeg dat je er niet bent?'

Daniel schudde zijn hoofd. 'Nee. Ik praat wel met hem.'

Michael Bowie zag er precies zo uit als te verwachten was van een man wiens zus enkele dagen eerder op gewelddadige wijze was vermoord. Hij hield op met ijsberen toen Daniel bij de balie bleef staan. 'Daniel.'

'Michael. Wat kan ik voor je doen?'

'Je kunt me vertellen dat je de moordenaar van mijn zus hebt gevonden.'

Daniel rechtte zijn rug. 'Nee, dat kan ik niet. We trekken aanwijzingen na.'

'Dat zeg je al dágen,' zei Michael knarsetandend.

'Het spijt me. Heb je nog iemand kunnen bedenken die Janet genoeg haatte om dit te doen?'

Michaels woede leek te verschrompelen. 'Nee. Janet was soms egoïstisch en arrogant. Soms kon ze slinks zijn, en soms zelfs gewoon gemeen. Maar niemand haatte haar. Zij en Claudia en Gemma... Het waren gewoon meisjes. Ze hebben dit niet verdiend, ze hebben niks misdaan.'

'Ik zeg ook niet dat ze dit verdienden, Michael,' zei Daniel vriendelijk. 'Maar iemand had het op Janet en haar vriendinnen voorzien.' *Als pionnen in een groter spel.* 'Alles wat je je kunt herinneren. Iedereen die ze eens heeft dwarsgezeten.'

Michael maakte een gefrustreerd geluid. 'Wil je een lijst? Die meisjes waren verwend en maakten waarschijnlijk iedere dag mensen kwaad. Maar dít... Dit hadden ze niet verdiend.'

'Ik kan je niet vertellen wat je wilt horen, Michael. Nog niet. Maar we pakken hem wel.'

Michael knikte stijfjes. 'Bel je me?'

'Zodra ik nieuws heb. Dat beloof ik je.'

20

Atlanta, donderdag 1 februari, 10:15 uur

'Ik neem haar wel, Alex,' zei Meredith, en ze keek op van haar laptop. 'Je zit al een uur in die houding. Je armen zullen er haast wel af vallen.'

Nog altijd zittend aan de tafel in de kamer met de doorkijkspiegel, trok Alex Hope een stukje dichter naar haar toe. 'Ze weegt niet zo veel.' Zelfs slapend greep Hope Alex' blouse vast, alsof ze bang was dat Alex weg zou gaan. 'Ik had de hele tijd bij haar moeten blijven,' mompelde Alex.

'In het ideale geval wel,' zei Meredith nuchter. 'Maar dit is verre van een ideale situatie. Je was op zoek naar Bailey. Je moest Fulmore en al die andere mensen spreken, dus hou op je schuldig te voelen.'

Maar terwijl ze Hope vasthield wist Alex dat het meer was dan gewoon schuldgevoel. Ze had snel de verantwoording op zich genomen voor Hopes fysieke verzorging en veiligheid, maar tot Hope snikkend in haar armen had gezeten, had ze haar hart niet opengesteld voor het meisje dat haar nodig had. Ze had in de loop der jaren haar hart niet voor veel mensen opengesteld. Zeker niet voor Richard en, als ze eerlijk was, zelfs niet voor Bailey. Wederom had ze snel haar hulp aangeboden om Bailey in een afkickkliniek te krijgen, maar ze had niet haar hart aangeboden.

Misschien had ze niet geweten hoe. Diep vanbinnen was ze bang dat ze dat nog altijd niet wist. Maar toen ging de deur open en kwam Daniel binnen, en haar hart lichtte op, alle duistere, zware dingen waren verdwenen toen ze hem zag.

'Moet Hope met Mary mee?' vroeg ze zachtjes, maar hij schudde zijn hoofd.

'Nog niet. Het was niet mijn bedoeling jullie zo lang hier te laten wachten. Er staat een bank in de wachtkamer. Hope kan daar slapen tot Mary terugkomt.'

Alex wilde opstaan, met Hope in haar armen, maar Daniel hield haar tegen. 'Ik neem haar wel.' Hope werd niet wakker, maar ze nestelde zich tegen hem aan, en Alex voelde een golf van verlangen over zich heen stromen die zo sterk was dat ze bijna wankelde.

Dit is wat ik wil. Dit kind. Deze man. Ze kwam duizelig overeind, en een golf van paniek volgde op het verlangen. *Stel dat hij niet hetzelfde wil? Stel dat ik hem niet kan geven wat hij nodig heeft?*

Meredith keek fronsend toe. 'Kom op.' Ze legde haar arm om Alex' schouders toen ze achter Daniel aan liepen.

Daniel bleef bij de bank in de wachtkamer staan, met Hope tegen zijn schouder aan. Hij wiegde langzaam heen en weer, met gefronst voorhoofd, overduidelijk elders met zijn gedachten. Alex was ervan overtuigd dat hij niet besefte wat een plaatje het was: een sterke goudblonde man met een klein goudblond kind in zijn armen.

Hij legde Hope op de bank en trok zijn jas uit, die hij over haar heen legde. Hij keek Alex aan en glimlachte. 'Sorry, ik dwaalde even af.'

'Waarheen?' vroeg ze zachtjes.

'Naar de dag dat je moeder stierf.' Hij legde zijn arm om haar middel en liep met haar naar een tafel bij het koffieapparaat. 'Ik moet praten met iemand die je moeder heeft gesproken nadat ze Alicia had gevonden.' Hij pakte stoelen voor haar en Meredith.

'Dan kun je kiezen uit sheriff Loomis, Craig, de lijkschouwer en mij,' zei Alex terwijl ze ging zitten.

'En mij,' voegde Meredith eraan toe.

Daniels handen vielen stil boven de koffiepot. 'Heb jij die dag met Kathy Tremaine gesproken?'

'Enkele keren,' zei Meredith. 'Tante Kathy belde die ochtend om te zeggen dat Alicia weg was, en mijn moeder pakte haar koffer. Haar auto was niet al te betrouwbaar, dus besloot ze het vliegtuig te nemen. Mijn moeder heeft zich tot op de dag dat ze stierf schuldig gevoeld over die beslissing.'

'Hoezo?' vroeg Alex.

Meredith haalde haar schouders op. 'Haar vlucht werd steeds uitgesteld vanwege het onweer. Als ze had gereden, was ze uren eerder aangekomen en had je moeder nog geleefd. En als tante Kathy nog had geleefd, zou jij nooit die pillen hebben genomen.'

'Ik wou dat tante Kim hier was om de waarheid te horen,' zei Alex droevig.

Meredith klopte op haar hand. 'Weet ik. Maar goed, tante Kathy belde later hysterisch op, en toen begon ik met haar te praten. Mam was al naar het vliegveld vertrokken, en destijds had nog niemand een mobiele telefoon. Ik was de tussenpersoon. Mam belde elke halfuur vanuit een telefooncel op het vliegveld en dan vertelde ik haar wat tante Kathy had gezegd. De eerste keer dat ik tante Kathy sprak had ze een telefoontje van een buurman gekregen, die had verteld dat een paar jongens een lijk hadden gevonden.'

'De Porters,' zei Daniel.

Meredith knikte. 'Tante Kathy ging erheen.'

'En toen vond ze Alicia,' mompelde Alex.

'Wanneer sprak je haar weer, Meredith?' vroeg Daniel.

'Toen ze daarna thuiskwam, voordat ze het lijk moest gaan identificeren. Ze was... de hysterie voorbij. Ze snikte, huilde.'

'Weet je nog wat ze zei?'

Meredith dacht even na en zei toe: 'Ze riep dat haar kindje in de regen buiten was gelaten.'

'Het had de vorige avond niet geregend,' zei Daniel peinzend. Er was wel onweer, maar geen regen. Ik heb het weerbericht nagekeken toen we Gary Fulmore hadden gesproken.'

Meredith haalde haar schouders op. 'Dat is wat ze zei. "In slaap in de regen." Steeds opnieuw.'

Alex spande haar spieren toen de herinnering bovenkwam. 'Nee, dat is niet wat ze zei.'

'Wat zei ze dan, Alex?' vroeg Daniel en hij ging naast haar zitten.

'Toen mama terugkwam nadat ze Alicia had geïdentificeerd, gaf Craig haar een slaapmiddel en ging hij naar zijn werk. Ik heb haar in bed gestopt. Ze huilde zo erg, en ik ook... dus ben ik bij haar in bed gekropen en heb haar gewoon vastgehouden.' Alex zag haar moeder weer voor zich in bed, met een constante stroom tranen over haar wangen. 'Ze zei steeds: "Een schaap en een ring." Dat is alles waaraan ze Alicia had kunnen identificeren, omdat haar gezicht zo verwoest was. "Alleen maar een schaap en een ring."'

Alex keek naar haar handen. 'Alicia had een ring. Ik ook. Onze geboortestenen. Mama had ze ons gegeven.' Ze lachte bitter. 'Voor onze zestiende verjaardag.'

'Waar is jouw ring, Alex?' vroeg hij zachtjes.

Haar maag protesteerde. 'Weet ik niet. Ben ik vergeten.' Plotseling ging haar hart tekeer. 'Ik moet hem zijn kwijtgeraakt.' Ze keek op, blikte onderzoekend in zijn ogen, en wist het. 'Jij weet waar hij is.'

'Ja. Hij lag in je oude slaapkamer. Op de vloer onder het raam.'

Een gevoel van angst sloop bij haar binnen en verduisterde alles. In haar geest rolde de donder en schreeuwde een stem. *Stil. Doe de deur dicht.* 'Dat is het, hè? Wat ik me niet wil herinneren.'

Zijn arm drukte haar nog steviger tegen hem aan. 'We komen er wel achter,' beloofde hij. 'Maak je geen zorgen.'

Maar dat deed ze toch.

Atlanta, donderdag 1 februari, 10:55 uur

Daniel ging bij de vergaderkamer langs, waar Luke met een stapel spreadsheets zat.

'Een schaap en een ring,' zei Daniel knikkend.

Luke keek op en kneep zijn ogen samen. 'Dat klinkt akelig, Daniel.'

'Is het niet.' Hij ging aan tafel zitten en duwde een stapel jaarboeken aan de kant. 'Alex' moeder zei dat op de dag dat Alicia stierf. Ze bedoelde dat ze, doordat Alicia's gezicht zo beschadigd was, haar alleen kon identificeren aan haar tatoeage en de ring om haar vinger. En ze zag Alicia voordat de politie daar aankwam.'

'Had Alicia een tatoeage van een schaap?' vroeg Luke en hij klonk verbaasd.

'Op haar enkel. Die hadden ze allemaal; Bailey, Alicia en Alex.'

'En een ring om haar vinger. Dus nu heb je nog een bevestiging dat Fulmore de waarheid vertelde,' zei Luke. 'En het bureau van de sheriff in Dutton dus niet.'

Daniel knikte grimmig. 'Het lijkt erop. En wat heb jij gevonden?'

Luke schoof een vel papier over tafel. 'Ik heb de namen verzameld van alle mannelijke leerlingen die hun diploma haalden in hetzelfde jaar als Simon, en een jaar ervoor en erna, van de openbare en particuliere school.'

Daniel bekeek de lijst. 'Hoeveel?'

'Nadat we de minderheden en overledenen hebben weggestreept?' vroeg Luke. 'Ongeveer tweehonderd.'

Daniel knipperde met zijn ogen. 'Shit. Wonen die tweehonderd nog allemaal in Dutton?'

'Nee. Als we iedereen afstrepen die is verhuisd blijven er nog maar een stuk of vijftig over.'

'Beter,' zei Daniel. 'Maar nog altijd te veel om aan Hope te laten zien.'

'Waarom zou je ze aan Hope willen laten zien?'

'Omdat ze de man die haar moeder heeft meegenomen heeft gezien. Ik moet ervan uitgaan dat de dader Bailey heeft meegenomen vanwege de brief die ze van haar broer Wade had gekregen, anders zou Beardsley nu niet vermist worden.'

'Dat klinkt logisch. Maar dan? Ik val liever niet in herhaling, maar we proberen de moord op te lossen op vier vrouwen die in greppels zijn gedumpt. Hoe wil je verband leggen tussen degene die Bailey heeft meegenomen en degene die die vrouwen vermoordt?'

'Je gaat ervan uit dat het verschillende personen zijn.'

Luke knipperde onthutst met zijn ogen. 'Ja, daar ging ik inderdaad van uit.'

'En je hebt waarschijnlijk gelijk. Degene die Bailey heeft meegenomen, wil niet dat iemand iets weet over de verkrachtingen en de foto's. Degene die die vrouwen vermoordt wil dat we ons richten op Alicia Tremaine. Ik weet niet hoe die twee dingen verband houden. Ik weet alleen dat die smeerlap niets achterlaat op het lijk of op de plaats delict waarmee we hem kunnen identificeren. Als ik erachter kan komen wie Bailey heeft meegenomen, komt er misschien iets anders boven water.'

'Lijkt me redelijk,' zei Luke. 'Dus je wilt eigenlijk dat ik die vijftig foto's terugbreng naar vijf of zes, zodat we die aan Hope kunnen laten zien. Je laat haar met een tekenaar praten, zeker? Als ze die tekenaar een of ander basissignalement kan geven, kunnen we ze uit die vijftig destilleren.'

Daniel stond op. 'Ik zal Mary zeggen dat ze aan jou moet doorgeven wat ze boven tafel krijgen. Ik moet naar Dutton om met Rob Davis en Garth te praten. Maar eerst moet ik de officier van justitie bellen. Fulmore sprak de waarheid over die ring en hij heeft Alicia niet geslagen terwijl ze nog leefde, dus die man is niet schuldig aan moord. Mishandeling van een lijk, maar geen moord.'

'Chloe zal straalverliefd op je zijn,' zei Luke hoofdschuddend. 'Niet dus.'

'Zolang –' Daniel onderbrak zichzelf. *Zolang Alex dat maar is,* had hij willen zeggen. Maar dat was voorbarig. Misschien. Maar hij was nog altijd warm van het... goede gevoel van haar in zijn ene arm en een klein meisje in de andere. Het was beslist meer dan hij ooit eerder had gehad. Het kon natuurlijk blijven bij niets meer dan goeie seks. Heel, heel, heel goeie seks.

Maar hij dacht van niet, en Daniel was een man die op zijn intuïtie vertrouwde.

'Zolang wat?' vroeg Luke, terwijl één mondhoek omhoogkwam.

'Zolang Chloe maar rechtvaardig is ten opzichte van Fulmore,' zei Daniel zachtjes. 'Maar dat is niet het voornaamste. Als Fulmore de waarheid vertelt over die ring, dan heeft de politie van Dutton met het bewijs geknoeid.'

'Chase heeft Chloe al geïnformeerd over Frank Loomis,' zei Luke.

'Weet ik. Ze gaan een formeel onderzoek instellen.'

'Zit dat je wel lekker? Ik bedoel, die kerel was een vriend van je.'

'Nee, dat zit me niet lekker,' snauwde Daniel, 'maar als hij bewijzen heeft vervalst, heeft hij een onschuldige man dertien jaar de gevangenis in gestuurd en een moordenaar laten lopen, en dat zit me nog veel minder lekker.'

Luke stak zijn handen op. 'Sorry hoor.'

Daniel besefte dat hij met zijn tanden knarste en dwong zichzelf zich te ontspannen. 'Nee, het spijt mij. Ik moet niet tegen jou snauwen. Bedankt voor dit allemaal. Ik moet weg.'

'Wacht even.' Luke duwde twee op elkaar gestapelde jaarboeken over tafel en sloeg ze open bij de foto's van geslaagden. 'Die van jou en je zus. Ik dacht dat je die misschien wilde hebben.'

Daniel keek naar de foto in de onderste rij en zijn hart deed pijn.

Susannah Vartanian had een koele, gesoigneerde uitstraling op de foto, maar hij wist dat ze in stilte had geleden. Hij moest haar bellen voordat de pers lucht kreeg van de verkrachtingen waar Talia Scott onderzoek naar deed. Dat was hij haar wel verschuldigd. Hij was haar een heleboel meer verschuldigd.

Atlanta, donderdag 1 februari, 11:15 uur

Grootste kans om president van de Verenigde Staten te worden. Daniel streek met zijn vinger over zijn foto in het jaarboek van de middelbare school. Zijn klasgenoten hadden hem die titel verleend omdat hij altijd zo serieus en nuchter was. Zo ijverig en oprecht. Hij was voorzitter geweest van de klas en van het debatteam. Hij had elk jaar uitgeblonken bij het football en honkbal. Hij had altijd goede cijfers. Zijn leraren vonden dat hij integer was. Verantwoordelijkheidsgevoel had. De zoon van een rechter.

Die een klootzak was geweest.

Die de reden was geweest waarom Daniel zo hard werkte. Hij had geweten dat zijn vader niet alles was wat iedereen dacht. Hij had de gefluisterde gesprekken gehoord tussen rechter Arthur Vartanian en de bezoekers die laat op de avond naar zijn werkkamer kwamen, in het huis waarin Daniel was opgegroeid. Hij wist waar zijn vader overal in hun oude huis dingen had verstopt. Hij wist dat zijn vader een voorraad ongeregistreerde wapens en stapels geld had. Hij had altijd vermoed dat zijn vader corrupt was, maar hij had het nooit kunnen bewijzen.

Daniel had zijn leven lang geprobeerd goed te maken dat hij Arthur Vartanians zoon was.

Zijn blik ging naar het andere jaarboek en hij staarde droevig naar de foto van zijn zus. Zij had haar leven lang geprobeerd te vergeten dat ze Arthur Vartanians dochter was. Zij was verkozen tot degene die de grootste kans op succes had, en dat had ze waargemaakt, maar tegen welke prijs? Susannah had een geheime pijn die ze met niemand wilde delen... *Zelfs niet met mij. Vooral niet met mij.*

Hij was naar de universiteit vertrokken, en toen was hij naar de politieschool gegaan.

Nadat zijn vader Simons foto's had verbrand, was hij gewoon weggegaan. En had hij Susannah in dat huis gelaten. Bij Simon. Daniel slikte. En Simon had haar iets aangedaan. Daniel wist dat het waar was. Hij was bang dat hij ook wist wat. Hij moest het zeker weten. Met trillende vingers belde hij Susannah op haar werk. Hij kende al haar telefoonnummers uit zijn hoofd. Nadat de telefoon vijf keer was overgegaan, hoorde hij haar stem.

'Dit is de voicemail van Susannah Vartanian. Als het om een dringende zaak gaat, bel –'

Daniel hing op en belde haar assistente. Dat nummer kende hij ook uit zijn hoofd. 'Hallo, met rechercheur Vartanian. Ik moet Susannah spreken. Het is dringend.'

De assistente aarzelde. 'Ze is niet bereikbaar, meneer.'

'Wacht even,' zei Daniel voordat de vrouw kon ophangen. 'Zeg dat ik haar moet spreken. Zeg dat het een zaak van leven of dood is.'

'Dat zal ik zeggen.'

Een minuut later kreeg Daniel Susannah aan de lijn. 'Hallo, Daniel.' Maar er klonk geen vreugde in haar begroeting. Alleen maar behoedzame afstandelijkheid.

Het deed pijn. 'Suze, hoe gaat het met je?'

'Druk. Omdat ik zo lang niet op kantoor was geweest, lagen er stapels werk op me te wachten. Je weet hoe dat gaat.'

Ze hadden hun ouders begraven, maar meteen na de begrafenis was Susannah teruggevlogen naar New York, en sindsdien had hij haar niet meer gesproken.

'Ik weet het. Heb je het nieuws van hier gezien?'

'Ja. Drie vrouwen, dood gevonden in de greppel. Wat erg, Daniel.'

'Vier, eigenlijk. We hebben de vierde net gevonden. Jim Woolfs zusje.'

'O jezus.' Hij hoorde pijn en verbazing in haar stem. 'Wat vreselijk.'

'We hebben nog iets wat nog niet op het nieuws is geweest, maar dat zal niet lang meer duren. Suze, het gaat om de foto's.'

Hij hoorde haar uitademen. 'De foto's.'

'Ja. We hebben alle meisjes geïdentificeerd.'

'Echt waar?' Ze klonk oprecht geschokt. 'Hoe dan?'

Daniel haalde diep adem. 'Alicia Tremaine was een van hen. Zij was het meisje dat dertien jaar geleden werd vermoord, waar al die nieuwe moorden van zijn nageaapt. Sheila Cunningham was er ook bij.

Zij stierf eergisteren bij wat een roofoverval op Presto's Pizza moest lijken. Enkele anderen zijn door Alicia's zus geïdentificeerd.' Hij zou haar een andere keer wel over Alex vertellen. Dit telefoontje zou noch hij, noch Susannah zich willen herinneren. 'We voeren nu gesprekken met ze. Ze zijn nu allemaal rond de dertig.' *Net als jij,* wilde hij zeggen, maar dat deed hij niet. 'Ze vertellen allemaal hetzelfde verhaal. Ze waren in slaap gevallen in hun auto. Toen ze wakker werden waren ze aangekleed en hielden ze –'

'Een whiskyfles vast,' voltooide ze houterig.

Zijn keel kneep dicht. 'O, Suze, waarom heb je me dat nooit verteld?'

'Omdat je wég was,' zei ze, en haar stem klonk plotseling boos en streng. 'Jij was wég, Daniel, en Simon níét.'

'Wist je dat het Simon was?'

Toen ze weer sprak had ze zichzelf weer in de hand. 'O ja. Daar heeft hij wel voor gezorgd.' Toen zuchtte ze. 'Je hebt niet álle foto's, Daniel.'

'Dat snap ik niet.' Maar hij was heel bang dat hij het wel snapte. 'Bedoel je dat er ook een foto van jou was?' Ze zweeg, en hij had zijn antwoord.

'Wat is daarmee gebeurd?' vroeg hij.

'Simon liet hem me zien. Hij zei dat ik me niet met zijn zaken moest bemoeien. Hij zei dat ik het moest laten rusten.'

Daniel deed zijn ogen dicht. Probeerde te praten, ondanks de druk op zijn borst. 'Suze.'

'Ik was bang,' zei ze met een nuchtere, koele stem, en hij dacht aan Alex. 'Dus bleef ik bij hem uit de buurt.'

'Met wat voor zaken van hem had je je dan bemoeid?'

Ze weifelde. 'Ik moet nu echt ophangen. Ik moet naar de rechtbank. Dag, Daniel.'

Daniel hing langzaam de telefoon op, depte zijn ogen droog, stond op en stelde zich geestelijk in op een gesprek met Jim en Marianne Woolf. Jim zou rouwen om zijn zus, maar rouw of niet, Daniel zou antwoorden van hem krijgen.

Atlanta, donderdag 1 februari, 13:30 uur

Alex stond bij de doorkijkspiegel, met Meredith naast zich. Aan de andere kant van het glas was het Mary McCrady gelukt om Hope te laten ontspannen, zodat die nu eindelijk in hele zinnen sprak.

'Misschien was ze er eindelijk aan toe om te praten,' zei Alex.

Meredith knikte. 'Jij hebt haar geholpen.'

'Ik had het ook erger kunnen maken.'

'Maar dat is niet gebeurd. Elk kind is anders. Ik ben ervan overtuigd dat Hope hoe dan ook op korte termijn klaar zou zijn geweest om te praten. Maar ze moest zich eerst veilig en geliefd voelen, en daar heb jij voor gezorgd.'

'Ik had haar al eerder een veilig en geliefd gevoel moeten geven.'

'Misschien was jíj daar nog niet klaar voor.'

Alex draaide haar hoofd en keek Meredith van opzij aan. 'Ben ik dat nu wel?'

'Daar kan jij alleen antwoord op geven, maar als ik naar je gezicht kijk... zou ik zeggen van wel.'

Ze grinnikte zachtjes. 'Joh, als hij niet op dezelfde manier naar jou had gekeken, had ik hem misschien wel van je proberen af te pakken.'

'Was het zo duidelijk?'

Meredith keek haar in de ogen. 'In het donker met een blinddoek om. Je hebt het echt te pakken, meid.' Ze draaide zich weer om naar de ruit. 'Gelukkig praat Hope deze keer wel met de tekenaar. Met haar beschrijving en de foto's die Mary van de collega van Daniel heeft gekregen, moeten we op z'n minst een aanwijzing krijgen over wie dit heeft gedaan.'

Alex haalde diep adem. 'Zelfs als we Bailey nooit meer terugkrijgen.'

'Dat is mogelijk, Alex. Je moet proberen je daarop voor te bereiden.'

'Doe ik ook. Ik moet wel. Voor Hope.' Haar mobiele telefoon ging, Alex greep hem uit haar tas en keek fronsend op het schermpje. Het was een nummer in Atlanta, maar ze herkende het niet. 'Hallo?'

'Alex, met Sissy, Baileys vriendin. Ik kon eerder niet met je praten. Niet via mijn eigen telefoon. Ik moest wachten tot ik naar een telefooncel kon. Bailey zei dat als haar iets overkwam, ik met jou moest praten.'

'Waarom deed je dat dan niet?' vroeg Alex, scherper dan haar bedoeling was.

'Omdat ik een dochter heb,' snauwde ze. 'En ik ben bang.'

'Heeft iemand je bedreigd?'

Sissy's lach was bitter. 'Onder mijn voordeur werd een briefje geschoven met de tekst: "Zeg geen woord anders vermoorden we jou en je dochter." Telt dat ook mee?'

'Heb je contact opgenomen met de politie?'

'Nee, natuurlijk niet. Luister, ik had tegen Bailey gezegd dat ze haar spullen moest pakken en bij mij moest komen wonen. Dat zou ze doen, de volgende dag. Ze belde me donderdagavond, zei dat ze haar spullen had gepakt en in de auto had gezet. Ze zei dat ze me de volgende dag zou zien. Maar ze kwam niet opdagen op het werk.'

'Dus ging je naar het huis en vond je Hope in de kast.'

'Ja. Het huis was overhoopgehaald en Bailey was weg. En er is nog iets anders. Bailey zei dat ze je een brief had gestuurd. Dat ik je dat moest vertellen.'

'Een brief. Oké.' Alex' hoofd liep om. 'Waarom is ze niet gewoon meteen die avond gekomen?'

'Ze zei dat ze met iemand had afgesproken. Dat ze daarna zou komen.'

'Maar je weet niet met wie ze had afgesproken?'

Sissy aarzelde. 'Ze had iets met een man. Ik denk dat hij misschien getrouwd was. Ze zei dat ze afscheid van hem moest nemen. Ik moet nu ophangen.'

Alex keek Meredith aan, die ongeduldig stond te wachten. 'Bailey heeft me de dag voordat ze verdween een brief gestuurd.'

'Wie haalt je post op?'

'Een vriendin van me bij het ziekenhuis.' Ze drukte op de snelkiestoets voor Letta op haar mobiele toestel. 'Letta, met Alex. Je moet iets voor me doen.'

Dutton, donderdag 1 februari, 14:30 uur

Daniels gesprek met het echtpaar Woolf was niet zo goed gegaan. Jim Woolf had een advocaat in de arm genomen, en Marianne had gewoon de deur voor zijn neus dichtgesmeten.

Hij was net weer in zijn auto gestapt toen zijn telefoon ging. 'Vartanian.'

'Leigh zei dat je had gebeld,' zei Chase. 'Ik heb de afgelopen twee uur in vergadering gezeten met de hoofdinspecteur. Wat is er?'

'Ik ben naar Sean Romneys huis geweest en heb zijn moeder gesproken. Sean was minder begaafd, als resultaat van een geboorteafwijking. Hij was te goed van vertrouwen en wilde iedereen plezieren, volgens mevrouw Romney. Daarom hield ze hem meer in de gaten dan haar andere kinderen. Raad eens wat ze twee dagen geleden in zijn kamer vond?'

'Geen idee, maar je gaat het me vast vertellen.' Chase klonk chagrijnig, en Daniel vermoedde dat zijn gesprek met de hoofdinspecteur nog minder goed was gegaan dan zijn bezoek aan Marianne Woolf.

'Een prepaid mobieltje. Die lag niet in zijn kamer, en de politie had het niet bij zijn lijk gevonden, maar mevrouw Romney had de nummers uit zijn telefoon overgeschreven. Het nummer van zijn inkomende gesprekken is hetzelfde als dat van het telefoontje dat Jim Woolf zondagochtend kreeg.'

'Yés,' siste Chase. 'Komt het ook overeen met de inkomende gesprekken op het mobieltje dat je bij dat joch in de pizzeria had gevonden, Lester Jackson?'

'Helaas niet, maar we hebben eindelijk een solide verband.'

'Ik wou dat je me dit had verteld voordat ik naar mijn vergadering ging,' gromde Chase.

'Sorry,' zei Daniel. 'Hoe erg was het?'

'Ze wilden je van de zaak halen, maar ik heb ze dat uit het hoofd gepraat,' antwoordde Chase droogjes.

Daniel blies zijn adem uit. 'Bedankt. Je hebt er eentje te goed.' Zijn telefoon piepte, en hij keek op het schermpje. 'Dat is Ed. Ik moet ophangen.' Hij schakelde over.

'Hé, Ed. Wat heb je?'

'Veel,' zei Ed, overduidelijk vergenoegd. 'Kom naar Baileys huis, dan heb jij ook veel.'

'Ik rij net weg bij het huis van Woolf, dus ik ben in de buurt. Ik zie je over twintig minuten.'

Atlanta, donderdag 1 februari, 16:50 uur

'Alex, wakker worden.'

Alex draaide zich slaperig om en voelde een warme mond op die van haar. 'Umm.'

Ze kuste hem terug en leunde toen naar achteren op de bank in de wachtkamer waar ze was ingedommeld. 'Je bent er weer.' Ze knipperde met haar ogen. 'Hoe laat is het?'

'Bijna vijf uur. Ik heb een teambespreking, maar ik wilde jou eerst zien.'

Hij ging op één knie bij het bankje zitten en keek haar onderzoekend aan. 'Heb je je kleren al terug uit de bungalow?'

'Nee. Shannon, de agent die daar gisteravond was, zei dat ze aan flarden waren gesneden.' Ze haalde haar schouders op. 'Dus ben ik gaan shoppen.'

Hij fronste zijn wenkbrauwen. 'Ik dacht –'

Ze tikte op zijn wang. 'Rustig maar. Chase heeft me door een van de agenten laten "begeleiden".'

'Welke?'

'Pete Haywood.'

Daniel glimlachte opgelucht. 'Als Pete in de buurt is, durft niemand rotzooi te trappen.'

'Dat denk ik ook niet.' De man was groter dan Daniel en gebouwd als een tank.

'Heeft niemand iets geprobeerd?'

'Ze durfden zelfs niet naar me te kijken.' Ze worstelde zich overeind. 'Ik ben gebeld door mijn vriendin Letta.' Alex had hem eerder die middag gebeld en verteld wat Sissy had onthuld. 'Ze zei dat er geen brief van Bailey lag.'

'Hij had er al moeten zijn.' Er verscheen een rimpel in zijn voorhoofd. 'Hoe lang geleden ben je verhuisd?'

'Iets meer dan een jaar. Hoezo?'

'Het postkantoor stuurt je post maar een jaar door. Wist Bailey dat je was verhuisd?'

'Nee.' Ze draaide met haar ogen. 'Hij ligt waarschijnlijk bij Richard thuis. Ik bel hem wel.'

'Waar zijn Hope en Meredith?'

'Weer op het onderduikadres. Hope was uitgeput nadat zij en Mary klaar waren, dus heeft Meredith haar meegenomen. Hope heeft twee foto's aangewezen, en toen liet Mary haar een stel verschillende hoofddeksels zien en vroeg ze Hope om de hoed aan te wijzen die ze laatst had getekend op het hoofd van de man die Bailey aanviel. Hope koos een hoed uit die ze ook dragen op het bureau van de sheriff in Dutton.'

Hij knikte ernstig. 'Ik weet het. Ik was onderweg hierheen al bij de vergaderkamer langs geweest.' Hij stond op en stak zijn hand uit. 'Kom mee. We moeten met je praten.' Hij trok haar overeind, legde zijn arm om haar middel en liep samen met haar naar een vergaderruimte met een grote tafel. Om de tafel zaten Luke, Chase, Mary en een vrouw die ze niet kende. 'Ik geloof dat je iedereen kent, behalve Talia Scott.'

Talia was een klein vrouwtje met een lieve glimlach. 'Aangenaam, Alex.'

'Talia heeft met alle vrouwen op die foto's gesproken.'

En Alex kon zien dat de taak zijn tol had geëist. Hoewel Talia's glimlach lief was stonden haar ogen vermoeid.

Ze keek op tafel en zag de twee foto's liggen die Hope had aangewezen. Garth Davis, de burgemeester, en Randy Mansfield, de hulpsheriff.

'Wat zeiden ze toen jullie hen arresteerden?'

Chase schudde zijn hoofd. 'We hebben ze niet gearresteerd.'

Alex' mond viel ongelovig open, maar toen kwam de woede op. 'En waarom niet?'

Daniel streek met zijn hand over haar rug. 'Daar wilden we met je over praten. We weten niet wie van hen Bailey heeft ontvoerd. Misschien wel allebei.'

'Arresteer ze dan allebei en zoek het later uit,' zei ze met opeengeklemde kaken.

'Op dit moment,' zei Chase geduldig, 'gaat het om het woord van een vierjarige tegen dat van twee mannen die worden gerespecteerd in de gemeenschap. We hebben bewijzen nodig voordat we ze kunnen arresteren.'

Hij zei dat alsof zijzelf vier jaar oud was. 'Dit is beláchelijk. Twee mannen kunnen een vrouw ontvoeren en in elkaar slaan, en jullie doen níks?' Haar blik schoot naar Daniel. 'Jij was erbij in de pizzeria. Garth Davis liep naar onze tafel toe, en even later smeerde Hope saus over haar gezicht, als bloed.' De herinnering was bij haar bovengekomen zodra ze de foto had gezien. 'Garth Davis heeft Bailey ontvoerd. Waarom loopt hij nog vrij rond? Waarom hebben jullie hem niet eens hierheen gehaald om hem te ondervragen?'

'Alex...' begon Daniel, maar ze schudde haar hoofd.

'En Mansfield is politieman. Hij heeft een insigne en een pistool. Jullie kunnen hem niet zomaar laten rondlopen terwijl jullie dit allemaal uitzoeken. Alles wat hij ooit heeft gedaan moet nu worden betwijfeld. Ik bedoel, hij heeft die kerel neergeschoten die mij probeerde aan te rijden, nadat hij Sheila Cunningham had vermoord. Is dat niet genoeg bewijs? Wat is ervoor nodig om in deze klotestaat gearresteerd te worden?'

'Alex.' Daniels stem klonk scherp, en toen zuchtte hij. 'Laat het haar maar zien, Ed.'

Ed verplaatste een doos vol boeken en onthulde een zilveren fluit. Alex' mond viel open. 'Jullie hebben de fluit gevonden waar Bailey op speelde.'

Ed knikte. 'We hebben een team met metaaldetectors gestuurd en vonden hem achter een omgevallen boomstam. Hij was onder een laagje zand en een berg bladeren begraven.'

'Waar Bailey Hope had verstopt.' Ze keek hen allemaal kwaad aan, en de adem stokte in haar keel. 'Terwijl die kerels haar bewusteloos sloegen, tot haar blóéd in de grónd drong.'

'Alex.' Daniels stem klonk afgebeten. 'Als je je niet kunt beheersen, moet je weg.'

Ze zweeg, nog altijd woedend, maar nu ook beschaamd. Chase praatte tegen haar alsof ze vier was. Daniel behandelde haar als zodanig. Maar misschien had hij daar wel het recht toe. Ze stond dichter bij de hysterie dan ooit tevoren. Ze vermande zich en knikte. 'Sorry,' zei ze koel. 'Ik zal me beheersen.'

Daniel zuchtte opnieuw. 'Alex, alsjeblieft. Die fluit is niet wat we je wilden laten zien.'

Ed stak een paar handschoenen naar haar uit. Gehoorzaam trok Alex ze aan.

Toen hij haar een stuk papier gaf, gekreukeld omdat het meerdere keren over de lengte was gevouwen, werden haar ogen groot.

'Ed vond dat briefje in de fluit,' zei Daniel. 'Het is van Wade aan Bailey.' Hij schoof een stoel voor haar naar achteren en ze liet zich erin zakken, terwijl ze haar ogen op de bladzijde gericht hield. Hardop las ze voor:

'Lieve Bailey, na jaren van proberen is het me eindelijk gelukt. Ik ben geraakt en ik ben stervende. Maak je geen zorgen. Er is hier een kapelaan en ik heb gebiecht. Maar ik denk niet dat God me zal vergeven. Ik heb mezelf niet vergeven. Jaren geleden vroeg je me of ik Alicia had vermoord. Het antwoord was toen nee, en dat is het nog steeds. Maar ik heb andere dingen gedaan, en pa ook. Ik denk dat je sommige dingen wel wist. Andere dingen zul je nooit weten, en dat is ook maar beter.

Sommige dingen die ik heb gedaan, deed ik samen met anderen. Ze willen vast niet dat iemand het weet. Eerst waren we met ons zevenen, toen zes, toen vijf. Als ik sterf, zijn er nog steeds vier mannen over die het geheim delen. Ze leven in angst en wantrouwen, altijd loerend naar elkaar, zich afvragend wie als eerste zal breken. Als eerste zal praten.

Ik stuur een sleutel mee. Draag hem niet bij je. Leg hem op een veilige plek. Als je ooit wordt bedreigd, zeg dan dat je die aan de autoriteiten geeft. Maar niet aan de politie. Niet in Dutton in elk geval. Die sleutel ontsluit een geheim waar enkelen van die vier voor zouden betalen, en anderen voor zouden moorden. Twee van hen zijn al vermoord om het geheim te bewaren.

Ik vertel je de namen van die vier niet, want dan zou je het gevoel krijgen dat je ze moest aangeven. Zodra je die weg inslaat ben je net zo dood als ik. Als ze weten dat je de sleutel hebt is dat het enige wat je in leven zal houden.

Ik weet dat je in het huis bent blijven wonen, wachtend tot pa thuis zou komen. Ik heb je al eerder gezegd dat hij dat niet zal doen. Hij is niet in staat tot de goedheid die jij in hem zoekt. Als je hem ziet, geef hem dan de andere brief. Als je hem niet ziet, verbrand die brief dan. En laat pa dan los. Laat hem maar zelfmoord plegen met drank en drugs, maar laat je niet meesleuren door hem. Ga weg uit dat huis. Ga weg uit Dutton. En vertrouw niemand, in godsnaam.

Mij nog wel het minst. Ik heb het nooit verdiend, hoewel God weet dat ik mijn best heb gedaan en het met mijn leven bekoop.

Neem Hope mee, ga uit Dutton weg en kijk nooit meer om. Beloof me dat. En beloof me dat je een goed leven zult hebben. Zoek Alex. Zij is nu nog de enige familie die je hebt. Ik heb het je nooit gezegd, maar ik hou van je.'

Alex haalde diep adem. *'Lt. Wade Crighton, United States Army.'* Ze keek op. 'Hij heeft haar een sleutel gestuurd. Denken jullie dat Bailey die aan mij heeft doorgestuurd?'

Daniel ging in de stoel naast haar zitten. 'We denken van wel. Bij drie van de vier slachtoffers die we deze week hebben gevonden, zat er een sleutel aan de teen gebonden. Nu weten we waarom.'

'Denk je dat die sleutels hetzelfde zijn als de sleutel van Wade?'

'Nee. De sleutels die we deze week hebben gevonden zijn splinternieuw. Het is een teken, een boodschap. Net als de haar die hij aan hun teen had gebonden.'

'Alicia's haar.' Ze staarde naar het briefje en probeerde zich te concentreren. 'Hij zegt dat het er zeven waren. Twee stierven eerder dan hij. Allebei vermoord om het geheim te bewaren. Maar Simon is gestorven in Philadelphia.'

'Wade wist dat niet toen hij die brief schreef,' zei Daniel. 'Hij stierf een paar weken eerder dan Simon. Hij dacht dat Simon nog dood was van de eerste keer.'

'Dus ze dachten allemaal dat Simons eerste "dood" het werk van een van hen was,' mompelde ze. '*Ze leven in angst en wantrouwen*. Dus een van de dode mannen over wie hij het heeft is Simon. Wie is die andere?'

'Dat weten we nog niet,' zei Chase, 'maar we hebben een idee van drie van de overige vier.'

'Garth Davis en Randy Mansfield,' zei ze. 'En ik neem aan dat Rhett Porter de derde was.'

'Dat betekent dat we er nog twee moeten identificeren,' zei Daniel. 'De ene in leven, de andere dood.'

'Wat gaan jullie doen?'

'Proberen de twee die we kennen te gebruiken om de anderen die we niet kennen te vinden,' antwoordde Chase. 'Maar in de tussentijd weten we nog steeds niet wie er achter dit alles zit.'

'Het is wraak,' zei Daniel. 'Dat kunnen we wel aannemen. Iemand gebruikt Alicia's dood om onze aandacht op die mannen te richten. We moeten voorzichtig zijn, Alex. We kunnen ze niet laten weten wat wij weten tot we snappen wat het allemaal betekent, of in elk geval tot we meer informatie hebben. Als Garth Davis of Randy Mansfield iets te maken heeft gehad met Baileys verdwijning, komen we daar wel achter en leggen ze daar rekenschap voor af. Dat beloof ik je. Maar er liggen zes vrouwen en vier mannen in het mortuarium. Op dit moment is er niets belangrijker dan dat we hier een eind aan maken.'

Alex sloeg beschaamd haar blik neer. Ze maakte zich zorgen om Bailey. Daniel maakte zich zorgen om alle slachtoffers. Zes vrouwen. Vier mannen. Rhett Porter, Lester Jackson, brigadier Cowell en Sean Romney. Dat was vier. Maar zés vrouwen... Janet, Claudia, Gemma, Lisa en Sheila. *Dat waren er maar vijf.* Langzaam keek ze op. 'Zés vrouwen, Daniel?'

Hij deed uitgeput zijn ogen dicht. 'Sorry, Alex. Dat wilde ik je... op een andere manier vertellen. Zuster Anne is vanmiddag overleden. Hoewel we denken dat Crighton daar verantwoordelijk voor is, rekenen we haar tot de slachtoffers. Zij zou de tiende zijn.'

Alex blies haar adem uit. Tuitte haar lippen. Voelde het medeleven van iedereen in de kamer. 'Nee, het spijt mij. Je had gelijk. Ik was niet erg opbouwend bezig. Wat wil je dat ik doe?'

Zijn ogen fonkelden van goedkeuring en waardering. En respect. 'Gewoon geduldig afwachten. We hebben bevelschriften aangevraagd voor de telefoongegevens en financiële gegevens van zowel Davis als Mansfield, om te proberen ze met elkaar in verband te brengen of met de andere twee die Wade noemt, of met de man die vier vrouwen heeft vermoord. En we hopen dat die kerel ergens een vergissing maakt.'

Ze knikte en keek weer naar Wades brief. 'Wade zegt dat híj Alicia niet heeft vermoord. Waarom zou hij op dat moment nog liegen? Dus als hij het niet heeft gedaan, en Fulmore heeft het niet gedaan, wie dan wel?'

'Goeie vraag,' zei Talia. 'Ik heb met zeven van de twaalf nog levende verkrachtingsslachtoffers gesproken, en die vertellen allemaal hetzelfde verhaal. Misschien hebben Simon en zijn vrienden Alicia verkracht en in leven gelaten, net als de anderen. Maar ze was dood toen Fulmore haar in de greppel vond. Wat is er dan in de tussentijd gebeurd?'

Alex zag dat Daniels spieren zich spanden toen Talia de twaalf slachtoffers noemde, maar zijn gezichtsuitdrukking veranderde niet. Ze besloot het te onthouden en hem er later naar te vragen.

'Wat er ook gebeurd is, Alex, jij hebt iets gezien,' zei dokter McCrady, 'en dat had te maken met de deken waarin Alicia was gevonden. Als je het aankunt moeten we uitzoeken wat je hebt gezien.'

'Laten we dat maar doen,' zei Alex. 'Nu meteen, voor ik niet meer durf.'

Mary pakte haar spullen bij elkaar. 'Ik zal me voorbereiden. Komen jullie na de vergadering naar me toe?'

Daniel knikte. 'Doen we. Chase, hebben we alle vrouwen geïnformeerd die risico lopen?'

'We hebben er nog een paar niet kunnen bereiken. Een paar waren het land uit. Een paar nemen de telefoon niet op. Maar degenen die we wel hebben gesproken, doen er verstandig aan om gewoon thuis te blijven, met de deur op slot.'

'En hun pistool bij de hand,' mompelde Alex.

Daniel sloeg haar lichtjes op haar knie. 'Ssst.'

'Ik ga nu,' zei Talia. 'Ik rij morgenochtend vroeg naar Florida om te gaan praten met twee slachtoffers die daarnaartoe zijn verhuisd.'

'Bedankt,' zei Chase. 'Bel me als je iets nieuws ontdekt.' Toen ze weg was wendde hij zich tot Daniel. 'We hebben de mobiele telefoongegevens van Lisa Woolf. Geen bijzonderheden. Alleen maar oproepen van mensen met wie ze al maanden contact had.'

'En haar kamergenoten?' vroeg Daniel.

'Die zeggen dat ze gisteravond naar een café ging om zich te ontspannen. Ze is niet meer thuisgekomen. Maar ze hebben wel haar auto gevonden, ongeveer vijf straten bij dat café vandaan.'

Iedereen aan tafel scheen daar belangstelling voor te hebben. 'Wat is daar bijzonder aan?' vroeg Alex.

'De auto's van de andere slachtoffers zijn nooit teruggevonden,' antwoordde Daniel.

'Wat voor auto?' vroeg Chase.

'Ze was een arme studente,' zei Chase schouderophalend. 'Ze reed in een oude Nissan Sentra. Hij wordt op een trailer hierheen gehaald, zodat we hem binnenstebuiten kunnen keren. Misschien hebben we geluk en vinden we iets wat hij heeft achtergelaten.'

Daniel dacht erover na. 'Janet had haar z4, Claudia een dure Mercedes, en Gemma reed in een Corvette. Geen van die auto's is gevonden, maar de Nissan dumpt hij.'

'Die jongen houdt van mooie auto's,' concludeerde Luke.

'We hebben het onderzoek in Alex' bungalow afgerond,' zei Ed. 'Een heleboel vingerafdrukken om na te gaan. Het was immers een huurhuis. Niks op het badkamerraam of het kozijn. In de bak met hondenvoer zat een heel hoge concentratie kalmeringsmiddelen. Als je hond een normaal spijsverteringsstelsel had gehad, Daniel, dan zou hij nu in de hondenhemel zijn geweest.'

'Op de terugweg van Baileys huis ben ik bij de dierenarts langs geweest,' zei Daniel. 'Het komt goed met Riley, en nu weten we dat ze waarschijnlijk op zoek waren naar de sleutel die Bailey aan Alex had gestuurd.' Hij keek haar aan. 'Vergeet je ex niet te bellen.'

'Nee.'

'Tot morgen dan,' zei Daniel, en hij wilde opstaan.

'Wacht even,' zei Alex. 'Hoe zit het met Mansfield? Ik bedoel, ik begrijp wel dat jullie voorzichtig moeten zijn zodat hij niets in de gaten krijgt, maar die man kan toch niet zomaar vrij rond blijven lopen?'

'We houden hem heel goed in de gaten, Alex,' zei Chase. 'Nadat Hope zijn foto had aangewezen, hebben we iemand op hem gezet. Probeer je geen zorgen te maken.'

Ze blies puffend haar adem uit. 'Oké. Ik zal het proberen.'

'Tot morgen dan,' herhaalde Daniel, en hij wilde weer opstaan.

'Momentje,' zei Luke. Een groot deel van de bespreking had hij op zijn laptop zitten typen. 'Ik heb alle minderheden en overleden personen uit onze lijst van eindexamenkandidaten gehaald.'

'Oké,' zei Daniel, maar toen stokte zijn adem. 'Maar er was één ander die was vermoord "voor het geheim".'

Luke knikte. 'Uitgezonderd de minderheden zijn er binnen een jaar na Simon vijf sterfgevallen geweest onder de mannelijke geslaagden in Dutton; naast Simon, Wade en Rhett.'

'Trek ze na,' zei Chase, 'en ook hun familie.'

Daniel keek de tafel rond. 'Verder nog iets?' Toen niemand iets zei vroeg hij: 'Zeker weten? Oké dan. We zien elkaar hier morgenochtend weer om acht uur.'

Ze stonden allemaal op, en toen stak Leigh haar hoofd om de deur. 'Daniel, je hebt bezoek. Kate Davis, de zus van Garth Davis. Ze zegt dat het dringend is.'

Iedereen ging weer zitten. 'Laat haar maar binnen,' zei Daniel. Hij keek Alex aan. 'Kun jij met Leigh in het kantoor wachten?'

'Tuurlijk.' Ze liep achter Leigh aan naar voren, waar een jonge vrouw in een trendy pak stond te wachten. Alex keek haar onderzoekend aan, en de vrouw ontmoette haar blik, zonder haar ogen af te wenden. Vervolgens liep Alex met Leigh mee naar de vergaderkamer, en ging in een stoel zitten wachten.

21

Atlanta, donderdag 1 februari, 17:45 uur

Dankzij Lukes bliksemsnelle Google-actie wisten ze dat Kate Davis bankmanager was bij de bank van haar oom Rob. Ze was amper een jaar afgestudeerd, maar haar ogen zagen er oud uit.

Daniel stond op toen Leigh haar binnenbracht. 'Mevrouw Davis, gaat u zitten.'

Dat deed ze. 'De kleinzoon van mijn oom is vannacht vermoord.'

'Ja, de afdeling Moordzaken van Atlanta doet het onderzoek,' zei Daniel vlak.

'Hij was een lieve jongen, een beetje traag van begrip. Niet iemand die het brein zou zijn achter een samenzwering.'

'We hebben ook niet gezegd dat we dat dachten,' zei Daniel. 'Wat kunnen we voor u doen?'

Ze haalde diep adem. 'Ik ben een uur geleden gebeld door mijn schoonzus. Ze is ergens in het westen met mijn twee neefjes.'

Daniel keek haar vragend aan. 'Niet voor een vakantie, neem ik aan.'

'Nee. Ze is gevlucht omdat ze bang is. Ze belde mij omdat ze wil dat dit afgelopen is, omdat ze op een gegeven moment terug naar huis wil kunnen komen. Garth en mijn oom Rob hadden vanochtend ruzie. Garth heeft iets gedaan waardoor hij een doelwit is geworden. Hij zit al twee nachten in zijn auto bij mij voor het huis, om mij te bewaken. Ik heb hem beide keren gezien. Ik vond het aardig van hem. U weet wel, dat mijn grote broer om me geeft.'

'Maar?' vroeg Daniel.

Haar kin kwam een klein stukje omhoog. 'Mijn schoonzus zei dat Garth een dreigement aan mijn adres had ontvangen, met een eis om geld. Garth heeft honderdduizend dollar van de studierekening van zijn zoon overgemaakt. Ze wilde naar de politie stappen, maar dat mocht niet van Garth. Hij zei dat Rhett Porter was geëxecuteerd omdat hij te veel had gezegd. U staat hier niet van te kijken.'

'Ga door,' was alles wat Daniel losliet.

'Toen zei Garth dat Jared O'Brien ook was geëlimineerd.' Ze kneep haar ogen samen. 'Daar staat u wél van te kijken.'

Daniel keek Luke aan. Luke typte, maar schudde toen zijn hoofd. 'Hij is niet dood.'

'Hij is nog niet dood verklaard,' corrigeerde Kate. 'Hij is meer dan vijf jaar geleden verdwenen. Ik zat toen nog op de middelbare school. U kunt vast wel de oude politierapporten boven water krijgen. Behalve natuurlijk als het onderzoek is verricht door Loomis en consorten.'

Daniel wilde zuchten, maar hij hield zijn stem gelijkmatig. 'Kunt u dat uitleggen?'

'Garth vroeg mijn oom of hij naar de politie zou gaan. Rob zei: "Niet in deze stad." Toen dreigde Garth dat hij Rob zou aangeven voor bankfraude als hij iets zei. Mijn schoonzus zei dat ze jarenlang Garths affaires had geslikt, maar dat ze niet van plan was hem de veiligheid van haar zoons in gevaar te laten brengen.'

'Weet u waar ze is?'

'Nee, en dat heb ik ook niet gevraagd. Ik neem aan dat u mijn telefoongegevens zou kunnen opvragen als u het echt wilde weten. Ze heeft me met haar eigen mobieltje gebeld. Ze vroeg me hierheen te gaan en met u te praten. Als ik niet durfde zou ze u zelf bellen, zei ze. Maar ze wilde dat ik wist dat Garth voor mijn leven vreesde.'

'Bent u niet bang?' vroeg Daniel zachtjes.

'Ik ben doodsbang. Ik ben bang dat ik net zo eindig als Gemma of Claudia of Janet. Of Lisa.' Er trok een droevige blik over haar gezicht. 'En ik ben bang voor mijn familie. Zowel Garth als Rob heeft voldoende munitie om te zorgen dat de ander zijn mond houdt. Dat vind ik nog wel het engst.'

'U hebt een risico genomen door hierheen te komen,' zei Daniel. 'Waarom?'

Haar lippen trilden, en ze drukte ze stevig op elkaar. 'Omdat Lisa en ik bevriend waren. Ik leende vaak Gemma's nagellak. Claudia heeft me geholpen mijn jurk voor het eindexamenfeest uit te zoeken. Ze waren een deel van mijn jeugd, en nu zijn ze allemaal weg en een deel van mijn leven is met hen verdwenen. Ik wil dat de dader wordt gestraft.' Ze stond op. 'Dat is alles wat ik te zeggen heb.'

Alex stond aan het eind van de gang bij Leighs kantoor, naast een raam waar ze fatsoenlijk ontvangst had op haar mobiele telefoon. En een beetje privacy. Ze tikte met haar voet op de grond, en ze besefte dat ze zenuwachtig was terwijl de telefoon aan de andere kant van de lijn overging.

'Hallo?' Het was een vrouwenstem, en Alex onderdrukte een zucht. Ze had gehoopt dat Richard zou opnemen. Nu had ze Amber, Richards vrouw aan de telefoon.

'Hoi, met Alex. Is Richard er?'

'Nee.' Het antwoord kwam te snel. 'Hij is op zijn werk.'

'Ik heb het ziekenhuis al gebeld. Ze zeiden dat hij thuis was. Alsjeblieft. Het is belangrijk.'

Amber aarzelde. 'Goed dan. Ik roep hem even.'

Even later hoorde ze Richards stem, rustig en onbehaaglijk formeel. 'Alex, wat een verrassing. Wat kan ik voor je doen?'

'Ik ben in Dutton.'

'Dat had ik gehoord. Ik... heb het op het journaal gezien. Gaat het wel?'

'Jawel. Bailey heeft me een brief gestuurd. Ik denk dat hij bij jou is bezorgd. Kun je even kijken?'

'Wacht even.' Ze hoorde hem dingen verplaatsen. 'Hier is hij. Er zit een sleutel in. Ik voel hem door de envelop heen.'

Alex haalde diep adem. 'Luister, ik weet dat dit belachelijk klinkt, maar ik wil dat je hem alleen bij de hoek vasthoudt en met een briefopener openmaakt. Het kan bewijsmateriaal zijn.'

'Oké.' Ze hoorde hem in een la rommelen. Toen: 'Wil je dat ik erin kijk?'

'Voorzichtig, ja. En als er een brief in zit, lees die dan voor.'

'Ja, die zit erin. Ben je er klaar voor?'

Nee. 'Ja. Lees maar voor.'

'Lieve Alex, Ik weet dat deze brief na al die jaren wel een schok voor je zal zijn. Ik heb niet veel tijd. Leg deze sleutel alsjeblieft op een veilige plek. Als mij iets overkomt wil ik dat jij voor Hope zorgt. Ze is mijn mooie dochtertje en mijn tweede kans. Ik ben al vijf jaar clean en nuchter, allemaal

dankzij haar. En jou. Jij was de enige die in me geloofde toen ik mijn dieptepunt bereikte. Jij was de enige die genoeg om me gaf en probeerde mij te helpen. Maar ik wil dat je weet dat ik inderdaad hulp heb gezocht, en dat Hope gezond en normaal is. Ik heb je de afgelopen vijf jaar wel duizend keer willen bellen, maar ik wist dat ik die laatste keer mijn schepen achter me had verbrand en ik kon je niet onder ogen komen. Ik hoop dat je me vergeeft en zo niet, zorg dan alsjeblieft toch voor Hope. Jij bent de enige familie die ik nog heb en de enige die ik mijn dochter toevertrouw.

Verstop de sleutel. Laat niemand weten dat je hem hebt. Als ik hem nodig heb, bel ik je.' Richard schraapte zijn keel. 'Het is ondertekend met: *Liefs, je zus, Bailey,* met een tekeningetje van een schaap.'

Alex slikte moeizaam. 'Een lammetje,' fluisterde ze.

'Wat?'

'Niks. Ik zal de politie vragen wat je met die sleutel moet doen. Als het nodig is, zou je hem dan vanavond nog met een koerier naar me toe kunnen sturen?'

'Geen probleem. Alex, ben je in gevaar?'

'Een paar dagen geleden spande het er even om, maar, eh... ik ben hier in goede handen.' Haar stem was veranderd, verzacht bij die laatste woorden.

'Hoe heet hij?'

Ze glimlachte. 'Daniel.'

'Mooi. Je bent al te lang alleen,' zei hij bars. 'Zelfs toen je bij mij was.'

Onverwachte tranen sprongen in haar ogen en brandden in haar keel. 'Zeg tegen Amber dat als ik nog eens bel, het alleen om die brief gaat, oké?'

'Alex, húíl je nu?'

Ze slikte weer. 'Dat doe ik de laatste tijd nogal veel.'

'Je huilde vroeger nooit. Niet één keer. Ik wenste vaak dat je dat eens deed.'

'Wilde je dat ik ging huilen?'

'Ik wilde dat je je liet gaan,' zei hij zo zachtjes dat ze hem bijna niet verstond. 'Ik dacht dat als je huilde, je misschien...'

Alex' hart verkrampte pijnlijk. 'Van jou kon houden?'

'Ja.' Dat ene woord kwam droevig naar buiten. 'Ik denk het. Sterkte, Alex. Het allerbeste.'

'Insgelijks.' Ze schraapte haar keel en droogde haar ogen. 'Ik bel je nog over die brief.'

Atlanta, donderdag 1 februari, 18:00 uur

Toen Leigh Kate Davis had uitgelaten, richtte Daniel zich tot de groep. 'Zes klaar, nog twee te gaan?'

Luke keek op van zijn laptop. 'Jared O'Brien heeft de juiste leeftijd. Hij kreeg zijn diploma in hetzelfde jaar als Simon, op de particuliere school.'

'Tot nu hebben we Garth en Jared die op de particuliere school zaten,' zei Luke, 'Wade, Rhett en Randy die naar de openbare gingen, en Simon die op allebei heeft gezeten.'

'Als O'Brien een dronkenlap was kan hij een blok aan hun been zijn geworden,' speculeerde Chase. 'Laten we zo discreet mogelijk een profiel van hem opstellen. Tot die tijd benaderen we niemand van zijn familie. Ik wil niemand alarmeren. We moeten die andere levende man nog vinden, dus zoek verbanden voor me. Kijk of iemand anders onlangs nog een ton van de studierekening van zijn kinderen heeft gehaald.'

'Ze zei dat hij affaires had,' zei Ed plotseling. 'Kate Davis. Ze zei dat haar schoonzus had gezegd dat ze Garths affaires kon negeren, maar niet dat hij hun kinderen in gevaar bracht. Had Baileys vriendin niet gezegd dat ze dacht dat Bailey iets met een getrouwde man had?'

'Het zou kunnen dat Bailey die avond op Garth zat wachten,' beaamde Luke. 'Ik kan me wel voorstellen dat Mansfield haar in elkaar heeft geslagen. Die zie ik daar eerder voor aan dan Garth Davis.'

'Als Garth Davis en Bailey een affaire hadden, dan zullen we zijn vingerafdrukken wel ergens in dat huis vinden,' zei Chase. 'Als hij binnen is gekomen om haar aan te vallen is het minder waarschijnlijk. Het zou fijn zijn te weten wie van de twee schuldig is aan mishandeling in plaats van gewoon overspel.'

'We hebben vingerafdrukken gevonden in de badkamer en de keuken,' zei Ed. 'Maar die zaten geen van alle in het systeem.'

'Noch Garth, noch Randy heeft een strafblad, dus ik denk ook niet dat hun vingerafdrukken in het systeem zitten,' zei Chase. 'Maar ze zijn allebei ambtenaar, dus hun afdrukken moeten ergens in een bestand te vinden zijn.'

'Ik zal het nakijken, maar we kunnen het ook gewoon aan Hope vragen, toch, Daniel? Hé, Daniel.' Ed knipte met zijn vingers.

Daniel was in gedachten verzonken geweest, denkend aan wat Kate Davis als laatste had gezegd. 'Degene die die vier vrouwen heeft vermoord, richt zich op een bepaalde tijdsperiode. Kate zei dat haar jeugd weg was.'

'En?' vroeg Chase.

'Ik weet niet, het knaagt alleen aan me. Ik wou dat er iemand was die ik kon vertrouwen, om me te vertellen hoe het toen echt was.' Hij verstijfde. 'Misschien is die er ook. Ik zag op de eerste dag dat ik weer in de stad was mijn oude leraar Engels. Hij zei iets van dat alleen domme mensen denken dat ze in een klein stadje geheimen kunnen bewaren. Hij zei dat ik niet dom moest zijn. Ik had zo veel aan mijn hoofd met die lijken, Woolf en de krant, dat ik niet heb opgelet. Ik denk dat ik morgen maar eens bij hem langs ga.'

'Discreet,' waarschuwde Chase.

'Pardon.' Ze draaiden zich allemaal om en zagen Alex bij de deur staan. 'Ik zag dat Leigh Kate Davis uitliet, dus ik dacht dat ik wel kon terugkomen.'

Ze had gehuild. Voor Daniel het wist was hij overeind gekomen en lagen zijn handen op haar schouders. 'Wat is er?'

'Niks. Ik heb net mijn ex gesproken. Hij heeft Baileys sleutel. Wat wil je dat hij ermee doet? Hij kan hem per koerier hierheen sturen als je wilt.'

'Dat willen we,' zei Chase aan tafel. 'Leigh zal je het adres geven.'

Ze knikte en stapte onder Daniels handen vandaan. 'Ik zal hem terugbellen.'

Hij keek haar na, voelde zich van zijn stuk gebracht en was er niet blij mee. *Concentreer je, Vartanian.* Hij ging weer zitten en deed zijn best om na te denken. 'Wade had een sleutel,' zei hij.

'Waarvan?' vroeg Chase.

'Ik neem aan van de opslagplaats van de foto's,' antwoordde Daniel. 'Maar Simon had de foto's, in het huis van mijn vader. Zo vond mijn vader ze dus. Stel dat Simon ook een sleutel had?'

'Is er een sleutel bij Simons spullen gevonden toen hij was overleden?' vroeg Luke.

'Niet de eerste keer, maar het kan zijn dat mijn vader hem al had gevonden. Als Simon hem meegenomen had, ligt hij misschien bij de spullen uit zijn huis in Philadelphia. Ik zal Vito Ciccotelli bellen.'

Dutton, donderdag 1 februari, 19:00 uur

'Alex, zeg het maar.'

Uit haar overpeinzingen gerukt keek Alex opzij naar Daniel, die naar de snelweg voor hen staarde. Zijn handen omklemden het stuur en zijn gezicht stond ernstiger dan ze het in dagen had gezien. 'Pardon?'

'We zijn bijna in Dutton. Je hebt nog geen woord gezegd sinds je met je ex hebt gesproken, en je hebt gehuild. Hij moet meer hebben gezegd dan alleen: "Ja, Alex, ik heb de sleutel."'

Hij klonk zo boos dat ze ontdaan met haar ogen knipperde. 'Wat denk je dat hij zei?'

'Weet ik niet.' Hij benadrukte elk woord. 'Daarom vraag ik het.'

Ze staarde naar zijn profiel, kortstondig verlicht door passerende koplampen. Er trok een spiertje in zijn kaak.

'Ga je terug?' vroeg hij voordat ze antwoord kon geven.

'Terug waarheen? Naar Ohio?' Ze begon het te begrijpen. 'Of naar Richard?'

Zijn kaak verstrakte nog meer. 'Ja. Allebei.'

'Nee, ik ga niet terug naar Richard. Hij is getrouwd.'

'Dat heeft hem eerder ook niet van overspel weerhouden.'

'Nee.' Alex begon zich te ergeren. 'Maar dan nog zou ík het niet doen. Wat voor iemand denk je dat ik ben?'

Hij pufte. 'Sorry. Dat had ik niet moeten zeggen.'

'Nee, inderdaad. En ik weet niet zeker of ik kwaad of gevleid moet zijn.'

Hij raakte met zijn vingertoppen haar arm aan. 'Wees maar gevleid. Dat heb ik liever dan kwaad.'

Ze zuchtte. 'Oké, maar alleen omdat kwaad zijn meer energie kost. Ik heb hem over jou verteld. Hij was bezorgd vanwege alles wat hier gaande is. Ik zei hem dat ik in goeie handen was.'

Ze hoopte hem te zien glimlachen, maar dat deed hij niet. 'Je hebt nog niet gezegd of je teruggaat naar Ohio.'

Daarover had ze diep nagedacht. 'Wat wil je dat ik zeg?'

'Dat je hier blijft.'

Ze haalde diep adem. 'Een deel van mij wil ja zeggen, omdat jij hier bent. Een ander deel van me wil wegvluchten, en dat deel heeft niks met jou te maken. Mijn ergste herinneringen liggen hier, Daniel. Dat vind ik eng.'

Hij zweeg een tijdje. 'Maar je zou wel willen nadenken over hier blijven?'

'Zou jij willen nadenken over weggaan?'

'Naar *Ohio*?' Hij zei het alsof het over de binnenlanden van Mongolië ging, en ze grinnikte.

'Zo erg is het niet. Ze hebben er zelfs grutten.'

Hij glimlachte scheef. 'En gehaktbrood?'

Ze trok een gezicht. 'Als je erop staat ken ik wel een tent die het heeft. Maar het is smerig.'

Toen glimlachte hij echt, en haar hart maakte een sprongetje. 'Goed. Ik zal erover nadenken.'

Weer hield ze haar adem in. 'Over gehaktbrood of over Ohio?'

Zijn glimlach vervaagde en zijn gezicht werd ernstig. 'Allebei.'

Er verstreek een volle minuut in stilzwijgen. 'Dat voelt goed, en fijn. Maar ik wil niet dat je beloftes doet tot ik weer stevig in mijn schoenen sta.'

'Goed.' Hij kneep in haar hand. 'Nu voel ik me beter.'

'Daar ben ik blij om.'

Ze reden langs Main Street in Dutton en Alex' maag begon te draaien. 'We zijn er bijna.'

'Weet ik. Wat het ook is, wat je je ook herinnert, samen kunnen we het wel aan.'

Dutton, donderdag 1 februari, 19:30 uur

'Dit huis is een koopje voor vierenhalf.' Delia Anderson streek met haar hand over haar getoupeerde kapsel. 'Het zal niet lang op de markt blijven voor die prijs.'

Hij trok een kast open en deed alsof het hem interesseerde. 'Mijn vriendin koopt altijd de hele winkel leeg als ze gaat shoppen. Dit is nooit genoeg kastruimte voor haar.'

'Ik heb nog twee andere panden,' zei Delia. 'Allebei met enorme inloopkasten.'

Hij draaide zich nog een keer om. 'Maar dit huis heeft wel... iets,' zei hij. 'Het is zo gezellig en beschut.'

'Dat klopt,' beaamde Delia een beetje te gretig. 'Er staan niet veel huizen te koop met zo'n grote tuin.'

Hij glimlachte. 'We geven graag feestjes. Soms worden ze een beetje wild.'

'O, meneer Myers.' Ze giechelde, niet charmant voor een vrouw van haar leeftijd. 'Privacy is zo'n onderschat aspect bij de aankoop van een nieuwe woning.' Ze bleef staan bij een spiegel in de gang en streek weer over haar helmvormige kapsel. 'Het is hier zo afgeschermd dat je een rockconcert in de tuin kunt geven en je buren niet eens over het lawaai klagen.'

Hij ging achter haar staan en glimlachte in de spiegel. 'Precies wat ik al dacht.'

Haar ogen werden groot van schrik en haar mond ging open om te gillen, maar het was te laat. Met één snelle beweging drukte hij zijn mes op haar keel. 'Voor het geval je het nog niet doorhad, ik heet geen Myers.' Hij boog zich naar voren, fluisterde zijn naam in haar oor en keek toe terwijl haar ogen glazig werden van afgrijzen toen de herkenning langs al die haarlak sijpelde. 'Ik zal je iets bijbrengen over een nieuw concept, juf Anderson. Gekweekte rente op een onbetaalde schuld.'

Hij duwde haar op de vloer en bond snel haar handen achter haar rug. 'Ik hoop maar dat je van schreeuwen houdt.'

Dutton, donderdag 1 februari, 19:30 uur

'En, had Simon een sleutel?' vroeg Ed achter in de surveillancebus.

Daniel stopte zijn telefoon in zijn zak. 'Ja. Vito Ciccotelli zei dat er vijf sleutels bij Simons spullen zijn gevonden. Hij stuurt ze morgenochtend meteen allemaal op. Nu moeten we er nog achter zien te komen waar ze voor dienen.'

Ed rechtte zijn rug bij een beweging op zijn scherm. 'Het lijkt erop dat Mary klaar is.'

'Van Mary moest ik de camera in Alex' oude slaapkamer zetten,' zei Ed. 'Aangezien we haar ring daar hadden gevonden, leek ons dat een logische plek.'

Met gebalde vuisten keek Daniel toe terwijl de deur opengìng en Mary binnenkwam met Alex.

'Hoe laat is het?' vroeg Mary haar.

'Laat. Het is donker en het bliksemt. Donder en bliksem.'

'Waar ben je?'

'In bed.'

'Slaap je?'

'Nee. Ik ben ziek. Ik moet naar het toilet. Ik ben misselijk.'

'Wat is er gebeurd?'

Alex stond bij het raam. 'Er is daar iemand.'

'Wie dan?'

'Weet ik niet. Misschien Alicia. Ze glipt soms naar buiten. Gaat naar feestjes.'

'Is het Alicia?'

Alex boog zich naar het raam toe. 'Nee. Het is een man.' Ze deinsde achteruit. 'Het is Craig.'

'Waarom deins je achteruit, Alex?'

'De bliksem is fel.' Ze trok een gezicht. 'Ik heb pijn in mijn maag.'

'Is Craig nog buiten?'

'Ja. Maar nu zie ik nog anderen. Twee mensen die een zak dragen.'

'Is hij licht of zwaar?'

'Zwaar, denk ik.' Ze deinsde weer achteruit en zoog haar adem naar binnen. Toen staarde ze vlak voor zich uit.

'Wat is er? Weer bliksem?'

Alex knikte. Aarzelde. 'Hij heeft hem laten vallen.'

'De zak?'

'Het is geen zak, het is een deken. Hij viel open.'

'En wat zie je in de bliksem, Alex?'

'Haar arm. Haar hand. Hij sloeg gewoon tegen de grond.' Ze speelde met de ringvinger van haar rechterhand, eraan draaiend alsof er een ring om zat. 'Ik zie haar hand.' Ze ontspande zich een beetje. 'O, het is maar een pop.'

Daniel voelde een koude rilling over zijn rug lopen en dacht aan Sheila, die als een lappenpop in de hoek van Presto's Pizza had gezeten.

'Is het een pop?' vroeg Mary.

Alex knikte met lege ogen en haar stem klonk spookachtig nuchter. 'Ja. Het is maar een pop.'

'Wat doen de mannen nu?'

'Hij pakt de arm, stopt hem weer onder de deken. Nu heeft hij hem weer en rennen ze om het huis heen.'

'Wat gebeurt er nu?'

Ze keek bedenkelijk. 'Mijn maag doet nog steeds pijn. Ik ga weer slapen.'

'Goed. Kom mee, Alex.' Mary leidde haar naar een klapstoel en begon haar uit haar trance te halen. Daniel wist het zodra Alex zich weer bewust was van haar omgeving. Ze verbleekte en trok haar schouders omhoog.

'Het was geen pop,' zei ze toonloos. 'Het was Alicia. Ze droegen haar in de deken.'

Mary hurkte voor haar neer. 'Wie, Alex?'

'Craig en Wade. Wade liet zijn kant van de deken vallen. Het was haar arm. Het... Het leek niet echt. Het leek op een pop.' Ze deed haar ogen dicht. 'Ik heb het mijn moeder verteld.'

Mary keek kort in de camera, toen weer naar Alex. 'Wanneer?'

'Toen ze in bed lag te huilen. Ze bleef maar zeggen "een schaap en een ring". Ik dacht dat ik het gedroomd had. Een voorspelling, misschien. Ik vertelde haar over de pop en ze raakte van streek. Ik zei nog: "Het was maar een pop, mama." Ik wist niet dat zij de deken ook had gezien.' Er drupten tranen tussen Alex' gesloten oogleden door. 'Ik vertelde het haar, zij zei het tegen Craig en hij heeft haar vermoord.'

'O, god,' fluisterde Daniel.

'Ze voelt zich al die tijd al schuldig,' zei Ed zachtjes. 'Arme Alex.'

'Het was niet jouw schuld, Alex,' zei Mary.

Alex wiegde heen en weer, een heel kleine beweging. 'Ik vertelde het haar, zij zei het tegen hem en hij heeft haar vermoord. Daarom is ze is dood, door mij.'

Daniel was de bus al uit voordat ze haar zin had afgemaakt. Hij rende naar de slaapkamer en nam haar in zijn armen. Ze gaf mee, bijna alsof ze geen botten had. *Als een pop.* 'Het spijt me, lieverd. Ik vind het zo erg.'

Ze wiegde nog altijd, en er kwam een angstaanjagend jammergeluidje uit haar keel. Hij keek op naar Mary. 'Ik moet haar hier weghalen.'

Mary knikte droevig. 'Wees voorzichtig op de trap.'

Daniel trok Alex overeind en ze kwam weer bereidwillig mee. Hij legde zijn handen op haar schouders en schudde haar heel lichtjes door elkaar. 'Alex, hou óp.' Haar gewieg hield op. 'Kom mee.'

Atlanta, donderdag 1 februari, 22:00 uur

'Vanavond richtte je beter,' zei Daniel toen ze zijn oprit op reden.

'Dank je.' Ze was nog steeds stil, nog steeds verdoofd. Pas toen hij haar had meegenomen naar de schietbaan van Leo Papadopoulos had ze zichzelf weer enigszins onder controle gekregen. Het papieren doelwit had geleden, want het was iedereen geworden die ze in de afgelopen paar dagen was gaan haten. Vooral Craig, maar ook Wade, burgemeester Davis, hulpsheriff Mansfield, en wie dit alles dan ook had aangewakkerd door op gewelddadige wijze vier onschuldige vrouwen te vermoorden.

En zelfs haar moeder en Alicia. Als Alicia die avond niet het huis uit was geglipt... En als haar moeder de controle niet had verloren... En, en, en...

Ze had beter gemikt. Ze had dat pistool recht gehouden en ze had geschoten tot het magazijn leeg was. Toen had ze bijgeladen en het steeds opnieuw gedaan, tot haar armen er pijn van deden.

'Ik zal je tassen uit de kofferbak halen,' zei hij toen de stilte hem te veel werd. 'Je kunt je nieuwe kleren in mijn kast hangen als je wilt.'

Zo veel had ze vandaag niet gekocht, alleen een paar blouses en een paar broeken. Maar toch, ze ophangen in de kast voelde te intiem... té intiem nu ze vanbinnen zo rauw was. Maar hij keek haar verwachtingsvol aan, dus knikte ze. 'Goed.'

Hij deed de kofferbak open en ze verwachtte dat hij hem snel weer dicht zou doen, maar dat deed hij niet. Het deksel bleef omhoog staan, en een halve minuut werd een hele. Ze stapte uit en zuchtte. Frank

Loomis stond in de schaduw van het kofferbakdeksel, en hij en Daniel fluisterden op verhitte toon tegen elkaar.

'Daniel,' zei ze.

Hij draaide zich abrupt om en keek haar aan. 'Ga naar het huis,' droeg hij haar op. 'Alsjeblieft.'

Te verdoofd en moe om te protesteren deed ze wat hij vroeg. Ze keek vanaf de veranda naar de twee mannen die stonden te ruziën. Uiteindelijk sloeg Daniel het kofferdeksel zo hard dicht dat hij de hele buurt zou wekken, en Frank Loomis beende terug naar zijn geparkeerde auto en reed weg.

Terwijl zijn schouders schokten door zijn woedende ademteugen draaide Daniel zich om en liep het pad over, met een duistere blik op zijn gezicht. Met nijdige bewegingen opende hij de deur en schakelde het alarm uit. Alex keek naar hem, terugdenkend aan hoe ze de vorige avond tegen die deur hadden gestaan.

Daniel deed de deur op slot, schakelde het alarm in en liep de trap op, zonder om te kijken of ze achter hem aan liep. Zijn bevel om te volgen bleek uit zijn lichaamstaal, dus deed ze dat. Toen ze in zijn slaapkamer aankwam lagen haar tassen op zijn bed en stond hij bij het dressoir aan zijn stropdas te rukken.

'Wat is er gebeurd?' vroeg ze zachtjes.

Hij trok zijn jas en overhemd uit en smeet ze op een stoel in de hoek, waarna hij zich met blote borst omdraaide en zijn handen in zijn zij zette. 'Er wordt onderzoek naar Frank gedaan door de officier van justitie.'

'En terecht,' zei ze, waarop hij knikte.

'Dank je.' Zijn borst zwol op. 'Hij is kwaad op me. Hij gaf míj de schuld.'

'Het spijt me.'

'Het kan me niet schelen.' Maar het was overduidelijk dat het hem wel kon schelen. 'Waar ik kwaad om werd was dat hij onze vriendschap heeft gebruikt om te proberen mij invloed te laten uitoefenen op de officier van justitie. *Vriendschap.* Het grootste gelul dat ik in jaren heb gehoord.'

'Het spijt me,' zei ze opnieuw.

'Hou daar eens mee op,' snauwde hij. 'Hou op *bedankt* en *het spijt me* te zeggen. Je klinkt net als Susannah.'

Zijn zus, die haar eigen pijn had, had hij gezegd. 'Heb je haar gesproken?'

'Ja.' Hij wendde zijn blik af. 'Ik heb haar gesproken. Hoewel het geen moer uithaalde.'

'Wat zei ze?'

Zijn hoofd kwam met een ruk omhoog en zijn ogen boorden zich in die van haar. '"Het spijt me, Daniel. Dag, Daniel."' Er fonkelde pijn in zijn ogen, zo intens dat ze het op haar eigen borst voelde drukken. '"Jij was wég, Daniel,"' voegde hij er grauwend aan toe. Hij liet zijn hoofd hangen en zijn schouders zakten omlaag. 'Sorry. Juist tegen jou zou ik niet moeten schreeuwen.'

Ze ging op de rand van het bed zitten, te moe om te blijven staan. 'Waarom juist niet tegen mij?'

'Overal waar ik kijk zie ik leugens en verraad. De enige die zich aan geen van beide schuldig maakt ben jij.'

Ze was het niet met hem eens, maar ze was niet van plan te protesteren. 'Wie heb jij dan verraden?'

'Mijn zus. Ik liet haar achter in dat huis. Waar we zijn opgegroeid. Ik heb haar bij Simon gelaten.'

Ze begon het te begrijpen. Ze voelde medelijden en tederheid; haar hart ging uit naar Daniel en zijn zus. 'Niet al Simons slachtoffers zaten op de openbare school, hè?' vroeg ze, denkend aan hoe gespannen hij was geworden bij Talia's woorden tijdens de middagbespreking.

Weer schoot zijn hoofd met een ruk omhoog. Hij deed zijn mond open. En weer dicht. 'Nee,' zei hij uiteindelijk.

'Jij hebt het niet gedaan, Daniel. Simon heeft het gedaan. Het was net zomin jouw schuld als dat het mijn schuld was dat mijn moeder besloot Craig met haar verdenkingen te confronteren. Maar we dénken dat het onze schuld is, en het zal voor ons allebei niet makkelijk zijn om daar doorheen te komen.' Hij kneep zijn ogen tot spleetjes en ze haalde haar schouders op. 'Een berg kogels op een papieren vent afschieten geeft je een bepaalde mate van helderheid. Ik was pas zestien, maar mijn moeder was volwassen, en ze is veel te lang bij Craig Crighton gebleven. Toch heb ik haar informatie gegeven die haar een duwtje gaf. Logisch gezien is het niet mijn schuld, maar dertien jaar lang heb ik mezelf voorgehouden van wel.'

'Ik was geen zestien.'

'Daniel, wist jij dat Simon betrokken was bij de verkrachting van al die meisjes?'

Hij liet zijn hoofd weer hangen. 'Nee. Niet toen hij nog leefde. Pas toen hij dood was.'

'Zie je? Je vond die foto's pas toen hij dood was, nog geen twee weken geleden.'

Hij schudde zijn hoofd. 'Nee, toen hij de eerste keer overleed.'

Alex keek hem vragend aan. 'Dat snap ik niet.'

'Elf jaar geleden vond mijn moeder die foto's. We dachten dat Simon toen al een jaar dood was.'

Alex' ogen werden groot. *Elf jaar?* 'Maar Simon was niet dood. Hij was het huis uit.'

'Klopt. Maar toen zag ik die foto's. Ik wilde ermee naar de politie, maar mijn vader had ze al verbrand in de open haard. Hij wilde de negatieve publiciteit niet. Slecht voor zijn carrière als rechter.'

Alex begon het te begrijpen. 'Hoe heb je ze in Philadelphia gevonden als hij ze verbrand had?'

'Hij zal er wel extra afdrukken van hebben gemaakt. Mijn vader was een voorzichtig man. Maar het punt is dat ik er niks mee heb gedaan. Ik heb het niemand verteld. En Simon heeft jarenlang zijn gang kunnen gaan.'

'Wat had je dan kunnen zeggen, Daniel?' vroeg ze zachtjes. '"Mijn vader heeft een stel foto's verbrand, dus ik kan niks bewijzen"?'

'Ik heb jarenlang vermoed dat hij corrupt was.'

'En hij was een voorzichtig man. Je had echt niks kunnen bewijzen.'

'Ik kan nog steeds niks bewijzen,' snauwde hij. 'Omdat mannen zoals Frank Loomis zichzelf nog altijd indekken.'

'Wat zei je zojuist tegen hem?'

'Ik vroeg hem waar hij de hele week had gezeten. Waarom hij me niet terugbelde.'

'En waar was hij geweest?'

'Hij zei dat hij naar Bailey had gezocht.'

Alex knipperde met haar ogen. 'Echt? Waar dan?'

'Dat wou hij niet zeggen. Hij zei dat het niet uitmaakte, dat ze niet op de plaatsen was waar hij was wezen kijken. Ik zei hem dat als hij het goed wilde maken, hij ons moest helpen haar te zoeken in plaats van zelf maar wat rond te rennen. Ik zei hem dat als hij zich echt wilde bewijzen, hij goed kon maken wat hij dertien jaar geleden had gedaan. Dat hij dat met Fulmore recht moest zetten en vertellen wie hij destijds in bescherming had genomen. Uiteraard ontkende hij dat hij iemand beschermde, maar dat is de enige manier waarop ik kan begrijpen wat hij heeft gedaan. Frank heeft iemand laten opdraaien voor moord. Die hele rechtszaak was één kolossale dekmantel.'

'En dat ga je bewijzen, wanneer je al Simons vrienden in een kamer zet en ze allemaal naar elkaar beginnen te wijzen. Het zal omvallen als een kaartenhuis.'

Hij zuchtte, zijn woede was grotendeels bekoeld. 'Ik kan ze pas tegen elkaar opzetten als ik weet wie nu die moorden pleegt. En ik kan niets tegen die persoon ondernemen zonder Simons groepje smeerlappen te alarmeren. Ik sta met mijn rug tegen de muur.'

Ze liep naar hem toe en streek met haar handen over zijn borst en rug. 'Laten we gaan slapen, Daniel. Je hebt al bijna een week geen volle nacht slaap meer gehad.'

Hij legde zijn wang boven op haar hoofd. 'Ik heb al elf jaar geen volle nacht slaap meer gehad, Alex,' zei hij vermoeid.

'Dan wordt het tijd dat je ophoudt jezelf de schuld te geven. Als ik het kan, kun jij het ook.'

Hij ging wat naar achteren en keek in haar ogen. 'Kun jij het?'

'Ik moet wel,' fluisterde ze. 'Snap je het dan niet? Ik heb mijn leven lang net onder het oppervlak geleefd, nooit diep genoeg gravend om bij de wortels te komen. Ik wil wortels. Ik wil een leven. Jij niet?'

Zijn ogen fonkelden intens fel. 'Ja.'

'Laat het dan los, Daniel.'

'Dat valt niet mee.'

Ze drukte een kus op zijn warme borst. 'Dat weet ik. We gaan er morgen wel mee verder. Laten we nu maar gaan slapen. Morgenochtend kun je helder nadenken. Je pakt die kerel, dan zet je al Simons vrienden in een kamertje en laat je ze elkaar aan stukken scheuren.'

'Lap jij ze weer op als ze elkaar aan stukken hebben gescheurd?'

Ze tilde haar kin op en kneep haar ogen tot spleetjes. 'Vergeet het maar.'

Hij glimlachte scheef. 'God, meedogenloosheid maakt je sexy.'

En dat was voldoende om naar hem te gaan verlangen. 'Laten we maar naar bed gaan.'

Zijn wenkbrauwen kropen omhoog toen hij de verandering in haar stem opmerkte. 'Om te slapen?'

Ze sloeg haar armen om zijn nek. 'Vergeet het maar.'

Atlanta, donderdag 1 februari, 23:15 uur

Mack liet zijn camera met telelens zakken toen het rolgordijn van Vartanians slaapkamerraam omlaagging. Verdomme, net nu het interessant begon te worden. Hij wou dat hij het gesprek tussen Vartanian en Alex Fallon had kunnen horen, maar zijn afluisterapparatuur had maar een bereik van honderd meter en je kon er niet mee door muren heen horen. Twee dingen waren hem duidelijk: Vartanian was nog steeds woest op Frank Loomis, en Vartanian en Fallon stonden op het punt om meer dan een beetje close te worden.

De avond was bijzonder verhelderend geweest. Mack had niet verwacht Frank Loomis voor Vartanians huis te zien staan wachten. Kennelijk had Vartanian Loomis daar ook niet verwacht. Er werd onderzoek naar Loomis gedaan, en daar was hij bezorgd om. Zo bezorgd dat de grote, machtige sheriff zijn trots opzij had gezet en Daniel had gevraagd om voor hem te bemiddelen.

Mack draaide met zijn ogen. Daniel was natuurlijk veel te integer om zoiets laags te doen, maar hij was net loyaal genoeg om in de verleiding te zijn gekomen. Waardevollere inlichtingen waren bijna niet te krijgen. Na die mislukte poging tot aanrijding en haar overhoopgehaalde huis was Fallon op haar hoede, en Vartanian verloor haar geen seconde uit het oog.

Dan haal ik ze wel naar mij toe. Hij wist nu precies wat voor aas hij in de val moest stoppen.

Wanhoop en een beetje loyaliteit vermengd met een snufje Bailey vormden een combinatie die ze onweerstaanbaar zouden vinden.

Hij keek om naar Delia Anderson die achter in zijn busje lag, in een deken gewikkeld en klaar om te worden afgeleverd. Hij zou Delia dumpen en dan nog wat slapen voor hij zijn kranten moest gaan rondbrengen. Morgen werd een heel drukke dag.

22

Atlanta, vrijdag 2 februari, 5:50 uur

Hij werd wakker van de telefoon. Naast hem bewoog Alex, die haar wang tegen zijn borst nestelde en haar arm om zijn middel sloeg. Het was een ongelooflijk fijne manier van wakker worden.

Daniel tuurde naar de klok, toen op de nummermelder, en zijn hart ging tekeer toen hij over Alex' warme lichaam heen naar de telefoon reikte.

'Ja, Chase. Wat is er?' Alex gleed van hem af en belandde op haar zij, waarna ze met haar ogen knipperde en ineens wakker werd.

'De agent die Marianne Woolf schaduwt heeft gebeld. Ze is van de oprit weggereden en stak haar middelvinger naar hem op. Ze is ergens naartoe, alleen in haar auto. Hij zit vlak op haar bumper.'

Er kwam een steek van woede in zijn borst omhoog. 'Verdomme, Chase. Wat valt er niet te snappen aan binnenblijven en de deur op slot houden? En wat haalt Jim Woolf zich in zijn hoofd, dat hij zijn vrouw zijn vuile klusjes laat opknappen? Hoe kan het toch dat ze allemaal springen als die kerel met zijn vingers knipt? Hij heeft Jims zus vermoord, in godsnaam.'

'Woolf weet misschien niet dat zijn vrouw weg is. Hij zit nog in de cel. Zijn borgsom wordt pas vanochtend bepaald.'

'Misschien is ze gewoon een pak melk halen,' zei Daniel zonder veel overtuiging. 'Of heeft ze een buitenechtelijke affaire.'

Chase gromde. 'Hadden we dat geluk maar. Schiet op. Ik laat je bellen door die agent.'

Daniel boog zich over Alex heen om de telefoon op te hangen en kuste haar toen op haar lippen. 'We moeten weg.'

'Oké.'

Maar ze was warm en soepel en reageerde op zijn eenvoudige ochtendkus, dus gaf hij er nog een en sloot de wereld nog een paar minuten buiten.

'We moeten echt weg.'

'Oké.'

Maar ze kromde haar rug, woelde met haar handen door zijn haar, haar mond was warm en hongerig, en zijn hart bonsde plotseling ongelooflijk luid. 'Hoe snel kun je klaar zijn?'

'Inclusief douchen een kwartiertje.' Ze drong ongeduldig tegen hem aan. 'Schiet op, Daniel.'

Terwijl zijn hartslag in zijn oren bonsde, dook hij in haar vochtige warmte en ze kwam met een diepe, geschrokken kreet. Drie harde stoten later volgde hij, huiverend terwijl hij zijn gezicht in haar haren begroef. Haar handen streelden langs zijn ruggengraat en hij rilde weer. 'Weet je zeker dat ze grutten hebben in Ohio?'

Ze lachte, een voldaan, blij geluid, en hij besefte dat hij haar eigenlijk nooit eerder zo had horen lachen. Hij wilde het nog eens horen. 'En gehaktbrood,' zei ze. Toen sloeg ze hem op zijn achterwerk. 'Overeind, Vartanian. Ik wil eerst douchen.'

'Ik ben al overeind,' mompelde hij, nog niet bereid zich al terug te trekken. Hij had behoefte aan nog één minuutje, voordat hij onder ogen moest zien dat hij bang was weer iemand in een greppel aan te treffen. Maar hij tilde zijn hoofd op en zag haar nuchtere glimlach, en hij wist dat ze het begreep. 'Ik heb twee badkamers. Neem jij de grote, dan ga ik in die in de gang. Eens kijken wie er als eerste klaar is.'

Warsaw, Georgia, vrijdag 2 februari, 7:15 uur

Hij was als eerste klaar geweest, maar het had niet veel gescheeld. Hij stond pas drie minuten bij de voordeur te wachten toen zij de trap af kwam rennen, helemaal aangekleed, met een beetje make-up op haar gezicht en haar vochtige haren in een keurige vlecht. Ze zou sneller klaar zijn geweest, had ze benadrukt, als ze niet alle prijskaartjes van haar nieuwe kleren had hoeven verwijderen.

Nu keek Daniel achterom terwijl hij van zijn auto naar de greppel liep, waar Ed al stond te wachten. Vanaf de voorstoel van zijn auto zwaaide Alex kleintjes en glimlachte ze bemoedigend, en hij voelde zich als een kind op zijn eerste schooldag.

'Alex ziet er beter uit vanochtend,' zei Ed.

'Vind ik ook. Ik heb haar gisteravond meegenomen naar Leo's schietbaan. Daar heeft ze zich kunnen uitleven op een doelwit. Dat schijnt te hebben geholpen, samen met een goeie nacht slapen.'

Sceptisch trok Ed zijn wenkbrauw op. 'Ongelooflijk wat een goeie nacht slapen kan doen,' zei hij mild.

Daniel glimlachte en keek Ed in zijn ogen. 'Dat ook,' gaf hij toe.

Ed knikte. 'We hebben Marianne Woolf achter het politielint gezet,' zei hij, wijzend naar de vrouw die foto's stond te maken met de camera van haar man. 'We hebben ervoor gezorgd dat we het lint heel ruim hebben aangebracht.'

'Wat zei ze?'

'Dat herhaal ik maar niet. Wat een mens is dat.'

Marianne liet haar camera zakken, en zelfs van meer dan dertig meter afstand voelde Daniel haar kwade blik. 'Ik begrijp haar niet.'

Hij richtte zijn aandacht op de greppel. 'Ik begrijp die dader niet.'

'Het is hetzelfde,' zei Ed. 'Deken, gezicht, sleutel, haar om de teen, alles.'

Het was een ondiepe greppel en Malcolm Zuckerman van het kantoor van de patholoog kon hen goed verstaan. 'Niet alles,' zei Malcolm, die naar hen opkeek. 'Ze is ouder. Ze heeft een facelift gehad, en collageeninjecties in haar lippen, maar haar handen zijn gerimpeld en droog.'

Daniel keek bedenkelijk en hurkte aan de rand van de greppel neer. 'Hoe oud is ze?'

'In de vijftig, misschien,' antwoordde Malcolm. Hij trok de deken opzij. 'Ken je haar?'

De vrouw had flink getoupeerd stroblond haar. 'Nee. Ik geloof tenminste van niet.' Daniel keek bezorgd op naar Ed. 'Hij heeft zijn patroon doorbroken. Waarom?'

'Misschien probeerde hij jongere in handen te krijgen, maar waren ze te voorzichtig en waren ze niet alleen. Of misschien is ze belangrijk voor hem.'

'Of allebei,' zei Daniel. 'Haal haar maar naar boven, Malcolm.'

'Daniel?' vroeg Alex achter hem.

Daniel draaide zich abrupt om. 'Dit wil je niet zien, lieverd. Ga terug naar de auto.'

'Ik heb vast wel eens erger gezien. Je leek me van streek en... ik maakte me zorgen.'

'Het is Bailey niet,' zei hij, en ze ontspande zich een beetje. 'Het is een oudere vrouw deze keer.'

'Wie dan?'

'Weten we niet. Ga achteruit, ze halen haar naar boven.'

Malcolm en Trey tilden de draagbaar uit de greppel en legden het lijk op de open lijkzak die ze op de brancard hadden uitgespreid. Achter hem hield Alex hoorbaar haar adem in.

Daniel en Ed draaiden zich allebei tegelijk om. Alex stond heel stil. 'Ik ken haar. Dat is Delia Anderson. Zij heeft me de bungalow verhuurd. Ik herken dat kapsel.'

'Dan weten we in elk geval wie we slecht nieuws moeten gaan brengen.' Hij keek naar Marianne Woolf. Ze had haar camera weer laten zakken, maar deze keer was het van schrik. 'En we moeten Marianne rustig houden.' Hij tilde Alex' kin op en keek haar onderzoekend aan. 'Gaat het wel?'

Ze knikte bruusk. 'Ik heb wel erger gezien, Daniel. Niet vaak, maar wel eens. Ik wacht wel in de auto op je. Tot ziens, Ed.'

Ed zweeg peinzend terwijl ze Alex nakeken, die terugliep naar Daniels auto.

'Ik zou wel willen vragen of ze nog een zus heeft, maar dat zou echt smakeloos zijn.'

Daniel wist een geschrokken lach in te slikken voor die hem kon ontsnappen. Het was een van die momenten die buitenstaanders niet zouden begrijpen. Als de last zo zwaar werd, was zwarte humor de enige niet-verslavende, niet-destructieve uitlaatklep. 'Ed...!'

'Ik weet het.' Ed keek naar Marianne. 'Regel jij dat met die trut, dan regel ik het hier met de prut.'

Deze keer kon Daniel zijn gegrinnik niet binnenhouden, maar hij liet zijn hoofd zakken zodat niemand zijn glimlach kon zien. Toen hij weer opkeek, was hij weer ernstig. 'Ik hou me wel bezig met *mevrouw Woolf*.'

'Ja, ja,' mompelde Ed toen Daniel wegliep.

Marianne huilde. 'Marianne, wat doe je hier, verdomme?'

Mariannes ogen fonkelden van woede, ondanks de tranen. 'Dat is Delia Anderson.'

'Hoe weet je dat?'

'Omdat ik al vijf jaar lang elke donderdag naast haar zit bij Angie's Beauty Shop,' snauwde Marianne. 'Niemand heeft een kapsel zoals Delia.'

'We zullen haar identiteit nog moeten bevestigen,' zei Daniel. 'Wat doe je hier, Marianne?'

'Ik had een sms'je gekregen.'

'Je hebt gecommuniceerd met de moordenaar.' Daniel zei het langzaam, hopend dat zijn woorden als door een wonder tot haar door zouden dringen. 'De moordenaar van je schoonzus.'

Ze sneerde. 'Dat weet ik niet. Hij heeft nooit gezegd: "Ik heb ze vermoord, ga maar kijken." Alleen maar: "Ga kijken waar een pas vermoord lijk ligt."'

Daniel sloeg zijn ogen ten hemel. 'Ik zie het verschil niet, Marianne.'

Ze keek hem opstandig aan. 'Nee, dat zal wel niet.'

'Waarom doen Jim en jij dit? Leg me dat nou eens uit.'

Marianne zuchtte. 'Jims vader heeft jarenlang die krant gehad. Het was zijn leven. Een lief klein stadskrantje waarin de wedstrijduitslagen van de middelbare school het grootste nieuws waren. Jim droomde er altijd van dat er meer van gemaakt kon worden, maar zijn vader wilde het hem niet laten proberen. Toen zijn vader overleed nam Jim het over, en hij veranderde alles. Ik weet dat jij het stom vindt...' Haar kin kwam omhoog. 'Maar het is zijn droom. Hij heeft aanbiedingen van een paar grote kranten gehad voor dit verhaal, en het is een verhaal dat moet worden verteld. Hij zit in de gevangenis, dus vertel ik het tot hij weer vrij is.'

Daniel wilde haar het liefst door elkaar rammelen. 'Maar jullie laten je door een moordenaar gebrúíken.'

Ze trok haar wenkbrauwen op. 'En jij niet? Deze zaak en deze moordenaar hebben nog méér aandacht gekregen omdat jíj het onderzoek doet.' Haar stem werd triomfantelijk. Spottend. 'De grote Daniel Vartanian, zoon van een rechter, broer van een seriemoordenaar. Maar Daniel is boven alles uitgestegen, gezworen beschermer van de waarheid, de gerechtigheid en het Amerikaanse leven.' Ze klemde haar kiezen op elkaar. 'Ik krijg er bijna tranen van in mijn ogen.'

Daniel staarde haar stomverbaasd aan. 'En Lisa dan? Denk je niet dat zij beter verdient?'

Marianne glimlachte warempel. 'Lisa zou de eerste zijn om me aan te moedigen, Daniel.'

Hij was volkomen van zijn stuk gebracht. 'Ik snap jou niet.'

'Nee, dat zal wel niet. Daarom is het maar goed dat we een grondwet hebben.' Ze haalde de geheugenkaart uit haar camera en keek op naar de potige agent die haar had geschaduwd. 'Ik zal met die kleine hier meegaan en een kopie van de foto's voor jullie maken. Jim zei dat ik dat moest doen als ik gesnapt werd.'

'Kun je in elk geval wachten met iets af te drukken tot we de familie Anderson op de hoogte hebben gesteld?'

Marianne knikte, haar minachting was even verdwenen. 'Ja. Dat is akkoord.'

Atlanta, vrijdag 2 februari, 8:50 uur

'Maar wat heeft deze vrouw met dit alles te maken?' wilde Chase weten. Ed was op de plaats delict gebleven, Talia hield gesprekken met verkrachtingsslachtoffers, en Hatton en Koenig waren nog bij Peachtree en Pine op zoek naar Crighton.

Luke zat naast Daniel aan de vergadertafel, geheel opgaand in het een of ander op het scherm van zijn laptop.

'Ze werkte vroeger bij de Davis Bank in Dutton,' zei Luke. 'Dat staat op haar website. Ze vermeldt de Davis Bank als geldverstrekker voor huizenkopers.'

'Dat lijkt me niet voldoende motief om haar te vermoorden,' zei Chase weifelend. 'Wat heb je ontdekt over Jared O'Briens familie?'

'Alleen wat ik op internet heb kunnen vinden,' antwoordde Luke. 'Maar het zal je wel bevallen. De O'Briens waren vroeger eigenaar van de papierfabriek in Dutton. Larry O'Brien had twee zoons. Jared was de oudste en zat op Bryson Academy. Hij was even oud als Simon. De jaarboeken geven de indruk dat Jared nogal een versierder was. Hij was de prins van het bal in zijn examenjaar.' Luke gaf hun een kopie van de jaarboekfoto van Jared. 'Hij was een knappe jongen. Jareds broertje heette Mack. Mack was negen jaar jonger.' Hij zweeg even en trok zijn wenkbrauwen op.

Daniel zoog zijn adem naar binnen. 'Dan zat hij op de middelbare school bij Janet en de anderen.'

'Aanvankelijk, ja,' zei Luke, 'maar als je in de jaarboeken kijkt zie je dat Mack ergens tijdens zijn schooltijd naar de openbare school is overgeplaatst. Hij was te jong om op de lijsten van mannelijke kandidaten van Simons leeftijd te verschijnen, en hij zat niet op Bryson Academy in de jaren die we hebben gecontroleerd voor de vermoorde vrouwen. Larry O'Brien, de vader, overleed aan een hartaanval, ongeveer een jaar nadat Simon de eerste keer stierf. Jared, als oudste zoon, nam de fabriek over. Er zijn niet veel openbare gegevens, maar er schijnen heel veel mensen werkloos te zijn geraakt, dus kennelijk was Jared niet zo'n beste zakenman.'

'Kate zei dat hij een zuiplap was,' zei Daniel. 'Ik weet dat hij een strafblad had. Ik heb Leigh hem na laten trekken. Jared O'Brien is in Georgia twee keer gearresteerd voor rijden onder invloed.'

'Jared verdwijnt in het jaar dat Mack pas op de middelbare school zit,' zei Luke. 'De fabriek gaat failliet omdat Jared al het geld over de balk heeft gesmeten, en door wie denk je dat hij wordt gekocht?'

Chase zuchtte. 'Nou?'

'Rob Davis.'

Daniels mond viel open. 'Dat meen je niet.'

'Jawel,' zei Luke. 'De weduwe van de vader, Lila O'Brien, laat zich een paar maanden later failliet verklaren.'

'En Mack gaat naar de openbare school.' Daniel trok zijn wenkbrauwen op. 'De timing klopt. De O'Briens hebben vast niet veel aan de verkoop overgehouden, als Mack naar een andere school moest.'

'De fabriek is particulier eigendom, dus de gegevens zijn niet openbaar,' zei Luke, 'maar ik denk dat we daar wel van uit kunnen gaan.'

'Dus we hebben misschien een motief voor wraak op de familie Davis,' zei Chase, 'maar hoe zit het met de rest? Hoe had Mack op de hoogte kunnen zijn van die "club"? Hij was toen pas negen. En hoe zit het met Jared? Hij is verdwenen, maar niemand heeft een lijk gevonden. Misschien is Jared wel teruggekomen en heeft hij dit allemaal aangeslingerd.'

'Dat is mogelijk, maar luister.' Luke zweeg even theatraal. 'Mack is in het laatste jaar van de middelbare school gearresteerd voor mishandeling en autodiefstal. Hij was al achttien, dus werd hij berecht als volwassene en ging de gevangenis in. Hij werd voorwaardelijk vrijgelaten nadat hij vier van de twaalf jaar had uitgezeten. Een maand geleden.'

'Joh.' Daniel wilde grijnzen, maar hij hield zich in. Er waren nog te veel dingen onduidelijk. 'Het klopt allemaal, maar we moeten weten waarom hij Janet en de anderen heeft vermoord, waarom hij Alicia's moord heeft nagebootst en, zoals Chase al zei, hoe hij zelfs maar van dit alles op de hoogte was.'

'Laten we hem dan maar opzoeken en hierheen halen om hem wat vragen te stellen,' zei Chase dreigend. 'Heb je een foto, Luke?'

Luke schoof er een over tafel. 'Dit is 'm.'

Daniel bekeek Mack O'Briens gezicht. Zijn haar was donker en vettig, zijn lichaam mager en pezig, en hij had vreselijke acnelittekens in zijn gezicht. 'Hij lijkt niet echt veel op Jared,' merkte hij op. 'Laten we een opsporingsbevel uitvaardigen.'

'Ik zal de paroolcommissie bellen voor een recentere foto,' zei Luke. 'Voorlopig is dit beter dan niks.'

'En hoe zit het met de rest van Jared O'Briens familie?' vroeg Chase.

'Zijn moeder overleed terwijl Mack in de gevangenis zat,' zei Luke. 'Jared heeft een vrouw en twee kleine jongens achtergelaten. Ze wonen ergens buiten Arcadia.'

'Heb je dat allemaal van internet geplukt?' vroeg Daniel.

'De krant van Dutton staat nu online, tot tien jaar geleden.' Luke haalde zijn schouders op. 'Een van die dingen die Jim Woolf heeft gedaan om te moderniseren. Bovendien worden geboorte- en sterftegegevens gearchiveerd bij de gemeente en hadden we Macks arrestatie in onze eigen boeken staan. Hij is veroordeeld hier in Atlanta, trouwens. Niet in Dutton.'

'Wie had hem gearresteerd?' vroeg Daniel.

'Ene Smits, uit district twee.'

'Bedankt, ik zal met hem praten.' Daniel keek Chase aan. 'We moeten de Andersons zo snel mogelijk op de hoogte stellen, maar ik wil ook graag Jareds weduwe spreken.'

Chase knikte. 'Ik ga wel naar de Andersons. We laten Davis en Mansfield al in de gaten houden. Als ze proberen ervandoor te gaan grijpen we ze.'

'Chase.' Leigh rende de kamer in, met Alex op haar hielen; ze waren allebei bleek. 'Koenig heeft net gebeld. Ze hebben Crighton gevonden, maar hij trok een pistool en heeft Hatton in de schouder geraakt.'

'Hoe erg?' wilde Chase weten.

'Erg,' zei Leigh. 'Ze hebben hem snel naar het Emory gebracht. Zijn toestand is kritiek. Koenig is nu in het ziekenhuis. Hij is ook geraakt, maar niet zo erg.'

Chase haalde diep adem. 'En hun echtgenotes?'

'Koenig heeft ze gebeld. Ze zijn allebei onderweg.'

Chase knikte. 'Goed. Ik zal contact opnemen met de Andersons, en daarna ga ik erheen. Luke, ik wil alles hebben wat we kunnen vinden over Mack O'Brien, zelfs welk merk cornflakes hij als kind at. Haal financiële gegevens boven water van de anderen: Mansfield, en zowel Garth als zijn oom.'

'Ik bel je als ik iets heb.' Luke vertrok, met zijn laptop onder zijn arm.

Chase wendde zich tot Daniel. 'Crighton kan wachten. Ze zetten hem wel in de cel tot we klaar voor hem zijn.'

'Je hebt gelijk. Ik ga naar Jareds vrouw.'

'Wacht even,' zei Leigh. 'De koeriers zijn net geweest. Uit Cincinnati en Philadelphia.'

'De sleutels,' zei Daniel. Hij scheurde de enveloppen open en liet de sleutels op tafel vallen. Ciccotelli had vanuit Philadelphia vijf sleutels opgestuurd. Het was niet moeilijk te zien welke de juiste was: hij was bijna identiek aan de sleutel die Alex' ex had gestuurd. Daniel stak beide sleutels op, een in elke hand. 'Ze zijn niet voor hetzelfde slot, maar de sleutels zelf lijken van dezelfde fabrikant te zijn.'

'Kluisjes?' vroeg Chase.

Daniel knikte. 'Ik denk het wel.'

'De bank van Garths oom?' vroeg Chase, en Daniel knikte weer.

'Ik kan niet zomaar Davis' bank in stormen en zonder een bevelschrift toegang eisen tot een kluisje, en zelfs als ik dat krijg, verraden we onszelf.'

'Bel Chloe, laat haar beginnen met die bevelschriften,' zei Chase. 'Dan hebben we het papierwerk alvast gedaan, als we meer informatie krijgen.'

'Goed idee. Alex, jij moet hier blijven. Sorry. Ik kan het niet gebruiken dat ik me zorgen om jou moet maken terwijl ik dit allemaal doe.'

Haar kaak verstrakte. 'Oké. Ik begrijp het.'

Hij drukte een stevige kus op haar lippen. 'Blijf hier in het gebouw. Beloof je dat?'

'Ik ben niet achterlijk, Daniel.'

Hij keek haar fronsend aan. 'Draai er niet omheen, Alex. Beloof het.'

Ze zuchtte. 'Beloofd.'

Arcadia, Georgia, vrijdag 2 februari, 10:30 uur

Jared O'Briens vrouw woonde in een huisje formaat koektrommel. Ze deed de deur open in een serveersteruniform, en haar gezicht stond vermoeid.

'Annette O'Brien?'

Ze knikte. 'Ja, dat ben ik.' Ze leek niet verbaasd hem te zien, alleen maar moe.

'Ik ben rechercheur –'

'U bent Simon Vartanians broer,' onderbrak ze hem. 'Kom binnen.'

Ze liep met een paar stappen haar woonkamertje door en plukte onderweg een shirt, een paar schoentjes en een speelgoedvrachtauto van de vloer. 'U hebt kinderen,' zei hij.

'Twee. Joey en Seth. Joey is zeven. Seth is net voor kerst vijf geworden.'

Dat betekende dat ze zwanger was van haar jongste zoon toen haar man verdween. 'U schijnt niet verbaasd te zijn om me te zien, mevrouw O'Brien.'

'Klopt. In feite wacht ik al meer dan vijf jaar op uw komst.' Haar blik vertrok van bezorgdheid. 'Ik zal u vertellen wat u weten wilt. Maar ik moet bescherming krijgen voor mijn kinderen. Zij zijn de enige reden dat ik tot nu toe mijn mond heb gehouden.'

'Bescherming tegen wie, mevrouw O'Brien?'

Ze keek hem strak aan. 'Dat weet u wel, anders zou u hier niet zijn.'

'U hebt gelijk. Wanneer ontdekte u wat Jared en de anderen hadden gedaan?'

'Toen hij verdwenen was. Ik dacht dat hij er met een ander vandoor was. Ik was zwanger van Seth en werd te dik voor... Nou ja, ik dacht dat hij wel terug zou komen.'

Daniel voelde woede ten opzichte van Jared en medelijden met Annette. 'Maar hij kwam niet terug.'

'Nee, en na een paar weken was het geld op en hadden we honger.'

'En Jareds moeder?'

Ze schudde vermoeid haar hoofd. 'Ze was het land uit met Mack. Naar Rome, geloof ik.'

'U had geen geld om te eten en zijn moeder zat in Rome? Dat snap ik niet.'

'Jared wilde niet dat zijn moeder wist hoe hij het verknald had met de fabriek van zijn vader. Zijn moeder was gewend aan een bepaalde levensstandaard, en hij zorgde ervoor dat ze die hield. Wij hadden die ook, zo leek het. We woonden in een groot huis, reden in mooie auto's. Maar we hadden geen krediet bij de bank en geen contanten. Jared hield alle financiën strak in de hand. Hij gokte.'

'En dronk.'

'Ja. Toen hij niet terugkwam ben ik op alle plekken gaan zoeken waar hij geld verstopte.' Ze haalde diep adem. 'En toen vond ik zijn dagboeken. Jared heeft die altijd heel trouw bijgehouden, al sinds hij klein was.'

Daniel moest zich inhouden om niet van blijdschap een vuist in de lucht te steken. 'Waar zijn die?'

'Ik zal ze voor u pakken.' Ze liep naar de open haard en peuterde aan een baksteen aan de binnenkant ervan.

'Riskante plek om een dagboek te verstoppen,' merkte Daniel op.

'Jared had ze in de garage verstopt, bij de reserveonderdelen voor zijn Corvette. Mijn zoons en ik zijn hierheen verhuisd toen we alles kwijt waren. Seth heeft veel last van allergie, dus we gebruiken de open haard nooit. Het is wel veilig.' Ze was nog bezig geweest met de baksteen terwijl ze vertelde, en ze trok die nu eindelijk los. Toen bewoog ze naar achteren, verbleekte, haar mond viel open en ze staarde in de open haard. 'Dat... kan niet.'

Daniel voelde al zijn blijdschap verpieteren. Hij liep naar de open haard en keek in het gat, en plotseling begonnen de puzzelstukjes op hun plek te schuiven.

'Laten we even gaan zitten.' Hij boog zich naar voren, waarbij hij zijn gezicht kalm hield omdat Annette het randje van de hysterie scheen te staan. 'Is Mack hier op bezoek geweest?'

De blik die ze hem gaf was er een van oprechte schok. 'Nee. Hij zit in de gevangenis.'

'Niet meer,' zei hij, en ze verbleekte nog meer. 'Hij is een maand geleden voorwaardelijk vrij gekomen.'

'Dat wist ik niet. Echt niet.'

'Is er nog iets anders verdwenen?'

'Ja. Mijn fooien, die ik in een pot in de slaapkamer bewaarde, zijn ongeveer een maand geleden verdwenen. Ik heb Joey er de schuld van gegeven.' Ze sloeg een bevende hand voor haar mond. 'Twee weken geleden gebeurde het weer; mijn fooien en de koekjes die ik voor het lunchpakketje van de kinderen had gebakken. Ik heb Joey een pak op zijn broek gegeven en hem voor leugenaar uitgemaakt.' Haar ogen vulden zich met tranen. 'Net als zijn vader.'

'Dat lossen we later wel op,' zei Daniel vriendelijk. 'Kunt u me vertellen wat u zich nog herinnert van die dagboeken?'

Haar ogen waren glazig geworden van paniek. 'Mack is hier geweest. Mijn jongens zitten op school. Ze zijn niet veilig als Mack in de buurt is.'

Daniel wist dat hij niet veel hulp van haar kon verwachten als ze zo bang was vanwege haar kinderen. Hij belde sheriff Corchran in Arcadia en vroeg hem de jongens van school af te halen, en wendde zich toen tot Annette, die zichtbaar moeite had om zich te vermannen. 'Corchran zegt dat hij ze met zwaailichten en sirene laat ophalen. Dat vinden ze prachtig. Maak u geen zorgen.'

'Dank u.' Ze deed haar ogen dicht, nog altijd heel bleek. 'Mack is uit de gevangenis, de dagboeken zijn weg, en vier vrouwen zijn vermoord net zoals Alicia Tremaine.'

Vijf vrouwen, dacht Daniel. Annette O'Brien had het ochtendjournaal zeker nog niet gezien.

Ze keek hem met onthutste, verloren ogen aan. 'Mack heeft die vrouwen vermoord.'

'U hebt hem gekend. Kan hij dat hebben gedaan? Zou hij dat doen?'

'Ja, daar is hij toe in staat,' fluisterde ze. 'Mijn god. Ik had ze moeten verbranden toen ik de kans nog had.'

'De dagboeken?' vroeg Daniel, en ze knikte. 'Alstublieft, mevrouw O'Brien, kunt u me vertellen wat u zich uit die dagboeken herinnert?'

'Ze hadden een club. Simon was de voorzitter. Jared heeft nooit echte namen genoemd. Ze gebruikten bijnamen.' Ze zuchtte vermoeid. 'Het waren stomme jongens.'

'Die een aantal vrouwen hebben verkracht,' zei Daniel streng.

Ze keek hem fronsend aan toen ze zijn bedoeling begreep. 'Ik praat op geen enkele manier goed wat ze hebben gedaan, meneer Vartanian,' zei ze zachtjes. 'Vergis u daar niet in. Dit was geen baldadigheid. Wat zij deden was obsceen en... kwaadaardig.'

'Sorry, ik had u verkeerd begrepen. Ga verder.'

'Ze waren nog maar jongens toen het begon, vijftien of zestien. Ze bedachten een spelletje, hadden regels, een geheime code, sleutels... Het was zo stóm.' Ze slikte. 'En zo verschrikkelijk.'

'Als Jared geen namen noemde, hoe weet u dan dat Simon de voorzitter was?'

'Ze noemden hem kapitein Ahab. Simon was de enige in Dutton die ik kende met een kunstbeen, dus telde ik één en één bij elkaar op. Jared schreef in het dagboek dat niemand hem Ahab noemde waar hij bij was; alleen kapitein. Ze waren allemaal bang voor hem.'

'En terecht,' mompelde Daniel. 'Welke bijnamen noemde Jared nog meer?'

'Bruto en Igor. Jared schreef dat ze altijd met elkaar omgingen, en een keer maakte hij een vergissing en schreef iets over dat Bruto's vader burgemeester McCheese was. Garth Davis' vader was destijds burgemeester. Ik nam aan dat Igor Rhett Porter was.'

'Garths oom kocht de fabriek toen Jared overleden was,' merkte Daniel op, en haar ogen fonkelden.

'Ja, voor een paar rotcenten. Wij bleven achter met niks. Maar daarvoor bent u hier niet. De anderen... Nou, er was ook nog ene Doperwtje bij. Ik heb nooit zeker geweten of dat Randy Mansfield was of een van de gebroeders Woolf. Jared vond het grappig om hem Doperwtje te noemen, omdat die jongen dat vreselijk vond. Het was een of andere sarcastische grap over zijn mannelijkheid. Zo hadden ze hem overtuigd om bij de club te komen.' Haar lippen vertrokken. '"Verkracht die meisjes. Bewijs dat je een man bent." Ik werd er kotsmisselijk van.'

'U hebt vier bijnamen genoemd,' zei Daniel. 'Wat was Jareds bijnaam?'

Ze wendde haar blik af, maar hij ving een glimp op van de pijn en schaamte in haar ogen. 'Don Juan, of DJ. Hij was de versierder van de groep. Jared lokte de meeste meisjes.'

'En de andere twee?'

'Po'boy en Harvard. Po'boy was Wade Crighton. Daar ben ik volkomen zeker van.'

'Hoezo?'

'De jongens moesten als deel van hun inwijding een meisje aanleveren aan de groep. Ze waren het er niet over eens of ze Wade erbij moesten laten of niet. Hij was arm. Zijn vader werkte in de fabriek.' Haar gezicht werd grimmig. 'Maar Wade had iets te bieden. Hij had drie zussen.'

Daniels maag maakte een salto. 'Mijn god.'

'Precies,' mompelde ze. 'De club was boos dat Po'boy weigerde zijn echte zus mee te nemen, maar de troostprijs was een tweeling.'

Een paniekerig gevoel stuwde gal omhoog in zijn keel. 'Heeft Wade allebei de meisjes meegenomen?'

'Nee. Ze werden kwaad omdat ze er allemaal naar hadden uitgekeken om een "tweeling te pakken", en toen nam Po'boy er maar eentje mee. Hij zei dat de andere ziek was en het huis niet uit kon.'

'Dus verkrachtten ze Alicia.'

'Ja.' Annettes ogen werden vochtig. 'Net zoals alle anderen. Ik... kon mijn ogen niet geloven toen ik het las. Ik was met die man getrouwd. Had kinderen van hem...' Haar stem stierf weg.

'Mevrouw O'Brien,' zei Daniel zachtjes, 'wat hebben ze met die meisjes gedaan?'

Ze wreef met haar vingertoppen in haar ogen. 'Ze gaven ze een of ander verdovend middeltje en namen ze mee naar een huis. Jared schreef niet wiens huis. Ze...' Ze keek gepijnigd op. 'Alstublieft, dwing me niet om dat deel te beschrijven. Ik word er misselijk van.'

Hij had haar beschrijving niet nodig. Hij had de foto's gezien, alle obscene details. 'Oké.'

'Dank u. Als het voorbij was, zetten ze die meisjes in hun auto, goten whisky over hun kleren en lieten ze achter met een lege fles. Ze namen foto's om aan die meisjes te laten zien voor het geval ze zich iets herinnerden. Ze lieten het eruitzien alsof het vrijwillig ging, zodat de meisjes niet zouden praten.'

Daniel fronste zijn wenkbrauwen. Op geen van de foto's die hij had gezien waren de mannen goed zichtbaar, en niet een van die foto's had ook maar een beetje vrijwillig geleken. 'En waren er meisjes die zich iets herinnerden?'

Ze knikte mat. 'Sheila. En nu is ze dood. Ik kan haar niet uit mijn hoofd zetten.'

Daniel ook niet. 'Ga door,' zei hij, en ze rechtte haar rug een beetje.

'Die nacht lieten ze Alicia in het bos achter toen ze... klaar waren. In de maanden voor Alicia had Jared geschreven dat hij zich afvroeg hoe het zou zijn als ze wakker waren.' Annettes ogen stonden gepijnigd. 'Hij wilde ze "horen gillen". Dus ging hij die nacht terug. Hij wachtte tot Alicia bijkwam, randde haar nog een keer aan, en ze begon te schreeuwen. Maar ze waren niet zo ver van het huis van de familie Crighton vandaan, en plotseling besefte Jared dat hij toch niet wilde dat ze gilde.'

'Dus legde hij zijn hand over haar mond om haar stil te houden.'

'En toen hij zag dat ze dood was raakte hij in paniek. Hij vluchtte en liet haar daar achter, dood en naakt in het bos. Hij schreef dat allemaal op toen hij terugkwam nadat hij haar had vermoord. Hij was... uitgelaten. De volgende dag vonden ze Alicia's lichaam in de greppel en was Jared even verbaasd als alle anderen. Hij vond het grappig. De anderen in de club gingen helemaal door het lint, alleen hij wist dat hij haar had vermoord, en omdat die zwerver was gearresteerd, zou hij niet eens worden gestraft.'

En Gary Fulmore had dertien jaar in de gevangenis gezeten voor een misdaad die hij niet had gepleegd. 'En de zevende man? Harvard?'

'Wederom heb ik altijd gedacht dat het een van de gebroeders Woolf was. Vooral Jim. Hij was altijd een beetje een studiebol.' Ze glimlachte droevig. 'Na u, natuurlijk. U had de beste cijfers.'

Daniel keek bedachtzaam. 'Kende ik u toen?'

'Nee. Maar iedereen had over u gehoord van meneer Grant.'

Zijn oude leraar Engels. 'Had hij het over mij?'

'Hij praatte altijd over zijn favoriete leerlingen. Hij zei dat u een gedicht uit uw hoofd had geleerd en een prijs had gewonnen.'

'"Dood, wees niet trots",' mompelde Daniel. 'Wat gebeurde er toen u die dagboeken had gevonden?'

'Ik wist dat Jared er niet zomaar vandoor was. Ik wist dat ze hem uit de weg hadden geruimd. In de laatste paar stukken schreef Jared dat hij bang was. Bang dat als hij dronken werd, hij zou gaan praten, en het werd steeds moeilijker om niet te praten over wat ze hadden gedaan.'

'Had hij spijt?' vroeg Daniel verbaasd.

'Nee. Spijt kwam niet in Jareds woordenboek voor. Zijn bedrijf ging failliet. Hij had twee familiefortuinen vergokt, dat van mij en dat van hem. Hij wenste dat hij iedereen kon vertellen wat hij met Alicia had gedaan. Ze zouden versteld staan. Maar als hij het vertelde zouden de anderen hem vermoorden.'

'Dus hij wilde opscheppen.' Daniel schudde zijn hoofd.

'Hij was tuig. Dus toen hij stierf was ik enerzijds opgelucht, maar anderzijds ook doodsbang. Stel dat de anderen wisten dat ik het wist? Ze zouden mij ook vermoorden, en Joey. Ik was zwanger en kon nergens naartoe. Ik wachtte in doodsangst af. Iedere nacht was ik bang dat er iemand mijn huis binnen zou dringen en me zou vermoorden.

'Er verstreken een paar weken. De fabriek ging failliet en Jareds moeder moest faillissement aanvragen. Ik liep destijds met gebogen hoofd over Main Street. De meeste mensen dachten vast dat ik me schaamde voor dat faillissement, maar ik was bang. Ik wist dat enkele mannen die ik kénde die vreselijke díngen hadden gedaan. Ik wist dat ze het vroeg of laat in mijn ogen zouden zien. Dus verkocht ik wat we nog hadden en verhuisde hierheen. Ik kreeg een baan en wist de eindjes aan elkaar te knopen.'

'En u hield die dagboeken.'

'Als verzekering. Ik dacht dat ik die als pressiemiddel kon gebruiken als ze me ooit zouden lastig vallen.'

'En Jareds moeder?'

'Lila heeft geprobeerd een lening te krijgen. Ze is naar de bank gegaan en heeft gesmeekt.' Haar kaak verstrakte. 'Op haar knieën. Ze smeekte Rob Davis op haar knieën, en hij weigerde botweg.'

'Dat moet vernederend zijn geweest voor uw schoonmoeder.'

'U hebt geen idee,' zei ze bitter. 'Een van de baliemedewerkers vertelde iedereen dat ze Lila op haar knieën voor Davis had zien liggen.' Er verspreidde zich een warme blos over Annettes wangen. 'Zoals Delia het zei klonk het alsof Lila iets pervers had gedaan. Het idee alleen al... Lila wist niet eens dat zoiets bestond, laat staan dat ze zou overwegen dat bij Rob Davis te doen.'

Daniel hield zijn gezicht neutraal, ook al was hij vanbinnen gespannen. 'Delia?'

'Ja,' zei Annette minachtend. 'Delia Anderson, die slet. Iedereen wist dat ze een affaire had met Rob Davis. Waarschijnlijk nog steeds. En dan nog had ze het lef om die leugens over Lila te verspreiden. Lila had een zwak hart, en daarna ging het bergafwaarts. Zij moest ook alles verkopen. Ze moest zelfs Mack van Bryson Academy halen, en hij was daar woest om. Hij was losgeslagen. Ik was bang voor hem, al voordat ik wist wat Jared had gedaan.'

Nu snapte hij zowel de moord op Sean als op Delia. 'Was Mack gewelddadig?'

'O, ja. Mack was altijd aan het vechten, zelfs voor dat faillissement. Hij kreeg er nooit problemen mee. Op de een of andere manier werd alles altijd gesust. Ik dacht dat het door O'Brien en zijn geld kwam, tot ik ontdekte dat daar niets van over was. Toen ik die dagboeken vond wist ik het. Alle anderen hadden Jared gesteund, hem voldoende geld gegeven om zich te redden, om de belastingdienst en zijn crediteuren een stapje voor te blijven. Ze moeten ook het pad hebben vrijgemaakt voor Mack.'

'Dat klinkt logisch. Ik zou tot dezelfde conclusie zijn gekomen.'

Haar glimlach was droevig. 'Dank u. Meestal als ik overwoog om het iemand te vertellen, dacht ik dat ze me voor gek zouden verslijten. Dat ik het misschien allemaal had verzonnen. En dan...'

'En dan?'

'Dan trok ik die baksteen net ver genoeg naar buiten om te zien dat de dagboeken er nog lagen. En dan wist ik dat ik niet gek was.'

'Wanneer hebt u voor het laatst gekeken?'

'De dag dat ze het graf van uw broer openmaakten en er iemand anders in vonden dacht ik: "Nu moet ik het vertellen. Iemand zal me geloven."'

'Waarom hebt u dat niet gedaan?' vroeg hij vriendelijk.

'Omdat ik een lafaard ben. Ik bleef maar hopen dat een van jullie het allemaal wel zou uitvogelen. Dat jullie zouden komen en me zouden ondervragen, zodat ik mezelf kon voorhouden dat ik geen keus had. En omdat ik niks heb gezegd, zijn al die meisjes dood.'

Ze keek op met ogen die glansden van de tranen. 'Daar moet ik voor altijd mee leven. Ik denk dat u geen idee hebt hoe dat voelt.'

Daar zou je nog van staan te kijken. 'U vertelt het me nu. Dat is het belangrijkste.'

Ze knipperde met haar ogen, waardoor de tranen over haar wangen liepen, en ze veegde ze weg. 'Ik wil wel getuigen.'

'Dank u. Mevrouw O'Brien, weet u iets van sleutels?'

'Ja. Simon nam foto's van alle aanrandingen. Als iemand iets zei zouden ze allemaal meegesleurd worden, en de foto's hielden iedereen "eerlijk". Simon hield die foto's als verzekering. Hij verkrachtte nooit iemand, maakte alleen de foto's.'

'Hoe zit het dan met die sleutels?'

'Simon bewaarde de foto's in een kluisje bij de bank. Het was een speciale kluis waar twee sleutels voor nodig waren. Simon had er een, en alle anderen hadden een kopie van de andere. Zo was de macht in evenwicht. Toen Simon die eerste keer overleed was Jared doodsbang dat alles zou uitkomen, maar er werd geen sleutel gevonden. Hoezo, hebt u die nu?'

Hij liet die vraag onbeantwoord en stelde een nieuwe. 'Hebt u Jareds sleutel gevonden?'

'Nee, maar hij had er wel een afbeelding van in zijn dagboek. Een tekening, alsof hij hem had omgetrokken.'

'Schreef Jared onder welke naam die kluis was gehuurd?' vroeg hij, en hij hield zijn adem in tot ze knikte.

'Charles Wayne Bundy. Ik kreeg er de rillingen van. En ik weet nog dat ik dacht dat het een belangrijk detail zou zijn om te onthouden voor het geval iemand me ooit zou laten praten. Dat ik daarmee misschien bescherming kon krijgen voor mijn kinderen. Maar dat hebt u me al beloofd, dus... dat is het.'

Charles Manson. John Wayne Gacy. En Ted Bundy. Het paste allemaal. Simon was als tiener gefascineerd door seriemoordenaars en had hun kunst gekopieerd. Susannah was degene die die kunstwerken al die jaren geleden onder zijn bed had gevonden. *Dit was goud.* Als Simon belastende foto's had gemaakt van de verkrachters om te zorgen dat ze hun mond hielden, zou Daniel alle bewijzen hebben die hij nodig had zodra hij de inhoud van die kluis in handen kreeg.

'Hebt u enig idee waar Mack zou kunnen uithangen?'

'Als ik het wist zou ik het zeggen. Ik weet dat hij niet in zijn oude huis zit. Dat is afgebroken toen hij in de gevangenis zat.'

Daniel keek haar vragend aan. 'Waarom?'

'Iemand had ingebroken en alles aan puin geslagen. De muren, de vloeren. Wat ervan over was, was de moeite van het redden niet meer waard.'

Daniel dacht aan Alex' bungalow. 'Ze zochten de sleutel.'

'Waarschijnlijk. Rob Davis profiteerde ervan. Toen het huis afgebroken was, kocht hij de grond voor een paar stuivers en zette er een pakhuis voor de fabriek op. Ik denk niet dat Mack zich daar verstopt. Het wordt dagelijks gebruikt.'

Hij zou er toch gaan kijken. Ze moesten Mack O'Brien opsporen voordat hij weer iemand vermoordde. En met één gerechtelijk bevel zou hij het laatste lid van Simons club kennen. *Het kluisje van Charles Wayne Bundy wacht.*

'Dank u, mevrouw O'Brien. U hebt me meer geholpen dan u beseft. Laten we uw jongens gaan halen en u naar een veilige plek brengen. Uw spullen kunnen we door iemand laten ophalen.'

Annette knikte en liep met hem mee de deur uit, en ze keek niet om.

23

Arcadia, Georgia, vrijdag 2 februari, 11:35 uur

'Het klopt,' zei Luke via de speaker in Chase' kantoor.

Daniel was aan de telefoon in het kantoor van sheriff Corchran, en vertelde Annette O'Briens verhaal terwijl hij op een agent wachtte die haar en haar twee zoons naar een onderduikadres kon brengen. 'Nu moeten we hem alleen nog vinden.'

'We hebben het opsporingsbevel aangepast,' zei Chase. 'We hebben zijn dossier. Het is nu een stuk dikker dan toen hij de bak in ging.'

'Dat gebeurt meestal,' zei Daniel grimmig. 'Hij heeft misschien ook zijn kapsel veranderd. Toen we naar Corchrans kantoor reden herinnerde mevrouw O'Brien zich dat ze dacht dat er ook een doosje blonde haarkleuring was verdwenen.'

'Ik zal het dossier nog eens bijwerken,' zei Luke. 'Hier is nog iets anders. Toen hij in de gevangenis zat, ging Mack O'Brien vaak mee met teams die rommel langs de wegen opruimden. Daarmee is hij in alle gebieden geweest waar hij de lijken heeft achtergelaten.'

'We moeten het fabrieksterrein bekijken, vooral het nieuwe pakhuis op de plek waar vroeger het huis van de familie O'Brien stond.'

'Ik heb al een team gestuurd,' zei Chase. 'Ze doen zich voor als ongedierte-inspecteurs zodat we niet te snel de boel alarmeren. Hoe zit het met het bevelschrift voor die kluis?'

'Daar werkt Chloe aan. Zodra we klaar zijn rij ik naar Dutton zodat ik meteen naar de bank kan als hij door de rechter is ondertekend. En Hatton?'

'Nog in de operatiekamer,' zei Chase. 'Crighton heeft een advocaat genomen. Wil niet met ons praten.'

'Verdomme,' mompelde Daniel. 'Ik wil hem zo graag pakken voor Kathy Tremaine.'

'Na al die tijd...' zei Luke gelaten, 'zie ik dat niet gebeuren.'

'Weet ik, maar dan kan Alex het tenminste een beetje afsluiten. Heeft ze al gevraagd of ze hem kan spreken?'

'Nee,' zei Chase. 'Ze heeft het helemaal niet over hem gehad. Ze ijsbeert rond vanwege Hatton, maar ze heeft met geen woord over Crighton gerept.'

Daniel zuchtte. 'Dat komt wel als ze er klaar voor is. Ik ga naar Dutton. Ik bel zodra ik die kluis open heb. Duim voor me.'

Atlanta, vrijdag 2 februari, 12:30 uur

Alex stond op en ijsbeerde door het kleine kantoortje. 'Ze hadden moeten bellen.'

'De operatie duurt even,' zei Leigh rustig. 'Als Hatton eruit is bellen ze wel.'

Leighs gezicht stond kalm, maar haar ogen waren angstig. Op de een of andere manier voelde Alex zich daardoor een beetje minder alleen. Ze had net haar mond opengedaan om dat te zeggen, toen haar mobiele telefoon trilde. Het was een nummer in Cincinnati, maar ze herkende het niet. 'Hallo?'

'Mevrouw Alex Fallon?'

'Ja,' zei ze behoedzaam. 'Met wie spreek ik?'

'Ik ben brigadier Morse, van de politie in Cincinnati.'

'Wat is er?'

'Er is vannacht ingebroken in uw appartement. Toen de beheerder van het gebouw vanochtend de post kwam brengen, zag ze dat de deur openstond.'

'Nee, ik heb gisteren mijn vriendin gebeld en haar gevraagd om mijn post op te halen. Waarschijnlijk heeft ze de deur niet goed achter zich dichtgetrokken.'

'Uw appartement is overhoopgehaald, mevrouw Fallon. Kussens en matrassen zijn kapotgesneden, de inhoud van de voorraadkast ligt op de grond, en –'

Alex' hart ging al tekeer sinds hij *overhoopgehaald* had gezegd. 'En mijn kleren zijn aan flarden gesneden.'

Er viel een aarzelende stilte. 'Hoe wist u dat?'

Vertrouw niemand, had Wade in zijn brief aan Bailey geschreven. 'Brigadier, kunt u me uw insignenummer geven, en een telefoonnummer waar ik u kan terugbellen als ik navraag over u heb gedaan?'

'Geen probleem.' Hij gaf haar de informatie en ze beloofde hem terug te bellen.

'Leigh, kun jij de gegevens van die brigadier voor me natrekken? Hij zegt dat mijn appartement overhoop is gehaald.'

'O, god.' Met grote ogen pakte Leigh het papiertje van haar aan. 'Ik doe het meteen.'

'Bedankt. Ik moet wat andere mensen bellen voor ik hem terugbel.' Alex belde het ziekenhuis en was opgelucht toen Letta opnam. Ze zei haar voorzichtig te zijn en vroeg haar toen datzelfde tegen Richard te zeggen, die dienst had.

Leigh hing inmiddels op. 'Die agent in Cincinnati is echt, Alex.'

'Mooi.' Ze belde Morse terug. 'Bedankt voor het wachten.'

'Het was verstandig van u om het na te gaan. Weet u wie er bij u ingebroken kan hebben?'

'Ja, min of meer. Waarschijnlijk dezelfde mensen die gisteren mijn huurhuis hier overhoop hebben gehaald. Mag ik u doorverwijzen naar rechercheur Daniel Vartanian? Hij zal wel weten welke informatie u nodig hebt.'

'Ik bel hem wel. Weet u wat ze zochten?'

'Ja, want ik heb het al in handen. Het lag in het huis van mijn exman. Als degene die dit gedaan heeft dat beseft, gaan ze misschien naar hem toe.'

'Geef me zijn adres maar. We sturen er iemand naartoe om te kijken of alles in orde is.'

'Dank u,' zei Alex, ontroerd en verrast.

'Wij hebben het nieuws ook gezien, mevrouw Fallon. Het lijkt erop dat rechercheur Vartanian zijn handen vol heeft.'

Alex blies haar adem uit. 'Dat klopt.'

Dutton, vrijdag 2 februari, 12:30 uur

Daniel keek naar de zware dichtbundel in zijn handen. Nadat hij het bureau van de sheriff in Arcadia had verlaten, was hij bij een boekwinkel langsgegaan. Chloe Hathaway was nog bezig met zijn bevelschrift, dus hij had wat tijd te doden. Hij stond nu geparkeerd tegenover het bankje voor de kapper in Dutton. Hij wilde zijn oude leraar Engels spreken, meneer Grant, die op het kappersbankje zat en met scherpe ogen toekeek.

Daniel stapte uit. 'Meneer Grant,' riep hij.

'Daniel Vartanian,' riep Grant terug terwijl de andere mannen toekeken.

Daniel wenkte Grant en wachtte terwijl de man naar zijn auto schuifelde. 'Ik heb iets voor u,' zei hij toen Grant bij hem was. Hij gaf de man de dichtbundel. 'Ik zat te denken aan uw lessen van vroeger,' zei hij op normale toon, en toen fluisterde hij: 'Ik moet u spreken, maar het moet discreet.'

Grant streek met een eerbiedig gebaar over het boek. 'Wat een mooi boek,' zei hij, en fluisterde toen: 'Ik heb op je gewacht. Wat wil je weten?'

Daniel knipperde met zijn ogen. 'Wat weet u?'

'Waarschijnlijk genoeg om minimaal dit boek te vullen, maar niet veel daarvan is relevant. Stel je vragen. Als ik antwoorden heb krijg je ze.' Hij sloeg het boek open en bladerde het door tot hij het gedicht van John Donne vond, dat Daniels lievelingsgedicht was geweest. 'Zeg het maar. Ik luister.'

'Ik moet alles weten over Mack O'Brien.'

'Intelligent, maar snel kwaad.'

'Op wie werd hij kwaad?'

'Op bijna iedereen, vooral nadat ze alles kwijt waren. Toen hij op Bryson zat dacht hij dat hij een echte versierder was. Net als zijn grote broer.' Grant hield zijn hoofd schuin, alsof hij nadacht over het gedicht. 'Mack had altijd wat. Hij vernielde schooleigendommen, reed in die Corvette van hem alsof hij een coureur was, raakte betrokken bij grote vechtpartijen.'

'U zei dat hij een versierder was.'

'Nee, ik zei dat hij zelf dacht dat hij dat was. Dat is iets anders.'

Grant sloeg een paar bladzijden om tot hij bij een volgend gedicht stilhield. 'Toen Mack van school was, heb ik wel eens gesprekken tussen een paar studentes opgevangen. Ze dachten dan dat ik het druk had met proefwerken nakijken. Ze lachten en zeiden dat ze niet hadden verwacht dat Mack naar het eindexamenfeest zou komen; hij zat niet meer op onze school en ze verachtten hem. Vanwege zijn auto trok hij eerst nog wel de aandacht. Zonder die auto zagen ze hem niet staan. Hij was lang niet zo knap als zijn grote broer. Mack had verschrikkelijk last van acne en hield er ook littekens aan over. De meisjes waren behoorlijk akelig tegen hem.'

'Welke meisjes, meneer Grant?'

'De dode. Janet was de ergste, weet ik nog. Gemma zei lacherig dat ze dronken was geworden en het "met hem had gedaan" in zijn Corvette. Ze zei dat ze daar wel dronken voor moest zijn geweest.'

'En Claudia?'

'Claudia deed meestal met de anderen mee. Kate Davis was meestal degene die zei dat ze moesten ophouden.'

'Waarom hebt u me dit niet eerder verteld?'

Grant deed alsof hij het boek in ogenschouw nam voordat hij naar een volgende passage bladerde. 'Omdat Mack niets bijzonders was. Ze waren tegen een heleboel jongens wreed. Ik zou er niet eens aan hebben gedacht als je zijn naam niet had genoemd. Bovendien zit hij in de gevangenis.'

'Nee,' zei Daniel zachtjes. 'Niet meer.'

De oude man spande zijn rug, ontspande zich toen weer. 'Goed om te weten.'

'En Lisa Woolf?'

Grant keek nadenkend. 'Ik weet nog dat Mack ongeveer twee weken school heeft gemist voordat hij naar die andere school ging. Toen ik vroeg wat er met hem was, begonnen de meisjes te giechelen. Ze zeiden dat hij door een hond was gebeten. Ik ontdekte dat Mack thuis was en van een vechtpartij herstelde. Kennelijk had hij geprobeerd Lisa te versieren en hadden haar broers hem in elkaar geslagen. Hij schaamde zich er behoorlijk voor. Toen hij terugkwam liep hij door de gangen en gingen de andere jongelui huilen, weet je wel, als wolven die huilen naar de maan. Hij draaide zich dan met een kwade blik om, maar hij kwam er nooit achter wie het deed.'

Daniels mobiele telefoon trilde in zijn broekzak. Het was de officier van justitie.

'Pardon.' Hij wendde zich een stukje af. 'Vartanian.'

'Met Chloe. Je bent de trotse bezitter van een bevelschrift voor een kluisje op naam van Charles Wayne Bundy. Ik hoop dat dit is wat je zocht.'

'Ik ook. Bedankt.' Hij klapte het toestel dicht. 'Ik moet weg.'

Grant sloot het boek en stak het uit. 'Ik vond het leuk herinneringen met je op te halen, Daniel Vartanian. Het is fijn als een vroegere student zo goed terechtkomt.'

Daniel duwde het boek zachtjes terug. 'Hou het maar, meneer Grant. Ik had het voor u gekocht.'

Grant drukte het boek tegen zijn borst. 'Dank je, Daniel. Pas goed op jezelf.'

Daniel keek de oude man na toen die terugschuifelde over straat, en hoopte dat hij discreet was geweest. Te veel onschuldige mensen hadden geboet voor de zonden van een handjevol verwende, eigenzinnige jongelui. Enkele rijk, enkele arm, maar allemaal met een schandelijke onverschilligheid ten opzichte van fatsoen en menselijkheid. En de wet. Als de traditie nog bestond zouden de mannen om vijf uur vertrekken van het kappersbankje. Hij zou ervoor zorgen dat iemand een oogje op Grants huis hield. Hij wilde niet nog meer bloed aan zijn handen hebben.

Hij was net weggereden toen zijn mobieltje weer ging. Deze keer was het het bureau, en hij dacht onmiddellijk aan Hatton. Hij had nog op de operatietafel gelegen toen Daniel de vorige keer had gebeld.

'Vartanian.'

'Daniel, met Alex. Iemand heeft gisteren mijn appartement in Cincinnati overhoopgehaald.'

'Verdomme.' Hij blies zijn adem uit. 'Ze zochten de sleutel.'

'Hoe konden ze nou weten of ik die brief daar had?'

'Kan Baileys vriendin hun dat hebben verteld?'

'Ik heb het Chase laten navragen. Niemand is bij haar geweest, en niemand heeft haar gebeld.'

'Er zijn nog meer manieren waarop ze dat had kunnen doorgeven als ze had gewild.'

'Weet ik. Maar, Daniel, ik zat te denken... De enige die dit verder weet is Bailey.'

Het was vergezocht, maar hij hoorde de hoop in haar stem en kon het niet over zijn hart verkrijgen die de grond in te boren. 'Je denkt dat degene die haar heeft haar eindelijk aan het praten heeft gekregen.'

'Ik denk dat ze misschien nog leeft.'

Hij zuchtte. Misschien had ze gelijk. 'Als ze nog leeft –'

'Als ze nog leeft weet een van die mannen waar ze is. Davis of Mansfield. Daniel, alsjeblieft, haal ze op en laat ze práten.'

'Als ze zo veel moeite hebben gedaan, is het onwaarschijnlijk dat ze het zomaar vertellen,' zei Daniel, die probeerde haar te kalmeren zonder neerbuigend te klinken. 'Als ze zenuwachtig worden zullen ze eerder naar haar toe gaan. Als het Davis of Mansfield is, die hebben we onder surveillance. Ik weet dat het moeilijk is, maar dit is de meest kritieke tijd om geduldig te blijven.'

'Ik doe mijn best.'

'Weet ik, lieverd.' Hij zette zijn auto op een parkeerplaats tegenover de bank. 'Verder nog iets? Ik ga de bank in en ik ga Rob Davis vragen om me toegang tot die kluis te geven, dus als Davis en Mansfield kijken, zal ik zo onrust stoken.'

'Nou, nog één dingetje. De dierenarts heeft gebeld. Riley mag naar huis.'

Daniel schudde zijn hoofd, perplex over haar timing. 'Ik kan hem nu niet gaan halen.'

'O, dat weet ik, maar ik vroeg me af of de agent die Hope en Meredith bewaakt Riley naar het onderduikadres kan brengen. Hope vraagt steeds naar de droevige hond.'

Daar moest hij om lachen. 'Tuurlijk. Ik bel je nog. Jij blijft daar.'

'Jahaa.' Ze klonk er niet blij mee. 'Pas goed op jezelf.'

'Tuurlijk. Alex...' Hij aarzelde, een beetje angstig voor wat hij wilde zeggen. Het was zo snel gegaan. Uiteindelijk besloot hij de woorden nog een tijdje langer voor zichzelf te houden. 'Zeg Meredith dat ze Riley niets anders geeft dan zijn eigen brokken. Vertrouw me.'

'Doe ik,' zei ze, en hij wist dat ze het niet over Riley had. 'Bel me zodra je kunt.'

'Goed. Dit is bijna voorbij.'

Met een gevoel alsof hij aan de rand van een afgrond stond, stak Daniel de straat over naar de bank. Zodra hij om dat kluisje vroeg zou iedereen het weten, en dan waren de rapen gaar. *Kleine stadjes, wie houdt er niet van?* Nou, híj niet.

Vrijdag 2 februari, 12:45 uur

Geërgerd trok Mack de oordoppen uit zijn oren toen Vartanian Main Street op reed, buiten bereik. *Hij dacht dat hij een versierder was, m'n reet.*

Hij had de pest gehad aan Grant; stoffige, arrogante ouwe lul. Als hij klaar was met de anderen zou hij terugkomen voor Grant en zou die kerel spijt krijgen dat hij met Daniel Vartanian had gepraat.

Daniel wist het van hem. Het gaf Mack een kick om te weten dat die man waarschijnlijk de hele omgeving naar hem uitkamde terwijl hij op nog geen vijftien meter afstand zat.

Maar zijn tevredenheid was van korte duur. *Vartanian was alleen gekomen.*

Dat had hij nooit verwacht. Hij had gewoon aangenomen dat Alex Fallon permanent aan hem vast zou zitten, zoals al vijf dagen het geval was. Hij was eindelijk klaar voor hen, en nu was Vartanian alleen gekomen.

Als hij Alex Fallon als kers op zijn taart wilde, zou hij haar op een of andere manier naar hém toe moeten laten komen. Anders zou zijn coup de grâce faliekant mislukken, en dat zou echt jammer zijn. En over zijn coup de grâce gesproken, hij moest uitnodigingen op de post doen.

Hij had net zijn busje gestart toen hij Vartanian over Main Street zag lopen, bij de bank. Interessant. Daniel ging eindelijk naar de bank. Mack had gedacht dat hij dat eerder zou doen, na het vinden van sleutels aan de tenen van vier dode vrouwen, maar nu was hij er in elk geval.

Mack glimlachte toen hij dacht aan de foto's die Vartanian in het kluisje van 'Charles Wayne Bundy' zou vinden. Weldra zouden de hoekstenen van de samenleving worden vernederd, en gingen ze op z'n minst allemaal de gevangenis in.

Als Mack in de komende paar uur succes had, zouden ze natuurlijk allemaal dood zijn.

Atlanta, vrijdag 2 februari, 12:45 uur

Alex hing de telefoon op Daniels bureau op en liet haar schouders zakken.

'Is er iets?'

Ze draaide zich om en zag Luke Papadopoulos naar haar kijken op die peinzende manier van hem. 'Ik heb zo'n gevoel dat Bailey nog leeft. Dat is zo... frustrerend.'

'En je wou dat iemand nou eens eindelijk iets deed.'

'Ja. Ik weet dat Daniel gelijk heeft en dat hij zich nog zorgen maakt om al die andere mensen, maar... Bailey is van mij. Ik voel me een egoïstische zeur.'

'Je bent geen egoïstische zeur. Kom mee. Ik neem even lunchpauze. Meestal neem ik iets mee van thuis, maar het schijnt dat iemand mijn lunch heeft ingepikt.' Hij keek met samengeknepen ogen in de richting van het kantoor van Chase. 'Hij zal ervoor boeten.'

Alex glimlachte. 'Chase is me er eentje. Leigh zegt dat er vrijdag altijd pizza is in de kantine.' En ze besefte dat ze honger had. Ze had Daniels huis die ochtend zo haastig verlaten dat ze het ontbijt had overgeslagen.

'Kom mee.'

Ze keek naar hem op toen ze Daniels kantoor uit liepen. Hij was een adembenemend knappe man, vond ze. Merediths type, eigenlijk. 'Zeg... heb jij een vriendin?'

Zijn glimlach fonkelde tegen zijn gebronsde huid. 'Hoezo, ben je Danny nu al zat?'

Ze dacht aan die ochtend in Daniels bed en voelde haar wangen kleuren. 'Nee. Ik dacht aan Meredith. Je vindt haar vast aardig. Ze heeft humor.'

'Houdt ze van vissen?'

'Ik zou het eigenlijk niet weten, maar ik kan het vragen...' Haar stem stierf weg en Luke en zij bleven allebei tegelijk staan. Aan de balie stond Leigh met een vrouw te praten. Alex herkende haar gezicht, en aan de spanning in Lukes lichaam te merken herkende hij haar ook.

Ze was klein van stuk, met steil zwart haar en intens droevige ogen. Haar kleding kwam ongetwijfeld uit New York en haar lichaamstaal wees erop dat ze liever ergens anders – waar dan ook ter wereld – zou zijn dan waar ze nu stond.

'Susannah,' mompelde Alex, en de vrouw keek haar aan.

'Kent u mij?'

'Ik ben Alex Fallon.'

Susannah knikte. 'Ik heb over je gelezen.' Ze wendde zich naar Luke. 'En jij bent Daniels vriend. Ik heb je vorige week op de begrafenis gezien. Rechercheur Papadopoulos, toch?'

'Klopt,' zei Luke. 'Wat doe je hier, Susannah?'

Susannah Vartanians lippen krulden op in een lach zonder vrolijkheid. 'Dat weet ik niet zeker. Maar ik denk dat ik hier ben om mijn leven terug te krijgen. En misschien mijn zelfrespect.'

Dutton, vrijdag 2 februari, 12:55 uur

Zo'n lokmiddel was onweerstaanbaar. Hij zag dat Frank Loomis stil bleef staan op de trap van het politiebureau, zijn telefoon openklapte en het sms'je las. Loomis kneep zijn ogen samen terwijl hij opkeek naar de donkere ruiten van het kantoor van de krant, vandaag gesloten vanwege een sterfgeval in de familie. Mack kon een glimlach niet onderdrukken. De familie Woolf was in de rouw, vanwege hem. Soms duurde het heel lang voor je een schuld kon afbetalen. En als er genoeg tijd was verstreken, was de rente enorm.

Hij vond de moord op Woolfs zus een goed begin van het terugbetalen van die schuld. Hij had de Woolfs deze week gebruikt, en hij zou ze nog wel een paar keer gebruiken voordat dit voorbij was. Maar nu stapte Frank Loomis in zijn auto en reed de goede kant op.

Het was een kort sms'je geweest: *Anon tip gekregen. Weet waar Bailey C is. Ga naar oude O'B fabriek bij rivier. BC zoeken + *vele* anderen. Kan niet opvolgen – ben op kerkhof. Wilde jou info geven voor Var je voor is. Succes.* Ondertekend: *Marianne Woolf.*

Frank was onderweg. Straks zou Vartanian naar hem toe gaan. Mansfield zou er al moeten zijn, samen met Harvard, de laatste hoeksteen die zou vallen. Het had Mack wat tijd gekost om erachter te komen wie hij was, en toen was zelfs hij stomverbaasd geweest.

Wat Alex Fallon betrof had hij een paar ideetjes om haar te lokken. Alex had zich de afgelopen week alleen maar gericht op haar zoektocht naar Bailey. *En ik weet waar Bailey is.* Zodra het stof van de gebeurtenissen van vanmiddag neerdaalde zou Alex willen geloven dat Bailey nog leefde. Nu Delia dood was had Mack geen plannen om nog meer lijken in greppels achter te laten, op dat van Alex na dan. Misschien zou de rustige periode haar een vals gevoel van veiligheid geven.

Aan de andere kant, ze zou rouwen om Daniel Vartanians dood, en door verdriet deden mensen soms heel onverstandige dingen. Vroeg of laat zou ze haar voorzichtigheid laten varen, en dan had hij zijn laatste slachtoffer. Dan was zijn cirkel rond.

Vrijdag 2 februari, 13:25 uur

Mansfield bleef naast zijn bureau staan. 'Oké, Harvard, hier ben ik.'

Hij keek met grote ogen op en kneep ze toen heel even samen. 'Waarvoor?'

Mansfield keek bedenkelijk. 'Omdat ik van jou moest komen.'

'Dat heb ik helemaal niet gezegd.'

Mansfields hart begon te bonzen. 'Ik heb een sms'je gekregen op mijn prepaid. Niemand behalve jij heeft dit nummer.'

'Kennelijk wel,' zei Harvard kil. 'Laat eens zien.'

Mansfield gaf hem het toestel.

'Kom zsm. DVar weet van goederen. Ga vandaag verkassen.'

Zijn gezicht betrok. 'Iemand weet het, ook al weet Vartanian het niet. Je bent gevolgd, stomme klootzak.'

'Nee, ik ben niet gevolgd. Dat weet ik zeker. Eerst wel, maar ik heb hem afgeschud.' Technisch gesproken had hij hem vermoord, maar Mansfield zag niet in waarom hij het zichzelf nog moeilijker zou maken. 'Wat doen we nu?'

Hij bleef een tijdje gevaarlijk stil. 'We nemen ze mee op de boot.'

'Daar passen er maar zes op.'

Harvard stond op en de woede sloeg in golven van hem af. 'Als je iets te zeggen hebt wat ik niet al weet, mag je het zeggen. Hou anders je bek. Zet de gezonde exemplaren op de boot. Ik regel het wel met de rest.'

Dutton, vrijdag 2 februari, 13:30 uur

Daniel wachtte tot hij de bebouwde kom van Dutton uit was voordat hij met zijn vuist op het stuur sloeg. Hij onderdrukte zijn woede en belde Chase. 'De kluis was leeg,' grauwde hij zonder omhalen.

'Dat meen je niet,' zei Chase. 'Helemaal leeg?'

'Niet helemaal. Er lag een papiertje in. Met "ha ha" erop.'

'Godver,' mompelde Chase. 'Heeft Rob Davis gegevens over wie er als laatste bij is geweest?'

'Iemand met een legitimatie waarop de naam Charles Wayne Bundy stond. De laatste keer dat iemand in die kluis is geweest, was ongeveer een halfjaar nadat Simon de eerste keer stierf. Ik betwijfel dus echt of het Simon was. Hij zou niet zo in het openbaar hebben durven verschijnen, en als Davis had geweten dat hij nog leefde was het niet lang geheim gebleven.'

'Maar ik dacht dat er in Jareds dagboek stond dat Simon de hoofdsleutel had.'

'Ofwel Annette vergist zich, of Jared had het mis, want iemand anders heeft een kopie van Simons sleutel gebruikt om in die kluis te komen.'

'Kan Rob Davis een mastersleutel hebben gehad?'

'Heel goed mogelijk, maar hij leek behoorlijk verbaasd toen de kluis leeg bleek te zijn.'

'Wat zei Davis toen je hem openmaakte?'

'Voordat hij openging zweette hij peentjes. Naderhand was hij opgelucht... en zelfingenomen.'

'Nou, ontspan je maar. Eh, ik bedoel, echt, want iemand hier wil met je praten.'

'Zeg Alex dat ik haar terugbel. Ik heb het te –'

'Hallo, Daniel.'

Daniels mond viel open, hij remde meteen af en zette zijn auto langs de kant van de weg. Zijn handen trilden. 'Susannah? Ben je hier? In Atlanta?'

'Ik ben hier. Je vriend Luke heeft me over de foto's verteld die je in die kluis hoopte te vinden. Lagen ze er niet?'

'Nee. Het spijt me, Suze. We hadden die smeerlappen kunnen grijpen.'

Ze zweeg. 'Ik weet waar die foto's kunnen zijn.'

'Waar dan?' Maar hij dacht dat hij het wel wist, en zijn maag verkrampte.

'Thuis, Daniel. Ik zie je daar.'

'Wacht even.' Hij klemde zijn kaken op elkaar. 'Niet in je eentje. Geef me Luke even.'

'Ik breng haar wel,' zei Luke toen hij aan de telefoon kwam. 'Ik zie je bij het huis van je ouders. Daniel, Alex staat hier. Ze wil mee.'

'Nee. Zeg haar –'

'Daniel.' Alex had de telefoon van Luke overgenomen. 'Jij stond mij ook bij toen ik mijn huis in ging. Laat mij hetzelfde voor jou doen. Alsjeblieft,' voegde ze er zachtjes aan toe.

Hij deed zijn ogen dicht. Zijn huis zat ook vol geesten. Niet op dezelfde manier, natuurlijk, maar toch geesten. En hij vertrouwde Luke met zijn leven.

Maar Alex was nog belangrijker. En omdat ze dat was, had hij haar daar nodig. 'Goed dan. Blijf bij Luke. Ik zie jullie daar.'

Vrijdag 2 februari, 14:20 uur

'Bailey,' fluisterde Beardsley.

Bailey dwong zichzelf haar ogen open te doen. Ze had de rillingen, heel erg. 'Ik ben hier.'

'Ik ben klaar voor je.'

Op een ander moment, een andere plek, zouden die woorden iets moois hebben kunnen betekenen. Nu, hier, betekenden ze dat ze allebei straks dood zouden zijn.

'Bailey?' fluisterde Beardsley nog een keer. 'Schiet op.'

O, god, ze had behoefte aan een shot. *Hope heeft je nodig.* Ze knarste met haar tanden. 'Ik ben klaar.'

Ze keek toe terwijl hij met enorme scheppen het zand weghaalde dat hij in de loop van enkele dagen had uitgegraven, tot er een gat was ontstaan dat amper groot genoeg was voor Hope. 'Daar pas ik niet doorheen.'

'Je zult wel moeten. We hebben geen tijd om nog verder te graven. Ga op je buik liggen en steek je voeten erdoor.' Dat deed ze en hij begon te trekken, niet al te zachtzinnig. 'Sorry. Ik wil je geen pijn doen.'

Ze lachte bijna. Hij bleef trekken en haar heen en weer schuiven. Hij legde zijn handen op haar heupen om haar lichaam om te draaien en haar erdoor te trekken, maar toen hij bij haar borsten aankwam, stopte hij abrupt. Bailey sloeg haar ogen ten hemel. Ze lag op haar buik, half in, half uit het gat, vuil en stinkend naar god mocht weten wat, en Beardsley werd uitgerekend nú verlegen.

'Trekken,' fluisterde ze. Zijn hand schoof over haar buik, de andere over haar rug, en hij manoeuvreerde haar erdoor tot hij bij haar schouders kon. Dat deed nog meer pijn.

'Draai je gezicht opzij.'

Ze deed wat hij vroeg, en hij hielp haar om haar hoofd erdoor te draaien. Eindelijk was ze aan zijn kant van de muur. En zag ze hem voor het eerst. Dat hij haar nu ook voor het eerst zag, daar wilde ze niet eens bij stilstaan. Ze sloeg haar ogen neer, schaamde zich voor hoe ze er ongetwijfeld uitzag. Teder legde hij een vuile hand onder haar kin. 'Bailey. Laat me naar je kijken.'

Verlegen liet ze hem haar gezicht optillen, en nog meer verlegen keek ze op.

En ze kon wel huilen. Onder het vuil en smeer en bloed was hij de knapste man die ze ooit van haar leven had gezien. Hij glimlachte naar haar, met witte tanden die afstaken bij zijn vuile gezicht. 'Zo lelijk ben ik toch niet?' mompelde hij plagend, en de tranen die ze probeerde tegen te houden welden op en liepen over haar wangen.

Hij trok haar op schoot en in zijn armen, en wiegde haar zoals ze zo vaak bij Hope had gedaan. 'Ssst,' fluisterde hij. 'Niet huilen, lieverd. We zijn er bijna.' Daardoor moest ze nog harder huilen, want ze zouden doodgaan en ze zou nooit de kans krijgen om hem of wie dan ook te bewijzen wat ze had kunnen worden. Ze zouden sterven.

'We redden het wel,' fluisterde hij beslist. 'Ze zijn dingen aan het verplaatsen. Er is iets aan de hand. Doe je ogen dicht.' Dat deed ze, en hij veegde met zijn duimen haar tranen weg. 'Ik geloof dat ik het alleen maar erger heb gemaakt,' zei hij luchtig, en trok haar toen weer tegen zich aan voor nog een stevige omhelzing.

'Wat er ook gebeurt,' mompelde ze, 'bedankt.'

Hij tilde haar van zijn schoot en kwam overeind, lang en sterk ondanks zijn beproeving. Hij stak zijn hand uit. 'We hebben niet veel tijd.'

Ze stond met bibberende benen op. 'Wat gaan we doen?'

Hij glimlachte opnieuw, met een goedkeurende blik. Zijn ogen waren warm en bruin. Ze zou dat niet vergeten, wat er ook gebeurde. Hij gaf haar een stuk steen van ongeveer tien centimeter lang, waarvan de rand vlijmscherp was geslepen. 'Deze is voor jou.'

Ze staarde er met grote ogen naar. 'Heb jij dit gemaakt?'

'God heeft de steen gemaakt. Ik heb hem alleen maar geslepen. Hou hem goed vast. Je hebt hem misschien nodig als we gescheiden raken.'

'Wat ga je doen?'

Hij liep naar de hoek van zijn cel, veegde zand opzij en haalde er een geslepen steen onder vandaan, met gemak drie keer zo groot als die van haar.

'Heb je wel geslapen?' fluisterde ze, en hij glimlachte weer.

'Hazenslaapjes.' De volgende tien minuten liet hij haar zien waar ze een aanvaller moest raken om de meeste schade toe te brengen. Toen knalde er een deur open in de gang en vloog haar blik omhoog naar die van hem.

Hij keek grimmig, en plotseling was ze banger dan ooit. 'Hij komt eraan,' zei ze trillend.

Beardsley streek met zijn handen over haar armen. 'Laat maar komen,' zei hij gelaten. 'We zijn er klaar voor. Toch?'

Ze knikte.

'Ga dan liggen, daar in de hoek. Maak jezelf zo groot mogelijk. Jij moet mij voorstellen.'

'Ik zou twee lijven nodig hebben,' zei ze.

Eén mondhoek kwam heel even omhoog. 'Drie, eigenlijk. Bailey, je mag niet aarzelen. En als ik je een bevel geef moet je meteen doen wat ik zeg. Begrijp je?'

Híj kwam dichterbij, opende een deur, vuurde één schot af. Ze hoorde gegil waar ze eerst alleen gehuil had gehoord. Vol afgrijzen keek Bailey Beardsley in de ogen toen nog meer deuren opengingen en nog meer schoten werden afgevuurd. Het gegil verstomde toen de stemmen een voor een het zwijgen werd opgelegd. 'Hij vermoordt ze.'

Er trok een spiertje in Beardsleys kaak. 'Dat weet ik. Het plan is gewijzigd. Jij verstopt je achter de deur, ik ga aan de andere kant staan. Schiet op, Bailey.'

Ze gehoorzaamde en hij vatte post naast de deur, met zijn grote steen in zijn hand. Een tel later vloog de deur open en sloeg ze haar handen voor haar gezicht om niet te worden geraakt. Bailey hoorde een verstikte kreet, een gegorgel en toen een bons.

'Kom mee,' zei Beardsley. Ze stapte over het lichaam van een bewaker die ze had gezien tijdens een van die keren dat hij haar mee had genomen naar het kantoortje.

Beardsley veegde het bloed van de dolk af aan zijn broek, en toen sleurde hij haar rennend met zich mee.

Maar haar knieën bibberden en ze had zo veel pijn in haar benen dat ze steeds struikelde.

'Ga nu maar,' zei ze. 'Ren maar. Laat mij hier.'

Hij liet echter niet los en sleurde haar langs de ene na de andere cel. Sommige waren leeg. De meeste niet. Bailey kokhalsde toen ze de meisjes zag, geketend en bloedend. Dood.

'Niet kijken,' blafte hij. 'Rennen.'

'Ik kan niet meer.'

Hij tilde haar op en droeg haar met gemak onder zijn arm mee.

'Ik laat je niet doodgaan, Bailey,' knarsetandde hij, en hij rende de hoek om.

Toen bleef Beardsley staan en ze keek op. Híj stond midden in de hal en hij had een geweer. Beardsley wierp haar opzij en ze belandde op haar knieën. 'Rénnen!' blafte hij.

Op dat moment knalde Beardsley tegen hem aan en beukte hem tegen de muur. Bailey dwong zichzelf op te staan en weg te rennen terwijl de mannen achter haar worstelden. Ze hoorde het misselijkmakende geluid van bot tegen de betonnen muur, maar ze rende verder.

Tot ze het meisje zag. Er sijpelde bloed uit een gat in haar zij en een schampschot in haar hoofd. Ze had zich door haar cel gesleept en één arm de gang in gestoken. Maar ze leefde nog.

Zwakjes tilde het meisje haar hand op. 'Help me,' fluisterde ze. 'Alsjeblieft.'

Zonder nadenken greep Bailey haar hand en trok haar overeind. 'Lopen.'

Dutton, vrijdag 2 februari, 14:35 uur

Daniel stond op de veranda van zijn ouderlijk huis en ervoer een vreemd gevoel van déjà vu. Hier had hij gestaan, bijna drie weken geleden, met Frank Loomis. Frank had hem verteld dat zijn ouders "misschien vermist werden". Natuurlijk waren ze toen allang dood. Maar Daniels zoektocht naar hen had hem naar Philadelphia, Simon en de foto's geleid. Zijn zoektocht naar de foto's had hem weer terug naar hier geleid.

'Déjà vu?' vroeg Luke zachtjes, en Daniel knikte.

'Ja.' Hij deed de voordeur van het slot en duwde ertegen, maar merkte toen dat zijn voeten niet in beweging wilden komen.

Alex legde haar arm om zijn middel. 'Kom.' Ze trok hem mee over de drempel en hij bleef in de hal staan, liet zijn blik door de ruimte glijden. Hij had dit huis gehaat. Elke baksteen ervan. Hij draaide zich om en zag Susannah net zo rondkijken. Ze was bleek, maar net als tijdens de hele beproeving in Philadelphia hield ze zich goed.

'Waar?' vroeg hij.

Susannah drong langs hem heen en liep de trap op. Hij volgde en hield Alex' hand zo stevig vast als hij durfde. Luke kwam achter hen aan, alert en op zijn hoede.

Boven keek Daniel argwanend om zich heen. Deuren die hij had dichtgedaan tijdens zijn laatste bezoek aan dit huis stonden nu open, en een schilderij aan de muur hing scheef. Hij duwde de deur naar de slaapkamer van zijn ouders open. De kamer was overhoopgehaald, de matras opengesneden.

'Ze zijn hier geweest,' zei hij vlak. 'Op zoek naar Simons sleutel.'

'Deze kant op,' zei Susannah gespannen, en ze liepen achter haar aan naar wat Simons kamer was geweest. Ook die was overhoop gehaald, maar er had niets meer in de laden of onder het bed gelegen. Daniels vader had dat lang geleden al opgeruimd.

Er hing iets kwaadaardigs in de lucht, vond hij. Of misschien verbeeldde hij het zich maar. Maar Alex' gezicht was vertrokken in een onbehaaglijke grimas.

'Het heeft een soort van aanwezigheid, niet?' fluisterde ze, en hij kneep in haar hand.

Susannah stond bij de kastdeur en haar handen balden zich beurtelings tot vuisten langs haar lichaam. Ze was nog steeds bleek, maar ze rechtte vastberaden haar schouders. 'Ik kan het mis hebben. Misschien ligt er wel niks,' zei ze, en ze opende de deur. De kast was leeg, maar ze stapte toch naar binnen. 'Wist je dat dit huis schuilplaatsen heeft, Daniel?'

Door iets in haar stem gingen de haartjes in zijn nek rechtop staan. 'Ja. Ik dacht dat ik ze allemaal kende.'

Ze knielde neer en tastte over de vloerplanken. 'Ik vond de schuilplaats bij mijn kast toen ik me een keer 's nachts verstopte voor Simon. Ik zat ineengedoken tegen de muur en moet ergens op de juiste manier op hebben gedrukt, want het paneel ging open en ik tuimelde erachter.' Ze bleef doorwerken terwijl ze praatte. 'Ik vroeg me af of die schuilplaatsen in alle kasten zaten. Op een dag, toen ik dacht dat Simon weg was, ben ik gaan kijken of die van hem ook open wilde.'

Zijn maag protesteerde bij de vlakke doelmatigheid waarmee ze het zei. 'Hij betrapte je.'

'Eerst dacht ik van niet. Ik hoorde hem de trap op komen rennen en ben naar mijn kamer gevlucht. Maar hij had me door,' zei ze, nu zachtjes. 'Toen ik wakker werd met een whiskyfles in mijn hand zat ik in mijn schuilplaats. Hij had me erin gepropt.'

Alex streek met haar hand over zijn arm en hij besefte dat hij haar te hard kneep. Hij liet los, maar zij hield vast om hem te bemoedigen.

Daniel schraapte zijn keel. 'Hij wist van je schuilplaats.'

Susannah haalde haar schouders op met een nuchterheid waar zijn hart bijna van brak. 'Ik kon me nergens verstoppen,' zei ze. 'Later liet hij me de foto zien die hij had gemaakt van mij met...' Weer haalde ze haar schouders op. 'Hij zei dat ik me niet met zijn zaken moest bemoeien. Daarna gehoorzaamde ik.' Ze duwde tegen het paneel en het gaf mee. 'Toen hij dood was wilde ik het alleen maar vergeten.' Ze dook naar voren door de opening en kwam even later naar buiten met een stoffige doos. Luke pakte die van haar aan en zette hem op Simons vernielde bed. 'Dank je,' mompelde ze, gebarend naar de doos. 'Ik denk dat dit is wat je zoekt.'

Nu hij ze had durfde Daniel bijna niet te kijken. Terwijl zijn hart tekeer ging haalde hij het deksel eraf. En hij kon wel kotsen.

'Goeie god,' fluisterde Alex naast hem.

Vrijdag 2 februari, 14:50 uur

'Kom mee.' Bailey trok aan de hand van het meisje en sleurde haar mee door de donkere gangen. Beardsley had deze kant op gewezen. Hij kon het niet mis hebben.

Beardsley. Haar hart verkrampte. Hij had zijn vrijheid opgegeven... *voor mij.* Nu zou hij sterven. *Voor mij.*

Concentreer je, Bailey. Je moet hier weg. Die man mag niet voor niks zijn leven hebben gegeven. Let op. Zoek de deur. Na nog een paar minuten zag ze licht.

Licht aan het eind van de tunnel. Ze lachte bijna hardop, en ze sleepte het meisje met een stoot hernieuwde energie mee. Ze deed de deur open en verwachtte een luid alarm of blaffende honden.

Het was stil. Frisse lucht, bomen en zonneschijn.

En vrijheid. *Dank je wel, Beardsley.*

En toen klapte alles in elkaar. Voor haar stond Frank Loomis. Met een pistool in zijn hand.

24

Dutton, vrijdag 2 februari, 14:50 uur

De doos zat vol foto's en tekeningen die Simon had gemaakt.

Sommige herkende Daniel: ze waren identiek aan de foto's die zijn vader had verbrand, maar er waren er nog veel meer. Honderden. Grimmig haalde hij een paar handschoenen uit zijn zak en begon de foto's uit de doos te pakken. Op deze foto's waren de jongemannen te zien terwijl ze hun verschrikkelijke daden begingen, en op de een of andere manier leek het inderdaad of de meisjes soms vrijwillig meededen, zoals Annette O'Brien al had gezegd.

Hij klemde zijn kaken op elkaar terwijl hij door de foto's bladerde. Hij had wel geweten wat hij te zien zou krijgen, maar de werkelijkheid was veel erger dan hij zich had voorgesteld. Hij staarde vol afgrijzen en met een misselijk gevoel naar de gezichten van de jongens.

'Ze láchen,' fluisterde Alex. 'Ze moedigen elkaar aan.'

De woede welde in hem op, en hij voelde ineens de primitieve behoefte om het leven uit hun smerige, verachtelijke lijven te knijpen. 'Jared O'Brien en Rhett Porter. En Garth Davis,' zei hij kwaad, denkend aan hoe bezorgd de burgemeester die avond bij Presto's Pizza was toen hij antwoorden wilde over de man die de vrouwen in Dutton vermoordde. 'Vuile smeerlap. Hij was bij Presto's. Hij liet zich door Sheila bedienen, al die tijd wetend wat hij had gedaan.'

'Ik verheug me erop Garth Davis in te rekenen,' zei Luke grimmig.

Daniel bekeek de volgende foto. 'Randy Mansfield.' Hij dacht aan het slechte nieuws dat hij van Chase had gekregen terwijl hij voor de deur had staan wachten op Luke, Susannah en Alex. Mansfield had jonge meisjes verkracht. Nu wist Daniel dat hij ook een moordenaar was.

Alex kromp ineen toen de volgende foto zichtbaar werd. Wade. Met Alicia.

'Sorry,' zei Daniel, die de foto onder de andere schoof. 'Die had ik je niet willen laten zien.'

'Ik had hem al gezien,' zei ze zachtjes, 'in mijn hoofd.'

Daniel bladerde verder door de foto's, maar verstijfde toen hij Susannah zag. Jong. Bewusteloos. Geschonden. Zijn handen bewogen schokkerig, draaiden in een reflex de foto om, en hij staarde naar de achterkant van die afgrijselijke foto terwijl de emoties door hem heen joegen.

Hij had haar hier achtergelaten, alleen. Zonder bescherming. Bij Simon. Die... dít hád gedaan. Zijn maag draaide en verkrampte. Hij had het destijds niet geweten. Maar dat veranderde niets aan het feit dat het was gebeurd. Simon had die beesten zijn eigen zus laten verkrachten... Sterker nog, hij had ze áángemoedigd. *Mijn zus.*

Ze was bang en werd mishandeld en *ik deed niks.*

De gal brandde in zijn keel en de tranen prikten in zijn ogen, en hij schoof de foto in zijn zak. Hij wendde zijn blik af. 'Ik verbrand hem wel,' fluisterde hij hees. 'Het spijt me. God, Suze.' Zijn stem brak. 'Het spijt me zo.'

Niemand zei iets. Toen haalde Susannah de foto uit zijn zak en legde hem bij de andere. Achter op de stapel, maar toch bij de andere.

'Als ik mijn zelfrespect terug wil hebben, moet ik bij ze blijven,' zei ze met een kalmte die dwars door hem heen sneed. Hij kon niet antwoorden en knikte alleen.

Luke kwam naast hem staan en nam het sorteren van de foto's over terwijl Daniel zich herpakte. Hij en Luke werkten in stilte, en tegen de tijd dat ze klaar waren, hadden ze vijf jonge mannen geïdentificeerd, allemaal monsters.

'Garth, Rhett, Jared en Randy,' zei Alex zachtjes. 'En Wade. Dat zijn er maar vijf.'

'Nummer zes was Simon, die de foto's maakte,' zei Daniel, terwijl de frustratie zijn zelfbeheersing dreigde te overmannen. 'Maar de zevende hebben we nog niet. *Verdómme.*'

'Ik dacht dat Annette had gezegd dat ze foto's hadden van iedereen,' zei Alex. 'Dat Simon ze zo onder controle hield.'

Luke trok zijn handschoenen uit. 'Misschien had ze het mis.'

'Verder had ze overal gelijk over.' Daniel dwong zichzelf na te denken, aan elkaar te passen wat hij wist. 'Maar iemand anders had beide sleutels van die kluis, anders hadden we de foto's daar gevonden. De laatste keer dat die kluis was geopend, was een halfjaar nadat Simon wegging, twaalf jaar geleden.' Daniel wees naar de doos. 'Die foto's hebben hier al die tijd gelegen, dus moeten we aannemen dat er ooit minstens twee sets van bestonden.'

Luke knikte toen hij het begreep. 'Simon loog toen hij zei dat iedereen evenveel gevaar liep. Hij had een partner. De zevende jongen.'

'Wiens naam we nog steeds niet kennen,' zei Daniel bitter. 'Verdomme.'

'Maar je hebt Garth en Randy,' zei Alex op dringende toon. 'Haal ze op. Breng ze aan de praat. Laat ze je vertellen waar ze Bailey hebben gelaten.'

'Heb ik al gedaan,' zei Daniel, die het deksel weer op de doos legde. 'Terwijl ik op jullie stond te wachten heb ik Garths achtervolger gebeld om hem te arresteren.' Hij aarzelde, wilde haar dit liever niet vertellen. 'Maar... de agent die Mansfield schaduwde is dood.'

Alex verbleekte. 'Heeft Mansfield hem vermoord?'

'Daar lijkt het wel op.'

Haar ogen fonkelden van woede. 'Verdomme, Daniel. Je wist gísteren al over Mansfield. Ik heb je gesméékt om hem te arresteren. Als...' Ze maakte haar beschuldiging niet af, maar het deed toch pijn.

'Alex, dat is niet eerlijk,' mompelde Luke, maar ze schudde fel haar hoofd.

'Nu weet Mansfield dat jullie weten wat hij heeft gedaan,' zei ze met overslaande stem. 'Als hij Bailey heeft zal hij haar nu vermoorden.'

Daniel zou haar beledigen als hij het ontkende. 'Het spijt me,' zei hij.

Haar schouders zakten omlaag. Ze zag er verslagen uit en hij voelde een steek in zijn hart. 'Ik weet het,' fluisterde ze.

Luke pakte de doos op. 'Laten we dit maar naar Atlanta brengen en Garth gaan verhoren. Hij weet wie die zevende jongen was. We moeten zorgen dat hij bekent.'

'Ik zal ook een verklaring afleggen,' zei Susannah, die op haar horloge keek. 'Mijn vlucht vertrekt om zes uur.'

Ze liep achter Luke aan naar de deur. Daniel kwam weer tot zichzelf.

'Suze. Wacht. Ik moet... Ik moet met je praten. Alex, kun je ons even alleen laten?'

Alex knikte stijfjes. 'Mag ik je sleutels? Ik voel migraine opkomen en mijn medicijnen zitten in mijn tas.'

Hij zag de pijn achter haar ogen en wenste dat hij de stress kon wegnemen die er de oorzaak van was. Maar hij pakte zijn sleutels. 'Blijf bij Luke.'

Haar kaken klemden zich opeen toen ze de sleutels uit zijn hand griste. 'Ik ben niet achterlijk, Daniel.'

'Weet ik,' mompelde hij toen ze weg was. Het veranderde niets aan het feit dat hij zich doorlopend zorgen om haar maakte. Zoals hij zich zorgen had moeten maken over Susannah, destijds. Daniel dwong zichzelf zijn zus in de ogen te kijken. Die stonden neutraal, daar had ze wel voor gezorgd. Toch zag ze er kwetsbaar uit. Breekbaar. Maar hij had ontdekt dat Susannah, net als Alex, noch kwetsbaar, noch breekbaar was. 'Waarom ben je teruggekomen?' vroeg hij, en ze trok haar smalle schouders op.

'De anderen gaan ook getuigen. Ik zou een lafaard zijn als ik dat niet ook zou doen.'

'Je bent geen lafaard,' zei hij fel.

Ze glimlachte sardonisch. 'Je hebt geen idee wat ik ben, Daniel.'

Hij fronste bedenkelijk. 'Wat moet dat nou weer betekenen?'

Ze wendde haar blik af. 'Ik moet weg,' was alles wat ze zei terwijl ze zich omdraaide.

'Susannah, wácht.' Ze draaide zich weer om, en hij dwong zichzelf de vraag te stellen waar hij antwoord op moest hebben. 'Waarom heb je het me niet verteld? Me gebeld? Ik zou je zijn komen halen.'

Haar oogleden trilden. 'O ja?'

'Dat weet je best.'

Haar kin kwam omhoog en dat deed hem denken aan Alex. 'Als ik dat had geweten, zou ik hebben gebeld. Jij ging weg, Daniel. Jij ontsnapte. Het eerste jaar dat je studeerde ben je niet thuisgekomen, niet één keer. Zelfs niet met kerst.'

Hij herinnerde zich dat eerste jaar op de universiteit, de overstelpende opluchting dat hij uit Dutton weg was. Maar hij had Susannah aan de wolven overgelaten. 'Ik was egoïstisch. Maar als ik het had geweten, was ik teruggekomen. Ik vind het zo vreselijk.'

Dat laatste was een machteloze smeekbede, maar haar gezichtsuitdrukking verzachtte niet. Er was geen minachting in haar ogen te lezen, maar ook geen vergiffenis. Hij had gedacht dat hij boete moest doen, dat hij Simons slachtoffers gerechtigheid en afsluiting wilde bieden. Nu wilde hij slechts vergiffenis van de ene persoon die hij had kúnnen redden maar niet gered hád.

'Het is wat het is,' zei ze vlak. 'Je kunt het verleden niet veranderen.'

Zijn keel kneep dicht. 'Kan ik dan de toekomst veranderen?'

Een paar tellen lang zei ze niets. Toen haalde ze haar schouders op. 'Dat weet ik niet, Daniel.'

Hij wist niet zeker wat hij had verwacht. Hij wist niet zeker of hij het recht had om ergens om te vragen. Ze was eerlijk tegen hem geweest, en dat was een begin. 'Goed. Kom mee.'

'Gaat het wel?'

Alex keek op naar Luke terwijl ze in haar tas naar haar medicijnen zocht. Een paar uur lang had ze de hoop gekoesterd dat ze Bailey zou kunnen vinden. Nu was die hoop vervlogen. 'Nee, het gaat niet. Draai je om, Luke.'

Zijn zwarte wenkbrauwen kropen naar elkaar toe. 'Hè?'

'Ik moet mezelf in mijn bovenbeen spuiten, en ik wil niet dat je mijn ondergoed ziet. Draai je om.' Hij gehoorzaamde met een lichte blos op zijn wangen, en Alex trok haar broek een stuk omlaag om de pen in haar blote bovenbeen te steken. Ze schikte haar kleding en keek naar Lukes rug. Zelfs van achteren kon ze zien dat hij de omgeving afspeurde, alert en behoedzaam.

Mansfield liep nog altijd ergens rond, en hij had één man vermoord. Misschien wel meer.

Er liep een rilling over haar rug en de haartjes in haar nek kwamen overeind. Ze was waarschijnlijk gewoon bang geworden van het huis, dacht ze. Mansfield was vermoedelijk kilometers ver weg. Toch, zoals ze al tegen Daniel had gezegd, ze was niet achterlijk. Ze keek naar Daniels sleutels in haar hand en wist wat ze zou doen.

'Kan ik me al omdraaien?' vroeg Luke.

'Nee.' Alex deed de kofferbak van Daniels auto open, pakte haar pistool en stopte het onhandig achter de band van haar broek. Ze deed de kofferbak dicht, maar voelde zich niet veiliger. 'Nu mag je je omdraaien.'

Luke deed dat en keek haar nadrukkelijk aan. 'Hou je ogen open als je dat ding moet gebruiken. Ik vind het heel erg van je stiefzus,' voegde hij er zachtjes aan toe. 'En Daniel ook. Echt.'

'Weet ik,' zei ze, en denkend aan de pijn in Daniels ogen wist ze dat het waar was. Hij had zijn werk gedaan, maar Bailey zou toch dood zijn. *Niemand wint.* Ze hoefde er verder niet op door te gaan, want Daniel en Susannah kwamen naar buiten. Ze gaf hem zijn sleutels en hij deed de voordeur op slot.

'Kom, we gaan terug,' zei Daniel met een uitgestreken gezicht, en Alex vroeg zich af wat Daniel en Susannah hadden besproken – en wat niet.

Vrijdag 2 februari, 15:00 uur

Verstijfd wachtte Bailey tot Loomis haar zou verraden. Haar hart ging als een dolle tekeer. Zo dichtbij. Ze was er zo dichtbij gekomen... Het meisje naast haar begon te huilen.

Toen, tot haar opperste verbazing, legde Loomis zijn vinger op zijn lippen. 'Ga langs die bomen,' fluisterde hij. 'Dan kom je bij de weg.' Hij wees naar het meisje. 'Hoeveel zijn er nog binnen?'

Bailey kneep haar ogen dicht. *Allemaal weg.* 'Niet één meer. Hij heeft ze allemaal vermoord. Allemaal behalve haar.'

Loomis slikte. 'Ga dan maar. Ik haal mijn auto en kom ook naar de weg.'

Bailey hield de hand van het meisje stevig vast. 'Kom mee,' fluisterde ze. 'Nog heel eventjes.'

Het meisje huilde nog altijd stilletjes, maar Bailey had geen tijd voor medelijden. Ze had geen tijd voor wat voor gevoel dan ook. Ze moest in beweging blijven.

Dat was nog eens interessant, dacht Mack, die Loomis zag terwijl hij Bailey en het andere meisje de weg naar de vrijheid wees. Die man deed eindelijk zijn werk. Hij wachtte tot Loomis een stukje terug was gelopen en ging toen voor hem staan. Hij hield zijn pistool recht naar voren gericht en Loomis verstijfde.

Loomis' blik bewoog omhoog naar zijn gezicht en er was meteen herkenning in te zien.

'Mack O'Brien.' Zijn kaak verstrakte. 'Zo te zien zit je niet meer in de gevangenis.'

'Nee,' zei Mack vrolijk. 'Ik had er een derde opzitten.'

'Dus jij was het al die tijd.'

Zijn glimlach was tevreden. 'Al die tijd. Geef me je wapens, sheriff. O, wacht, je bent geen sheriff meer.'

Loomis' lippen werden een streep. 'Ze doen onderzoek naar me, ik ben niet aangeklaagd.'

'Alsof er in deze stad een verschil is. Geef me je wapens,' herhaalde hij met klem. 'Anders vermoord ik je ter plekke.'

'Dat doe je toch wel.'

'Misschien. Of misschien kun je me helpen.'

Loomis kneep zijn ogen tot spleetjes. 'Hoe dan?'

'Ik wil Daniel Vartanian hier hebben. Ik wil dat hij deze operatie zelf ziet en ze op heterdaad betrapt. Als jij hem dit alles en Bailey geeft, zou dat voldoende moeten zijn om je rechtszaak te beïnvloeden. Het onderzoek, bedoel ik.'

'En dat is alles wat ik moet doen? Daniel hierheen halen?'

'Dat is alles.'

'En als ik weiger?'

Hij wees naar Bailey en het meisje, die zich op blote, bloedende voeten een weg zochten door het bos. 'Ik sla alarm, en Bailey en dat meisje gaan eraan.'

Loomis keek hem woedend aan. 'Je bent een smeerlap.'

'Dank je.'

Dutton, vrijdag 2 februari, 15:10 uur

'Heb je nog hoofdpijn?' vroeg Daniel.

'Ik was er op tijd bij. Het gaat prima,' zei Alex. Ze hield haar blik op de ruit gericht en zag de hoofdstraat van Dutton voorbijglijden. Eigenlijk zou ze haar verontschuldigingen moeten aanbieden, wist ze. Terwijl hij alleen maar zijn werk deed had zij hem gekwetst. Maar verdomme, ze was kwáád. En machteloos, wat haar nog bozer maakte. Ze vertrouwde haar stem of haar woorden niet, dus hield ze haar mond dicht.

Na nog een paar minuten stilte vloekte Daniel sissend. 'Kun je gewoon tegen me schelden, alsjeblieft? Ik vind het verschrikkelijk van Bailey. Ik weet niet wat ik nog meer moet zeggen.'

Haar muur brak af, haar woede kwam vrij. 'Ik haat deze stad,' zei ze knarsetandend. 'Ik haat jullie sheriff en de burgemeester en alle anderen die iets hadden moeten doen. En ik haat...' Ze maakte haar zin niet af en hijgde.

'Mij?' vroeg hij zachtjes. 'Haat je mij ook?'

Trillend en met brandende ogen legde ze haar voorhoofd tegen de autoruit. 'Nee. Jou niet. Jij deed je werk. Bailey is in een spervuur beland. Het spijt me dat ik dat daarstraks zei. Dit is niet jouw schuld.' Ze draaide haar gezicht en legde haar warme wang tegen de koele ruit. 'Ik ben zo kwaad op mezelf,' mompelde ze terwijl ze haar ogen dichtdeed. 'Ik had destijds iets moeten zeggen. Ik had iets moeten doen. Maar ik heb me opgerold tot een balletje en alles weggestopt voor de rest van de wereld.'

Zijn vingertoppen streken over haar arm en verdwenen weer. 'Gisteravond zei je dat we onszelf niet de schuld moesten geven,' zei hij.

'Dat was gisteravond. Dit is vandaag, en nu moet ik een manier bedenken om Hope te vertellen dat haar mama nooit meer thuiskomt.' Haar stem brak, maar dat kon haar niet schelen. 'Ik neem jou niets kwalijk, Daniel. Jij hebt dit precies aangepakt zoals je moest doen. Maar nu moet ik verder, en Hope ook. En dat maakt me doodsbang.'

'Alex, kijk me aan. Alsjeblieft.'

Zijn gezichtsuitdrukking was er een van ellende. 'Daniel, ik neem je niets kwalijk. Echt niet.'

'Misschien zou je dat wel moeten doen. Dat heb ik liever dan dit.'

'Dan wat?'

Zijn handen omklemden het stuur. 'Je trekt je terug, neemt afstand. Gisteravond zei je dat wíj door moesten gaan. Vandaag ben je weer terug naar dat je alles zelf wilt doen. Verdomme, Alex. Ik ben híér, en voor mij is er het laatste uur niks veranderd. Maar jij trekt je terug.' Hij grimaste. 'Godverdomme,' vloekte hij hartgrondig terwijl hij zijn mobiele telefoon uit zijn zak trok en de rubberen handschoenen alle kanten op vlogen. 'Vartanian,' blafte hij.

Hij werd heel stil en de auto minderde ogenblikkelijk vaart. 'Hoe?' vroeg hij nors.

Er was iets mis. *Nog meer mis, dus*. Daniel stuurde zijn auto naar de kant van de weg terwijl zij zenuwachtig de gevallen handschoenen opraapte en in haar eigen jaszak stopte.

'Waar?' snauwde hij. 'Vergeet het maar. Ik kom met versterking, of ik kom helemaal niet.' Hij klemde zijn kaken op elkaar. 'Nee, ik vertrouw je inderdaad niet. Vroeger wel. Maar nu niet meer.'

Frank Loomis. Alex boog zich naar hem toe en probeerde iets op te vangen. Daniel klopte op zijn zakken. 'Kun je een pen voor me pakken?' vroeg hij haar, en ze diepte er een op uit haar tas. Hij haalde zijn aantekenboekje uit zijn borstzakje.

'Waar precies?' Hij krabbelde fronsend een adres neer. 'Die plek was ik vergeten. Dat klinkt tenminste logisch. Oké. Ik kom eraan.' Hij weifelde. 'Bedankt.'

Hij maakte abrupt een U-bocht, waardoor Alex zich snel moest vastgrijpen. 'Wat is er?' vroeg ze, bang voor het antwoord.

Hij zette de zwaailichten aan. De snelheidsmeter kroop al naar honderddertig.

'Dat was Frank. Hij zegt dat hij Bailey heeft gevonden.'

Alex zoog haar adem naar binnen. 'Levend?'

Daniels kaak was gespannen. 'Hij zegt van wel.' Hij drukte een toets op zijn telefoon in. 'Luke, je moet omdraaien en hierheen komen, naar...' Hij stak de telefoon naar Alex uit. 'Geef hem het adres. Zeg dat het voorbij de oude fabriek van O'Brien is. Susannah weet wel waar dat is.'

En dat was datgene geweest wat 'tenminste logisch klonk'.

Alex deed wat hij zei en Daniel pakte de telefoon weer aan. 'Frank Loomis zegt dat hij de plek heeft gevonden waar ze Bailey Crighton vasthouden. Bel Chase, laat hem versterking sturen. Ik bel Corchran in Arcadia. Ik vertrouw hem, en hij is in de buurt.' Hij luisterde even en wierp een blik op Alex. 'Daarom bel ik Corchran ook. Hij zal niet al te lang na ons aankomen. Hij kan Alex en Susannah meenemen.'

Alex protesteerde niet. Hij zag er te intens uit. Gevaarlijk. Ze voelde geen dreiging ten opzichte van zichzelf, maar een grimmige tevredenheid dat degene die hen in de weg liep daar voor altijd spijt van zou krijgen.

Hij hing op en gaf haar de telefoon. 'Zoek Corchrans nummer in mijn notitieblokje op en bel hem, alsjeblieft.' Dat deed ze, en hij bracht snel de sheriff in Arcadia op de hoogte en vroeg hem te komen. Hij hing op en stak de telefoon weer in zijn zak.

'Ik dacht dat jij en Chase al bij de fabriek van O'Brien hadden gekeken,' zei ze.

'De nieuwe fabriek, ja. Ik was de oude vergeten. Ik ben daar niet meer geweest sinds ik klein was. En zelfs toen was het al een bouwval.'

Er trok een spiertje in zijn kaak. 'Als we daar aankomen, blijf dan alsjeblieft in de auto en hou je hoofd omlaag.' Hij keek haar met een scherpe, harde blik aan. 'Belóóf het me.'

'Beloofd.'

Vrijdag 2 februari, 15:15 uur

'Het is gebeurd.' Loomis stond enigszins verscholen onder de bomen. Hij stopte zijn telefoon weg. 'Hij komt eraan.'

Alsof daar twijfel over was geweest. 'Mooi zo.'

'Laat me nu gaan. Ik haal Bailey en dat meisje op en breng ze naar het ziekenhuis.'

'Nee. Ik heb je hier nodig. Sterker nog, je moet in beweging komen.' Hij gebaarde met zijn pistool. 'Onder de dekking vandaan.'

De schok was op Loomis' gezicht af te lezen. 'Waarom?'

'Omdat zelfs Judas kwam opdagen bij het Laatste Avondmaal.'

Er verscheen een verdoofd besef in Loomis' ogen. 'Je gaat Daniel vermoorden.'

'Waarschijnlijk niet ik.' Hij haalde zijn schouders op. 'Jij hebt Vartanian gebeld. Als jij niet hier bent als hij aankomt, gaat hij weg, en dan is mijn pret bedorven. Lopen dus.'

'Maar dan ziet Mansfield me,' zei Loomis, en het ongeloof maakte zijn stem hoger.

'Precies.'

'En dan vermoordt hij me,' zei Loomis, nu toonloos.

Hij glimlachte. 'Precies.'

'En hij vermoordt Daniel. Je was al die tijd al van plan om hem te vermoorden.'

'En iedereen maar denken dat jij een slome plattelandssheriff bent. Lópen.'

Hij wachtte tot Loomis naar de rand van het bos begon te schuifelen en gaf toen een stevige draai aan zijn geluidsdemper. 'En gewoon om ervoor te zorgen dat je geen stomme dingen doet, zoals vluchten...' Hij schoot één keer in Loomis' bovenbeen. Met een gepijnigde kreet zonk Loomis op de grond. 'Sta op,' zei hij kil. 'Als je Vartanians auto ziet aankomen, loop je hem tegemoet.'

Vrijdag 2 februari, 15:30 uur

'We moeten weg.' De kapitein van de kleine boot speurde nerveus de omgeving af. 'Ik wacht niet langer op je baas, niet met dit soort vracht.'

Mansfield probeerde zijn mobiele nummer nog een keer, maar er werd niet opgenomen. 'Hij zei dat hij voor degenen zou zorgen die niet konden worden vervoerd. Laat me hem gaan zoeken.' Hij sprong op de steiger.

'Zeg je baas dat ik nog vijf minuten wacht, en dan ben ik weg.'

Mansfield draaide zich om en keek de man kil aan. 'Je wacht tot we terug zijn.'

De kapitein schudde zijn hoofd. 'Ik neem geen bevelen van jou aan. Je verspilt tijd.'

Dat was waar. Niemand nam bevelen aan van Mansfield. Niet meer. Dankzij die klootzak van een Daniel Vartanian. En degene die deze hele ellende was begonnen; die nu, als Daniel echt zo slim was als iedereen altijd zei, al gepakt had moeten zijn. Maar hij wás niet gepakt, omdat Daniel een even grote stommeling was als alle anderen. Tandenknarsend schoof hij de zware deur opzij en liep de hal in, fronsend neerkijkend op de dode meisjes. Wat een verspilling. Over een tijdje hadden ze ze door kunnen verkopen. Nu waren ze nutteloos. Zijn pas vertraagde toen hij de cel naderde waar de kapelaan in had gezeten. De deur stond open en er lag een lijk over de drempel, maar er klopte iets niet. Hij trok zijn pistool en liep geruisloos door.

Verdomme. Het was een van Harvards beveiligingsmensen, niet de kapelaan, zoals had gemoeten. Mansfield rolde hem om en trok een gezicht. De man was van navel tot borstbeen opengehaald.

Hij veegde zijn bloederige handen af aan de broek van de bewaker en keek in de volgende cel. De deur stond op een kier. En de cel was leeg. Bailey was weg. Hij zette het op een lopen, maar kwam abrupt tot stilstand toen hij de hoek om ging en bijna over het lichaam struikelde dat slap op de grond lag. Mansfield liet zich op zijn knieën vallen en voelde zijn pols. Harvard leefde nog.

'De boot vertrekt over een paar minuten. Sta op.' Mansfield probeerde hem op te tillen, maar zijn hand werd weggeduwd.

'Bailey is ervandoor.' Harvard tilde zijn hoofd op. Hij had dikke ogen. 'Waar is Beardsley?'

'Weg.'

'Godverdomme. Ze kunnen niet ver komen. Beardsley heeft een gat in zijn pens en Bailey trilt zo hevig dat ze amper kan lopen. Zoek ze, voordat ze de politie op ons dak sturen.'

'En jij dan?'

'Ik overleef het wel,' zei hij zuur. 'Maar dat geldt niet voor ons, als ze ons hier vinden, met al die lijken.' Hij worstelde zich overeind en reikte naar zijn pistool, maar zijn holster was leeg. 'Verdomme. Beardsley heeft mijn pistool. Geef me je reserve.'

Mansfield trok zijn pistool uit zijn enkelholster.

'En nu lopen. Zoek Bailey en Beardsley en vermoord ze.'

Vrijdag 2 februari, 15:30 uur

Frank wachtte op hen voor een gebouw dat op een betonnen bunker leek. De omgeving was overwoekerd met onkruid en de weg zat vol gaten. Daniel keek op zijn horloge. Luke en sheriff Corchran zouden hier nu ieder moment moeten zijn.

'Wat is dit?' vroeg Alex.

'In de jaren twintig was dit de papierfabriek van O'Brien. In de tijd van mijn opa zijn ze naar de nieuwe fabriek verkast, toen de spoorweg hierlangs werd aangelegd.' Hij wees voorbij de bomen, naar de rivier de Chattahoochee. 'Voordien gebruikten ze de rivier om boomstammen hierheen te krijgen en het papier te verschepen.'

'Ik dacht dat je zei dat het een bouwval was.'

'Was het ook. Die bunker is nieuw, en zo goed gecamoufleerd dat we hem vanuit de lucht niet zagen.' Hij zweeg, keek naar Frank, die tegen zijn dienstwagen leunde en naar hen keek.

'Waar wacht je op?' bitste Alex met een stem die trilde als een vioolsnaar.

'Versterking,' zei hij kortaf, zonder zijn blik van Frank af te wenden. 'En op sheriff Corchran om jou naar een veilige plek te brengen.' Hij hoorde haar ademhalen om te protesteren, maar hij wist dat ze dat niet zou doen en respecteerde haar erom. 'Ik wil niet dat Bailey omkomt doordat ik hier als een dolle in duik, Alex. Als ze binnen is en nog leeft, wil ik haar ook levend naar buiten krijgen.'

'Weet ik.' De woorden waren amper hoorbaar. 'Dank je, Daniel.'

'Bedank me niet. Niet hiervoor. Shit.' Frank kwam hinkend naar hen toe, en pas toen hij vlakbij was zag Daniel de donkere, vochtige plek op zijn broekspijp. 'Hij is gewond.' De haren achter in zijn nek kwamen overeind en hij zette de auto in zijn achteruit.

Alex maakte haar gordel los, maar hij greep haar arm. 'Wacht.'

Alex staarde hem aan. 'We kunnen hem niet zomaar laten doodbloeden. Hij weet waar Bailey is.'

'Wácht, zei ik.' Daniel dacht koortsachtig na, maar hij raakte steeds het spoor bijster door zijn besluiteloosheid. *Valstrik* gilde zijn geest. Maar hij was heel lang bevriend geweest met die man. Hij draaide zijn raam een stukje open. 'Wat is er gebeurd?'

'Kogel opgevangen,' kermde Frank tandenknarsend, en hij haakte zijn vingers door het open raam waardoor hij het glas met bloed besmeurde. Hij boog zich naar voren. 'Draai om en ga weg. Het spijt –'

Er klonk een schot en Frank keek verbaasd, ongelovig bijna. De pijn was een fractie van een seconde van zijn gezicht af te lezen en hij gleed langs Daniels autoportier omlaag. Daniel had zijn voet al op het gaspedaal, waardoor ze naar achteren scheurden. De auto kwam scheef te staan. 'Bukken!' blafte hij, niet opzij kijkend om te zien of Alex gehoorzaamde.

Hij gaf een ruk aan het stuur en wilde de auto keren. Toen vloog hij naar voren en stootte zijn hoofd tegen het stuur omdat hij iets groots en stevigs had geraakt. Vanuit zijn ooghoeken zag hij Alex langs het dashboard glijden en slap op de vloer belanden.

Verdoofd keek hij in zijn achteruitkijkspiegel. Daar zag hij een andere politiewagen uit Dutton, toen keek hij naar rechts en zag Randy Mansfield bij Alex' open autoportier staan, met een Smith & Wesson .40 kaliber halfautomaat in zijn hand.

Op Alex' hoofd gericht.

'Laat dat pistool vallen, Danny,' zei Randy rustig. 'Anders schiet ik haar dood.'

Daniel knipperde met zijn ogen, zag alles in een waas. Alsof er geen werkelijkheid meer was, alsof alles stolde in dit ene moment. *Alex.* Ze lag ineengedoken op de vloer, roerloos, en zijn hart bleef stilstaan. 'Alex. *Alex*?'

'Ik zei: geef me je pistool. Nu.' Hij stak zijn linkerhand uit. Zijn rechter hield nog altijd de Smith op Alex' hoofd gericht.

Waar ben je, Luke? Zonder zijn blik van Mansfields wapen af te wenden stak hij langzaam zijn Sig uit, met de kolf naar voren. 'Waarom?'

'Omdat ik niet wil dat je op me schiet,' zei Mansfield droogjes. Hij stopte Daniels Sig achter zijn broekband. 'Geef me je reserve, net zo langzaam.'

'Ze is misschien al dood,' dwong Daniel zichzelf te zeggen. 'Waarom zou ik doen wat je zegt?'

'Ze is niet dood. Ze doet maar alsof.' Hij duwde de loop van zijn wapen tegen Alex' hoofd, maar ze bewoog zich niet, en Mansfield leek onder de indruk. 'Ofwel ze is echt buiten westen, of ze doet heel knap alsof. Hoe dan ook, ze leeft nog, maar over tien seconden niet meer als je niet doet wat ik zeg.'

Met tegenzin trok Daniel zijn reservewapen uit zijn enkelholster.

Verdomme, Luke, waar zit je toch? 'Vuile smeerlap,' beet hij Mansfield toe.

Mansfield pakte de revolver aan en maakte toen een gebaar met zijn hoofd. 'Stap uit en leg je handen op de motorkap. Langzaam; je weet hoe het moet.'

Daniel stapte uit en keek naar Frank, die roerloos op de grond lag. 'Is hij dood?'

'Zo niet, dan duurt dat niet lang meer. Handen op de motorkap, Vartanian. Jij, opstaan.' Hij duwde het pistool weer tegen Alex' hoofd, maar vanuit zijn huidige positie kon Daniel niet zien of ze zich bewoog. Met een gefrustreerde zucht stopte Mansfield Daniels reservepistool achter zijn broekband naast de Sig, greep Alex bij haar haren en gaf er een ruk aan. Nog steeds niets.

Daniel duwde zijn paniek weg. Ze was waarschijnlijk bewusteloos. Dat was misschien wel een zegen. Mansfield zou haar hier laten, en dan zou Luke haar vinden.

'Til haar op,' zei Mansfield, en hij stapte achteruit.

'Hè?'

'Je hebt me wel gehoord. Til haar op en draag haar naar binnen. Ik heb haar misschien later nog nodig.' Mansfield gebaarde ongeduldig met zijn pistool. 'Schiet op.'

'Misschien heeft ze wel rugletsel.'

Mansfield draaide met zijn ogen. 'Vartanian, ik ben niet achterlijk.'

Voorzichtig tilde Daniel haar uit de auto. Haar ademhaling was oppervlakkig, maar gelijkmatig. 'Alex,' fluisterde hij.

'Vartanian,' snauwde Mansfield. 'Lopen.'

Daniel legde zijn ene arm onder haar knieën en de andere om haar schouders. Haar hoofd rolde opzij als die van een lappenpop en hij dacht aan Sheila, dood in de hoek. Zijn armen grepen haar steviger vast en hij keek nog een laatste keer wanhopig over zijn schouder. *Luke, godverdomme. Waar ben je?*

25

Vrijdag 2 februari, 15:30 uur

Onder de dekking van de bomen zag Bailey de auto met een gangetje van honderdvijftig en met knipperende zwaailichten voorbij scheuren. *Politie.* Ze viel bijna flauw van opluchting. De politie was onderweg naar het complex. Misschien kwamen er nog meer. Ze moest naar de weg zien te komen.

Ze schudde aan de schouder van het meisje. 'Kom mee,' zei ze hees. 'Lopen.'

'Kan niet.' Het kwam als een kreun naar buiten, en Bailey wist dat het meisje niet meer verder kon.

'Blijf dan maar hier. Als ik niet terugkom moet je zelf hulp proberen te vinden.'

Het meisje greep met grote, doodsbange ogen haar arm vast. 'Ga niet weg. Laat me niet alleen.'

Bailey trok ferm de hand van het meisje los van haar arm. 'Als ik geen hulp ga halen, ga je dood.'

Het meisje deed haar ogen dicht. 'Laat me dan maar doodgaan.'

Ze dacht aan Beardsley. 'Geen sprake van.' Ze keerde zich naar de weg en dwong haar voeten in beweging te komen, maar haar knieën begaven het telkens. Dus kroop ze. De weg lag hoger en ze moest tegen een helling op klimmen. Haar handen gleden steeds weg op het gras, omdat ze vochtig waren van het bloed.

Schiet op, Bailey. Sneller.

Ze was bijna bij de weg toen ze nog een auto hoorde. Denkend aan Hopes lieve gezichtje, toen aan Beardsleys bebloede gezicht, dook ze naar voren. De auto kwam de hoek om, uitwijkend in een wolk stof en met piepende remmen. Ze hoorde geschreeuw. Een mannenstem. Toen een vrouwenstem.

'Heb je haar aangereden?' vroeg de vrouw. Ze hurkte neer en Bailey zag donker haar en grote grijze ogen vol angst. 'Mijn god. Hebben wíj dit gedaan?'

'Nee, we hebben haar niet geraakt.' De man hurkte ook neer en raakte haar voorzichtig aan. 'O, shit. Ze is in elkaar geslagen en ze bezwijkt zowat.' Hij ging met zijn handen over haar armen, toen over haar benen. Zijn hand kwam abrupt tot stilstand op haar enkel, toen pakte hij zachtjes haar kin vast. 'Ben jij Bailey?'

Ze knikte. 'Ja. Mijn kindje, Hope. Leeft ze?'

'Ja, ze leeft en ze is veilig. Susannah, bel Chase. Zeg dat we Bailey hebben gevonden en laat hem zo snel mogelijk een ambulance sturen. Bel dan Daniel en zeg dat hij terugkomt.'

Bailey greep zijn arm. 'Alex?'

Hij keek over de weg uit en de moed zonk Bailey in de schoenen. 'Zat ze in die auto? O, god.'

Zijn zwarte ogen knepen zich samen. 'Hoezo?'

'Hij vermoordt haar. Waarom niet? Hij heeft ze allemaal vermoord.' De beelden overstelpten haar. 'Hij heeft ze allemaal vermoord.'

'Wie? Bailey, luister naar me. Wie heeft je dit aangedaan?' Maar ze kon niet praten. Ze wiegde heen en weer, denkend aan de meisjes, geketend aan de muren, met grote, levenloze ogen. 'Bailey.' De druk op haar kin werd opgevoerd. 'Wie heeft je dit aangedaan?'

'Luke.' De vrouw kwam terug met in elke hand een mobiele telefoon, en ze was nog bleker dan eerst. 'Ik heb Chase gebeld en hij stuurt hulp, maar Daniel neemt niet op.'

Vrijdag 2 februari, 15:40 uur

Het toneel was klaar. Alle spelers waren er. Alles wat Mack hoefde te doen, was achterover leunen en kijken naar de pret, maar hij zou het wel snel moeten laten gebeuren. Ze wisten nu wie hij was, dus zijn vrijpartij met de mooie Alex Fallon zou hij beperkt moeten houden. Morgenochtend zou hij zijn laatste slachtoffer in een deken hebben achtergelaten en zou de cirkel rond zijn. Tegen twaalf uur morgenmiddag zou hij achter het stuur zitten van Gemma Martins overgespoten Corvette en halverwege naar Mexico zijn, en hij zou nooit meer omkijken.

Maar nu... zouden de resterende hoekstenen gaan omvallen.

Vrijdag 2 februari, 15:45 uur

Alex had hoofdpijn en een brandende hoofdhuid, maar verder was ze ongedeerd. Ze was verdoofd geweest door de klap, maar ze had ieder woord tussen Daniel en Mansfield gehoord. Ze had haar uiterste best gedaan zich slap te houden, en dat was moeilijker dan het leek. Maar voorlopig scheen ze zowel Mansfield als Daniel te bedotten. Het was een kwelling te weten dat Daniel zo ongerust was, maar voorlopig moest het zo blijven.

Waar is Luke? dacht ze. Hij had hier allang moeten zijn.

Daniel had haar de bunker in gedragen. Ze had haar ogen dicht gehouden, maar ze hoorde de echo van hun voetstappen in de stilte. Er was geen trap, alleen een lange rechte gang. Toen draaide Daniel zich om en stapte naar rechts, een deur door.

'Leg haar op de grond,' beval Mansfield, en Daniel legde haar voorzichtig neer. 'En nu zitten.' Ze voelde de kou toen Daniel wegging en zijn warmte meenam. 'Handen achter je rug.' Ze hoorde het gerammel van metaal en besefte dat Mansfield Daniel had geboeid. Ze had gehoopt dat Daniel het pistool zou voelen dat ze in haar broekband had gestopt, maar dat had hij niet. *Dus is het aan mij.*

'Waarom heb je op Frank Loomis geschoten?' vroeg Daniel. 'Hij heeft me gebeld, precies zoals je wilde.'

Het bleef even stil. 'Bek dicht, Daniel.'

'Je wist niet dat hij me had gebeld,' zei Daniel speculerend. 'Hij werkte niet met jou samen.'

'Hou je bék.'

Dat deed Daniel niet. 'Wat doen jullie hier? Transporteren jullie drugs over de rivier?'

Alex had moeite om niet te grimassen toen ze de klap hoorde, gevolgd door Daniels gedempte kreun van pijn.

'Nou, wat jullie ook doen,' vervolgde Daniel even later, 'je schip is vertrokken. Ik zag een boot de rivier afvaren net toen jij op Frank schoot.'

Ze hoorde een abrupte beweging, en Alex keek door haar wimpers en zag Mansfield naar het raam lopen. Hij vloekte sissend.

'Je zit hier vast,' zei Daniel vlak. 'Er is versterking onderweg. Je komt hier niet levend weg als je probeert te vluchten.'

'Natuurlijk wel,' zei Mansfield, maar zijn stem klonk niet kalm. 'Ik heb nog iets achter de hand.'

Dat zal ik wel zijn. Alex gluurde tussen haar wimpers door naar Daniel en verstijfde. Hij keek haar recht aan, met samengeknepen ogen. Hij wist dat ze wakker was, bij kennis.

Plotseling dook Daniel naar voren, met stoel en al, en beukte met zijn hoofd tegen Mansfield aan. Alex sprong overeind toen hij Mansfield tegen een bureau duwde. Ze rende naar de deur, wetend dat Daniel wilde dat ze zou ontsnappen. Maar er klonk een schot, en haar hart en voeten stonden simpelweg stil. Mansfield stond met zijn rug naar haar toe en Daniel lag op zijn zij, nog altijd aan de stoel vastgeketend. Er verspreidde zich snel bloed over Daniels witte overhemd vanuit een kogelwond in zijn borst. Zijn gezicht werd bleek, maar hij keek haar recht aan. *Lopen.*

Ze rukte haar blik los van Daniel en keek naar Mansfield, wiens schouders op en neer gingen door zijn diepe ademteugen. Hij staarde neer op Daniel, met zijn pistool strak in zijn rechterhand geklemd. Achter zijn broekband zat Daniels pistool. Eentje maar.

Mansfield had er twee van Daniel afgepakt. Daniels reserverevolver was weg.

Toen vergat ze Daniels reservewapen, want Mansfield schopte Daniel zo hard in zijn ribben dat ze die zelfs boven Daniels kreun uit hoorde breken.

'Gore smeerlap,' mompelde Mansfield. 'Je moest zo nodig terugkomen. Alles oprakelen. Simon had tenminste het verstand om weg te blijven.'

Alex graaide naar het pistool achter haar rug, in gedachten de instructies herhalend die Daniel er bij haar in had gestampt. Ze ontgrendelde de beveiliging net toen Mansfield zijn pistool op Daniels hoofd richtte. Mansfield draaide zich abrupt om toen hij het geluid hoorde, en verdoofd staarde hij een halve seconde naar het wapen in haar hand voordat hij opkeek en zijn hand met het pistool tegelijk mee omhoogkwam. Zonder erbij na te denken bleef ze de trekker overhalen tot hij met grote ogen op zijn knieën en daarna voorover op zijn gezicht viel. Nu werd *zíjn* witte overhemd snel rood.

Ze schopte het pistool uit Mansfields hand, pakte Daniels pistool van zijn rug en legde het op de vloer bij Daniels hoofd voordat ze haar eigen wapen onder haar jas achter haar broekband stopte. Toen kniel-de ze bij Daniel neer, trok met trillende handen zijn overhemd om-hoog en zag hoe ernstig hij gewond was.

'Ik zei dat je... weg moest rennen,' fluisterde hij. 'Verdomme... rén-nen.' Het rijzen en dalen van zijn borstkas werd oppervlakkiger, en ze hoorde zijn ademhaling door de wond piepen.

'Je bent al veel bloed kwijtgeraakt en waarschijnlijk zit er een gat in je long. Waar zijn de sleutels van je boeien?'

'Zak.'

Ze vond zijn sleutels en zijn mobiele telefoon en dwong haar han-den op te houden met trillen terwijl ze naar de sleutel van de boeien zocht en hem bevrijdde. Ze duwde de stoel weg, rolde hem voorzich-tig op zijn zij en streek een lok haar weg van zijn voorhoofd, dat al klam was van het zweet.

'Dat was stom,' zei ze hees. 'Hij had je vermoord.'

Zijn ogen vielen dicht. Hij zakte snel weg. Ze moest zijn wond dichten en ze moest hem hier weg zien te krijgen. In haar eentje zou ze hem met geen mogelijkheid naar de auto kunnen slepen. Ze had hulp nodig. Ze probeerde zijn mobieltje, maar er was hier geen ont-vangst. Met bonzend hart keek ze om zich heen. Het was een leeg kantoor, met alleen een oud metalen bureau.

Ze rukte de bureauladen open, op zoek naar kantoorspullen.

'Schaar en plakband.' Ze zuchtte van verlichting. Het was zware verpakkingstape en het zou wel voldoen. Ze griste het mee en rende terug naar Daniel, deze keer zonder de moeite te nemen om Mans-field heen te lopen. Ze stapte over zijn been heen en liet zich op haar knieën vallen. 'Ik ga die wond dichten. Stil liggen.'

Uit haar zak haalde ze de handschoenen die hij in de auto op de vloer had laten vallen, toen rekte ze een van de handschoenen uit en maakte snel een driehoekige afdekking over het gat in zijn borst. 'Ik moet je omdraaien. Dat gaat pijn doen. Sorry.' Zo voorzichtig moge-lijk draaide ze hem op zijn zij, knipte zijn overhemd van zijn rug en zuchtte opgelucht. Aan de achterkant zat ook een wond. Er zwierven in elk geval geen kogels in zijn lichaam rond. Snel herhaalde ze de procedure. Binnen enkele seconden werd het gepiep minder en begon haar hartslag samen met die van hem gelijkmatiger te worden.

'Alex.'

'Hou je mond,' zei ze. 'Spaar je adem.'
'Alex!'
'Hij bedoelt dat je naar mij moet kijken.'
Zich omdraaiend op haar knieën schoot Alex' blik naar de deur. Toen wist ze het.
'Nummer zeven,' zei ze zachtjes, en Toby Granville glimlachte.
Er liep bloed over zijn gezicht uit een wond in zijn slaap, zo te zien van een stomp voorwerp. In zijn hand hield hij een kleine revolver. In zijn ogen zag ze de een schaduw en ze hoopte dat hij verrekte van de pijn.
'Eigenlijk was ik nummer één. Ik liet Simon alleen maar denken dat hij dat was, omdat hij een labiele, enge rotzak was.' Hij keek minachtend naar Mansfield. 'En jij was een kluns,' mompelde hij voor hij zijn aandacht weer op Alex richtte. 'Schuif Mansfields pistool hierheen, en dan dat van Vartanian.'
Ze deed wat haar werd opgedragen en wachtte af.
'Stond niet... op de lijst,' fluisterde Daniel. 'Te oud. Mijn leeftijd.'
'Nee, Simons leeftijd,' zei Granville. 'Ik had een paar klassen overgeslagen en had mijn diploma van Bryson al voor hij eraf werd geschopt. We grapten altijd dat we een club wilden hebben, Simon en ik, al toen we net op de middelbare school zaten. Iedereen dacht altijd dat het zijn idee was, omdat hij een labiele, enge rotzak was. Maar het was mijn idee. Simon was van mij. Hij deed wat ik zei en dacht dat het al die tijd zijn plan was geweest. Jared had ook van mij kunnen zijn, maar hij zoop te veel. Geen van de anderen had er het lef voor.' Met voorzichtige bewegingen bukte Granville om de twee wapens op te rapen die Alex over de vloer had geschoven.
Zodra hij zijn ogen neersloeg trok ze haar pistool achter haar rug vandaan en schoot, maar de eerste keer raakte ze de muur. Het pleisterwerk vloog rond toen het tweede schot hem trof, net als haar derde, vierde en vijfde. Granville zakte in elkaar, maar hij ademde nog en had zijn revolver in zijn hand.
'Laat je wapen vallen,' zei ze. 'Anders maak ik je af.'
'Dat doe je niet,' zei hij. 'Dat heb je niet... in je. Moord... in koelen bloede.'
'Dat dacht Mansfield ook,' zei Alex kil. Ze tilde het pistool op. 'Laat je wapen vallen, anders schiet ik.'

'Breng me naar buiten... dan laat ik het wapen vallen.'

Alex keek hem ongelovig aan. 'Je bent gestoord. Ik help je niet.'

'Dan zul je nooit weten... waar ik Bailey heb gelaten.'

Ze hief haar kin en kneep haar ogen samen. 'Waar is ze?'

'Breng me naar buiten... dan vertel ik het.'

'Hij... heeft waarschijnlijk... een boot,' zei Daniel grimassend. 'Niet doen.'

'Bailey,' zei Granville treiterend.

Daniels ademhaling klonk ingespannen. Ze moest hem naar een ziekenhuis krijgen.

'Ik heb hier geen tijd voor.' Alex richtte op Granvilles hart, maar ze weifelde. Granville had gelijk. Iemand doodschieten uit zelfverdediging was één ding, maar een gewonde man in koelen bloede vermoorden... Maar op hem schieten, dat kon ze wel.

Alex mikte, haalde de trekker over en Granville schreeuwde. Er gutste nu bloed uit zijn pols, maar zijn hand was open en het pistool lag op de grond. Alex stopte het in haar zak en knielde bij Daniel neer, met één hand tastend naar zijn boeien en met de andere zijn hartslag controlerend. Die was zwak. Angstaanjagend zwak.

Hij had nog altijd weinig kleur en ademde moeizaam, maar hij bloedde in elk geval niet meer. 'Ik moet hulp voor je halen, en ik vertrouw er niet op dat hij je niets doet als ik weg ben. Maar ik kan hem niet doodschieten. Sorry.'

'Geeft niet. We hebben hem misschien nog nodig. Boeien om... achter zijn rug.'

Daniel greep met zijn bebloede hand haar jas vast toen ze overeind wilde komen. 'Alex.'

'Stil. Als ik je niet naar een ziekenhuis krijg ga je dood.' Maar hij liet niet los.

'Alex,' fluisterde hij, en ze boog zich naar hem toe. 'Hou van je... als je zo meedogenloos bent.'

Haar keel kneep zich samen en ze drukte een kus op zijn voorhoofd, waarna ze met een streng gezicht overeind kwam. 'Hou van jou,' fluisterde ze terug, 'als je geen dooie held bent. Hou je mond, Daniel.'

Ze liep terug om Granville de boeien om te doen. Dat viel niet mee, en ze hijgde en zat onder het bloed toen ze hem op zijn rug rolde. 'Ik hoop dat je heel lang mag wegrotten in de bak.'

'Je denkt dat je alles... weet.' Hij haalde moeizaam adem. 'Je weet niks. Er zijn... anderen.'

Haar hoofd kwam omhoog en ze greep haar wapen. 'Anderen? Waar?' vroeg ze geschrokken.

Granvilles ogen waren glazig geworden. Hij had veel bloed verloren.

'Simon was van mij,' mompelde hij. 'Maar ik was van iemand anders.' Toen, verdoofd, keek hij op en werden zijn ogen groot van angst.

Ze wilde over haar schouder kijken, maar stopte toen ze een stuk koud staal tegen haar slaap voelde.

'Bedankt, mevrouw Fallon,' fluisterde een stem in haar oor. 'Geef dat wapen maar aan mij.' Hij kneep in haar pols tot haar vingers opengingen en het pistool op de betonnen vloer viel. 'Alles is prachtig verlopen. Davis is gearresteerd, Mansfield is dood en...' Hij schoot, en haar maag protesteerde heftig toen Granvilles hoofd ontplofte en aan stukken op de vloer viel. 'En Granville nu ook. De zeven zijn niet meer.'

'Wie ben jij?' vroeg ze, ook al wist ze het antwoord.

'Dat weet je al,' zei hij zachtjes, en ze besefte dat ze nooit echte angst had gekend tot op dat moment. Hij sleurde haar overeind. 'Nu ga je met mij mee.'

'Nee.' Ze verzette zich toen hij zijn pistool weer tegen haar hoofd drukte. 'Ik moet alleen hulp regelen voor Daniel. Ik zal niemand zeggen dat je hier bent. Je kunt gaan. Ik zal je niet tegenhouden.'

'Nee, dat klopt. Niemand houdt me tegen. Maar ik laat je niet gaan. Ik heb plannen met jou.'

Haar knieën knikten om de manier waarop hij het zei. 'Waarom? Ik heb jou zelf nooit gekend zoals Gemma of de anderen.'

'Nee, dat klopt. Maar je gaat er toch aan.'

Een snik bouwde zich in haar op, maar deze keer was die vermengd met doodsangst. 'Waarom?'

'Vanwege je gezicht. Het begon allemaal bij Alicia. Het eindigt bij jou.'

Alex verkilde en verstijfde. 'Je wilt me vermoorden voor een *grootse finale*?'

Hij grinnikte. 'Ja, en om Vartanian te laten lijden.'

'Waarom? Hij heeft jou nooit iets gedaan.'

'Maar Simon wel. Ik kan Simon niet raken, dus moet Daniel zijn straf ondergaan.'

'Net zoals jij bent gestraft voor wat Jared had gedaan,' mompelde ze.

'Ik zie dat je het snapt. Het is alleen maar eerlijk.'

'Maar mij vermoorden is niet eerlijk,' zei ze, terwijl ze probeerde rustig te blijven. 'Ik heb nooit iemand iets gedaan.'

'Dat is waar. Maar op dit moment doet dat er niet toe. Jij sterft, net als de anderen, en je gaat schreeuwen, luid en lang.' Hij trok haar naar achteren.

Ze verzette zich hevig. 'We hebben om versterking gevraagd,' sputterde ze. 'Je komt niet weg.'

'Jawel hoor. Ik hoop dat je geen last hebt van zeeziekte.'

De rivier. Hij wilde haar meenemen over de rivier. 'Nee. Ik ga niet als een lam naar de slachtbank. Als je me hebben wilt, moet je me aan mijn haren meesleuren.' Hij zou Daniel vermoorden. Maar als hij dat wilde doen, moest hij het pistool van haar hoofd halen. Het zou haar enige kans zijn. Zodra ze de druk op haar slaap voelde afnemen, draaide ze zich om en klauwde naar zijn gezicht. Abrupt verslapte zijn greep, en even was ze te verbaasd om iets te doen. Toen knipperde ze met haar ogen bij een laatste schot dat klonk. Heel even maar keek ze op in het gezicht van... de krantenjongen... voordat hij viel.

Verdoofd keek ze toe terwijl hij tegen de grond ging. Ze staarde naar het nette gaatje in zijn voorhoofd.

'Dat is de krantenjongen.' Ze huiverde toen ze besefte hoe nauwlettend O'Brien haar in de gaten had gehouden, keek op en zoog een zwijgende schreeuw naar binnen. Een man met een vuil, bebloed gezicht hield O'Briens pistool in zijn hand. Hij stond te zwaaien op zijn benen.

Alex tuurde nauwkeuriger naar hem. 'Pastoor Beardsley?!'

Hij knikte grimmig. 'Ja.' Hij leunde tegen de deur en gleed op de vloer, waarbij hij voorzichtig O'Briens wapen op de vloer naast zich neerlegde.

Ze keek naar het gaatje in O'Briens voorhoofd, toen weer naar Beardsley.

'Hebt u hem neergeschoten? Hoe kan dat? U stond... achter hem.'

Ze draaide zich om en zag dat Daniel langzaam zijn hoofd op de vloer liet zakken. In zijn hand hield hij zijn reserverevolver.

'Heb jíj hem neergeschoten?' Daniel knikte eenmaal zwijgend. Alex stak haar hoofd door de deur naar buiten en keek beide kanten op. 'Is er nog iemand anders met een wapen?'

'Ik geloof het niet,' zei Beardsley, en hij pakte haar been vast. 'Bailey?'

'Granville zei dat ze nog leefde.'

'Een uur geleden nog wel,' zei Beardsley.

'Ik kom er wel achter. Ik moet nu hulp gaan halen.' Met Daniels mobiele telefoon in haar hand rende Alex door de gang tot ze daglicht zag. Het viel binnen door het raampje in de buitendeur. Ze bleef even staan, bijna verblind door de felheid ervan. Toen deed ze de deur open, stapte naar buiten en haalde dieper adem dan ooit tevoren.

'Alex!' Luke kwam aanrennen. 'Ze is gewond!' riep hij.

Ze knipperde met haar ogen toen er mannen met een brancard aan kwamen rennen. 'Niet ik,' snauwde ze. 'Daniel is neergeschoten. Zijn toestand is kritiek. Hij moet met een helikopter naar een goed uitgerust traumacentrum. Ik laat jullie wel zien waar hij is.' Ze rende weer naar binnen, en de adrenaline voedde haar spieren. 'Bailey is ontkomen.'

'Weet ik,' antwoordde Luke, die naast haar meerende. Achter hen knarsten de wieltjes van een brancard. 'Ik heb haar gevonden. Levend. Ze is er niet best aan toe, maar ze leeft nog.'

Alex wist dat de opluchting haar zou overspoelen zodra Daniel op die brancard lag. 'Beardsley ligt daar ook. Ook levend. Hij kan misschien zelf lopen, maar hij is wel gewond.'

Ze kwamen in de ruimte aan het einde van de gang en Luke bleef staan bij de drie lijken op de grond. 'Goeie god,' zei hij ademloos. 'Heb jij dat gedaan?'

Ze begon bijna hysterisch te lachen, terwijl er even daarvoor nog een snik in haar keel had gebrand. De artsen tilden Daniel op de brancard en ze kon weer ademhalen. 'Grotendeels. Ik heb Mansfield gedood en Granville verwond, maar O'Brien heeft Granville doodgeschoten.'

Luke knikte. 'Oké.' Hij gaf O'Brien een por met zijn schoen. 'En deze?'

'Beardsley pakte zijn pistool en Daniel schoot hem in zijn hoofd.' Een grijns spleet haar gezicht bijna in tweeën. 'Volgens mij hebben we het goed gedaan.'

Luke grijnsde terug. 'Dat denk ik ook.'

Maar Beardsley glimlachte niet. Hij schudde zijn hoofd. 'Jullie waren te laat,' zei hij vermoeid.

Alex en Luke werden meteen weer serieus. 'Waar hebt u het over?' vroeg Alex.

Beardsley duwde zich tegen de muur weer overeind. 'Kom maar mee.'

Met een blik achterom naar Daniel liep Alex achter hem aan, met Lukes hand op haar rug.

Beardsley trok aan de eerste deur links van hen. Hij was niet op slot, maar ook niet leeg. Alex staarde in afgrijzen naar binnen. En wat ze zag zou voor altijd op haar netvliezen gebrand blijven staan.

Een jong meisje lag op een dun matrasje, met haar arm aan de muur geketend. Ze was mager en haar botten waren duidelijk zichtbaar. Haar ogen stonden wijd open en ze had een rond gaatje in haar voorhoofd. Ze leek een jaar of vijftien.

Alex rende naar het meisje toe, liet zich op haar knieën vallen en drukte haar vingers tegen de dunne hals op zoek naar een hartslag. Het lichaam was nog warm. Ze keek ontdaan op naar Luke. 'Ze is dood. Misschien pas een uur.'

'Ze zijn allemaal dood,' zei Beardsley rauw. 'Iedereen die was achtergelaten.'

'Hoeveel waren er?' vroeg Luke, zijn stem hard van woede.

'Ik heb zeven schoten gehoord. Bailey...'

'Ze leeft nog,' zei Luke. 'En ze heeft nog een meisje mee naar buiten genomen.'

Beardsleys schouders zakten omlaag. 'Godzijdank.'

'Wat is dit hier?' fluisterde Alex.

'Mensenhandel,' zei Luke kortaf.

Alex staarde hem met open mond aan. 'Je bedoelt dat al die meisjes... Maar waarom hebben ze die vermoord? Waaróm?'

'Ze hadden geen tijd om ze allemaal mee te nemen,' zei Beardsley toonloos. 'Ze wilden niet dat ze zouden praten.'

'Wie is hier verantwoordelijk voor?' kreunde Alex.

'De man die jij Granville noemde.' Beardsley leunde tegen de muur en deed zijn ogen dicht, en toen pas zag Alex de donkere vlek op zijn overhemd. Die werd groter.

'U bent ook neergeschoten,' zei ze, en ze ondersteunde hem.

Hij stak zijn hand op. 'Je rechercheur is er slechter aan toe.'

'Hoeveel hebben ze er weg gekregen?' vroeg Luke, en in zijn gezicht zag Alex dezelfde dierlijke woede die ze die avond op de schietbaan had gezien.

'Vijf of zes,' zei Beardsley. 'Ze hebben ze meegenomen naar de rivier.'

'Ik zal de plaatselijke politie en de waterpolitie op de hoogte stellen,' zei Luke. 'En de kustwacht.'

Achter hen werd Daniel op de brancard weggereden.

'Ga met hem mee,' zei Beardsley. 'Ik red me wel.'

Nog een brancard kwam door de deur naar binnen. 'Deze artsen zijn hier voor u.' Ze pakte Beardsleys hand. 'Dank u. U hebt mijn leven gered.'

Hij knikte met vlakke, koele ogen. 'Geen dank. Zeg Bailey dat ik bij haar langskom.'

'Doe ik.' Toen liepen Alex en Luke achter Daniels brancard aan de deur uit, met een blik naar elke deur die ze passeerden. Nog vijf slachtoffers. Ze wilde wel schreeuwen, maar uiteindelijk liep ze naar Daniel toe, pakte zijn hand en ging met hem mee naar buiten, de zon in.

26

Atlanta, vrijdag 2 februari, 17:45 uur

'Alex.' Meredith kwam overeind toen Alex de spoedeisende hulp op rende. 'O, god, Alex.' Ze sloeg haar armen om Alex heen.

Alex hield haar stevig vast. 'Het is voorbij,' mompelde ze. 'Ze zijn allemaal dood.'

Meredith stapte achteruit, zichtbaar trillend. 'Je bloedt. Waar ben je gewond?'

'Het is niet van mij. Het is vooral van Daniel en Granville. Hebben ze Daniel al binnengebracht?'

'Die kwam hier een minuut of twintig geleden aan.'

Alex liep naar de verpleegbalie, met Meredith naast zich. 'Ik ben Alex Fallon. Kunt u –'

'Deze kant op,' onderbrak de verpleegkundige haar toen er een menigte journalisten rondom haar opdook. Ze leidde hen naar een wachtkamertje. 'Rechercheur Chase Wharton zei al dat u zou komen. Hij wil met u praten.'

'Ik wil met de arts van Daniel Vartanian praten,' drong Alex aan. 'En ook met die van Bailey Crighton.'

'De dokter is nu bij meneer Vartanian,' zei de verpleegkundige vriendelijk, en ze bekeek Alex eens wat beter. 'U was hier een paar dagen geleden ook, op bezoek bij die non die is overleden.'

'Klopt.' Alex ijsbeerde door het kamertje terwijl haar zenuwen opspeelden.

'U bent verpleegkundige op de spoedeisende hulp.' De wenkbrauwen van de verpleegkundige kwamen omhoog. 'Nu snap ik het. Dat was verdomd goed veldwerk dat u hebt gedaan bij Vartanian.'

Alex hield op met ijsberen en keek de vrouw in haar ogen. 'Was het goed genoeg?'

De verpleegkundige knikte. ‘Daar lijkt het wel op ja.’

Alex blies opgelucht haar adem uit. ‘Kan ik naar Bailey?’

‘Kom maar mee.’

Alex hield Merediths hand stevig vast terwijl ze meeliepen. ‘Waar is Hope?’

‘Bij agent Shannon en Riley, nog altijd op het onderduikadres. Het leek ons het beste om haar niet naar Bailey mee te nemen tot ze is opgeknapt. Alex, ik zag Bailey toen ze haar binnenbrachten. Ze is er echt slecht aan toe.’

‘Maar in leven,’ zei de verpleegkundige. Ze gebaarde naar de onderzoeksruimte. ‘Niet langer dan een paar minuten.’

Ondanks de voorbereiding vertrok Alex’ gezicht toen ze Bailey zag. ‘Bailey, ik ben het, Alex.’

Baileys wimpers trilden toen ze uit alle macht probeerde haar ogen te openen.

‘Het geeft niet,’ zei Alex geruststellend. ‘Je moet rusten. Je bent veilig. Hope is veilig.’

Tranen sijpelden tussen Baileys gezwollen oogleden door. ‘Je bent er. Je hebt mijn kindje gered.’

Alex pakte zachtjes haar hand, zag de blauwe plekken en de ver ingescheurde nagels. ‘Ze is een prachtige meid. Meredith heeft voor haar gezorgd.’

Bailey dwong zichzelf haar ogen open te doen en keek van Alex naar Meredith. ‘Dank je.’

Meredith slikte hoorbaar. ‘Het gaat prima met Hope. Ze mist je, Bailey. En Alex heeft nooit de hoop opgegeven dat je nog leefde.’

Bailey likte langs haar droge, gebarsten lippen. ‘Beardsley?’ kraakte ze.

Alex depte Baileys mond met een vochtig washandje. ‘Hij leeft nog. Hij heeft mijn leven ook gered. Ik moest je zeggen dat hij nog wel bij je langskomt. Bailey, de politie heeft je vader gevonden.’

Baileys lippen trilden. ‘Ik moet je wat vertellen. Wade... heeft vreselijke dingen gedaan. Mijn vader wist dat.’

‘Weet ik. Ik heb eindelijk mijn herinneringen toegelaten. Craig heeft mijn moeder vermoord.’

Bailey kromp ineen. ‘Dat wist ik niet.’

‘Weet je nog, de pillen die ik die dag slikte? Had Craig die aan mij gegeven?’

'Ik denk het. Dat weet ik niet zeker. Maar Alex... Wade... Hij... Ik denk dat hij Alicia heeft vermoord.'

'Nee, dat is niet zo. Hij heeft een heleboel andere verschrikkelijke dingen gedaan, maar hij heeft haar niet vermoord.'

'Verkrachting?'

Alex knikte. 'Ja.'

'Er zijn er nog meer.'

Alex huiverde. Granville had hetzelfde gezegd. 'Je bedoelt de brief die Wade je had gestuurd? We hebben die gevonden, met de hulp van Hope.'

'Er waren er zeven. Wade en zes anderen.'

'Weet ik. Op Garth Davis na zijn ze allemaal dood, en Garth is gearresteerd.'

Weer kromp Bailey ineen. 'Garth? Maar hij... O, god, wat ben ik stom geweest.'

Alex dacht aan Sissy's telefoontje. Volgens Sissy had Bailey met een man afgesproken op de avond voordat ze werd ontvoerd. 'Hadden jullie een affaire?'

'Ja. Hij kwam bij me langs toen Wade dood was, condoleerde me als burgemeester.' Ze deed haar ogen dicht. 'Van het een kwam het ander. En Wade had me nog gewaarschuwd. "Vertrouw niemand."'

'Heeft Garth naar de spullen van Wade gevraagd?' vroeg Meredith zachtjes.

'Een paar keer, maar ik dacht er verder niet bij na en ik had Wades brieven nog niet ontvangen. Ik was zo blij dat iemand in de stad aardig voor me was... Garth zocht naar die klotesleutel, net als hij. Dat is alles waar hij maar om bleef vragen. Die klotesleutel.'

'Wie bleef om die sleutel vragen?' vroeg Alex, en Bailey rilde.

'Granville.' Ze zei het bitter. 'Waar was die sleutel van?'

'Een kluisje bij de bank,' zei Alex. 'Maar dat was leeg.'

Bailey keek onthutst op. 'Waarom heeft hij me dit dan aangedaan?'

Alex keek Meredith aan. 'Goeie vraag. Daniel en Luke dachten dat de zevende man nog een setje sleutels had, maar schijnbaar had Granville die niet.'

'Anders zou hij de foto's zelf uit de kluis hebben gehaald,' zei Meredith.

'Misschien heeft hij dat inderdaad gedaan,' opperde Luke vanuit de deuropening. 'Granville heeft die foto's misschien jaren geleden al opgehaald. Dat weten we nog niet. Maar toen Simon na al die jaren levend opdook werden ze allemaal nerveus. Als Daniel Simons sleutel had en Bailey die van Wade, zouden ze vragen zijn gaan stellen, en dat wilde Granville niet.' Hij ging naast Baileys bed staan. 'Chase wil met je praten, Alex. Hoe voel je je, Bailey?'

'Het komt wel goed,' zei Bailey fel. 'Ik moet wel. Hoe gaat het met dat meisje dat ik had gevonden?'

'Bewusteloos,' zei Luke.

'Dat is waarschijnlijk maar beter ook,' mompelde Bailey. 'Wanneer kan ik Hope zien?'

'Binnenkort,' beloofde Meredith. 'Ze heeft een vreselijk trauma opgelopen toen ze zag hoe jij in elkaar werd geslagen. Ik wil haar niet nog een keer laten schrikken. Laten we eerst je haar wassen en proberen wat blauwe plekken weg te werken voordat we Hope ophalen.'

Bailey knikte vermoeid. 'Alex, ik had Granville verteld dat ik jou de sleutel had gestuurd. Heeft hij je pijn gedaan?'

'Nee. Het bloed op mijn blouse is voornamelijk van hem. Hij is dood.'

'Mooi,' zei Bailey hard. 'Heeft hij geleden?'

'Niet genoeg. Bailey, wie anders heb je nog gezien toen je daar gevangen zat?'

'Alleen Granville en soms Mansfield. Soms hun bewakers. Hoezo?'

'Ik ben gewoon nieuwsgierig.' Alex zou Bailey later wel vertellen dat Granville had gezegd dat er nog anderen waren, net zoals ze zou wachten met vertellen dat Craig zuster Anne had vermoord. 'Ga nu maar slapen. Ik kom terug.'

'Alex, wacht even. Ik wilde hem niet vertellen dat jij de sleutel had, maar hij...' Haar ogen vulden zich met tranen terwijl ze naar de nieuwe naaldsporen op haar arm wees. 'Hij heeft me heroïne gegeven.'

Alex staarde vol afgrijzen naar de gaatjes. 'Nee.'

'Ik was al vijf jaar clean. Ik zweer het.'

'Weet ik. Ik heb Desmond en al je vrienden gesproken.'

'Nu moet ik wéér afkicken.' Baileys stem brak, en Alex' hart brak mee.

'Je hoeft het deze keer niet alleen te doen.' Alex kuste Bailey op haar voorhoofd. 'Ga nu maar slapen. Ik moet met de politie praten. Ze zullen ook met jou over de meisjes willen praten.'

Bailey knikte. 'Zeg maar dat ik zal helpen zoveel ik kan.'

Atlanta, zaterdag 3 februari, 10:15 uur

Daniel werd wakker en zag dat Alex in de stoel bij zijn bed zat te slapen. Hij moest drie pogingen doen voor hij haar naam met voldoende volume kon uitspreken om haar te wekken. 'Alex.'

Ze tilde haar hoofd op, knipperde met haar ogen en was meteen bij kennis. 'Daniel!.' Haar schouders zakten omlaag, en even dacht hij dat ze zou gaan huilen. De paniek welde in hem op.

'Wat?' Die enkele lettergreep scheurde bijna een stuk uit zijn keel.

'Wacht even.' Het ijssplintertje dat ze in zijn mond stopte voelde hemels aan. 'Ze hebben je van de beademing gehaald, dus je keel zal nog wel een tijdje pijn doen van het slangetje. Hier is pen en papier. Niet praten.'

'Wat?' herhaalde hij. 'Hoe erg is het met me?'

'Je mag over een paar dagen weer naar huis. Je hebt geluk gehad. De kogel heeft niets vitaals geraakt.' Ze kuste hem op zijn mondhoek. 'Je hoeft niet eens geopereerd te worden. Je wond is al vanzelf aan het genezen. Binnen een paar weken, hooguit een maand, ben je weer helemaal de oude en kun je weer aan het werk.'

Er was nog altijd iets heel erg mis. 'Wat is er met Mansfield en Granville gebeurd?'

'Mansfield, Granville en O'Brien zijn dood. Frank Loomis ook. Het spijt me, Daniel. Hij was waarschijnlijk al binnen een paar minuten na dat schot dood. Maar Bailey leeft nog.'

'Mooi.' Hij zei het zo fel als hij kon. 'Wat is daar gebeurd, Alex?' vroeg hij schor. 'Jij en Luke... Ik hoorde jullie praten. Iets over meisjes.'

'Granville was met iets afgrijselijks bezig,' zei ze zachtjes. 'We hebben de lichamen gevonden van vijf tienermeisjes. Hij hield ze daar gevangen. Beardsley zei dat hij dacht dat het er in totaal twaalf waren. Granville wilde ze verplaatsen, maar hij had geen tijd om ze allemaal mee te nemen. Hij heeft degenen die hij wilde achterlaten doodgeschoten.'

Daniel probeerde te slikken, maar het lukte niet. Alex stak nog een flintertje ijs in zijn mond, alleen deze keer hielp het niet.

'Een van die meisjes wist weg te komen, met de hulp van Bailey. Ze is bewusteloos, dus we weten verder nog niets. Luke zei dat hij een van de dode meisjes herkende van het werk dat hij voorheen deed.' Ze zuchtte vermoeid. 'Ik neem aan dat hij hun gezichten evenmin kan vergeten als jij de gezichten op Simons foto's kon vergeten. Een van de meisjes die we vonden kwam voor op een kinderpornosite die Lukes team acht maanden geleden had gesloten.'

Daniels maag verkrampte. 'God.'

'We waren een uur te laat.' Alex streelde zachtjes zijn hand. 'Daniel, voor hij stierf zei Granville dat hij het Simon had geleerd, dat er nog anderen waren, en toen zei hij: "Ik was van iemand anders."'

'Wie waren die anderen?'

'Dat heeft hij niet gezegd.'

'Mack O'Brien?'

'Chase' team heeft ontdekt waar hij woonde.'

'In de pakhuizen die Rob Davis op O'Briens grond had gebouwd?'

'Bijna goed. Hij woonde in een van de pakhuizen die de drukker van de *Review* gebruikte als opslag. Delia's auto was voorzien van gps en Chase' mensen hebben het signaal getraceerd en alle andere auto's gevonden die Mack had gehouden. Luke vond e-mails op Macks computer. Hij was van plan om Delia's Porsche, Janets z4 en Claudia's Mercedes te verkopen. Hij had Gemma's Corvette overgespoten. Kennelijk was hij van plan die zelf te houden.'

'Wacht even. Zat Mack in een pakhuis waar ze exemplaren van de *Review* bewaarden? Hoezo?'

'Hij werkte voor de *Review*. Daniel, Mack was de krantenjongen. Hij heeft dinsdagochtend nog bij mij op de veranda met me staan kletsen, zo gezellig als maar kan.'

Daniels maag verkrampte bij de gedachte aan Mack O'Brien zo dicht bij haar. 'Shit. En niemand had hem herkend?' vroeg hij hees.

'Marianne had hem ingehuurd. Zij deed alle administratie voor de krant. Ze had hem nooit ontmoet. Mack was nog maar klein toen jullie allemaal op de middelbare school zaten. Hij bracht de kranten rond als de meeste mensen nog sliepen, en de rest van de tijd reed hij gewoon rond in Mariannes bestelbusje, observerend. Mack keek veel.'

'Naar wie?'

'Naar iedereen. Hij heeft foto's van Garth die bij Bailey naar binnen gaat, Mansfield die meisjes aflevert bij Granvilles bunker, Mansfield –'

'Wacht even. Was Mansfield dáár bij betrokken?'

'Ja. We weten nog niet precies hoe, maar hij was betrokken bij Granvilles zaakjes.'

Daniel deed zijn ogen dicht. 'Verdomme. Ik bedoel... God, Alex.'

'Ik weet het,' mompelde ze. 'Voor wat het waard is, het lijkt erop dat Frank er niks mee te maken had. Hij kreeg gisterochtend een sms'-je waarin stond waar hij Bailey kon vinden. Hij dacht dat het van Marianne was, maar het kwam van het mobieltje van Mack.'

'Maar Frank heeft toch bewijzen vervalst in de moordzaak van Gary Fulmore.'

Zijn stem was een droog gekraak. Alex wees hem terecht met een strenge blik en gaf hem nog een flintertje ijs.

'Gebruik nou pen en papier... Ja, Frank heeft toen bewijzen vervalst, maar ik denk niet dat hij gisteren de bedoeling had om je te verraden. Bailey zei dat Frank haar had helpen ontkomen.'

Daar kon hij wel enige troost uit putten, nam Daniel aan. Maar toch... 'Ik wou dat ik wist waaróm. Ik moet weten waaróm.'

'Misschien beschermde hij iemand. Misschien werd hij gechanteerd.' Ze streek met haar hand over zijn wang. 'Wacht tot je weer in orde bent. Dan doe je onderzoek en vind je hopelijk wat antwoorden.'

Hopelijk. Daniel wist dat hij Franks redenen misschien wel nooit zou kennen, maar hij moest geloven dat Frank die had. 'En verder?'

Alex zuchtte. 'Mansfield had Lester Jackson ingehuurd, de vent die me wilde aanrijden en die Sheila en die jonge brigadier uit Dutton heeft vermoord bij Presto's Pizza. Chase vond een prepaid mobieltje in Mansfields jaszak. Het nummer daarvan komt overeen met de binnenkomende gesprekken naar Lester Jacksons mobiele telefoon op de dag dat hij mij probeerde te vermoorden.'

'Dagboeken?'

'Chase heeft ze bij Macks spullen gevonden. Alles wat Annette zei klopt. Mack schaduwde Garth en Rob Davis en Mansfield al een maand. Ik denk dat hij ook niet zeker wist wie de zevende man was, want hij had aan het begin heel veel foto's gemaakt van mannen in de stad.

'Maar toen zag hij Granville bij de bunker staan, en vanaf dat moment maakte hij alleen nog maar foto's van Toby, Garth, Randy en Rob Davis. Rob had een affaire met Delia, dus ik denk dat Mack het een dubbele bonus vond om haar te vermoorden. Hij had zijn wraak op Delia omdat ze zijn moeder had belasterd, en zo kwetste hij Rob Davis nog meer.

'Mack had foto's van Mansfield die Rhett Porter vermoordde.' Ze weifelde. 'En hij had foto's van mij en van ons.' Haar gezicht kleurde. 'Hij zat donderdagavond in zijn busje voor je huis. Hij heeft foto's van ons gemaakt door het raam. Volgens mij heeft hij daar verder niks mee gedaan.' Ze haalde haar schouders op. 'Hij wilde mij hebben om de cirkel rond te maken.'

Ze zei het zo nuchter, terwijl Daniel kookte van woede.

'Goddomme,' zei hij met opeengeklemde kiezen, en ze wreef over zijn hand. 'Kluisje?'

'Als Rob Davis het weet, zegt hij niks. Garth heeft een advocaat in de arm genomen. Uiteindelijk geven ze misschien antwoorden, maar dat zal dan in ruil zijn voor een aanbod van de officier van justitie.'

'Hatton?'

Ze glimlachte. 'Met hem komt het goed. Het zal wel even duren voor hij weer aan de slag kan, maar hij overleeft het. Hij zei dat hij toch vrij dicht voor zijn pensioen staat.'

'Crighton?' vroeg hij, en haar glimlach vervaagde.

'Ze hebben vingerafdrukken van hem gevonden in zuster Annes kamer, in haar bloed, dus ze hebben genoeg om hem te arresteren voor moord. Chase heeft me verteld dat als Craig niet bekent, we hem niet kunnen pakken voor de moord op mijn moeder of voor samenzweren met Wade om een misdaad te verhullen.'

'De pillen die je had genomen?'

'Daar kom ik misschien nooit achter. Ik ben niet van plan hem te smeken om een antwoord.'

'Heb je hem al gezien?'

'Nee.'

'Ik ga wel met je mee,' zei hij. Ze ontspande zich, en hij wist dat ze bang was geweest om in haar eentje te gaan.

'Bailey denkt dat Wade en hij me hebben gedwongen om die pillen te slikken, door bepaalde dingen die Wade toen zei, maar we hebben niks concreets.'

'Is Bailey wakker?'

Ze knikte. 'Ik ren van de ene ziekenhuiskamer naar de andere,' zei ze met een klein glimlachje. 'Jij, Bailey, Beardsley, Hatton en dat meisje dat Bailey heeft gered. Bailey zegt dat het enige wat ze zich herinnert van de nacht dat Alicia stierf, is dat Alicia bij de lunch iets in mijn soep had gedaan om me ziek te maken. Ze wist dat ze die avond naar een feestje ging en ze wilde niet dat ik meeging. Ze was nog kwaad op me vanwege die tattoo en omdat ik de leraren had verteld dat we bij proefwerken soms van plaats ruilden. Dat zij kwaad op me was, heeft waarschijnlijk mijn leven gered.'

Hij verstrakte zijn greep op haar hand. 'Hope?'

'Ze weet dat Bailey leeft, maar heeft haar nog niet gezien. Bailey ziet er nog slecht uit. Daniel, Granville heeft Bailey heroïne gegeven om haar aan het praten te krijgen.' Alex' stem trilde. 'Ze was al vijf jaar clean. Nu moet ze dat allemaal weer doorstaan. Hij was arts.'

'Hij was een wrede smeerlap.' Daniel dwong zichzelf de woorden hardop uit te spreken.

Ze zuchtte. 'Dat ook. Bailey had een affaire met Garth, maar het is niet duidelijk of hij wist dat Manfield en Granville haar hadden ontvoerd of niet. Zoals ik al zei, Garth heeft een advocaat. Luke heeft geprobeerd hem te verhoren, maar tot nu toe praat Garth niet. Dat is het wel zo'n beetje.'

'Suze?'

'Ze is nog hier. Ze heeft veel bij jou en dat arme kind gezeten.' Toen hij vragend zijn wenkbrauw optrok, voegde ze eraan toe: 'Dat meisje dat Bailey heeft geholpen. We weten niet hoe ze heet. Daniel, ik heb nagedacht.'

Een gevoel van angst spoelde over hem heen. Toen veegde hij het aan de kant. Misschien ging ze uiteindelijk wel weg, maar nu nog niet. Daarvan was hij overtuigd. 'Waarover?'

'Jou. Mij. Bailey en Hope. Jij komt wel weer op je pootjes terecht als je hier weg bent, maar Bailey... ze heeft nog een lange weg te gaan. Ze zal hulp nodig hebben met Hope.'

'Waar?' vroeg hij.

'Hier. Haar vrienden wonen hier. Ik wil haar daar niet bij weghalen. Ik blijf hier. Ik zal een huis moeten zoeken voor Bailey, Hope en mij, maar –'

'Nee,' zei hij hees. 'Jij logeert bij mij.'

'Maar ik zal op Hope moeten passen terwijl Bailey naar de ontwenningskliniek gaat.'

'Jij logeert bij mij,' herhaalde hij. 'Hope logeert bij ons. Bailey kan bij ons wonen zolang als het nodig is.' Hij begon te hoesten, en ze zette een bekertje water aan zijn lippen.

'Rustig,' droeg ze hem op toen hij grote slokken wilde nemen. 'Een klein slokje.'

'Ja, mevrouw.' Hij ging weer liggen en keek in haar ogen. 'Jij logeert bij mij.'

Ze glimlachte 'Ja, meneer.'

Hij liet zijn blik niet zakken. 'Ik meende wat ik zei, daarbuiten.'

Ze aarzelde niet. 'Ik ook.'

Hij zuchtte van verlichting. 'Mooi.'

Ze drukte haar lippen op zijn voorhoofd. 'Nu weet je alles wat je weten moet. Hou op met praten en ga slapen. Ik kom straks terug.'

Atlanta, zaterdag 3 februari, 12:30 uur

'Bailey.'

Haar oogleden trilden bij het horen van de bekende stem en de moed zonk in haar schoenen. Ze was weer dáár. De ontsnapping was maar een droom geweest. Toen voelde ze het zachte bed en wist ze dat de nachtmerrie voorbij was. Eentje ervan, althans. Haar verslavingsnachtmerrie was echter opnieuw begonnen.

'Bailey.'

Ze opende haar ogen en haar hart maakte een sprongetje. 'Beardsley.' Hij zat in een rolstoel naast haar bed. Hij was gewassen. Met blauwe plekken en een grote snee over zijn wang, maar schoon. Zijn haar was zandbruin geknipt, in een kort legerkapsel. Hij had sterke jukbeenderen en een stevige kaak. Zijn ogen waren bruin en warm, net zoals ze zich herinnerde. Zijn lippen waren gebarsten, maar stevig en goed in proportie. Alles aan hem was stevig en goed in proportie.

'Ik dacht dat je dood was,' fluisterde ze.

Hij glimlachte. 'Nee. Daar ben ik te taai voor.'

Dat kon ze wel geloven. Hij was echt drie keer groter dan zij. 'Ik heb Alex gezien.'

'Ik ook. Ze heeft rondes gelopen om bij ieder van ons te kijken. Je hebt een heel sterke stiefzus, Bailey. En zij heeft ook een sterke stiefzus.'

Zijn compliment verwarmde haar hart. 'Je hebt mijn leven gered. Hoe kan ik je daarvoor bedanken?'

Hij trok zijn wenkbrauwen op. 'Daar hebben we het later nog wel over. Hoe voel je je?'

'Alsof ik een week gevangen ben gehouden.'

Weer glimlachte hij. 'Je hebt het goed gedaan, Bailey. Je mag trots op jezelf zijn.'

'Je weet niet wat je zegt. Je weet niet wat ik heb gedaan.'

'Ik weet wat ik je heb zien doen.'

Ze slikte. 'Ik heb vreselijke dingen gedaan.'

'Je bedoelt de drugs?'

'En andere dingen.' Ze glimlachte droevig. 'Ik ben geen meisje dat je meeneemt naar je moeder.'

'Omdat je prostituee bent geweest en affaires hebt gehad, bedoel je?'

Ze deed stomverbaasd haar ogen open. 'Wist je dat?'

'Ja. Wade had me over je verteld voordat hij stierf. Hij was zo trots dat je je leven had veranderd.'

'Dank je.'

'Bailey, je begrijpt me niet. Ik weet het. Het kan me gewoon niet schelen.'

Ze keek in zijn warme ogen, weer zenuwachtig. 'Wat wil je van me?'

'Dat weet ik nog niet. Maar ik wil er graag achter komen. We zijn niet zonder reden bij elkaar beland, en ik wil dat je weet dat ik niet wegloop nu die fase achter de rug is.'

Ze wist niet wat ze moest zeggen. 'Ik moet weer afkicken.'

Zijn bruine ogen fonkelden boos. 'En daarvoor zou ik hem graag nog een keer doodschieten.'

'Beardsley, hij...' De woorden bleven in haar keel steken.

Hij klemde zijn kiezen op elkaar, maar toen hij weer sprak, klonk zijn stem vriendelijk. 'Ik weet dat ook. Bailey, je bent vandaag op eigen benen door die deur gelopen. Kijk niet achterom.'

Ze deed haar ogen dicht en voelde de tranen over haar wangen biggelen. 'Ik weet je voornaam niet eens.'

Hij legde zijn hand op die van haar. 'Ryan. Kapitein Ryan Beardsley, U.S. Army. Mevrouw.'

Haar lippen vertrokken trillend in een glimlach. 'Aangenaam kennis te maken, Ryan. Is dit het moment waarop we zeggen dat dit het begin is van een mooie vriendschap?'

Hij glimlachte terug. 'Is dat niet de beste plek om te beginnen?' Hij boog zich naar voren en kuste haar op de wang. 'Ga slapen. En maak je geen zorgen. Zodra je er klaar voor bent, brengen ze Hope hierheen. Ik wil haar graag ontmoeten, als jij dat goed vindt.'

Atlanta, zaterdag 3 februari, 14:45 uur

'Hoe gaat het met het meisje?'

Susannah hoefde niet op te kijken om te weten dat Luke Papadopoulos achter haar stond. 'Ze is een tijdje wakker geweest, maar ze is weer weggezakt. Ik denk dat het haar manier is om de pijn nog een tijdje te ontlopen.'

Luke kwam het kleine kamertje op de IC binnen en trok de andere stoel bij. 'Heeft ze nog iets gezegd toen ze wakker was?'

'Nee. Ze keek me alleen maar aan alsof ik God was of zo.'

'Jij hebt haar uit het bos gekregen.'

'Ik heb niks gedaan.' Ze slikte. Het was een waarheid als een koe.

'Susannah, jij hebt dit niet veroorzaakt.'

'Daar ben ik het toevallig niet mee eens.'

'Praat met me.'

Ze draaide zich om en keek hem aan. Hij had de donkerste ogen die ze ooit had gezien, zwarter dan de nacht. En op dit moment kolkten ze van de turbulente emoties. Maar de rest van zijn gezicht was beheerst. Hij had wel een standbeeld kunnen zijn, zo weinig gevoel was er op zijn gezicht te zien. 'Waarom?'

'Omdat...' Hij haalde zijn ene schouder op. 'Omdat ik het wil weten.'

Eén kant van haar mond kwam omhoog, een trekje waarvan veel mensen dachten dat het een sneer was. 'Wat wil je weten, rechercheur Papadopoulos?'

'Waarom je denkt dat dit jouw schuld is.'

'Omdat ik het wist,' zei ze vlak. 'Ik wist het, en ik heb niks gezegd.'

'Wat wist je dan?' vroeg hij heel rationeel.

Ze wendde haar blik af en richtte die op het meisje zonder naam. Die haar had aangekeken alsof ze God was. 'Ik wist dat Simon een verkrachter was.'

'Ik dacht dat Simon niet aan die verkrachtingen meedeed, dat hij alleen foto's maakte.'

Ze herinnerde zich de foto die Simon haar had laten zien. 'Hij heeft minstens een keer meegedaan.'

Ze hoorde Luke diep inademen. 'Heb je dat aan Daniel verteld?'

Susannah draaide zich met een ruk om en keek hem woedend aan. 'Nee. En dat doe jij ook niet.'

Een enorme woede kolkte en borrelde binnen in haar en dreigde elke dag van haar leven te ontsnappen. Ze wist wat ze had gedaan, en wat ze niet had gedaan. Daniel had maar een glimp gezien, met die foto's waarop geen verkrachters te herkennen waren. Zij kon niet hetzelfde zeggen. 'Ik weet alleen dat als ik iets had gezegd, dit misschien voorkomen had kunnen worden.' Ze streek lichtjes met haar hand over de reling van het ziekenhuisbed. 'Zij had dan misschien niet hier gelegen.'

Luke zweeg een hele tijd, en samen keken ze naar de ademhaling van het meisje, verzonken in hun eigen gedachten. Susannah kon respect opbrengen voor een man die wist wanneer hij de stilte niet moest doorbreken. Uiteindelijk sprak hij. 'Ik heb een van de lijken daar herkend.'

Ze draaide zich om en keek hem weer verbaasd aan. 'Hè?'

'Van een zaak waar ik acht maanden geleden aan werkte.' Er trok een spiertje in zijn wang. 'Ik kon dat meisje niet beschermen. Ik kon een seksuele sadist die het op kinderen had voorzien geen verantwoording laten afleggen. Ik wil nog een poging doen.'

Ze keek hem onderzoekend aan, keek naar de stand van zijn mond. Ze dacht niet dat ze ooit zo'n ernstige man had gezien. 'Granville is dood.'

'Maar er is nog een ander. Iemand die de touwtjes in handen heeft. Iemand die Granville heeft geleerd hoe hij heel goed moest worden in zijn werk. Hem moet ik hebben.'

Hij draaide zich om en keek in haar ogen, en ze deinsde bijna achteruit van de kracht die van hem afstraalde. 'Ik wil hem de hel in smijten en de sleutel weggooien.'

'Waarom vertel je mij dat?'

'Omdat ik denk dat jij hetzelfde wilt.'

Ze draaide zich weer om naar het meisje, en de woede binnen in haar kolkte hoger op. Ze was woedend op Simon, op Granville, op die mysterieuze wie-dan-ook... en op zichzelf. Destijds had ze niets gedaan. Dat zou veranderen, met ingang van vandaag. 'Wat wil je dat ik doe?'

'Weet ik nog niet. Ik bel je als ik het wel weet.' Hij stond op.

'Bedankt.'

'Waarvoor?'

'Omdat je Daniel niet over Simon vertelt.' Ze keek naar hem op. 'Bedankt dat je mijn beslissing respecteert.'

Ze bleven elkaar nog een tijdlang in de ogen kijken. Toen knikte Luke Papadopoulos en liep weg. Susannah draaide zich weer om naar het meisje zonder naam.

En ze zag zichzelf.

Atlanta, maandag 5 februari, 10:45 uur

Het was drie dagen geleden dat Mansfield Daniel had neergeschoten en de dominostenen waren omgevallen. Het was drie dagen geleden dat Alex een man had gedood en twee anderen voor haar ogen had zien sterven, en het was nog altijd niet tot haar doorgedrongen. Of misschien speet het haar gewoon niet.

Alex neigde naar dat laatste.

Ze duwde Daniels rolstoel door de deur bij de officier van justitie, het kleine kamertje binnen waar hun bespreking zou plaatsvinden.

'Dit is tijdverspilling, Daniel.'

Daniel duwde zichzelf uit de stoel omhoog en liep op eigen benen naar de tafel. Hij was afgevallen en nog altijd bleek, maar hij herstelde goed. Hij trok een stoel voor haar onder de tafel vandaan en ging naast haar zitten. 'Doe het dan maar voor mij. Jij denkt misschien dat je geen behoefte hebt aan afsluiting, maar ik wel.'

Ze staarde naar de muur. 'Ik wil hem niet zien.'

'Waarom niet?'

Ze bewoog onbehaaglijk haar schouders. 'Ik heb dingen te doen; dingen die iets opleveren. Zoals Bailey in een kliniek krijgen, Hope elke dag naar de kleuterschool brengen en een baan zoeken.'

'Allemaal heel belangrijke dingen,' beaamde hij minzaam. 'En wat is de echte reden?'

Ze draaide zich om en keek hem boos aan, maar toen ze de tederheid in zijn ogen zag slikte ze moeizaam. 'Ik heb iemand gedood,' mompelde ze.

'Je voelt je niet schuldig over Mansfield.' Het was meer een verklaring dan een vraag.

'Nee. Integendeel, eigenlijk. Ik ben blij dat ik hem heb gedood. Ik voelde me...'

'Sterk?' opperde hij, en ze knikte.

'Ja, dat zal het wel zijn. Alsof ik het op dat moment voor het zeggen had en iets kon herstellen wat vreselijk fout was gegaan met de wereld.'

'Dat heb je ook gedaan. Maar dat maakt je bang.'

'Ja, het maakt me bang. Ik kan niet zomaar mensen doodschieten, Daniel. Craig wil vast niet met me praten en dan voel ik me machteloos. Ik zal gaan wensen dat ik hem ook kon neerschieten, en dat kan niet.'

'Welkom in mijn wereld,' zei Daniel met een wrange glimlach. 'Maar hem ontlopen is niet de oplossing, lieverd. De waarheid ontlopen heeft je alleen maar geschreeuw en nachtmerries opgeleverd.'

Ze wilde eigenlijk protesteren, maar ze wist dat hij gelijk had. Toen vergat ze haar protesten, want de deur ging open en een bewaker leidde Craig Crighton de kamer in. Hij was aan polsen en enkels geboeid. De bewaker duwde Craig in een stoel. Met rammelende ketens ging hij zitten.

Het duurde een volle minuut voordat Alex enkele dingen besefte. Ze hield haar hoofd omlaag, starend naar haar handen, net als die dag in het ziekenhuis, zo veel jaren geleden. Niemand had nog iets gezegd. En er klonk geen geschreeuw in haar hoofd, alleen een verkillende stilte. Daniel legde zijn handen op die van haar en kneep lichtjes, wat haar de kracht gaf om Craig Crighton in de ogen te kijken.

Hij was oud. Afgeleefd. Jaren van drugsgebruik en leven op straat hadden zijn ogen mat gemaakt. Maar hij staarde haar aan net zoals Gary Fulmore had gedaan, en Alex besefte dat hij Alicia zag. Of misschien zelfs haar moeder.

'Craig,' zei ze vlak, en hij schrok zich kapot.

'Jij bent haar niet,' mompelde hij.

'Nee, dat klopt. Ik weet wat je hebt gedaan,' zei ze, nog altijd vlak.

Craig kneep zijn ogen tot spleetjes. 'Ik heb niks gedaan.'

'Rechercheur Vartanian.' Alex keek naar een jongeman in een blauw pak die naast een stijlvolle blondine in een zwart pak zat. De jongeman had gesproken. Alex herkende de blondine als officier van justitie Chloe Hathaway, van de keren dat Hathaway in het ziekenhuis bij Daniel op bezoek was gekomen.

Alex' aanname dat de jongeman Craigs advocaat was, werd snel bevestigd. 'Wat hoopt u te winnen met dit gesprek? Mijn cliënt is aangeklaagd voor de moord op zuster Anne Chambers. U verwacht toch niet dat hij zichzelf nog verder in de nesten werkt door een andere moord te bekennen?'

'Gewoon even praten,' zei Daniel losjes. 'Misschien om een paar puntjes uit het verleden op te helderen.'

'Ik weet dat uw cliënt mijn moeder heeft vermoord,' zei Alex, trots dat haar stem niet trilde. 'En hoewel ik graag zou willen dat hij gestraft werd, weet ik dat hij het niet zal toegeven. Maar ik wil wel graag weten wat er daarna is gebeurd.'

'Je hebt een potje pillen geslikt,' zei Craig kil.

'Dat denk ik niet,' antwoordde Alex. 'Als jij ze me hebt gegeven, zou ik dat graag weten.'

'Als hij ze u had gegeven,' zei Craigs advocaat gladjes, 'dan zou dat poging tot moord zijn geweest. U kunt ook niet van hem verwachten dat hij dat toegeeft.'

'Ik dien geen aanklacht in,' zei Alex.

'U zou geen keus hebben,' merkte Chloe Hathaway op. 'Als meneer Crighton u had proberen te vermoorden door u een overdosis pillen te geven, zou ik hem móéten vervolgen.'

'Maar je zou toch wel iets kunnen regelen, Chloe?' vroeg Daniel.

'Een lichtere aanklacht voor die non?' vroeg Craigs advocaat behoedzaam, en Alex' woede kookte over.

Ze stond trillend op, maar nu van woede. 'Nee. Geen sprake van. Ik offer gerechtigheid voor zuster Anne niet op om alleen mijn trots te strelen.' Ze boog zich over de tafel tot ze oog in oog stond met Crighton. 'Jij hebt mijn moeder vermoord, en je zoon heeft mijn zus verkracht. Hij probeerde mij ook te verkrachten, en jij hebt nooit iets gedaan om hem tegen te houden. Als ik die pillen heb genomen, dan schaam ik me daar niet voor. Je hebt me alles afgenomen waar ik toen van hield. Je neemt me nu niet mijn zelfrespect af.' Ze keek Chloe Hathaway aan. 'Het spijt me dat u voor niets bent gekomen, maar we zijn klaar.'

'Alex,' mompelde Daniel. 'Ga nog even zitten. Alsjeblieft.' Zijn grote hand rustte op haar rug, trok haar omlaag tot ze weer ging zitten. 'Chloe?'

'Immuniteit voor die poging tot moord, maar niets voor de moord op de non.'

Craigs advocaat lachte. 'Dus dit is alleen maar een goede daad? Nee, bedankt.'

Daniel schonk Craig zijn meest kille blik. 'Zie het maar als boetedoening voor het vermoorden van een non.'

Ze bleven zwijgend zitten tot Alex het niet meer kon verdragen. Ze stond op. 'Mijn moeder heeft jou niet doodgeschoten toen ze de kans had. Noem het angst, paniek of genade, het resultaat blijft hetzelfde. Jij bent hier en zij niet, omdat jij bang was dat je geheim aan het licht zou komen. Maar wat denk je? Het zou vroeg of laat toch wel zijn uitgekomen. Geheimen blijven meestal niet lang geheim. Ik heb mijn moeder verloren, maar jij hebt ook verliezen geleden. Jij hebt Bailey en Wade verloren, en je leven zoals je het kende. Ik heb mijn leven nog. Zelfs als je advocaat je hier op een dag uit weet te krijgen, dan nog krijg je nooit meer je leven terug. Die wetenschap is voor mij genoeg.'

Ze was al naar de deur gelopen toen Craig haar tegenhield.

'Jij hebt die pillen niet geslikt. Ik heb ze je toegediend.'

Ze draaide zich langzaam om. 'Hoe dan?' vroeg ze zo neutraal als ze kon.

'We hebben ze vermalen en in water opgelost. Toen je bijkwam lieten we je dat drinken.'

'We?'

'Wade en ik. Voor wat het waard is: hij wilde niet.'

Alex liep terug naar de tafel en keek hem aan. 'En de pillen die je me in mijn hand stopte op de dag dat Kim me mee naar huis nam?' vroeg ze.

Hij sloeg zijn blik neer. 'Ik hoopte dat je ze ofwel zou slikken, ofwel dat Kim ze zou vinden en me zou aangeven. Dat is alles.'

Het was genoeg. 'Als je ooit weer vrijkomt, blijf dan bij Hope en Bailey uit de buurt.'

Hij knikte kort. 'Breng me terug.'

De bewaker begeleidde Craig, en zijn advocaat liep mee. Chloe Hathaway keek Alex onderzoekend aan. 'Ik zou geen strobreed hebben toegegeven over die non. Dat u het even weet.'

Alex glimlachte dunnetjes. 'Dank u voor die immuniteit. Het is fijn om de waarheid te weten.' Toen de officier van justitie weg was wendde Alex zicht tot Daniel. 'En jij bedankt omdat je me mee hebt gesleept. Ik moest het echt weten.'

Hij stond op en sloeg zijn armen om haar heen. 'Weet ik wel. Mij maakte het hoe dan ook niet uit, maar jij moest het weten. Nu zijn alle geheimen die er waren weg. Kom, we gaan naar huis.'

Naar huis. Naar Daniels huis met de gezellige woonkamer, de biljarttafel en de bar met pokerende honden, en de slaapkamer met zijn grote bed. Voor Daniel zou het de eerste nacht in zijn eigen huis worden sinds hij was neergeschoten. De warmte verspreidde zich door haar lichaam toen ze eraan dacht dat ze niet langer alleen in dat grote bed hoefde te slapen.

Toen herinnerde ze zich hoe ze zijn huis had achtergelaten en trok een gezicht. 'Eh, zolang we waarheden ontsluieren, ik heb ook een bekentenisje. Hope heeft Riley gevoerd.'

Daniel kreunde. 'Waar?'

'In de woonkamer. Ik heb Lukes moeder gebeld en ze stuurt Lukes neef. Hij heeft zijn eigen tapijtreinigingsbedrijfje. Het zou weer schoon moeten zijn als we thuiskomen.'

Hij ging met een zucht in de rolstoel zitten. 'Nog meer geheimen of bekentenissen?'

Ze lachte, en stond zelf te kijken van het geluid. 'Nee, dat was het wel. Kom, we gaan naar huis.'

Dankwoord

Danny Agan voor het beantwoorden van al mijn vragen over politieprocedures.

Dokter Kathy Berg voor de rondleiding in Medisch Centrum Hennepin. Ik had altijd al een groot respect voor mensen die in de zorg werken, maar door die rondleiding is dat respect nog groter geworden. Bedankt.

Doug Byron voor het beantwoorden van al mijn vragen over forensische chemie.

Marc Conterato voor alles op het medische vlak.

Martin Hafer voor informatie over hypnose en omdat je het eten onder de deur van mijn kantoor door schuift wanneer ik tegen een deadline aan zit.

Jimmy Hatton en Mike Koenig omdat ze al die jaren geleden zo'n geweldig team waren. Ik kon er niets aan doen, maar moest jullie nog een keer laten opkomen.

Terri Bolyard, Kay Conterato en Sonie Lasker voor het luisteren als ik vast kom te zitten!

Shannon Aviles voor je steun en vele inspanningen.

Beth Miller voor al je enthousiasme!

Alle eventuele fouten zijn alleen aan mij te wijten.

Over de auteur

Karen Rose is een bekroonde auteur die verliefd werd op boeken vanaf het moment dat ze leerde lezen. Ze begon haar eigen verhalen te schrijven toen de personages in haar hoofd begonnen te praten en zich niet het zwijgen lieten opleggen. Karen, voorheen scheikundig ingenieur en scheikunde- en natuurkundelerares op een middelbare school, woont in Florida met de man met wie ze al twintig jaar getrouwd is, hun twee kinderen en de kat, Bella. Als ze niet schrijft, oefent Karen voor haar volgende karateband! Karen is dolblij met je e-mail op karen@karenrosebooks.com.